Super ET

Melania G. Mazzucco

Un giorno perfetto

Einaudi

© 2017 Giulio Einaudi editore s.p.a., Torino

www.einaudi.it

ISBN 978-88-06-23358-7

Un giorno perfetto

La famiglia è il luogo in cui dimorano
le speranze del nostro paese, il luogo
che fa spuntare le ali ai sogni.

George W. Bush,
Discorso sullo stato dell'Unione, 2004

Oh it's such a perfect day
I'm glad I spent it with you

Oh such a perfect day
You just keep me hanging on
You just keep me hanging on

Just a perfect day
You made me forget myself

I thought I was
someone else
someone good

You're going to reap
just what you sow
You're going to reap
just what you sow
You're going to reap
just what you sow
You're going to reap
just what you sow

LOU REED

Oh, è proprio un giorno perfetto
Sono felice di averlo trascorso con te

Oh, un giorno cosí perfetto
Tu mi tieni legato alla vita
Tu mi tieni legato alla vita

Proprio un giorno perfetto
mi hai fatto dimenticare di me stesso

credevo di essere
qualcun altro
uno buono

Stai per raccogliere
quello che hai seminato
stai per raccogliere
quello che hai seminato
stai per raccogliere
quello che hai seminato
stai per raccogliere
quello che hai seminato

Roma si addormenta lentamente, sprofondando nel torpore della notte. In lontananza echeggia una sirena. Gli ultimi autobus, vuoti e illuminati, sfrecciano sull'asfalto umido, e nell'edicola un uomo intabarrato in un giaccone sistema una pila di giornali. Davanti al Viminale alcuni operai del gas, arancioni nei giubbotti fosforescenti, aggiustano un tubo. Hanno acceso un fanale che squarcia la condensa, fantomatico e accecante. Ogni tanto sibila la fiamma ossidrica, sprizzando fasci di scintille. La volante della polizia, con la sirena che ulula, risale via Cavour, costeggia la basilica e i fagotti che dormono sulle panchine, svolta a destra e imbocca via Carlo Alberto.

Il lampeggiante proietta un'ombra azzurra su due neri o magrebini o indiani che affrettano il passo e vengono graziati dallo schermo di un furgone. La strada è larga, i numeri civici non si leggono nella penombra gialla dei lampioni. Gli agenti superano macchine in doppia fila davanti ai cassonetti e uno sguattero che trascina in strada due sacchi neri coi rifiuti di un ristorante. Sbucano in piazza Vittorio senza aver individuato il numero 17. Costeggiano i portici, dal giardino proviene l'eco di un alterco e un risuonare di cocci. Riprendono via Carlo Alberto in senso inverso. I palazzi sono alti, incombenti, la strada dritta come un'anomalia. In fondo, la cuspide piramidale del campanile di Santa Maria Maggiore sembra un'ospite di un'altra epoca. Negozi di abbigliamento cinesi e di bigiotteria da quattro soldi, una parrucchiera nigeriana specializzata in ac-

conciature afro, phone center per chiamare il Pakistan e le Filippine a poco prezzo, la botteguccia antiquata di un barbiere,
sopravvissuta ai mutamenti del rione, hotel a due e tre stelle per
turisti senza pretese. Gli agenti passano e ripassano piú volte
davanti agli stessi edifici, agli stessi negozi, alle stesse insegne,
prima di capire che il palazzo che cercano è lo stesso che ospita
l'albergo Jubileum – l'insegna al neon diffonde sul marciapiede
sottostante un alone spettrale di luce.

L'agente semplice indica il numero 17, tutto soddisfatto di
essere stato lui a individuarlo. Chi mai abiterebbe al civico 17?
Uno che non ha paura della sfortuna. Uno felice. In cima a una
ripida scala, la porta a vetri incorniciata da un'intelaiatura di
alluminio è chiusa. L'agente scelto scende e l'altro, appena arrivato nella capitale da un buco di provincia, lo segue docile ubbidiente voglioso di mettersi in buona luce. Non gli hanno spiegato cosa è successo al 17, solo che un vicino ha segnalato queste
grida – colluttazione tonfi sospetti. E loro sono accorsi subito.

Nell'atrio dell'albergo non c'è nessuno – dietro il bancone
solo il quadro delle chiavi, vuoto: i clienti non approfittano delle occasioni notturne di Roma e si sono già ritirati nelle stanze.
Sul citofono del condominio, qualche nome straniero, polac-
co forse, e sull'etichetta scritta a pennarello un nome sbiadito
quasi illeggibile, che però gli sembra di conoscere: BUONOCORE.
L'agente scelto spera che non sia *quel* Buonocore. È uno bravo, uno di noi. Ma del resto è un cognome cosí comune. Poiché
la porta a vetri è chiusa, pigia uno dopo l'altro tutti i tasti del
citofono. Sente lo squillo stridulo risuonare nella quiete degli
appartamenti. Il palazzo è in via di restauro, la parte inferiore
della facciata coperta da impalcature schermate da un telone
sul quale un calciatore famoso para un rigore scagliando la palla verso la traversa e volando nel cielo con gesto plastico perfetto. Siccome tifa per la Roma, quel gesto plastico perfetto gli
sembra un deliberato affronto ed è contento di non abitare qui
e di non doverlo vedere tutti i giorni. Il gigantesco portiere di
stoffa nasconde le finestre, le persiane e la luce che filtra dalle
imposte. Ma forse non filtra luce perché sono tutti addormenta-

ti, tranquilli, evidentemente il tizio allarmato soffre d'insonnia e fracassa l'anima ai vicini e alle forze dell'ordine. Che rottura, questa chiamata a mezzanotte, proprio quando stava per staccare. Non risponde nessuno. Suona di nuovo, a lungo. La notte è vuota, nebbiosa, la realtà una strada innaturalmente morta, punteggiata da alberi infreddoliti, attraversata da fantasmi rapidi e muti, un silenzio che il buio rende sconfinato. «Che facciamo se non apre?» chiede l'agente semplice, preoccupato. L'agente scelto non risponde. «Siete voi?» biascica finalmente una voce assonnata. «È lei che ha chiamato? Apra, polizia».

Cercano l'ascensore, ma non c'è. I due agenti salgono sbuffando su per scale ripide, fra pareti bianche adorne di scarpate. Intravedono corridoi tetri che spariscono nel buio: vi affacciano decine di porte scompagnate, malmesse, istoriate di graffi. La convocazione dell'assemblea condominiale langue ignorata a ogni piano. All'ordine del giorno, il problema dell'infiltrazione dal terrazzo condominiale nell'attico. Il palazzo è il piú alto della strada. Non finiscono piú di salire. Al sesto piano, dalla porta socchiusa spuntano il muso di un cagnaccio mugolante e la faccia gessosa del tizio che ha chiamato il 113, un nano in canottiera e ciabatte, la cui smorfia lascia trapelare un'avida fame di sangue, notorietà, interviste. I vicini che non si fanno mai gli affari loro, ma, comunque, inutili anche nell'evenienza peggiore. «È qui al 27, – borbotta il vicino, intimidito dalle divise e timoroso di brutta figura, – mi pareva di avere sentito chiamare aiuto, ma è da un po' che non si sente piú niente, mi dispiace che mi sono sbagliato». L'agente semplice ansima, tirando il fiato. L'altro si pulisce le scarpe su uno zerbino a forma di gatto. A lato della porta c'è una kenzia con le foglie impolverate. La terra nel vaso è secca, squamata in zolle dure come cemento: la pianta sta morendo di sete. L'agente scelto suona il campanello dell'interno 27. Fissa ottusamente la targhetta d'ottone: le lettere BUONOCORE stanno scomparendo, corrose dalla lebbra. «Che facciamo? Questo non risponde», mormora l'agente semplice.

Dall'appartamento n. 27 provengono delle voci – come un brusio indistinto. Chi c'è là dentro? Prima abitavano tutti qui, ha detto il vicino – i regazzini facevano un casino d'inferno, andavano coi pattini in terrazzo, protestare era inutile con Buonocore, un prepotente che si credeva il padreterno, poi la madre se li era portati via e non si erano più visti. Ma queste non sono voci di bambini. Una cantilena monotona – salmodiante. Un uomo, senza dubbio. Forse Buonocore è ubriaco o strafatto e perciò non in grado di rispondere al telefono o aprire questa maledetta porta. Forse stava giocherellando con la pistola d'ordinanza ed è partito un colpo. Ma cinque? Il vicino sostiene di averne sentiti almeno cinque.

«È sicuro che si è trattato di spari?» «Be', non ci posso mettere la mano sul fuoco, – si rinnega il vicino, – era parecchio attutito, come se ci aveva messo davanti, che ne so, un cuscino». Poi, con uno scatto d'orgoglio, aggiunge: «Ma insomma, tiro alle beccacce, lo conosco il botto dello sparo. Quella gridava *aiuto aiuto aiutatemi*. Non me lo sono sognato». «E dopo, è uscito qualcuno?» «No, nessuno. L'avrei sentita, la porta che si chiude. Qua si sente tutto, i muri sono di cartone. Quei due si litigavano sempre, si tiravano dietro i piatti, le bottiglie, i posaceneri, una volta ho pure chiamato i carabinieri, ma ormai era tutto tranquillo, lei era andata via».

«Torna alla macchina e chiedi istruzioni», ordina l'agente scelto. Toccano al pivello i sei piani supplementari e la vista del portiere nemico che vola e si beffa di Roma. Si siede sullo scalino e s'accende una sigaretta. La cenere brilla nel buio. Aspetta. Non sa cosa è successo, dietro quella porta. Se la sua presenza è utile, necessaria, superflua, o perfino dannosa. Guarda continuamente l'orologio. I minuti si ingorgano nel quadrante. Il tempo è un meccanismo inceppato. Non succede niente. Niente passi, né voci – nessun rumore. Nel silenzio che dilaga, avverte il battito sordo del suo cuore. E ha l'impressione di sentire, in quella casa, la vita sospesa, indifferente, oscura.

Notte

Sí, passerà il tempo, il tempo che tutto accomoda, e si ristabiliranno i rapporti di prima, cioè si ristabiliranno in tal grado che io non sentirò sconvolgimento nel corso della mia vita. Lei deve essere infelice, ma io non sono colpevole, e perciò non posso essere infelice.

LEV TOLSTOJ, *Anna Karenina*

Prima ora

La torre di cemento armato emergeva dal buio, scrostata e sinistra alla luce sfrigolante del lampione. Svettava come l'ultimo avamposto della città fra un prato punteggiato di panchine divelte e una brughiera incolta sulla quale, durante il giorno, pascolava un bisbetico gregge di ovini. Dovevano essere rinchiusi da qualche parte non troppo lontano perché il vento spingeva sul parcheggio un fetore pungente di pecora e sterco. Sulla recinzione della brughiera si interrompevano i lampioni e le strade. Edifici simili a caserme o prigioni di massima sicurezza galleggiavano tutt'intorno, nella notte. La torre era un parallelepipedo grigio di quattordici piani, butterato da un accrocco di verande abusive in attesa di condono, padelle di parabole e panni stesi ad asciugare sui balconi. Antonio staccò l'occhio dal mirino e ripose la telecamera nella custodia, perché non c'era piú niente da vedere – dietro le serrande abbassate tutti dormivano, ormai. Eppure continuò a fissare con gli occhi in fiamme le finestre dell'appartamento del primo piano, buie ormai da tempo, sperando di intravederla un'altra volta – mentre, prima di mettersi a letto, andava a dare un bacio a Kevin o vagava inquieta per la casa, incapace di prendere sonno perché lo intuiva vicino, giú in strada, solo e derelitto a quest'ora della notte.

Ma niente. Le serrande spietatamente abbassate, e il buio dietro gli spiragli. Tre sole serrande perché la casa era piccola. La serranda stretta del bagno, la serranda quadrata della camera da letto, la serranda rettangolare del tinello, davanti al

quale si apriva un balconcino risicato: ci ammuffiva all'umidità un viluppo di biancheria dimenticata sullo stenditoio. Dove
dormiva, *lei*? Come si erano sistemati? Antonio non entrava in
quella casa da anni. Glielo proibiva la vecchia Olimpia, quella
befana ignorante e impicciona che per tutta la vita non aveva
fatto altro che sorvegliare l'entrata di un condominio e adesso
lo teneva lontano dai bambini e da lei.

Acciaccato, scontento, Antonio cercò di distendersi, allungan-
dosi sul sedile, ma c'era poco spazio e lui era alto, e le ginocchia
s'incastravano nel volante, e le scarpe nei pedali. A causa della
posizione scomoda, aveva le ossa a pezzi, come se lo avessero
pestato. Era l'una passata, nessuno si sarebbe piú mosso, ormai
stanotte non l'avrebbe vista piú. Poteva ancora tornare a casa,
schiantarsi sul letto otto ore filate, prendeva servizio solo alle
nove – poteva. Ma scacciò immediatamente l'idea. Impossibile
rientrare e non sentire la sua voce sussurrare «Antonio, sei tu?»
Impossibile sopportare il silenzio disumano di quelle stanze. Impossibile la vista dei letti vuoti dei bambini – e il rintocco atroce della campana che preannuncia un altro giorno senza di loro.

Aprí il cassetto del cruscotto, prese la boccetta e ingoiò una
pasticca bianca – ma senz'acqua la pasticca s'incagliò nella fa-
ringe, e sciogliendosi gli lasciò in bocca una polvere grumosa e
amara. Basta, doveva piantarla con queste pasticche, ne aveva
già prese un'esagerazione, non controllava piú i battiti del cuore. Tachicardia – una delle controindicazioni previste nelle minacciose avvertenze che preannunciavano in caso di abuso ot-
tundimento delle emozioni, riduzione della vigilanza, cefalea,
vertigini, tremori, diarrea e collasso. La gente pensa che solo le
ossa, i muscoli e i tendini possano far male. Invece a lui faceva
male il cuore. Ma senza pasticche non sarebbe stato neanche in
grado di alzarsi. E doveva pur andare avanti.

Pescò la cassetta di Celentano nel mucchio che languiva sul
cruscotto, voleva sentire *Io non so parlar d'amore, l'emozione
non ha voce,* quel capolavoro gli smuoveva qualcosa dentro. Ma
quando accese lo stereo, una roca voce di donna iniziò a recitare:
Che strano uomo avevo io | con gli occhi dolci quanto basta | per

farmi dire sempre | sono ancora tua. Una cassetta nella custodia sbagliata. *E mi mancava il terreno quando si addormentava sul mio seno,* disse la donna, con rabbia, provocandogli una trafiggente contrazione cardiaca. Quella canzone resuscitò brutalmente in Antonio il ricordo del viaggio in Calabria. A un tratto, mentre lui guidava verso le loro ultime vacanze, Emma aveva intonato – polemicamente – proprio quella canzone, insegnando ai bambini che *lo scaldavo al fuoco umano | della gelosia | e poi a letto mi diceva sempre | non vali che un po' piú di niente.* Lui aveva malditesta ed era nervoso, non si ricordava piú perché. Mi stai rintontonendo, aveva detto. *E ripensavo ai primi tempi,* aveva proseguito Emma, con deliberata perfidia, *quando ero innocente... e lo obbligavo a dirmi sempre | sei bellissima sei bellissima.* Antonio aveva spento lo stereo, e per punirlo Emma non aveva piú aperto bocca finché non erano arrivati. Lo assalí di nuovo un impulso distruttivo. Recuperò la cassetta, infilò l'anulare sotto il nastro magnetico, tirò. Tirò finché il sottile nastro marrone si srotolò tutto fra le sue dita. Lo prese fra i denti e lo spezzò. Ridusse in coriandoli le loro vacanze, il loro passato, e li gettò dal finestrino. Lo strano uomo non ti dirà piú sei bellissima, sei bellissima. Sei maledetta. Ti maledico, zoccola spergiura – rimpiangi per sempre ciò che hai fatto alla nostra famiglia e all'uomo che avevi giurato di amare finché morte non ci separi.

Guardò di nuovo le finestre del primo piano. Una serranda bianca, scrostata – come ogni cosa, qui. Questa torre squallida, questa periferia informe e lontana da tutto, quando Emma avrebbe potuto tenersi l'appartamento col camino e la veranda di vetro e la cameretta di Kevin con la carta da parati che pareva un giardino, tanti uccelli e fiori c'erano. Invece qui i bambini erano costretti a dormire nel divano letto del tinello e lei con la vecchia, quella vecchia avara che la disprezzava, lo disprezzava, e dalla quale era fuggita a vent'anni – sperando di essersi liberata, con la madre, del suo passato miserabile. Oh, Signore, aiutami a dimenticare tutto questo, dimenticare lei, i bambini, la casa. Aiutami a svegliarmi domani senza questa nostalgia andata a male come un surgelato scaduto – libero. In fondo era possibile, aveva solo quarantadue anni. Poteva incontrare un'altra donna. Poteva innamorarsi, sposarla, costruirsi un'altra famiglia. Allora, cullandosi al pensiero di essersi liberato di lei, di loro, di se stesso, Antonio s'addormentò, sognando confusamente di avere di nuovo vent'anni, di essere al mare, di giocare con un pallone di plastica a scacchi su una spiaggia affollata di ragazze carine e ignare, di nuotare nell'acqua limpida, di immergersi sul fondo, trovandosi però subito avvinto da alghe marroni, nastri viscidi e filiformi il cui contatto repellente lo riscosse. Consapevole, subito, senza scampo, di non voler rivivere quel passato né fuggire in un qualunque futuro. Di non volere una donna nuova, una vita nuova. Voglio stare dove sono già stato. L'unica novità che concepisco: tornare con te.

Il fragoroso scoppiettio di una marmitta gli scotennò il sistema nervoso: con mille premure per non rigare la carrozzeria un tizio infilava l'automobile nel parcheggio all'aria aperta davanti alla brughiera – fra centinaia di altre. Il parcheggio era proprio sotto la camera da letto – l'appartamento con l'affaccio piú infelice della torre, il solo che la portinaia aveva potuto comprarsi coi suoi fetidi risparmi quando era andata in pensione. Ma quel rumore anche lei doveva averlo sentito. Si rianimò al pensiero di Emma che si rigira fra le lenzuola, Emma che si sveglia nel letto matrimoniale condiviso con l'orrida vecchia invece che con lui – accanto al quale si è distesa, stretta e avvinta per dodici anni, dodici anni lunghissimi eppure adesso cosí lontani, ormai, da parere irreali, e inafferrabili, come un sogno. Oh, Emma, Emma, perché? Come hai potuto lasciarmi. Amore mio, amore mio assonnato, spettinato, stanco, amore mio bellissimo, affacciati. Affacciati alla finestra, scendi – sono qui, sono sempre qui, parliamo, dobbiamo assolutamente parlarci stanotte.

Seconda ora

«È tutta questione di filosofia», sentenziò l'uomo lentigginoso, rosso di pelo, impalato nell'ombra davanti alla saracinesca abbassata di quello che poteva essere un circolo sportivo, o un magazzino. Un uomo senza età, coi lineamenti anonimi e sommari come quelli di un feto, che Elio aveva l'impressione di conoscere, ma che pure non ricordava. «Uno deve essere disposto a perdere tutto, solo cosí si vede quanto è profondo l'amore che c'hai per l'Idea. L'hai detto tu, eh? L'Idea viene prima di tutto». «Senta, ne parleremo un'altra volta, ora devo andare, la mia bambina mi sta aspettando, le ho promesso che avrei cantato il karaoke con lei», disse Elio, a disagio, perché gli pareva di non dover essere in questo momento in quella strada, in quel quartiere, davanti a quella saracinesca illuminata dalla luce fioca di un lampione – sulla quale qualcuno, con la vernice nera, aveva scritto SE CIÒ CHE POSSIEDI POSSIEDE TE, SE HAI PERSO TUTTO E SEI DISPOSTO A TUTTO, SEI UN BARBARO.

«Anch'io ti stavo aspettando, – replicò lo sconosciuto, acido. – Sono vent'anni che ti aspetto». Cauto, Elio cercò di raggiungere il capo-scorta che gli apriva la portiera della macchina blindata, ma lo sconosciuto lo afferrò per un braccio e lo trascinò all'interno. Elio non ebbe il tempo di stupirsi che la saracinesca fosse, ora, sollevata. Nel vasto locale, accatastate l'una sull'altra, c'erano una ventina di seggiole e una televisione accesa sulle trasmissioni elettorali. «Perché, ci conosciamo?» si stupí Elio. Il feto non rispose. «Per me il partito è tutto. Io tutto gli

ho dato. Per questo non ti posso perdonare niente. Io ti sto addosso. Tu hai deragliato, Elio Fioravanti. Funziona cosí. Chi
sbaglia paga. Io ho pagato. Io sono andato in galera per l'Idea,
m'hanno dato tre anni e consigliato di lasciar perdere la politica. Io mi sono fatto sfasciare la testa per l'Idea, mentre attacca-
vo manifesti, come un cane. Lo accetto. Capisci? HO FATTO UN
SOGNO». «Amico, non so di cosa parli», balbettò Elio, sorpreso
di scorgere nel disadorno squallido locale il suo segretario. Lo
sconosciuto lo afferrò per la cravatta. E anche se Elio cercava
di sottrarsi a quell'insolito tentativo di strangolamento, l'altro
lo guardò negli occhi. In fondo. E dentro. Con uno sguardo ar-
dente, che poteva essere quello di un innamorato o di un giudice.
Elio ebbe la tremenda sensazione che quel barbaro lentigginoso
coi capelli rossi e lo sguardo spiritato lo conoscesse intimamente, e sapesse *tutto*. Elio non era mai stato scrutato cosí. «Tu
non sei veramente uno di noi, – disse lo sconosciuto. – Adesso
ti dico una cosa, Elio Fioravanti, e ricordatela bene. A Regina
Coeli ce sta 'no scalino, chi nun salisce quello nun è romano».

Elio balbettò confusamente di non aver fatto tutte le cose
che aveva fatto perché voleva farle. Ci si era trovato dentro,
ecco tutto. La vita è questa concatenazione di eventi banali, ca-
suali e perfino privi di senso, le cui conseguenze sono cosí im-
prevedibili, cosí sproporzionate, alle volte. E in quel momento
si accorse che nel monitor brillava un'immagine colorata, impercettibilmente fuori fuoco: due facce tremolanti, racchiuse in
una cornice luminescente, come due colpevoli di un crimine o
due santi. Tutte e due le facce provviste di sorrisi stereotipati,
coi denti a tasto di pianoforte. Sotto le fotografie – erano fotografie infatti – lampeggiavano numeri, entrambi a due cifre,
che all'inizio faticò a leggere. «Regina Coeli? Ma il carcere di
Roma non è Rebibbia?» commentò Fabio Merlo, senza la solita
deferenza. «Che cosa vuole insinuare?» sibilò Elio, indispettito
dalla domanda maligna del suo segretario, e in quel momento
le cifre si fissarono: 50,4% e 46,7%. 50,4% sotto la faccia da
massaia trasandata di Tecla Molinari, nata quarantotto anni fa
a Colleferro ove si diplomò ragioniera, già consigliere comunale,

hobby: volontariato e cucina, ultimo libro letto *L'Alchimista*. 46,7% per l'avvocato Elio Fioravanti, onorevole della Repubblica Italiana dal 1994, laureato in giurisprudenza, principe del diritto privato, titolare di uno degli studi piú rinomati di Roma ove nacque cinquantun anni fa, prestato alla politica per riformare le leggi della nazione, hobby: snorkeling, rugby e filatelia (cosí recitava la scheda della Navicella), ultimo libro letto: una biografia di Mussolini della quale non menzionava l'autore (in effetti ne aveva letto solo il primo capitolo); nell'attuale legislatura membro della commissione per gli affari sociali, promotore di una iniziativa parlamentare per il riconoscimento della funzione sociale svolta dagli oratori parrocchiali, per la lotta alla prostituzione coatta e la riduzione in schiavitú, per la tutela dei diritti dell'embrione e il riconoscimento giuridico del feto.

Il 46,7% lampeggiava proprio sotto la faccia dell'avvocato onorevole Fioravanti. Ovvero di lui stesso, sebbene non si riconobbe per nulla in quell'uomo sorridente e ottimista e senz'altro ringiovanito di almeno dieci anni – in parte perché quella foto era stata effettivamente scattata dieci anni prima, in parte perché ritoccata e migliorata al computer. «Che significa?» quasi urlò al suo segretario, sempre immobile davanti al monitor della televisione. «Significa che non ce l'abbiamo fatta, non è stato rieletto, onorevole». E poi Fabio Merlo, azzimato segretario dal linguaggio forbito, gli diede del tu, cosa che non gli era mai stata permessa, e lasciando trapelare una gioia maligna usò un'espressione che mai avrebbe usato in sua presenza: «Sei stato trombato». Elio vacillò, riconobbe il locale della sezione, riconobbe la saracinesca nera e se stesso, gli mancò il respiro, il colpo fu talmente inatteso che credette di morire d'infarto, ma nello stesso istante capí che era solo un sogno e si svegliò.

Era fradicio di sudore. Zuppa la canottiera che portava sotto il pigiama perché da quando aveva varcato la triste soglia dei cinquanta soffriva le correnti d'aria e in marzo era stato inchiodato a letto dal colpo della strega. Zuppo il pigiama, zuppo di bava anche il cuscino. Il cuore rantolava sfasato, sul punto di fermarsi. Aveva in bocca un sapore da infarto. La scena si era svolta con un realismo tale che faticò a rendersi conto che davvero la sezione del partito era stata chiusa e adesso al suo posto c'era l'ambasciata di un paese orientale e dunque lui non poteva esserci entrato stanotte. Che il feto rosso di pelo era morto e seppellito da quasi trent'anni e perciò non aveva potuto minacciargli la galera, e soprattutto che i risultati non potevano essere già apparsi alla tv in quanto le elezioni ancora non c'erano state, e perciò quel 46,7% poteva giocarselo al superenalotto, ma non significava niente. Non era stato trombato perché non si era votato ancora, di qui al tredici di maggio mancavano nove giorni, e Tecla Molinari poteva ancora finire sotto una macchina, poteva perdere consensi, poteva ritirarsi, essere abbandonata dalle borgate, dai commercianti che temevano l'isola pedonale e il crollo degli affari, tradita dagli elettori – insomma, che le prenda un colpo, quella baldracca comunista non si siederà a Montecitorio al posto mio.

Elio si girò sul fianco, ma non riusciva a riprendere sonno. Il sudore si inaridiva nella canottiera. Le parole inquietanti del camerata caduto sul campo dell'onore una lontana notte di trent'anni prima – *lo scalino romano, lo scalino romano* – gli avviluppavano il cervello come carta moschicida. Continuava a vedere la propria faccia nel francobollo luminoso della tv, faccia bonaria e ringiovanita e ritoccata al computer ma sottolineata dai numeri raccapriccianti della sconfitta. Non aveva mai preso neppure in considerazione l'idea di perdere il seggio, con tutti i soldi che aveva speso e lo stratega americano che aveva fatto la vittoriosa campagna per i repubblicani e la popolarità trasversale interclassista in tutta Roma e l'appoggio della Curia – e del Presidente. E invece. Forse il sogno gli preannunciava la verità? Era un sogno veritiero? Come riconoscere un incubo da una visione?

Maja di certo ne sarebbe stata capace. Maja tanto cerebrale e mistica, la mattina, con una diligenza ammirevole, appuntava i sogni notturni in un quaderno segreto che custodiva nel cassetto della biancheria: sulla copertina c'era scritto *Libro dei sogni*. Una volta, a tradimento, lui lo aveva letto. I sogni di Maja – solo raramente erotici e comunque di una banalità stupefacente – lo avevano annoiato. Però Maja sosteneva di avere avuto il dono di interpretare i sogni – da ragazza, prima di mettersi con lui – e Elio ci credeva, perché no? Le donne trafficano con l'aldilà, hanno qualcosa a che fare con il futuro e con la morte. Era sudato fradicio, angosciato e spaventato. Non poteva perdere le elezioni. Una prospettiva agghiacciante. Diventerei il capro espiatorio. Mi sbranerebbero, mi farebbero a pezzi. Roma non perdona i perdenti. Ti osannano, ti ossequiano, ti riveriscono, strisciano ai tuoi piedi – e dopo la caduta ti dimenticano, ti cancellano, ti rifiutano. Il telefono non suona piú. Il tuo nome non viene piú pronunciato. Ti evitano, come un contagio. La solitudine che ti regala Roma quando hai perso è grandiosa come il potere di cui si affretta a incoronarti. E allora non ci saranno piú cene, né feste, né elettori, né amici e forse nemmeno Maja. Sarai solo. Non poteva nemmeno pensarci.

Tirò da parte la coperta e si mise a sedere sul letto. I mobili della sua stanza – di un noce scuro, quasi nero – gli comunicarono un senso di minaccia. L'armadio massiccio pareva sul punto di cadergli addosso e schiacciarlo. Le tende di broccato verde non lasciavano passare neanche un raggio di luce. Il display del televisore segnava le 2,07. Se l'avesse svegliata a quest'ora, Maja non glielo avrebbe mai perdonato. Ma era impossibile riaddormentarsi, col rischio di ritrovarsi davanti la mutria di Tecla Molinari, oh, impossibile.

Scalzo, a tentoni si diresse verso la porta. Nella stanza della bambina c'era la luce accesa, perché Camilla aveva paura del buio. Ne ebbe improvvisamente paura anche lui. Nel buio lo aspettavano il tredici maggio, lo spettro venuto dal passato, Tecla Molinari, Montecitorio o la sconfitta. E la sconfitta portava con sé l'agghiacciante indifferenza del potere, l'ignominia, il disonore, forse persino lo scalino romano – la galera. Eh, forse di notte le cose appaiono piú gravi di quanto non siano, ma gli sembrava di non avere scampo, di essere in trappola, spacciato. Non resistette alla tentazione di contemplare il volto della sua piccina. Scavalcò la casa delle bambole, il teatro delle marionette e il corpo della baby-sitter. Dormiva supina come in un sarcofago, con un'espressione scontenta sul viso. Brutta, una donna irrimediabilmente brutta, perché Maja selezionava il personale in base alle attrattive fisiche: subliminale paura della concorrenza. Astuzie femminili, precauzioni patetiche quanto inutili, perché l'avvocato Fioravanti amava la sua giovane moglie un tempo tanto graziosa da parergli la reincarnazione della principessa di *Vacanze romane*, e non avrebbe mai degnato di attenzione una baby-sitter nata e pagata solo per occuparsi della sua bambina.

Camilla dormiva raggomitolata in posizione fetale, con un dito in bocca e un topo di pezza sottobraccio. Un topo, non un gattino, un cane o un orsetto – un topo perché, papi, tutti pensano a salvare i gattini e i cagnolini ma chi ci pensa ai topi? anche i topi hanno fame, e poi hanno i topini, perché tutti ce l'hanno coi topi? I topi sono brutti, gioia mia, e portano le malattie. E allora? Anche i lebbrosi sono brutti e portano le malattie ma Madre Teresa gli voleva bene. Chi ti mette in testa queste sciocchezze, Camilla? Dovevano essere state le suore, era stato un errore mandarla in quella scuola, le suore mortificano le bambine, insegnano a rinnegare i piaceri della vita sperando di convincerle a commettere l'errore che loro stesse hanno commesso. No, papà, ci ho pensato da sola. Che bambina sensibile, la mia. Che angelo. Vegliandola, mentre si ciucciava il dito serena e compassionevole con gli esserini sfortunati fra i quali i poveri brutti e non amati topi, Elio si rianimò. Incredibile la forza che gli trasmetteva quella piccola creatura innocente. Decisamente si era trattato di un incubo, un sogno menzognero. Si chinò sul lettino, protendendo le labbra per baciare i capelli di Camilla fini fini e di un castano mogano meraviglioso – ma la signorina Sidonie risorse come un fantasma dalle lenzuola.

«Non la svegli, avvocato, s'è appena addormentata, – biascicò, querula. – Ci ha mandato al manicomio tutta la sera, a me e anche alla signora. Per carità non la svegli». Elio la maledisse, perché un uomo ha il diritto di baciare la sua piccina. Lardosa balena frigida e senza figli, che ne sai tu dell'amore di un padre? Pure, dal momento che per Camilla avrebbe fatto qualunque cosa, Elio si sacrificò e stoicamente rinunciò al bacio. Ancora scosso e intenerito, col sudore che si ghiacciava nel pigiama, sgusciò fuori dalla camera di Camilla e per qualche istante indugiò nel corridoio. Sentí in lontananza il rintocco della pendola nel salotto al piano inferiore, e lo scricchiolio del legno nella villa immota. Maja dunque si era addormentata da poco. Maja furibonda se svegliata ora. Ma non voleva svegliarla.

Entrò nella sua camera in punta di piedi. Fiutò un promettente profumo di legno, di sonno, e secrezioni vaginali. L'ex-principessa di *Vacanze romane* dormiva con la guancia sul cuscino, il braccio nudo allungato sulla coperta. Dormivano separati dalla nascita di Camilla, perché era inutile svegliarsi tutti e due quando doveva darle il latte ogni quattro ore: d'altronde, anche se artificiale e offerto da suggere da una poppa di plastica perché lo stress aveva inaridito l'alabastrino seno della madre, lui non si sentiva portato per un compito tanto animalesco, e aveva preferito che continuasse a farlo lei – limitandosi a contemplare le sue donne beato e commosso da lontano. E poi, quando la faccenda del latte era finita, erano cominciati i pianti, le fiabe interminabili, l'asma, la ninnananna e i raffreddori, e si era ritenuto pratico mantenere le camere separate – del resto la casa era grande e di stanze ce n'erano anche troppe per loro tre soli. Elio si sedette sul letto: Maja non si mosse. Aveva il sonno pesante – dormiva sette, otto, talvolta nove ore per notte. Lui non sapeva come facesse. Gliene erano sempre bastate quattro. Gli pareva di sprecare tempo, dormendo, di perdere qualcosa – un'occasione, forse. Il sudore ormai rappreso sulla schiena gli comunicò una sensazione di freddo. Sollevò la coperta e s'infilò delicatamente nel letto.

Il materasso era duro – al posto della rete Maja aveva voluto una tavola, lui aveva sempre pensato che cercasse di punirsi per il benessere che le era toccato in sorte. Così duro che gli sembrò di essersi disteso in una bara. Anche il letto era freddo. Si lasciò scivolare verso di lei – il suo corpo emanava un tepore irresistibile. Voleva sentirsi dire che era stato solo un incubo, che la massaia Molinari non aveva nessuna possibilità di rovinargli la

vita, e il sonno duro e indifferente di Maja gli parve offensivo
come un messaggio di disamore. Ho avuto un terribile incubo,
e tu non te ne curi. Avrebbe voluto cogliere la sua espressione,
forse beffarda, ma nella stanza era troppo buio e intravedeva
a stento il profilo della sua nuca sul bianco del cuscino. Il suo
respiro era lento e regolare. Aderí al suo corpo. Sfiorò il nodo-
so cordone della spina dorsale. Il contatto con le sue natiche lo
stuzzicò. Fece scorrere un polpastrello sulla camicia da notte,
scoprí la fessura e la seguí – con tocco lieve. Maja non si svegliò.
Con l'unghia Elio agganciò il lembo della camicia e lo tirò lentamente verso l'alto. Scoprí, stupefatto, che sua moglie, la sua
rispettabile moglie, dormiva senza mutandine. Ohibò. Poggiò
un polpastrello, poi due, poi tutta la mano sull'orlo piumato dei
suoi ricci. Seguí l'impeccabile rasatura e tentò di indovinarne
la forma – non la vedeva da mesi, forse non l'aveva mai vista
o non ci aveva fatto caso. Gli parve rettangolare. Sicuramente
merito degli ultimi ritrovati della tecnologia – un trattamento
laser che aveva annientato i peli superflui, lasciando la pelle
morbida come la guancia di un bambino. Nessuna traccia degli
aculei e delle spine che cosí spesso, in tante donne armate solo di forbici o rasoio, lo avevano trafitto. Palpò la rasatura piú
volte – finché divenne duro, ma lei non si svegliò.

   Il suo sonno beato e profondo lo eccitava e insieme lo ir-
ritava. Gli sembrò ingiusto e crudele vegliare da solo, mentre
Maja sognava chissà cosa. Niente di sessuale, però, perché era
asciutta. Quando salí ed entrò e si assestò dentro di lei, si pre-
dispose ad agire lentamente – dandole il tempo di raggiunger-
lo – ma lei benché ormai sveglia non lo assecondò né s'inarcò
per meglio accoglierlo, si limitò ad aprire gli occhi e a chiedergli, sorpresa e senza celare una punta di malumore: «Ma Elio
che ti viene in mente? che ore sono?» e quella voce assonnata
e decorosa ebbe un effetto letale sui suoi buoni propositi e per
ritrovare un'ombra del desiderio già svanito bisbigliò qualcosa
a proposito del fatto che all'improvviso aveva avuto voglia di
lei. Ma in realtà non era cosí, se anche c'era stata la voglia gli
era passata, e adesso per non ritirarsi ignominiosamente con-

tinuava affidandosi all'abitudine, alla meccanicità ipnotica del movimento, sforzandosi di astrarsi dalla situazione che gli pareva ridicola e spoetizzante, e di non pensare a Tecla Molinari, piuttosto al pube rasato di Maja che non aveva mai visto o comunque mai notato, ma la faccia della sua rivale s'insinuava nel buio, sovrapponendosi a quella di Maja, e a un tratto ebbe l'impressione di montare non la sua giovane e amata moglie ma quella orrenda massaia comunista, e per rassicurarsi annaspò in cerca dei fianchi snelli di Maja, ma non trovò i fianchi snelli bensí due natiche ingombranti, né i seni leggeri come quelli di una ragazzina – una ragazzina sembrava ancora del resto, minuta com'era, uno scricciolo di quarantotto chili – sostituiti da due mele turgide con due capezzoli irti come chiodi, né il suo ventre piatto, meravigliosamente concavo, al posto del quale stava qualcosa di sporgente, bombato come un bauletto. E non riconosceva piú la sua carne, stava trombando con Tecla Molinari oppure Maja era diventata come Tecla Molinari, una massaia cellulitica, spugnosa e piena di buchi come un savoiardo. Sí, era decisamente ingrassata, con una pancia dura bombata e gonfia, e asciutta, quasi abrasiva, e fu orribile, continuò per inerzia, perché non voleva arrendersi, non era nel suo stile, ma non riusciva a concludere. Per ravvivare l'erezione si strizzò lo scroto, si manipolò i testicoli che rimbalzavano flosci e sgonfi sul pube di lei, e finalmente venne con un grugnito di sollievo, staccandosi subito – ma i loro corpi separandosi emisero un rumore sgradevole, come una pernacchia.

Maja non disse niente, il suo respiro non si era alterato nemmeno un po', non aveva provato niente, questo era ovvio, da parecchio non provava niente – sembra che qualcosa la stia rodendo dall'interno, a letto è statica e quando lui viene lo guarda come se lo odiasse, deve essere l'ingresso nel trentesimo anno che la turba, per una donna è un passaggio delicato, per gli uomini significa al massimo un ridimensionamento della prestazione. Un tempo era stato cosí eccitante con lei, la prima volta in una garçonnière di via Cortina d'Ampezzo. Era ancora sposato e Maja aveva avuto solo qualche studentello sbrigativo. Oh, Elio, diceva, rigirandosi stupita e grata nel letto della garçonnière, è stato fantastico, non sapevo che fosse cosí. Maja dentro granulosa e soffice come una babbuccia di seta. E adesso asciutta, quasi abrasiva. Elio si levò a sedere, poggiò i piedi scalzi sul tappeto, si lisciò il cespuglio arruffato di peli grigi umidi che gli copriva il petto come spuma, si ravviò i capelli e cercò disperatamente qualcosa da dire. E anche se gli parve brutto spiegarle che era entrato nel suo letto per via dell'incubo, alla fine le raccontò della profezia del morto e del 46,7% attribuitogli dopo lo spoglio delle schede mentre la massaia comunista aveva il 50,4%. Dopo di che le chiese di spiegargli in cosa una visione si differenzia da un sogno menzognero.

Maja tacque a lungo, sopraffatta da un malessere estremamente inopportuno, che si sforzò invano di reprimere, e poi gemette che Camilla aveva avuto un altro attacco di asma, ieri sera, e lei stavolta si era spaventata davvero, ma lui dov'era? dov'era quando la loro coniglietta stava tanto male e soffocava? Non c'era mai, lui, questa maledetta politica gli aveva divorato l'esistenza come un cancro, diffondendosi in tutti i loro giorni irrefrenabile come una metastasi. Le elezioni, le elezioni, io ero contraria alla tua candidatura, anche l'altra volta, ci ha rovinato la vita, non dovevi esporti. Ma Elio insistette, perché non meritava i suoi rimproveri e se si era candidato aveva le sue ragioni e queste ragioni erano il futuro di Camilla e di Maja – era questione di vita o di morte anche se lei non lo sapeva né doveva saperlo. Allora lei sospirò con nostalgia che il dono di interpretare i sogni lo aveva perso, come le altre sue qualità spirituali, atrofizzate da quando conosceva lui come un organo che non serve piú. Ma comunque una visione non si differenzia in nessun modo da un sogno, per cui solo chi sogna può capire se il sogno glielo manda Dio o lo Spirito Santo o il nostro inconscio turbato e sconvolto. Del resto era inutile dirgli tutto questo perché lui, Elio, anche se frequentava tutti quei preti gesuiti vescovi cardinali melliflui e sinistri che a lei mettevano inquietudine, in fondo non credeva in Dio perché era un materialista e questo aspetto di lui non

le era mai piaciuto – e ciò si vedeva anche nelle piccole cose.
Infatti dopo l'amore in tanti anni non le aveva mai detto una
parola affettuosa né concesso una carezza, subito si staccava,
come se il contatto dei corpi lo infastidisse dopo l'uso, anche
adesso che era stato cosí brutale e meccanico – e non le aveva neanche dato il tempo di svegliarsi – il suo primo pensiero
era stato correre a sgrullarsi l'arnese e sciacquarlo e deconta-
minarlo nel lavabo del suo bagno.

«Ma no, non è vero, anima mia», protestò Elio, che però era
effettivamente corso in bagno a sciacquarsi l'attrezzo, perché gli
bruciava come se l'avesse strusciato in un cespuglio di ortiche,
e adesso si ritrovava, colpevole, a strofinarsi le mani nell'asciugamano di lei. Maneggiò con imbarazzo l'oggetto incriminato
che pure lei aveva tanto apprezzato in altri tempi e lo ripose
nel pigiama, ancora umido e dritto a metà. Anche Maja si alzò
e disse che non si sentiva bene, le veniva da vomitare, e lo pregò di andarsene perché si vergognava di rigettare davanti a lui
anche se non c'erano segreti fra loro ed erano sposati da tanto
tempo. Deglutiva e tremava e storceva la bocca con una smorfia di disgusto cosí convincente che Elio pensò che non stava
mentendo. Ma non si mosse, neanche quando Maja si inginocchiò accanto alla tazza e s'aggrappò con le mani alla tavoletta,
perché ancora voleva sapere se aveva avuto una visione jetta-
toria o solo un incubo, e cosa doveva aspettarsi dal futuro, in
quanto era questione di vita o di morte, anche se Maja non lo
sapeva, né doveva saperlo. Si limitò a distogliere educatamente
lo sguardo quando lei con un rigurgito sommesso rimise la cena
nel water, e a tirare con premura lo sciacquone. Maja si pulí la
bocca con l'asciugamano nel quale lui aveva appena deposto il
resto del suo seme, ma non glielo disse perché non sarebbe stato
il caso, e mentre la sorreggeva fino al letto, lei sussurrò con un
filo di voce che, siccome lui non credeva nello spirito ma solo
nella carne, probabilmente il sogno se lo era mandato da solo e
non significava niente.

Terza ora

La fiamma guizzò nel buio aromatico della notte di maggio, disegnando una debole scia di luce. Quando con uno schianto la vetrina s'infranse, un pulviscolo di cristalli schizzò ovunque, e gli grandinò addosso anche se aveva lanciato da lontano e stava già correndo. La rudimentale bomba a mano ricadde sul pavimento, rotolò sotto i tavolini vuoti, rimbalzò contro il secchio dei rifiuti e andò a sbattere contro il bancone. Zero si fermò – ansimando – solo quando si giudicò fuori portata dal raggio dell'esplosione. Almeno secondo i suoi calcoli. Si nascose dietro l'angolo, al riparo del muro di un condominio. Contò fino a venti. Fa' boom, pregò. Fa' boom!

Non successe niente. Aveva fallito. Fiasco totale. Il cane gli leccò fiduciosamente la mano. Il quartiere dormiva, il silenzio lo assordò più del fragore dell'esplosione che non aveva sentito. Purtroppo non era l'unico testimone del suo insuccesso. Gli altri lo aspettavano nel furgoncino. Bianco, decrepito, il parafango sgangherato che pendeva fino a brucare l'asfalto, era sul lato opposto della strada – col motore acceso, i fari spenti e il portellone posteriore aperto. Zero aveva appena mosso un passo verso il furgone, scuotendosi dalla felpa i frantumi di vetro che la facevano luccicare, quando un boato fece tremare l'asfalto sotto i suoi piedi e una vampata rossa illuminò a giorno il piazzale.

La saracinesca scardinata e divelta s'abbatté sul marciapiede, e volarono fuori, turbinando, calcinacci, bicchieri di cartone, cannucce pieghevoli, vassoi di plastica, lettere di plastica, contenitori di plastica per cibi di plastica – era tutto di plastica, là dentro, anche la carne, anche la torta di mele, anche i bocconcini di pollo. Poi divampò l'incendio. Zero corse a perdifiato verso il furgone, inseguito dal cane che latrava, festosamente. Le sirene degli antifurto s'avviarono tutte insieme, fastidiose e rintronanti quanto inutili. Una mano lo aiutò ad arrampicarsi sul furgone e Zero si issò sul pianale mentre Ago ingranava la marcia. Afferrò il portellone per chiuderlo, ma non ci riuscí perché l'amico era partito sgommando. Il cane gli leccò la mano, che sapeva di polvere da sparo, e Meri trattenne Mabuse per la collottola ed esclamò ammirata: «Ehi hombre ci sei riuscito, ha fatto boom davvero!» E Zero rispose ironico, senza darsi troppa importanza, che era stato facile, anche un idiota poteva farlo, bastava cliccare e poi seguire le istruzioni. In realtà gli sembrava un miracolo, quasi non ci credeva – e l'aveva fatto da solo, da solo. Lui, che non aveva mai cambiato una lampadina e non sapeva nemmeno cucirsi un bottone.

Per centinaia di metri, mentre s'allontanavano da Bravetta a tutta velocità, il portellone rimase aperto, ma Zero non se ne dispiacque perché, anche se qualcuno avrebbe potuto notarli, e segnarsi il numero della targa o identificare il ragazzo coi lunghi capelli viola inginocchiato sul pianale, poté godersi fino in fondo lo spettacolo del nocivo McDonald's in fiamme. A Roma, di quei fast food, ne erano spuntati decine. All'inizio, suscitando indignazione e qualche protesta. Poi, solo l'entusiasmo e la rassegnazione tipici dei paesi coloniali. Ne avevano aperto uno in ogni quartiere e la gente ci andava e non si rendeva conto e non aveva coscienza né morale. Il mondo è pieno di gente che non ha mai avuto malattia piú pericolosa di un'influenza, un'idea piú grande della casa in cui si rinchiude e che al proprio tempo è attaccata di sghembo come il cartellino del prezzo su un vestito. Be', da stanotte ce n'era uno di meno e lui si sentí vivo. *Kill a multi.* Molti lo scrivono e ancora di piú lo sostengono, ma Zero l'aveva fatto davvero. Forse, dopotutto, non era un individuo cosí inutile – cosí sprecato. La gialla insegna al neon sembrò accendersi quando il locale prese fuoco, la M troneggiò

su una graticola di fiamme, finché la plastica si liquefece, e la
M si piegò si piegò e infine cadde, lasciando dietro di sé sulla
facciata del palazzo un buco annerito, come un cratere. Solo allora Zero afferrò finalmente il portellone e lo richiuse, e nell'interno del furgone fu tutto buio.

Quarta ora

Dalla porta a vetri della torre sbucò una donna infagottata in un impermeabile. Poiché Antonio era parcheggiato proprio davanti all'ingresso per tenere sotto controllo le finestre dell'appartamento del primo piano, la donna fu costretta a insinuarsi nello stretto spazio fra due automobili e gli scivolò davanti. Quando lo vide dentro la macchina, stravolto e vigile al posto di guida, ebbe un sobbalzo di puro terrore. Antonio ghignò, contento di averla spaventata. Donna vecchia – forse una comare, forse una confidente dell'orrida Olimpia, nemica giurata, meritevole di essere bruciata, impalata, spellata e frustata, perché se non l'avesse aiutata, Emma non sarebbe mai andata via e niente di tutto questo sarebbe successo. La donna con l'impermeabile s'affrettò verso la fermata dell'autobus, e per un attimo Antonio la invidiò. Si morse a sangue le nocche per impedirsi di scendere, inseguirla, chiederle se l'aveva vista, se le aveva parlato. La invidiava perché certo l'aveva vista, certo le aveva parlato. Abitava qui da ottocentosessantatre giorni, Emma. Quella donna insulsa – addetta alle pulizie per qualche ditta impegnata a lucidare gli uffici dei palazzi del centro – aveva il privilegio di incontrarla, di fermarsi a scambiare due parole sul pianerottolo. Sentiva la sua voce attraverso le pareti, poteva scherzare coi bambini e rimproverarli quando si divertivano a giocare coi citofoni – mentre lui non era ammesso, qui, doveva stare in strada come un vagabondo, un cane rognoso.

Non riuscí a trattenere l'impulso di scendere dalla macchina.

Il rumore dello sportello che sbatteva nel silenzio della notte lo fece sussultare. Non voleva svegliarla. Emma è cosí stanca. Dorme poco, lavora troppo, mangia male, un boccone in piedi in un bar, si sfinisce pulendo il sedere di vecchi catenanni piagati e puzzolenti, si spreca dicendo cretinate al telefono, si butta via – mentre potrebbe rimettersi a letto dopo aver preparato la colazione per noi, potrebbe stare in casa tutto il giorno a dipingersi le unghie e guardare la televisione, potrebbe non pensare a niente che penso a tutto io. Mi prendo cura di lei, e di loro. E invece.

Fra tutte le cose che aveva perso, quella di cui soffriva maggiormente la mancanza era la voce di Emma. Densa, calda, con una velatura roca, piú palpabile del suo corpo. Da quando sapeva di avere una possibilità su cinquecento di sentire la sua voce – erano cinquecento infatti gli operatori del call center – chiamava continuamente per segnalare un guasto, protestare o farsi dare ragguagli sulle nuove offerte promozionali della compagnia telefonica. E riattaccava finché la fortuna non lo premiava, e lei rispondeva davvero, con una voce morbida e suadente che gli scatenava nelle ghiandole una tempesta ormonale, e per un attimo lo rendeva felice. «Pronto sono Emma, posso esserle utile?» Oh, Dio, che tu sia ringraziato. Si era fatto spiegare cento volte i vantaggi dell'abbonamento alla linea superveloce – ma lei faceva finta di non riconoscerlo, solo una volta era sbottata, sibilando con voce dura e tagliente: sto lavorando, non rovinarmi anche questo, lasciami in pace.

La donna con l'impermeabile se ne stava appoggiata al palo giallo della fermata del bus e di tanto in tanto lanciava un'occhiata allarmata nella sua direzione. Quel palo giallo era l'unica macchia di colore in un mondo nebbioso, grigio, di una tristezza e di uno squallore opprimente. Antonio si appoggiò sul cofano della Tipo e scartocciò una caramella. Voleva darle l'impressione di aspettare qualcuno, o qualcosa, ma in realtà non aspettava niente. Era tutto finito. Toccò istintivamente la pistola nella fondina agganciata sotto l'ascella, e lo attraversò il desiderio fulmineo, bruciante e irresistibile di togliere la sicura e tirarsi un colpo al cervello.

Ma doveva parlarle almeno un'altra volta. Tutto poteva ancora aggiustarsi, e morire proprio alla vigilia della riconciliazio-
ne era stupido come morire l'ultimo giorno di guerra. A qualche
disgraziato capita, ma non sarebbe capitato a lui. Sorrise, perché Dio non avrebbe permesso che finisse cosí. Emma tornerà
con me, questa solitudine penosa finirà e io la strapperò via da
tutto questo, torneremo a vivere insieme, ci ameremo come ci
siamo amati – il futuro sarà come il passato, tutto sarà di nuovo
in ordine – cresceremo i nostri figli, faremo un altro bambino,
io la farò felice, nessuno la amerà mai quanto me. Perché io la
conosco, io l'accetto, la capisco e la perdono.

Alle quattro e quaranta dietro i listelli della serranda stretta baluginò una luce. Qualcuno era in bagno. Lei? Emma sotto la doccia? Desiderò essere la tenda della doccia, un velo di
plastica umida che aderiva alla sua pelle, s'avvolgeva contro le
sue gambe, sfiorava i suoi glutei – essere il sapone che scivolava nel solco dei seni, colava nell'ombelico, gocciolava fra le
grandi labbra. Essere l'accappatoio, per indossarla – essere il
letto, per accoglierla. Essere una calza di nylon, una scarpa, un
paio di mutande di cotone. Essere l'autobus che ti trasporta, il
sole che ti tocca, il materasso su cui dormi. Come puoi vivere
ogni giorno e non sentire la mia mancanza. Sono io. Sono qui.

Chiunque fosse entrato nel bagno, non si stava facendo la
doccia. Qualcuno tirò lo sciacquone e i tubi deglutirono il mal-
loppo, ruttando. Forse la vecchia incontinente – costretta a
pisciare quattro volte per notte. Che tu sia maledetta, e maledetto il frutto del ventre tuo. Si crogiolò al pensiero malevolo
che anche Emma – tempo vent'anni e anche meno – sarebbe
diventata come la madre. Una vecchia acida e infetta di rancore
come una ferita di pus, tanto che il marito ha preferito crepare
sotto le ruote di un autobus piuttosto che sopportarla. Emma
presto informe e deforme come la megera Olimpia, seni flosci
e cadenti, pancia sporgente, peli radi, vene verdi in rilievo sulle gambe come vermi, vescica debole, borse sotto gli occhi, la
pelle vizza di una mela vecchia. Ma tutto sommato non era un
pensiero consolante, perché allora anche lui sarebbe stato un

relitto fiacco e incartapecorito, ed era un bene che quel tempo
fosse ancora lontano ed Emma un bocconcino succoso di carne, levigato dalla natura e dall'amore. Vista ancora poche ore
fa – il giovedí rientra tardi, la puttana – attraversare quasi di
corsa l'androne (spaventata? ma da chi?) e poi riapparire per un
attimo dietro la portafinestra del tinello, dimagrita, trafelata,
i capelli alla meno peggio tenuti su da una farfalla di plastica,
non proprio elegante – ma pur sempre Emma. Si era accesa la
luce in camera da letto.

In tanti anni, Antonio c'era entrato solo tre volte: un cubo
sovraccarico di mobili privi di gusto come la padrona di casa.
Una toilette con la specchiera ingombra di boccette di profumo rancido – comprata di terza mano a Porta Portese perché
fa tanto signora rispettabile, Olimpia Tempesta aveva la mania
di parere rispettabile, perché non lo era. Campioncini di profumo rancido – anche Valentina li usava: l'ultima volta la bambina sua odorava di vecchia, un profumo scadente di violetta
e cipria stantia. Perché usi le schifezze di tua nonna, topolina?
papà ti compra il meglio profumo che c'è. L'aveva portata alla
Rinascente, le aveva spruzzato sul polso tutti i profumi coi nomi
altisonanti degli stilisti d'alta moda. Alla fine Valentina aveva
optato per Issimiake o come diavolo si chiamava quella giapponese, il profumo piú costoso del campionario. Valentina troppo
magra e troppo alta, ma un giorno formosa e flessibile come sua
madre. Valentina stella mia che dormi serena profumata di profumo giapponese ma triste perché lontana da papà che ti adora.

Doveva estirpare subito il pensiero altamente ulcerante di
Valentina. Non la vedeva da piú di un anno – dall'istruttoria,
in pratica – e questo era stato uno sbaglio, ma il dolore gli aveva spento la ragione, lui voleva vederli ogni giorno i bambini,
non quando stabiliva un giudice del cazzo, e non voleva accontentarsi di essere la comparsa festiva del loro fine settimana.
Lui aveva il diritto di essere parte di quella settimana, della
loro vita – no, non doveva pensarci. La toilette. Campioncini
gratuiti di profumo e santini di Padre Pio infilati nella cornice
dello specchio. E la foto di Tito Tempesta, spazzino comunale

e stalinista incallito – sorridente, perché infine defunto e libero
dalla moglie sempre abbaiante e sempre rabbiosa. Poi il letto,
di ottone, con la Madonna e Gesú Bambino in una nuvoletta
rosa sopra i cuscini. Emma che da quando se n'è andata dorme
con la madre sotto la protezione di Maria e Gesú Bambino. E
un armadio di compensato, pieno di vestiti puzzolenti di vecchiaia, e i vestiti di Emma sempre nelle valigie perché in quel
buco di casa non c'è posto per lei. La luce era ancora accesa
dietro i listelli – un esile filo di speranza. Affacciati, affacciati
alla finestra amore mio.

Alla spicciolata, qualche anima spenta sbucava da androni
in cui tremolavano economiche lampade al neon e si trascinava
alla fermata – dove adesso, nell'oscurità nebbiosa di quest'ultimo scampolo della notte, si era radunata una piccola folla in
attesa del bus. Altri accendevano motori, tiravano catorci fuori
dal parcheggio, avviavano furgoni, giardinette. Emma nel letto, col pigiama a righe, distesa accanto alla madre. Che pensa?
Mi pensa? È sveglia? Si è alzata e adesso non riesce a riprendere sonno, sente il vuoto dentro, il senso di colpa la consuma,
e capisce che sta sbagliando tutto, che non deve distruggere la
nostra famiglia – c'è mai stato qualcuno piú felice di noi? È ancora in tempo per tornare indietro, può ancora fermare il meccanismo, non chiedere il divorzio, salvarsi, salvarci, salvarmi.
Devono parlarsi, adesso. Deve spiegarle le ultime significative
novità. D'ora in poi sarà tutto diverso. Lo giuro sulla testa di
Valentina, la creatura che amo di piú al mondo. Di Valentina
e Kevin, perché un padre deve sforzarsi di essere imparziale, e
non avere preferenze, anche se lui e Valentina si sono sempre
capiti per telepatia, mentre Kevin non gli parla piú e non si ricorda l'ultima volta che ha sentito la sua voce. Sarà buono con
Emma, sopporterà tutte le sue bugie. E anche se mi mentirai, ti
crederò. Mi fiderò di te, sí. D'ora in poi sarà tutto perfetto. Chiedo solo un'altra possibilità. Affacciati alla finestra, amore mio.

E lei s'affacciò. La stanza, alle sue spalle, era precipitata
nel buio, sicché Antonio intravide solo un'ombra bianca – una
massa di capelli chiari e il puntino infuocato di una sigaretta

che liberava un filo di fumo nella notte. Emma non indossava il prosaico pigiama a righe dei tempi del matrimonio, ma un provocante pagliaccetto lucido, forse di raso. Rimase affacciata alla finestra, coi gomiti sul davanzale. Soffiò una boccata di fumo e sgrullò la cenere nel vuoto. Aveva appoggiato la testa allo stipite della finestra – e fissava, senza vederlo, il buio davanti a sé. Il cuore di Antonio sparò una raffica di battiti – che lo lasciò tramortito. Avvicinati. Piano, senza gridare. Ricordati che *lei ha paura di te*. Chiamarla, con dolcezza, chiederle di vestirsi, di scendere, di parlare. A quest'ora? Perché no? Una moglie e un marito, con dei figli piccoli, possiedono solo le ore della notte. Gli occhi di Emma vagarono sulle macchine, giú in strada, sfiorarono i cassonetti rigurgitanti, che da giorni aspettavano la visita dei netturbini. Poi si fermarono sulla Tipo parcheggiata proprio sotto la finestra. La ben nota Tipo sulla quale era salita mille volte, che aveva mandato a sbattere contro il tram in un giorno di pioggia, con la quale per anni aveva accompagnato Valentina in palestra – sulla quale aveva perfino avuto i migliori orgasmi, quando lei e Antonio volevano farlo ululando, senza doversi censurare per via dei bambini. La sua espressione sognante e distratta s'indurí. Gettò la sigaretta nel vuoto. E anche se Antonio s'affrettò ad attraversare il parcheggio e a fiondarsi sotto la finestra, non fece in tempo a dirle che era venuto per parlare, solo per un chiarimento, perché lei non desiderava parlargli e non gli concesse nemmeno una parola. S'aggrappò alla cinghia e lasciò ricadere rumorosamente la serranda.

Quinta ora

Emma s'infilò nel letto. Strattonò la coperta, che nel corso dei rivolgimenti notturni era scivolata dalla parte della madre e per qualche istante – fissando i numeri fosforescenti della sveglia – sperò che Olimpia le chiedesse cosa era successo. Aveva bisogno di sfogarsi con qualcuno. Anche se Olimpia non era la persona piú indicata. Non prendeva mai le sue parti. Per quanto incredibile potesse sembrare, aveva sempre difeso Antonio. Lo giustificava. Addossava a lei, sua figlia, la colpa di tutto. E per molto tempo, dentro di sé le aveva dato ragione. Era lei la causa del loro fallimento, lei l'errore. Si allungò fra le lenzuola con cautela perché, con la menopausa, la madre aveva cominciato a soffrire di un sonno leggero e faticoso – il che la rendeva estremamente irritabile. Emma rimase immobile, le palpebre serrate. Tentò di imitare gli asceti indiani, i bonzi buddisti, gli adepti di qualche setta spiritualista, capaci di assentarsi dal proprio corpo, dalle angustie del mondo fisico e materiale, con la forza del pensiero. Meditare. Levitare. Trascendere. Dimenticarsi di Antonio, là fuori, stanotte, come ieri, e l'altro ieri. Della dentiera di sua madre nel bicchiere sul comodino, dei bambini che dormivano nel tinello, di questa casa che odorava di fumo, cucina e polvere. Assentarsi. Volare via, per qualche ora. Ma Emma non era un asceta indiano, non faceva il vuoto dentro di sé, la sua mente era una centrifuga impazzita al centro della quale rimbalzava il pensiero di Antonio, appostato insensatamente giú in strada. La sentenza

lo aveva mandato fuori di testa. Questa situazione non poteva
durare. Doveva cambiare casa, ma per andare dove? Non guadagnava abbastanza per pagare un affitto. Era in trappola, in
quella casa troppo stretta, in quella stanza troppo stretta. In
una vita, troppo stretta. Da qualche parte c'era una via d'uscita. Ma lei non riusciva a intravederla.

Olimpia russava, producendo una complessa sinfonia di
rantoli, fischi, risucchi. La bocca priva di parecchi denti, con
le gengive rosse come l'interno di uno stomaco, era spalancata per catturare l'aria che sembrava mancarle. E anche i bambini dormivano, nel divano letto del tinello. Eppure, neanche
tendendo l'orecchio, Emma riusciva a intuire il loro respiro. A
volte, di notte, si svegliava di soprassalto e andava a controllare che fossero davvero lí. Divorata dal folle timore che Antonio, chissà come, fosse riuscito a entrare e glieli avesse portati via. Olimpia levò un singulto strozzato, la sua gamba destra
si contrasse – come la zampetta del rospo che Valentina aveva
vivisezionato pochi giorni prima sul tagliere in cucina per un
raccapricciante esperimento sulla struttura del cervello. Esperimento che tuttavia lei non le aveva proibito. Perché una madre deve incoraggiare la figlia, concederle un minimo di fiducia.
Invece Olimpia le rinfacciava sempre che lei non era buona a
niente, non avrebbe mai trovato un lavoro vero, coi contribu-
ti e la pensione, ripeteva sempre: voi da qua non ve ne andate
piú. Vedeva le cose in modo pragmatico, crudo, ma Emma non
poteva accettare che avesse ragione. Ce ne andremo, invece, rispondeva. Avremo una casa tutta nostra. La prenderò con vista
mare e col giardino. Gli comprerò il cane, il computer, la play-
station e il motorino – tutto quello che vogliono. Ma Olimpia
non ci credeva. Chi ti si prende all'età tua con due regazzini?
C'hai quarant'anni. I coitani tuoi ormai sono tutti sposati, mica
si vogliono attaccare un'altra pietra al collo. Non lo trovi piú un
uomo col bello stipendio di Antonio, con l'avvocato che tutti i
natali gli manda il pacco col panettone il panforte e lo sciampa-
gne. Qualcuno che si vuole divertire a letto con te lo raccatti,
ma fra qualche anno ricordati quello che ti dico: ti ritrovi sola

come tua madre. E allora? rispondeva Emma, irritata dalla sua
mentalità gretta e venale. Meglio sola che male accompagnata.
   Eppure Olimpia non era mai stata una sostenitrice di Antonio. Quando, sei mesi dopo aver cominciato a uscire con lui,
Emma lo aveva presentato ai genitori, non era stato un successo. Suo padre sperava di meglio per lei. Un medico, un avvocato – ma piú di tutto sognava un professore. In base alla sua
esperienza personale, supponeva che i laureati trattano meglio
le donne. Tito Tempesta si era fermato alla terza media. Invece
questo Antonio, quinto di sei figli, meridionale, era un meschino perito industriale e finito il servizio militare era entrato in
polizia. Ma Emma trovava Antonio alquanto irresistibile nella
divisa blu dell'agente semplice. Neanche a Olimpia Antonio era
piaciuto. Ma per ragioni assai diverse da quelle del marito. Sai
com'era tuo padre a vent'anni? aveva commentato. Bello, permaloso e attaccabrighe. Spiccicato al tuo Antonio. Com'è tuo
padre a cinquant'anni lo sai. Perciò vedi un po' che devi fare.
Emma aveva fatto di testa sua. E adesso Olimpia diceva che una
volta che il bell'Antonio se l'era preso, doveva tenerselo. Che
ci hai guadagnato a lasciarlo? Viviamo accampati peggio degli
zingari. Emma si rannicchiò contro il muro per non urtare le
ossa fragili della madre. Del resto Olimpia non sapeva niente,
perché certi fatti lei si vergognava di raccontarli – vergogna per
Antonio e vergogna per sé. Al punto che per molti anni li aveva negati pure a se stessa, preferiva pensare di averli sognati,
in un incubo ricorrente da cui si era infine liberata. La sveglia
segnava le 5,09. Ormai il sonno se n'era andato.
   Prese il libro dal comodino e attraversò la stanza in punta di
piedi. Quando l'aprí, la porta del bagno cigolò sui cardini. Avvicinò il viso ai listelli della serranda. Giú nel parcheggio, sotto il
lampione sfrigolante, Antonio era seduto nella Tipo. Se ne stava
al posto di guida, con le mani sul volante e lo sguardo fisso nel
vuoto. L'avvocatessa l'aveva avvertita che, in mancanza d'altri reati, non si può denunciare uno che sta per strada. Se viola
domicilio lo puoi denunciare, ma la strada è suolo pubblico, sarebbe difficile provare la molestia, non conviene avventurarsi

in una querela. La sua testa rasata, le sue spalle squadrate, il suo profilo autoritario, le sue mani forti. Antonio, cosí pazzamente amato – avrei fatto, ho fatto, ogni cosa per te. Per un istante, fu dilaniata dalla tentazione di scendere a parlargli. Dopotutto, lui diceva di non volere altro. Ma no, sarebbe stato un errore. Non doveva dare prova di cedimento. Be', se Antonio vuole vivere in macchina, peggio per lui. Se vuole spiare, che spii pure, che c'avrà da vedere qua dentro lo sa Dio.

Tentò di disincastrare la serranda, per chiudere ogni spiraglio, ma non ci riuscí. La innervosiva l'idea che Antonio credesse di avere il potere di toglierle il sonno. Ma del resto era la verità. E, che lei lo volesse o no, non poteva farci niente. Accese il neon sullo specchio. Sistemò il cuscino nella vasca da bagno ed entrò. La ceramica era gelida. Ma quella vasca a sedile nel bagno striminzito era l'unico angolo di questa casa in cui potesse stare qualche ora in pace. Aprí il romanzo, ma il segnalibro doveva averlo spostato Kevin, perché le sembrò di avere già letto quella pagina. Cercò di ritrovare il filo della storia, ma non riusciva a ricordarsi cosa fosse successo a Kitty come-si-chiamava, non aveva mai tempo per leggere, i nomi dei personaggi non le dicevano niente, le loro vicende le restavano oscure. Forse era la sua crescente incomprensione per la letteratura. Forse soltanto la stanchezza, o l'ansia, o il pensiero dei bambini nel divano letto del tinello – o di Antonio, giú in strada. Le risuonavano nelle orecchie le parole di Olimpia. Filisteismo. E ipocrisia. Eppure non riusciva a liberarsene. Un padre senza i figli carne della sua carne è una cosa brutta veramente, lascia perdere il divorzio, che so' solo spese, fatela finita, ti perdona, pure tu lo perdoni, non ne parlate piú, ripigliatelo che lui ti si ripiglia, questo è il tuo dovere di madre, la famiglia viene prima di tutto.

Era andata via di casa un 23 dicembre, dopo che Antonio era uscito per prendere servizio. Lo accompagnò alla porta, come al solito, lo baciò, si affacciò al balcone e aspettò che sparisse in fondo alla via. La Panda di sua madre era parcheggiata dietro piazza Vittorio. Olimpia era complice: aveva chiesto ad Antonio di lasciare che i bambini dormissero da lei, quella notte, con la scusa che poi partivano per Santa Caterina e lei voleva dare ai pupi i regalucci di Natale. Antonio non aveva voglia di discutere con Emma delle vacanze di Natale – lei si lamentava che le passavano sempre con i genitori e i duecento fratelli e cugini di lui, mai a Roma coi Tempesta – e diede il permesso. Emma accostò la porta senza girare la chiave, come se dovesse tornare subito. Caricò sulla Panda le valigie, i libri di scuola di Kevin e Valentina, i dischi, i giocattoli, la chitarra e il pigiama incriminato.

Oggi preferiva non pensarci, ma la goccia che fece traboccare il vaso fu un pigiama. Il 22 dicembre facevano colazione in veranda, come tutte le mattine da quando avevano acquistato l'appartamento di via Carlo Alberto – con mutuo trentennale, indebitandosi fino al collo. Emma spalmava la marmellata sui biscotti di Kevin, Valentina zuccherava l'Orzoro. Il caffè sa di gomma, disse a un tratto Antonio. A Emma non sembrava. Kevin sbocconcellò il biscotto, gliene cadde un moncone sovrastato da un grumo gelatinoso di mirtilli, spiaccicandosi sul grembiule dell'asilo privato. Non puoi starci attento? lo rimproverò Emma, l'ho appena lavato, che sei focomelico? Che vuol dire focomelico? chiese Kevin. Il filtro è rotto, disse Antonio, la macchinetta del caffè è vecchia, perché non l'hai cambiata? Che vuol dire focomelico? chiese Kevin. Te l'ho fatto notare già dieci volte, s'incaponí Antonio, ma tu niente, parlo al vento. Non me l'hai mai detto, disse Emma. Sí che te l'ha detto, disse Valentina, vuotando la tazza, c'ero anch'io, l'ho sentito. Perché non l'hai comprata? disse Antonio. Me ne sono dimenticata, okay? minimizzò lei, tentando di eliminare la macchia di mirtillo dal grembiule giallo chiaro di Kevin. Inutilmente: proprio all'altezza dell'inguine si era formata una disgustosa macchia violacea. Emma non voleva che le suore pensassero che la madre di Kevin trascurava l'igiene personale del figlio. Ehi, ti sto parlando, guardami quando ti parlo, a che pensi? Sbrigati, disse Emma, senza alzare lo sguardo dal grembiule macchiato, stai facendo tardi. Se nonna Olimpia mi regala di nuovo un paio di pantofole a forma di cane, giuro che le butto dalla finestra, disse Valentina. Senti, non so cosa ti ha regalato nonna, ma in ogni caso tu farai finta che ti piace. Hai capito? ordinò Emma, piú minacciosa di quanto volesse. Valentina aveva solo undici anni. Mamma, non ci voglio andare all'asilo, piagnucolò Kevin, nell'indifferenza generale. Guarda che io voglio il telescopio, insisté Valentina. Voglio il telescopio come regalo di Natale. Non parlare dei regali davanti a Kevin, le intimò Emma. Babbo Natale non esiste, disse Valentina al fratellino, che però leccava la marmellata sulla tovaglia e non percepí la notizia. Tu mi trascuri, ci trascuri, moralizzò Antonio. Io non ti riconosco piú. Che fai tutto il giorno? La casa è in disordine, un bordello, fa schifo, guarda, c'è la polvere pure sui biscotti. Che faccio? esplose lei, rossa in viso, hai il coraggio di chiedermi che cosa faccio?

Antonio le disse non urlare davanti ai bambini. Emma urlò che non stava urlando. Che palle, disse Valentina, e andò a prendere lo zainetto. Mamma, non ci voglio andare all'asilo, piagnucolò Kevin. Vuoi sapere che cosa faccio? continuava a gridare Emma, slacciando il grembiule sporco di Kevin e tirandolo in faccia a Antonio. Tutto faccio, tutto! Chi ti prepara da mangiare? Chi va a fare la spesa? Chi lava i piatti? Chi ti rifà il letto? Chi accompagna a scuola tua figlia? Chi l'aiuta a fare i compiti? Chi la porta in palestra? Chi gli compra i regali di Natale? È il lavoro tuo, l'hai scelto tu, ti devo pure ringraziare? disse Antonio, alterandosi, pare che mi hai fatto un piacere. La madre volevi fare, fallo, cazzo, non è cosí difficile.

Papà, ritentò Valentina, riaffacciandosi in veranda col cappotto abbottonato, il cappello in testa e i guanti, anche se mi avete già comprato il microscopio va bene lo stesso. Guarderò i batteri invece che le stelle. Di' che neanche quello ti riesce, disse Antonio, ignorando la figlia. Di' che non sai fare niente. Papà, insisteva Valentina, scuotendolo per la spalla, andiamocene adesso, scendo con voi. Io lavoro tutto il giorno, io non so cos'è il sabato e la domenica, io rischio la vita ogni secondo, continuò Antonio senza darle retta, e per chi credi che lo faccio? Chi è che ti paga le vacanze, chi è che ha comprato il microscopio di Vale, chi ha comprato la Ferrari di plastica a tuo

figlio? E non mi merito qualcosa in cambio? Quando torno a
casa, è come entrare in un frigorifero. Sei sempre scontenta. Io
sto sui nervi tutto il giorno, non ci arrivi a capirlo che ho bisogno di tranquillità? Valentina fece sbattere rumorosamente la
porta di casa. Emma pensò che una ragazzina di undici anni non
dovrebbe andare a scuola da sola in un quartiere come questo.

Sono stanca, Antonio, disse Emma. Be', tanto domani sera
partiamo, sospirò lui. Cosí puoi stare dieci giorni a farti servire
da mia madre. Te l'ha detto lei? gridò Emma. Lascia stare mia
madre, disse Antonio. Te l'hai detto lei? gridò Emma. Mamma
io non ci voglio andare all'asilo, piagnucolò Kevin. Mia madre
è troppo signora per lamentarsi che sua nuora non muove un
dito, se ne sta spaparanzata in salotto come una regina a dare
udienza ai cognati, mentre tutte le altre danno una mano in cucina, disse Antonio. È questo che pensi? disse Emma, pervasa
improvvisamente da una gelida calma. Sai che ti dico? Vacci tu
a Santa Caterina, io non ci vengo. Ah, sí? gridò Antonio. Che
cazzo hai per la testa? Dove credi di andare?

Emma prese la tazzina di Antonio ancora piena di caffè e la
buttò con tutta la macchinetta nella pattumiera. Antonio l'afferrò per la giacca del pigiama, e siccome lei non si voltò, la manica si lacerò e gli rimase in mano. Vattene, esci, disse Emma.
Il pigiama era da buttare, uno straccio, si giustificò Antonio,
alzandosi. Prese Kevin per mano, ma Kevin nascose il viso fra
le gambe della madre. Mamma non ci voglio andare all'asilo,
piagnucolò. Da quanti anni ce l'hai questo pigiama? Lo vedo
tutti i giorni, sempre questo pigiama del cazzo. Perché non ti
curi? ti sei guardata allo specchio? Ti stanno venendo i capelli bianchi. Non ti importa piú nemmeno di piacermi, e non mi
piaci piú, infatti. Non era questo che volevi? gli disse lei. Non
sei contento? Mamma non ci voglio andare all'asilo, piagnucolò
Kevin. Tu ci vai all'asilo, disse lei, esasperata, e gli stampò un
ceffone sulla guancia. Non ti azzardare mai piú a picchiare mio
figlio, sibilò Antonio, prendendo in braccio Kevin, squassato da
un singhiozzo angoscioso. Quel suono penetrante, la faccia pao-
nazza e disperata del bambino erano un rimprovero intollerabile,

il manifesto di cosa non fare allevando i figli. Emma buttò le braccia al collo di Antonio, che se li strinse forte contro il torace tutti e due. Non me lo metto piú il pigiama, Antonio, gli disse.

Non volevo dire quello che ho detto, sussurrò Antonio, baciandole una zona altamente erogena dietro il lobo dell'orecchio, non è vero, sei sempre la piú bella e mi piacerai anche con tutti i capelli bianchi, scusami. Lei sentiva il ben noto brivido percorrere la spina dorsale e però fissava le briciole della colazione sparpagliate sul tavolo. Non è a me che devi chiedere scusa, disse, ma alla donna col pigiama. Kevin continuava a singhiozzare e Antonio percepí solo la parola «pigiama». E mentre lo accompagnava alla porta Emma si rese conto che la misura era colma. E qualunque cosa Antonio avesse detto o fatto, non avrebbe mai piú potuto essere perdonato da quella donna – perché quella donna era morta nella veranda di via Carlo Alberto. E la donna che lavava le tazze nel lavabo, e spazzava i rimasugli attaccaticci di cibo dal pavimento della casa ormai deserta era un'altra, e non aveva il diritto né il desiderio di perdonarlo.

Non aveva mai chiesto aiuto a nessuno. Cavatela da sola – questo era il dogma di Olimpia. Non lamentarti e impara a galleggiare, perché la vita è una cloaca e nessuno ti aiuterà se non ti aiuti tu. Mamma? Vengo a stare qualche giorno da te coi bambini, le disse, per telefono, come fosse una cosa priva di importanza. In realtà non le chiese il suo parere. Passate Natale da me? strillò Olimpia, contenta di strappare i nipoti alla nonna rivale. Natale, e magari pure qualche altro giorno, disse Emma. La mattina dopo caricò la Panda e guidò fino a casa di Olimpia. Era stato piú di due anni e quattro mesi fa.

«Mamma, – stava piagnucolando Kevin, – è s-s-successo. Mi sono z-z-zozzato. S'è f-f-fracicato tutto». Emma posò il romanzo di cui comunque non aveva letto una riga e fissò il figlio, che faceva capolino sulla soglia del bagno. Il cerotto sull'occhio, la maglietta arrotolata sull'ombelico e sotto niente – nudo. Il fagiolino incollato contro le cosce umide. «Non l'ho f-f-fatto apposta», si giustificò, porgendole i calzoni del pigiama. Si sforzava di ostentare la massima dignità. A fati-

ca, reprimendo un moto di sconforto, Emma uscí dalla vasca.
«Non importa, non è niente», gli disse. «Perché stai nel bagno? – si insospettí Kevin, – s-s-stai male? Stai m-m-moren-
do?» «Ma che vai a pensare, ranocchio!» rise Emma, senza
capire. Ficcò i calzoni bagnati nel cesto traboccante di panni
sporchi. Domani doveva assolutamente trovare il tempo di fare
la lavatrice. «G-g-giura che non muori», insisté Kevin. «Non
muoio», lo accontentò lei, spiccia. Ma Kevin non sembrava
convinto. La esaminava, come se la sua pelle potesse confer-
margli che diceva la verità.

«Sta di là?» mormorò. «Chi?» esclamò lei, trafitta. Il bambino ci pensava ancora. Ci penserà sempre. E io posso portarlo
in un'altra casa, in un'altra città, e non potrò mai fargli dimenticare. «Ma no, cucciolo, – gli sorrise, rassicurante, – non c'è nessuno». Kevin la abbrancò per le gambe e strofinò il naso contro
l'orlo del pagliaccetto. «Ti cambio le lenzuola, – tagliò corto lei.
– Vieni». Lo prese per mano e se lo tirò dietro nel tinello. Tra i
listelli sconnessi della persiana già s'intuiva il riverbero azzurro
dell'alba. Non sarebbe mai riuscita a trovare le lenzuola puli-
te senza svegliare Valentina. Pazienza, Kevin avrebbe dormito
senza. Fosse la prima volta. Succedeva una notte sí e due no.
Appallottolò le lenzuola fradice sul pavimento e spinse il bambino sul materasso. Kevin si lasciò convincere solo a patto che
lei gli si distendesse accanto. Emma affondò la bocca nei suoi
capelli. Kevin sapeva di traffico e di biscotti. «*Hakuna matata
| ma che dolce poesia*, – gli canticchiò nell'orecchio, – *Hakuna
matata | tutta frenesia | senza pensieri la tua vita sarà | chi vorrà
vivrà | in libertà*». La filosofia di vita degli animali della sava-
na del *Re Leone*, il cartone preferito di Kevin, non le era mai
sembrata tanto sensata. *Hakuna matata*. Senza pensieri, Kevin.

«E poi resti?» la interruppe a un tratto Kevin. «Sí, amore, dormo con te». Rannicchiati sulla branda estraibile, stretti
stretti per non cadere sul pavimento. Le mie mani attorno alla
sua schiena, i suoi pugni contro le mie costole, le sue ginocchia
sul mio stomaco, il suo peso sotto il cuore. Lo riprendo dentro
di me, dove non gli potrà succedere niente. «Sono qui, va tutto

bene, hakuna matata – dormi». L'umidità del materasso la fece rabbrividire. Forse doveva parlare di questo serio problema
di enuresi notturna con un pediatra, ma l'unico che conosceva
prendeva centomila lire per una visita di un quarto d'ora, e lei
adesso non ce le aveva. «E non vai via q-q-quando mi ad-ad-
addormento?» balbettò Kevin. «No, amore, non me ne vado».
«E piantatela, cazzo! – sbottò Valentina, la voce nasale, come
se fosse raffreddata o avesse pianto. – Esisto anch'io e voglio
dormire».

«G-g-giura», insisteva Kevin. «Ssshh». «G-g-giura che non
muori». «Oh, magari! – scherzò Emma. – Ma non posso, tutti
moriamo, purtroppo, come nonno, come lo zio Remo... però
ti giuro che non morirò finché non sarai grande, fa lo stesso?»
Kevin non rispose. Rifletteva, perplesso, toccandole il viso con
le dita – i contorni della bocca, le narici, le palpebre, le ciglia.
Emma si chiese di che famiglia parlasse Olimpia. La mia famiglia, adesso, è tutta qui.

Sesta ora

Una busta di plastica danzava, bianca nel buio: Ago si diverti ad accelerare per raggiungerla e schiacciarla, la insegui, l'aveva quasi catturata, ma ecco che una folata di vento la solleva nuovamente, la spinge in avanti, poi in alto – quindi afflosciandosi scende, sparisce sotto le ruote del furgone e di nuovo all'improvviso risucchiata dal vortice d'aria sbuca all'altezza del cofano e oscilla – palloncino deforme, deriso dalla luce dei fari. Una fila di palazzi gli franò addosso, smottando, una riga di pini precipitò nel parabrezza e lo riscosse di soprassalto, costringendolo a sgranare gli occhi e sbattere le palpebre. «Dove siamo?» chiese Zero. «Sei proprio strano, fratello, – rise Ago. – Fai saltare la multi e invece di avere l'adrenalina a duemila ti abbiocchi come un angioletto!» Di là dal vetro impolverato del furgone, Zero riconobbe il lungotevere. Non avrebbe saputo dire come c'erano arrivati, e da dove venivano. Gli sembrava di avere sognato la bomba, l'esplosione, le fiamme. Ma le schegge che brillavano sulla sua felpa stavano là a testimoniare che era accaduto davvero.

Abbassò il vetro. Irruppe un laido tanfo di immondizia, poi un autobus notturno completamente vuoto – a parte l'autista e un uomo scuro addormentato con la testa contro il finestrino – sfilò alla sua destra e nella strada deserta una croce si rivelò l'insegna di una farmacia, poi un motorino truccato gli sfrecciò accanto. Zero lo vide sobbalzare sulle radici varicose dei platani,

affondare in un tombino, riemergere, sbandare, e poi lo perse.
E non c'era piú niente, solo i puntini rossi dell'orologio sopra
il retrovisore che indicavano le 5,47 e i lampioni grigi e il lungotevere liscio come un biliardo e un'ipnotica luce gialla che si
specchiava sul cofano – un semaforo sballottato dal vento, che
dondolava nel cielo greve di nuvole. Meri avvistò una volante
bianca e blu della municipale, e Ago rallentò. Per un attimo, Zero
immaginò che l'agente sbandierasse la paletta. Qualcuno aveva
segnalato la targa del furgone, tutte le forze dell'ordine di Roma
stavano cercando gli incendiari di Bravetta. Li facevano scendere, li mettevano a gambe larghe faccia al muro. Li insultava-
no, li sfottevano – forse li picchiavano. Poi li portavano dentro.
E domani tutti avrebbero saputo della bomba, e di lui. Stranamente, il pensiero non gli suscitava paura. Anzi, quasi desiderò
essere scoperto, arrestato, processato. Aver fatto qualcosa di significativo. Essere qualcuno – nella squallida opacità del mondo.
    Invece la volante della municipale rimase indietro, semina-
ta ai semafori gialli – niente controllo documenti, niente scoperta che il giovane Zero appartiene a una famiglia importante, niente telefonata ai genitori increduli – mio figlio? ma come
è possibile? ci deve essere uno sbaglio, è un ragazzo normale,
tanto bravo – niente processo condanna prigione né pubblico
riconoscimento né scandalo. Questa notte era stata un battesi-
mo, una prova, e lui l'aveva superata. E adesso il primo chiarore
del giorno fendeva la nebbiolina dell'alba e la scioglieva nel blu
duro e rigoroso del cielo di primavera. Le 5,51. «Fammi scendere», disse all'improvviso.
    Ago accostò dopo il ponte inglese. Meri gli chiese perché non
veniva a dormire al Battello Ubriaco, c'erano ancora i musicisti
di Berlino, stanotte c'erano un sacco di fratelli di passaggio accampati nella foresteria, cioè in quello stanzone sul retro dove
prima stava la tipografia e prima ancora, quando la fabbrica funzionava, i macchinari per fare il sapone. Ma Zero rispose che non
voleva andare a dormire – gli era venuta l'ispirazione. Gli amici
non gli chiesero di cambiare idea. Bisogna rispettare gli estri di
un artista. Zero aveva bisogno di rendere memorabile questa not-

te. E spruzzare il suo nome da qualche parte. Questo a Lei non l'aveva mai detto. Era una cosa sua, il suo unico segreto, e non aveva nessun valore. Del resto non voleva possedere niente che avesse un valore. Se ne fosse stato capace, avrebbe fatto come san Francesco – l'unico italiano per il quale provasse rispetto: si sarebbe spogliato nudo in una piazza, avrebbe gettato in faccia al padre mercante le sue ricchezze e sarebbe andato a vivere di ghiande e radici in una grotta, parlando solo agli alberi e ai cani. Essere povero come la natura, semplice come il cielo, la mia libertà sconfinata come quella di un uccello, un cane randagio. A modo suo, quella povertà e quella libertà le stava inseguendo. Quando gli sembrava di procedere troppo lentamente verso la sua meta, si ripeteva: aspettate, ci sto arrivando. Gli alberi e gli uccelli gli mancavano, ma di cani ne aveva raccolti già cinque. Prese in braccio il cane paralitico, afferrò Shylock per la collottola, spinse il pigro Mabuse e saltò giú dal furgone. Agitò la mano e gridò che veniva al Battello dopo pranzo. «Ricordati che devi accompagnare l'arabo al cantiere, – gli gridò allora Meri, – e fatti venire un'idea, trova i soldi, se non paghiamo ci sgombrano».

L'alba si librava tra i platani del lungotevere, e Zero doveva sbrigarsi, perché la notte si ritirava, sollevandosi come un tappeto. Il disco ancora sbiadito del sole già balenava dietro la Sinagoga, sfavillando sulle foglie verde cupo, sugli intrichi secolari delle cortecce dei platani, seminando scaglie di luce sull'acqua del Tevere. Sulle banchine cominciavano a disegnarsi le prime ombre. Nugoli di rondini turbinavano basse sui tetti dei palazzi e sulle antenne della televisione, scambiandole forse per alberi senza foglie. Erano isteriche, e pazzamente eccitate per l'imminente arrivo del giorno. Zero attraversò il ponte e raggiunse l'isola Tiberina. La chiesa illuminata dai proiettori sembrava la quinta di una scenografia. Nel piccolo piazzale, sotto l'obelisco, una camionetta della polizia sorvegliava l'ospedale israelitico. Il poliziotto al volante lo scrutò con sospetto. Zero gli ricambiò lo sguardo e lo sfidò, passandogli davanti. Sapeva che il poliziotto lo considerava un possibile nemico – per via dei capelli lunghi tinti di viola e raccolti in grosse trecce da rasta, dell'anello d'argento che brillava nella narice destra, della felpa scolorita col cappuccio da fantasma, dei calzoni troppo larghi calati fin quasi alle ginocchia e dei cani senza guinzaglio né museruola. Ma nemmeno questo poliziotto lo fermò, aveva troppo sonno per inseguire quella specie di vagabondo lurido e i suoi cani pieni di zecche.

Zero scese rapidamente le scalette, e sentí i suoi passi risuonare in un silenzio irreale. Il Tevere era stato in piena, una massa d'acqua scura ancora ribolliva contro le banchine. Nel braccio che correva alla destra dell'isola il fiume fluiva veloce, senza neanche un'increspatura, finché uno scalino lo faceva franare in una sorta di cascata, fra rapide gorghi e mulinelli. Camminando nella fanghiglia, Zero si spinse fino all'estremità dell'isola e si fermò a guardare l'acqua che tumultuava sotto le arcate di Ponte Rotto. Il cane ancora senza nome perché raccolto da poco non lo lasciava, temendo di essere abbandonato anche da lui, e gli si accucciò sui piedi. Del resto era paralitico, e non avrebbe potuto trascinarsi lontano. Era un bastardo maculato, peloso – incrocio sfortunato di un terranova e di un chow chow. Quando le aveva detto di aver raccolto un altro cane, Lei si era preoccupata. Dove lo metterai? gli aveva chiesto. Lei non amava i cani. Lei non amava le cose bastarde e sporche e abbandonate. Lei amava le cose belle.

Alle sei, sull'isola Tiberina non c'era nessuno. Di tutta Roma, che spesso Zero esplorava di notte, quando era vuota e accogliente, solo e scortato unicamente dai suoi cani, l'isola era il luogo che preferiva. La sua forma gli ricordava una nave, che si era arenata in mezzo al Tevere chissà quando. La prua tentava orgogliosamente di opporsi al flusso del fiume, e a Zero era sempre sembrato che quella nave andasse, come lui, controcorrente. Nelle giornate di sole, passava ore accovacciato sulla poppa di quella specie di nave, a fissare l'acqua che rumoreggiava sui sassi e poi proseguiva la corsa verso la foce. Se un giorno mai avesse dovuto arrendersi, gli sarebbe piaciuto lasciarsi cadere nelle rapide, proprio lí, e allora il suo corpo avrebbe navigato fra i muraglioni e le canne fino a scomparire in mare.

Ma era un pensiero stupido, dal momento che non voleva suicidarsi. Lo aveva pensato a diciott'anni – perché il mondo gli sembrava un posto inabitabile, una galera, un ergastolo senza uscita. Ma poi non lo aveva fatto. Adesso gli sembrava un progetto adolescenziale, velleitario e ridicolo. Eppure da quel giorno erano trascorse solo cinque primavere, e lui non era cambiato per niente e nemmeno il mondo – qualcosa di significativo era accaduto, era crollato il muro di Berlino e l'Unione Sovietica, ma il peggio allungava ovunque la sua ombra, con una mostruosa, inesorabile efficienza. Le lastre che pavimentano l'isola erano perfettamente bianche, sembravano tele che aspettano solo di essere riempite. Però c'era troppa luce, e dalle case avrebbero potuto vederlo. Sull'isola abitavano pochi fortunati, ma c'erano, tuttavia.

Zero passò sotto l'ospedale e si diresse dalla parte opposta dell'isola, dove la punta si stringeva – proprio come la prua di una nave. Qualcuno aveva costruito una baracca con delle coperte e dei cartoni, e campeggiava sotto l'arcata del ponte. Nel fuoco appena spento fumavano ancora le braci e nell'aria aleggiava un odore di cenere. Probabilmente immigrati senza casa. Sbandati, clandestini. Molti ne avevano paura, ma Zero aveva nobilmente deciso di riconoscere in quei fantasmi sradicati e soli i suoi fratelli. Una volta uno lo aveva rapinato e lui non lo aveva denunciato, non si lasciava strappare cosí facilmente le sue convinzioni. Su Ponte Garibaldi, là in alto, passò un'automobile – i fari saettavano dietro la ringhiera. Sulla riva sinistra del Tevere c'erano dei lavori in corso – forse stavano finalmente dragando lo stretto braccio del fiume, ingorgato e impantanato da anni. Uno sbarramento di lamiera correva lungo tutta la banchina. Era lamiera corrugata, e la difficoltà dell'impresa lo eccitò. È facile taggare sulle superfici lisce, sulle pareti, sui piloni. Tutti ne sono capaci, anche i dilettanti. E Zero lo aveva già fatto. Perfino sul muro della villa. Stupida bravata, inutile, perché Lei non sapeva che era proprio lui l'autore.

Tirò fuori dalla felpa le bonze. Aveva portato solo tre colori, stanotte. Pazienza, avrebbe creato un mondo nero, rosso e blu. Spruzzò. Sentí abbaiare i cani, li sentí ringhiare – forse avevano incontrato un ratto, forse il clandestino che dormiva nella tenda li aveva scacciati a sassate. Si prese quel che restava dell'alba per effigiare l'esplosione sulla lamiera del cantiere. Partí dalla bomba, una piccola bomba a mano artigianale, costruita assemblando pezzi innocui, secondo le istruzioni di un manuale scaricato da internet. La bomba era nera. Il locale fu rosso – come le fiamme, minacciose lingue di fuoco che divoravano l'insegna. Anche il cane fu rosso, ululava a una luna nera, con la lingua penzoloni. Ultimo dipinse se stesso. Un ragazzo mingherlino, tutto capelli, di spalle. Si dipinse blu. Poi scrisse il messaggio: TOTAL DEVASTATION. FA' BOOM.

Infine firmò. Firmò come sempre – quell'unico segno che aveva disseminato su vagoni della metropolitana e palazzi portoni saracinesche e treni che adesso vagabondavano su e giú per l'Italia con le sue figure incollate ai fianchi come manifesti che però non vendevano niente e non significavano altro che quello che sembravano. Quell'unico segno che lo riassumeva e lo spiegava e lo annullava ed era proprio lui stesso: un nessuno, un numero che non ha valore, uno Zero. Quel nome di vernice ora splendeva alla nitida luce del mattino. Il primo tram superveloce – verde pastello come il disegno di un bambino – sferragliò su Ponte Garibaldi. Taxi mattinieri correvano di là dalle ringhiere. Le grandi vetrate dell'ospedale israelitico riflettevano già il sole. Un'attività indolente, e però irrefrenabile, scintillava e pulsava sotto la corsa delle nuvole. La grande, la tanto amata Roma si risvegliava alla realtà nuda della mattina presto, tutta strade, piazze, chiese, cosí come appare ai passeggeri del primo autobus, ubriachi di sonno, e ai nottambuli, ubriachi di musica, che escono dalle discoteche – la città dopo la battaglia che affiora dalla marea della notte. Il cielo era grigio, opprimente, nuvoloso. Le previsioni si avveravano. Sarebbe stata una brutta giornata.

Mattina

Chi dice le bugie va all'inferno.
DETTO POPOLARE

Settima ora

Amici che siete in ascolto di Radio Globo, sono le sette e trenta minuti. Dove vi trovate, bricconi? Siete ancora a letto? vergogna! Alzatevi, è primavera! la temperatura massima oggi arriverà ai ventitre gradi, la minima ai tredici. Il cielo è coperto ma non piove, perciò su, buttatevi, la vita è bella. Attenzione. È il momento delle canzoni piú votate dagli ascoltatori di Radio Globo. Radio Globo, your radio, wait for me, I'll be back.

Sasha nascose il viso sotto il cuscino, e non aprí gli occhi. La voce del deejay lo aveva brutalmente strappato a un sogno dolcissimo, che purtroppo non riusciva a ricordare, e che svanendo gli aveva lasciato solo una sensazione di estenuato benessere e un acuto rimpianto. Ma di cosa? O di chi? *Parlami | come il vento fra gli alberi | parlami | come il cielo con la sua terra,* intonò una voce femminile alla radio. Gli pareva di avere già sentito questa canzone, forse era quella che aveva vinto il Festival di Sanremo. *Dimmi se farai qualcosa, | se mi stai sentendo, | avrai cura di tutto quello che ti ho dato.* Il sogno non tornò. Purtroppo, non c'era niente da fare, ormai era sveglio. Scansò il lenzuolo e si rizzò a sedere. Infilò le pattine di feltro. La vista del letto per un attimo lo rattristò, perché era un letto virtuoso, con le lenzuola rincalzate, i cuscini sprimacciati. Sembrava non ci avesse dormito nessuno. Tuttavia si sforzò di pensare positivo. Il suo pessimismo influiva negativamente sugli eventi della vita. Un giorno questo sarà il nostro letto. E non mi sembrerà piú cosí vuoto. *Siamo nella stessa lacrima | come il sole e una stella.*

Sasha cercò il suo coinquilino, Godot, ma il gatto bisbetico
si era nascosto. La cuccia era fredda. Riempí la ciotola del latte. Lo cercò, miagolando e gnaulando – sotto il divano, fra gli
stipi della cucina, nell'armadio. A volte il gatto si comportava
come un marito offeso. E questo non era bello. Quant'è difficile vivere in due. Un'esperienza che non aveva mai condiviso
con un altro essere umano. E non per sua scelta. *Luce che cade
dagli occhi... ascoltami ascoltami.*

Si chiuse nella cabina della doccia, ficcò il viso sotto il getto
del soffione. Si cosparse di bagnoschiuma, spalmò sulle punte
e alla radice la lozione rinforzante contro la caduta dei capelli.
Alla radio ascoltò *Hot shot* di Shaggy, l'annuncio pubblicitario di un concessionario di automobili sulla Tuscolana presso il
quale domani tutti avrebbero potuto provare la nuova Honda
Stream con sette posti a sedere, *Why does my heart feel so bad*
di Moby, l'invito a recarsi negli ipermercati Eurospin, *Play* di
Jennifer Lopez, *Mad about you* degli Hooverphonic. Si pettinò,
con dolcezza, per non spezzare i capelli – ultimamente parevano di una fragilità estrema. Poi contò quanti ne erano rimasti
nel pettine. Cinquantaquattro! Di già! La soglia fisiologica per
una normale ricrescita è ottanta capelli caduti al giorno. Lui la
superava abbondantemente. La mattina gli ricordava senza in-
dulgenza che non aveva piú vent'anni. Si sforbiciò i peli nelle
narici. Ascoltò i Lúnapop cantare *non posso piú tornare indietro
non conosco la via | non voglio piú tornare indietro e stare senza
di te*, e le notizie. Il papa è in Grecia per una visita storica. A
Pavia è stato arrestato un uomo per aver seppellito la moglie
nel giardino di casa: l'amava, la sua giustificazione, non voleva
separarsi da lei. In aprile negli Stati Uniti sono stati distrutti
223 000 posti di lavoro, i disoccupati sono al 4,5%, bisogna ri-
salire al 1991 per trovare un simile record negativo, l'aumento
della disoccupazione è legato al rallentamento dell'economia
d'oltreatlantico. Rupert Murdoch oggi è a Roma per un incontro con Silvio Berlusconi. Sasha stappò il cilindro della schiuma da barba. Sorrise mesto all'uomo che lo fissava stralunato
nello specchio sopra il lavabo. «Fatti coraggio, – disse, – oggi

hai solo tre ore e domani è sabato». Gli rispose il deejay. *Radio Globo, your radio. Amici, è il quattro maggio, venerdí, il giorno di Venere.* Si insaponò le guance. Cosa vuole Rupert Murdoch?

Il gatto si fiondò fuori dal cesto della lavatrice – col pelo ritto e la coda rigida come fil di ferro. Il campanello lo aveva spaventato. Stavano suonando. A quest'ora? Con le guance bianche di schiuma e il rasoio in mano, a passi felpati Sasha slittò verso la porta. Nello spioncino vide un pony ultrasessantenne, con un giubbone catarifrangente rosso fuoco e la pelle scura, forse somalo, comunque africano. Anche se non aspettava nessun pacco, Sasha aprí, piú che altro per pietà di quell'uomo che aveva l'età di suo padre e doveva scorrazzare su un motorino come un adolescente al primo lavoro. «Signora Solari?» disse lo straniero, fissandolo con sospetto. «Forse cerca me», precisò Sasha. Lo sguardo imbarazzato dell'altro gli ricordò che era nudo e insaponato. «Devo consegnare questo». Un gigantesco cesto di tulipani blu, talmente voluminoso che nemmeno passava dalla porta.

Tulipani blu. Sasha si scansò, e lo straniero – guardandosi intorno indeciso – trascinò penosamente il cesto al centro della stanza. Sasha gli disse di lasciarlo pure accanto al divano. Consapevole di non riuscire a celare la sua ebete felicità. Il vecchio pony, scandalizzato dall'indecenza degli abitanti di questo paese perverso, rinculò in fretta verso la porta rimasta aperta e scomparve. «Tulipani blu, – tubò Sasha al gatto, – wow!» Dimenticandosi completamente della schiuma e della barba, in estasi, spalancò la finestra, grattando la collottola del gatto, che ronfò di piacere. Il terrazzino del monolocale era un profumato tripudio di azalee e lillà in fiore. Dentro, orchidee felici e gladioli rossi si affacciavano tra gli scaffali della libreria – c'erano fronde e fiori ovunque, come in una serra. E l'amante non aveva scordato l'anniversario. Chi l'avrebbe mai detto. La felicità piú intensa sembra destinata a durare un istante, e invece.

Canticchiando il ritornello della canzoncina dei Lúnapop, che gli era rimasto in mente – *non voglio piú tornare indietro e stare senza di te* – carponi sul parquet, Sasha frugò nel cellopha-

ne che avvolgeva il cesto in cerca del biglietto. Perché doveva
esserci un biglietto. Quanto si scrivevano, loro due. Si scrivevano le parole che si sarebbero vergognati di pronunciare. Deve essere questo, il segreto della letteratura. Il biglietto c'era.
Provò un improvviso moto di gratitudine per suo padre, che con
la liquidazione – invece di pagarsi una barca o dozzine di cro-
ciere su navi alte come palazzi e affollate come città – gli aveva
regalato quaranta metri quadri a Borgo Pio. Lui non avrebbe
potuto permetterselo. Guadagnava un milionesettecentomila
lire lorde al mese, e le spendeva tutte. Antiche travi di legno
attraversavano il soffitto. Sui cassettoni scuri si intuivano ancora i segni di antichi fregi. La libreria – geometria di quadrati
protetti da una vetrinetta lucente – era in perfetto ordine: tutti
i volumi raccolti per collane, i colori abbinati con gusto. Sugli
scaffali che correvano lungo le pareti, i cd erano disposti in ordine alfabetico. Cosí, tra quei cd, Sasha sapeva sempre dov'e-
rano Thelonius Monk e Miles Davis, Dinah Washington, Bill
Evans e i Tuxedomoon. Dove la nostra canzone, *Desire*. Sulla
sella dell'elefante indiano che fungeva da tavolino, giaceva un
libro con la copertina nera. Al centro s'allungava mollemente
una donna nuda. Il segnalibro era infilato alle ultime pagine.
Follia. Il romanzo, di cui aveva letto buone recensioni, lo aveva
comprato per la bella copertina. Sasha era ossessionato dal buon
gusto. Nulla, nella sua casa, o in lui, doveva sembrare ordinario,
o volgare. Dalla finestra aperta gli sorrideva una sfilata di tego-
le rosse e, vicinissima, la cipolla sfolgorante della cupola di San
Pietro. Che bella questa casa – la mia casa. Ma perché non è la
nostra? Scacciò il pensiero con fastidio. Bisogna accontentarsi,
oggi è giorno di festa. Aprí il biglietto. L'amante aveva scritto, con la sua grafia minuta e controllata: *Mille di questi giorni*.
     La frase era di una banalità quasi offensiva. Sasha si tastò
inavvertitamente la guancia. Il dito s'imbiancò di schiuma. Stava
facendo tardi a scuola. I tulipani esalavano un odore stucchevole. Forse non erano freschi. L'amante strangolerà il fioraio se gli
ha rifilato dei fiori moribondi. Questi tulipani devono arrivare vivi a lunedí. Perché il biglietto – generico e squallidamente

impersonale – conteneva però una notizia eccitante, che esau-
diva le sue sobrie speranze. Un week end insieme – promesso
da mesi, e ogni volta rimandato e posposto. Ma la vita è adesso.
*Ho prenotato alle Colline di Maremma di Montemerano. E due
notti al Grand Hotel delle Terme di Saturnia. A tuo nome, xdono. Già pagata, tutto fatto. Mi hanno incastrato con un'intervista
a Sorano, poi ti spiego. Ma ci metterò un'ora al massimo. Chia-
mami solo se non puoi. Passo a prenderti a casa appena finisco di
registrare – sarà verso le otto.*

Mancavano quasi dodici ore. Sasha avrebbe voluto che fosse
già sera. Si rialzò. Era contento, eppure un pensiero sgradevole
lo assillava. Anche se era stato proprio lui a dire all'amante quanto gli sarebbe piaciuto provare le Colline di Maremma, l'osteria
ideale per una cena romantica. Gliene aveva parlato un'amica.
Lo chef aveva poco piú di trent'anni e si era già guadagnato
due stelle nella bibbia Michelin. Faceva una cucina creativa e
fusion, ma coi prodotti tradizionali del territorio, biologici, naturalmente. Un antico mulino ristrutturato con molta cura, bei
mobili, arte povera, antiche madie, antichi strumenti agricoli,
lume di candela, servizio impeccabile, ma niente di pretenzioso – servivano un antipasto con tutti gli affettati della zona, il
lardo di Colonnata, prodotti freschi, comprati direttamente dai
produttori. L'antipasto è un piatto enorme, praticamente hai
già finito, e invece poi viene il meglio, primo, secondo, contorno, dolce, il tutto innaffiato dai vini delle migliori cantine dei
dintorni, alla fine ti offrono la grappa distillata in casa. Insomma un ambiente intimo, ma selezionato, frequentato con discrezione, ci erano stati visti Massimo D'Alema e Tony Blair con
Cherie, l'altra settimana c'era Roberto Benigni. Sasha voleva
andarci da mesi. Ma ora gli veniva in mente che l'amante aveva prenotato nell'osteria in Toscana perché aveva ritenuto giusto mettere fra sé e il suo matrimonio almeno cento chilometri.
Mai una volta – mai – erano andati a cena a Roma. Avevano
esplorato tutte le città satellite – Zagarolo, Palestrina, Frascati,
Tarquinia – tutti i ristoranti segnalati dalle guide nella provincia, e anche piú lontano. Conosco tutti, mi conoscono tutti, a

Roma, spiegava l'amante. Ma questa maniacale prudenza, oggi,
gli sembrò meschina.
   Sarebbe stato meglio non andare da nessuna parte. Potevano rinchiudersi tre giorni in casa. Da settimane non facevano
l'amore. Ma c'era quella maledetta intervista. L'amante non si
dimenticava mai di essere chi era. Viveva sempre come fosse
davanti alle telecamere. Be', dice che ci perderà un'ora al massimo. Mi farò una passeggiata nei vicoli. È un paese romanti-
co, Sorano. L'ultima volta che ci siamo stati cadeva a pezzi:
un'intera contrada, completamente abbandonata, si sgretola-
va nel burrone. Lui invece, per l'amante, era pronto ad abbandonare tutto. Perfino i suoi studenti. E già sapeva che domani pomeriggio non li avrebbe accompagnati alla Galleria d'arte
moderna – come promesso – e non li avrebbe portati davanti a
Klimt, Morandi e Degas. Del resto, per dei ragazzini che vanno a scuola, visitare un museo con l'insegnante può anche rive-
larsi un evento catastrofico, tale da togliere loro per sempre il
desiderio di rimetterci piede. Anche se l'insegnante non volesse spiegare niente né tantomeno ingozzarli di nozioni, semplicemente metterli davanti a un'opera d'arte, e scatenare il loro
stupore, la loro insofferenza, la loro curiosità. Il loro interesse spontaneo e istintivo per l'arte o per qualunque altra forma
espressiva dell'intelletto umano è già stato estirpato e spento da
otto anni di scuola, e la brace che ne resta non la riattizzerà domani. Quei suoi ragazzini, Sasha li chiamava gli orfani perché,
nonostante avessero tutti almeno un genitore, quando non tre
o quattro, secondo la ricomposizione delle famiglie, nessuno si
occupava davvero di loro, a parte la scuola, nella quale venivano parcheggiati e distrutti definitivamente. Ieri aveva scoperto
con una desolazione indescrivibile che nessun alunno della terza
B aveva mai messo piede in una libreria.
   «Parto, micio», disse Sasha, allungando la mano verso il gatto. Godot, già consapevole dell'imminente abbandono, gli soffiò contro, stizzito, e lo schivò con un balzo. Capriccioso felino. Devi essere paziente con noi. Abbiamo così poco tempo per
stare insieme. Vestendosi, rimirò con tenerezza la parete dietro

il letto. Fra il poster della mostra di Vermeer all'Aja del '96 e la riproduzione del discobolo di Mapplethorpe, era incorniciata una fotografia. Autoscatto in una baia di Marettimo. Sasha e l'amante, abbronzati, appollaiati sulla prua del gozzo, inebriati dal sale e dal sole. Sorridenti. *Non voglio più tornare indietro e stare senza di te.* Niente Galleria d'arte moderna. Niente ragazzini. Ce li portino i loro genitori, si prendano qualche responsabilità, non li ha obbligati nessuno a metterli al mondo. Oggi all'una vado in vacanza. Ho diritto a un po' di felicità anch'io. Non tornerà un altro anniversario cosí. Niente ritorna. Che vada all'inferno, la scuola con tutti i suoi allievi.

Ottava ora

Nell'autobus si stava stretti come peli in una narice. Di sedersi non se ne parlava nemmeno. Valentina s'insinuò fra i tubi della vidimatrice, incastrò il borsone contro il finestrino e accese il walkman. Con voce sepolcrale Brian Warner in arte Marilyn Manson gridò COUNT TO SIX AND DIE, sovrastò il potente muro di suoni della chitarra elettrica e della batteria e la trasportò altrove. In un mondo di irriverenza e libertà nel quale non c'erano periferie sconsolatamente lontane dal centro né autobus sovraffollati né vecchi scorbutici né vecchie babbione munite di contundenti carrelli per la spesa. Corpi consumati dai quali, come del resto dagli altrettanto consumati finestrini sedili e mancorrenti, si levava un puzzo intenso, un odore inquietante di putrefazione animale. E non c'era neanche mamma coi capelli scoloriti aggrovigliati sulla nuca e un ricciolo provocante che le danza accanto alla bocca rossa come una ciliegia, né Kevin che chiede «mamma cos'è la ghiandola perineale?», la prima domanda delle molte con cui tutto il giorno affliggerà chi gli sta vicino. Un mondo nel quale non c'era nemmeno Roma. COUNT TO SIX AND DIE.

Emma si dibatteva fra un nugolo di ginnasiali affetti da una deturpante forma di acne, sgomitando per far posto a Kevin: lo teneva sollevato per il bavero della giacca a vento perché, tappetto com'era, fra tutte quelle gambe ostili non riusciva a respirare. «Cos'è la ghiandola perineale? Cosa sono i feromoni? – insisteva Kevin, alzando il muso in aria. – Mamma l'hai mai vista una puzzola?» I passeggeri stavano appiccicati gli uni agli altri, i loro corpi si urtavano e si incastravano – chiappe e mani, gomiti e capelli, capezzoli e scapole – contatti ravvicinati, osceni scambi di fluidi, effluvi, fiati. Valentina odiava gli autobus. Prima non era cosí: andava a scuola a piedi. Si fermava a comprare un trancio di pizza alla rosticceria di via dell'Esquilino e poi citofonava alla sua compagna di banco Sharon e camminavano insieme fino in classe. Adesso era costretta a questa mischia da rugby, ogni mattina. La responsabile di tutto ciò, incurante degli scossoni e del pigiapiga, incurante delle provocazioni di Marilyn Manson, continuava a muovere le labbra – le stava parlando. Valentina non poteva sentirla, per via di Marilyn Manson, ma tanto sapeva cosa le stava chiedendo: se aveva preparato la lezione, oggi aveva la verifica di scienze, no? Mamma credeva che a lei importasse qualcosa – che fosse contenta del suo interesse. Ma le chiedeva sempre le stesse cose, la scuola, i professori, l'interrogazione, cose che non avevano nessuna importanza. La scuola andava bene, o almeno era andata bene fino a qualche tempo fa, era il resto che non andava bene – ma di quello non parlavano. «Ma sí, – rispose, svogliata, agitando la testa al ritmo della canzone. – Che palle, non mi ammorbare, ho studiato, ci sto dentro».

«Spegni quel maledetto aggeggio!» gridò Emma, ma le porte dell'autobus si aprirono e alla terza fermata di via Torrevecchia salí un branco inferocito per la lunga attesa. «Siamo la vergogna d'Europa. Ma i nostri soldi dove vanno a finire?» deprecò una buzzicona, forse una domestica, prima ancora che l'autobus si rimettesse in moto. «L'Italia fa schifo, – s'inserí un pensionato invalido, esasperato. – C'ha proprio ragione quello che ha detto che l'Italia è un paese povero abitato da ricchi. Ci abbiamo strutture e servizi da terzo mondo, e piú banche macchine e telefoni degli svedesi». Emma pensò che a Roma prendono i mezzi pubblici solo i pensionati, gli stranieri e gli studenti – i poveri, insomma – e che lei doveva provvedere a questa situazione al piú presto. «Ieri mattina dovevo prendere la metro a Termini, – attaccò bottone un altro passeggero. – Sui marciapiedi stavamo pigiati come le sardine, da paura, quando passa

la metro è cosí piena che non si riesce a salire, a un certo punto l'altoparlante fa: Si invitano i signori passeggeri a usufruire
dei mezzi di superficie per l'intenso traffico sulla Linea A, hai
capito, come se gli auti là sopra corono vuoti, che le paghiamo
a fare le tasse dico io». «Io le vorrei pagare le tasse, – gli disse
Emma, rivolgendogli un sorriso indulgente. – Chi paga guadagna». «Bella signora, – ammiccò il passeggero, con fare confidenziale. – Com'è ingenua, chi guadagna non paga, è proprio
questo il dramma dell'Italia». Emma continuò a sorridergli,
svagata. Abbandonandosi al ritmo sonnolento dell'autobus e
della metropoli che le brulicava attorno, immersa nel piacere
primordiale dell'appartenenza, si lasciò colmare da una sensazione quasi mistica di comunione con le cose di Roma, coi membri
della sua specie e suoi concittadini.

A Valentina dava fastidio che mamma si mettesse a parlare
con gli sconosciuti. Il passeggero tentò di aggirare Kevin, cal-
pestandogli i piedi, ma un nuovo afflusso di folla lo strappò a
mamma, separandoli. Mamma invece venne sospinta verso di
lei. Strizzata in una pelliccetta fuori luogo in maggio e sciagu-
ratamente profumata di incenso. Incenso – perché la mattina,
durante le abluzioni, che peraltro si svolgevano in comune perché in casa di nonna c'era un solo bagno e loro tre uscivano alla stessa ora, mamma accendeva un bastoncino aromatico. Per
stimolare la produzione della serotonina, diceva. La molecola
che rende felici, o qualcosa del genere. «A che ora è la partita?»
urlò Emma, per sovrastare Brian Warner, provvisto peraltro
di una voce potente e sicura nonostante le critiche ingiuste dei
preti e dei critici musicali, che lo accusano di essere un pupazzo prodotto dalle multinazionali del disco. «Alle cinque e mezza!» urlò Valentina. Emma si morse le labbra e scosse la testa.
Il bastoncino d'incenso lo faceva consumare sull'orlo del lavabo, mentre si sciaguattava. Lo accendeva per cancellare dalla
sua pelle l'odore di nonna – che non era buono – ma mamma
si inventava quella cavolata della serotonina, pur di non dire la
verità. Era una bugiarda spudorata. A un tratto Marilyn Manson tacque. Mamma aveva pigiato il tasto STOP.

«Ti ricordi che devi passare a prendere Kevin, vero?» Valentina la ignorò e premette di nuovo il PLAY. Attaccava *Valentine's Day*. La sua canzone preferita – forse per via del nome, che era anche il suo. Non capiva di cosa parlasse, anche se in inglese se la cavava bene: però di sicuro c'era una ragazza. Al Palaghiaccio di Marino, al concerto di febbraio, Marilyn Manson l'aveva cantata vestito da papa, dietro un inginocchiatoio ornato ai lati da due teste mozzate. VALENTINE'S DAY. Il giorno di Valentina? Il mio giorno. Perché no? E invece mamma – Kevin, Kevin, il suo unico pensiero. Che la brava figlia maggiore passasse a prendere il fratello all'uscita di scuola e lo riportasse da nonna. Se poi in tre ore quella brava figlia doveva attraversare due volte Roma da un capo all'altro non gliene fregava niente. Purché passasse a prendere la puzzola. «*Flies are waiting | in the shadow | of the valley of Death*», le cantò in faccia, annuendo. Tanto era già d'accordo con Kevin – da lei ribattezzato la puzzola a causa dei suoi cattivi odori notturni, che secerneva proprio come il piccolo mammifero carnivoro quando è allarmato.

Qualche mese fa, avevano stretto un contratto segreto. Valentina gli passava qualche mille lire da giocarsi alle macchinette dei videogame e Kevin non riferiva a mamma che certi giorni Vale lo faceva tornare da solo. Oggi era uno di quei giorni. Lo avrebbe messo sulla metro alla stazione Flaminio e Kevin sarebbe sceso all'ultima fermata – Battistini, devi prendere la metro in direzione Battistini, non Anagnina, te lo ricordi? – poi sarebbe salito sul 916, tanto c'era la fermata vicino all'uscita della metro, sarebbe sceso sotto la torre – tanto fino a casa di nonna c'erano meno di cento metri, e poi doveva andare sempre dritto finché la strada finiva – e insomma da nonna ci sarebbe tornato da solo. Non è tanto complicato, un bambino a sette anni sa già leggere da un pezzo. E poi mamma dice sempre che i figli senza padre crescono piú in fretta. Anche il prof dice che Valentina Buonocore è una ragazzina piú matura della sua età. E infatti certe volte lei si sente piú vecchia di mamma. Siccome mamma è impulsiva e incauta, lei è diventata saggia e prudente; quanto mamma è espansiva, lei è riservata, quanto mamma

è turbolenta e vivace, lei è silenziosa, seria e riflessiva. A volte
Valentina ha l'impressione di essere la madre di sua madre. Comunque oggi Kevin tornerà da solo. Tanto mamma non verrà a
saperlo, lo hanno già fatto e Kevin ha mantenuto il segreto. La
puzzola è lunatica, ma leale, e alla fin fine lei è contenta di non
essere rimasta figlia unica. «*Flies are waiting | in the shadow | of
the Valley of Death*, – cantò, a volume troppo alto, sicché tutti
i passeggeri si voltarono. – *Some of us, are really born to die*».
    Emma tentò di aprire il finestrino, ma era bloccato. Riuscí
solo a intravedere una lunga colonna di automobili e furgoni
paralizzati lungo la Boccea. L'autobus avanzava con lentezza
scoraggiante. In venti minuti, avevano superato appena due semafori. Tutto questo tempo sprecato. La vita che se ne va cosí
– una collana sconnessa di momenti che non significano niente. Ma appena trovava i soldi, faceva riparare la moto, e questo
strazio sarebbe finito. In moto, impiegava mezz'ora a portare a
scuola Kevin. Al cucciolo piaceva la moto. Arrampicato sul sel-
lino, la stringeva con una forza sproporzionata, come volesse fon-
dersi con lei, strofinando bocca, naso e casco sulla sua schiena.
«Perché devi andare a lavorare? – cominciò. – Perché devo andare a scuola? Perché Natale c'è solo una volta l'anno?» «Alla
partita non ci vieni», constatò Valentina in tono di rimprovero. «Non posso, Val, – sospirò Emma, – oggi vado dal generale.
Mi dispiace». «Oh, – commentò Valentina, alzando le spalle,
– non me ne frega niente, gioco meglio quando non vieni». Un
mondo senza autobus, senza Roma, senza mamma – un mondo
di musica. SWEET DREAMS ARE MADE OF THIS.
    Emma sorrise, tentando di nascondere l'offesa. Qualche an-
no prima Valentina non le avrebbe mai detto una frase simile.
Qualche anno prima Valentina non sarebbe nemmeno andata
alla partita, senza di lei. Ma ormai aveva quattordici anni. Era
alta quasi come lei – e si considerava grande. Ormai tutto ciò
che lei faceva Valentina lo interpretava come uno sbaglio, un
dispetto o peggio. Litigavano per qualunque sciocchezza. Valentina sapeva essere molto sgarbata. Emma temeva di averla
persa, ma non sapeva come recuperarla. Tutte le strade che por-

tavano alla figlia sembravano sbarrate. La musica fracassona che
sgorgava dagli auricolari del suo walkman la teneva a distanza.

L'autobus inchiodò bruscamente, ed Emma franò addosso
a Valentina. Incenso. Ettolitri di Roberto Cavalli. E le labbra
ricalcate col rossetto ciliegia. Le unghie verniciate – di un rosa violaceo, picchiettato di puntini traslucidi. E la gonna aderente e gli stivali. Si è fatta bella. Secondo me non ci va manco
per niente dal generale oggi pomeriggio. Si vede con l'amante. Chi è stavolta? Aveva ragione papà. E lei ci ha portato via.
Che puttana.

«Domani vi porto a Castelfusano, – disse Emma, scostando-
le l'auricolare. – Le previsioni fanno schifo, il sole non riuscia-
mo a prenderlo e il bagno non ce lo facciamo, però non piove,
pranziamo sulle dune e poi ci facciamo una corsa sulla spiaggia». «Sai che tajo! – gridò Valentina. – No, domani vado con
la squadra alla partita della ROMA VOLLEY». «Vieni a Ostia con
noi, – insisté Emma. – Ti prometto che ti riporto a casa in tempo». «Cazzo, non promettere! – esplose Valentina. – Tu non
mantieni mai». L'ultima volta che le aveva dato retta, la partita l'aveva persa. Era stato il sabato di Pasqua. Il prof di italiano aveva organizzato una visita culturale facoltativa agli scavi
di Ostia Antica. Della terza B, dovevano venire in cinque – fra
cui le cinesi e la marocchina, che il prof cercava in tutti i modi
di coinvolgere nelle attività della scuola perché era fissato che
bisogna aiutare a inserirsi gli alunni stranieri, che invece a inserirsi non ci pensano proprio e non parlano mai con nessuno.
Infatti alla fine si era presentata solo la sua compagna di banco
Sharon – e allora mamma, che con la puzzola appicciata al sedere l'aveva accompagnata all'appuntamento, aveva detto che
il professore era tanto colto e sapeva tutto dell'antica Roma, e
a lei imparare qualcosa di nuovo serviva a rimettere in moto il
lobo intellettuale del cervello che le si era arrugginito. Perciò,
se il prof non aveva niente in contrario, lei si aggregava molto
volentieri.

Il prof – un giovane perbene senza un pelo di barba e con
gli occhialetti tondi, che non sembrava un prof ma piuttosto

uno studente secchione – non aveva niente in contrario o almeno non lo disse. Guidava una Peugeot profumata di menta,
pianissimo, senza mai superare il limite di velocità, e mamma
era contenta come se stessero andando sulla luna invece che
a vedere un mucchio di pietre: e a un certo punto si era pure
messa a cantare. Quando cantava, sfoderava una voce limpida
e raffinata, che non somigliava neanche per sbaglio alla sua. Da
qualche tempo il giovedí andava a cantare nel piano-bar di un
suo amico, dietro piazza Navona. Gratis, o quasi – ma mamma
sosteneva che lei senza la musica non voleva piú vivere. Mamma sosteneva di essere stata una cantante professionista, prima
della sua nascita, ma papà – quando lei non poteva sentirlo – la
smentiva, spiegava che quella era una sua fantasia, un desiderio che non aveva mai realizzato. Era solo una corista, di quelle
che sculettano sul palcoscenico mezze svestite. Nei tre o quattro
dischi che aveva inciso si sentiva solo la sua voce che sospirava
ah oh ah. La sua luminosa carriera era tutta qui. Insomma, tua
madre era piacevole a vedersi, ma non valeva niente, concludeva papà. Non è perché sei nata tu che ha smesso di cantare. A
Valentina non poteva importare di meno che mamma fosse stata una cantante o no. Tanto di sicuro mamma pensava di avere
smesso per colpa sua. Le rinunce che si fanno per i figli, quelle
cazzate lí. Non era nemmeno mai voluta andare ad ascoltarla al
piano-bar, perché avrebbe preferito che non ci andasse proprio
e stesse in casa con loro anche il giovedí.

   Quel sabato, tra le rovine di Ostia antica, il prof aveva spiegato ogni sasso, e a un certo punto, mentre erano neanche a
metà della visita, mamma aveva detto: adesso che ci siamo ac-
culturati perché non andiamo a farci una passeggiata ignorante
a Castelfusano? Valentina si era vergognata da morire. Il prof
era rimasto cosí spiazzato che non aveva fatto in tempo a in-
ventarsi una scusa. Avevano lasciato la macchina sulle dune, e
se n'erano andati in giro sulla spiaggia – e il prof si era messo a
costruire un vulcano per Kevin, e poi gli aveva fabbricato una
pista per far correre le alghe spinose a forma di patata, aveva
giocato con lui e lo aveva fatto vincere. La disponibilità del prof

nei confronti delle fantasie cretine di suo fratello l'aveva sconvolta. Era un uomo cosí dolce. Le sue compagne di classe erano tutte innamorate di lui e speravano che la prof di ruolo non
tornasse dalla maternità per riprendersi il posto. Ma tanto lei a
giugno faceva gli esami, e perciò l'anno prossimo non lo avrebbe avuto come prof comunque. Peccato, perché un insegnante
cosí non lo avrebbe trovato piú. In ogni caso il prof aveva già
detto che poteva continuare a scrivergli e a telefonargli anche
dopo la fine della scuola. Ma i grandi sparano con incredibile
disinvoltura le loro menzogne.

Poi si erano ammucchiati sulla sabbia a prendere vento. A
un certo punto mamma e il prof si erano messi a parlare della
precarietà, e a sviscerare i lati positivi del non sapere se il mese
prossimo lavorerai o no. Mamma non ne vedeva nessuno, il prof
invece sí, perché secondo lui non conoscere il proprio futuro ha
qualcosa a che fare con la libertà, e mamma aveva osservato che
lui diceva cosí perché era giovane. Il prof era arrossito perché
era giovane davvero, e mamma si era messa a fare la scema e per
divertirlo gli aveva raccontato quanto erano precari gli impie-
ghi che aveva rimediato in questi ultimi anni. Aveva lavorato in
un bar, ma poi il proprietario l'aveva mandata via per prendere una rumena che pagava di meno. Aveva fatto la segretaria a
un dentista, ma era durata poco – diciamo per questioni fiscali.
Faceva le notti a casa di una vecchia paralitica, ma poi questa
era morta, il che tutto sommato non le era dispiaciuto perché
era una stronza con la puzza al naso che la trattava malissimo
e la chiamava la mia serva. Poi aveva fatto le pulizie in nero in
un condominio per cui le aveva fatte sua madre per trent'anni,
ma quelli le dicevano che sua madre le sapeva fare, mentre lei
si vedeva che non era il suo mestiere. E adesso aveva un generale di ottantaquattro anni, ma pure lui in cattive condizioni di
salute, purtroppo, tanto che lei era già psicologicamente prepa-
rata ad accompagnarlo al camposanto. Insomma, non sperava
piú di essere assunta da qualcuno, e questo era il contrario della
libertà, era la galera. Valentina si vergognava di dire alle compagne di classe che sua madre imboccava e cambiava pannolo-

ni ai vecchi incontinenti e rimbambiti, che faceva le pulizie in
un condominio e anche che cantava il giovedí in un piano-bar,
perché la parola piano-bar fa pensare subito alle spogliarelliste,
alle donne che la danno via per soldi. Non l'aveva mai detto a
nessuno, e invece mamma lo spiattellava tranquillamente al prof
di italiano, e lei avrebbe voluto sprofondare sottoterra.

Quel sabato mamma aveva promesso di riportarla a Roma
alle sette di sera, e invece alle sette di sera erano ancora nella
veranda di uno stabilimento sulla spiaggia. Mamma aveva bevuto troppi daiquiri e si era messa a sproloquiare della reincarnazione, e chiedeva al prof se lui credeva nell'ipnosi regressiva,
perché a lei se non costava tanto sarebbe proprio piaciuto sotto-
porsi alla seduta di ipnosi per scoprire cosa era stata nelle altre
sue vite. Questo forse avrebbe spiegato il suo karma attuale, che
sembrava il contrappasso di un passato meraviglioso che però
lei purtroppo non riusciva a ricordare. Il prof le sorrideva parecchio scettico e diceva che secondo lui la cosa non ha nessun
fondamento filosofico né scientifico, e infatti spesso la praticano ciarlatani che approfittano delle inquietudini spirituali della
gente, e mamma diceva che lei comunque delle risposte sul senso della vita le voleva trovare, e rimpiangeva di non avere mai
incontrato qualcuno che avesse il coraggio di dargliele. Erano
tornati a Roma tardissimo, e Valentina aveva perso la partita,
e quella era stata l'ultima volta che si era fidata di sua madre.

Semaforo rosso. Emma incastonata fra la vidimatrice e le sue
gambe. «Se tu non vieni, – la assillava, carezzandole le ginocchia, – non andiamo a Castelfusano neanche noi. Voglio stare
un po' insieme, Valentina, lo capisci?» «Che palle, – rispose lei,
ostinata, – domani mi vedo con la squadra». E per farle capire
che il discorso era chiuso tirò fuori il cellulare e spippolò per
controllare i messaggini – ma nessuno le aveva scritto. Allora
sparò un essemes alla sua amica Miria. Mentre digitava – 6 LBR
A PRNZ? – sentiva lo sguardo amareggiato di mamma trafigger-
le il collo come una freccia avvelenata. La porta dell'autobus si
aprí. Una spianata d'asfalto avvolta nell'ultima nebbia del mattino, case tremule come miraggi fra gli scarichi delle macchine.

Le facciate delle palazzine ricoperte da eczemi di balconi e vasi. Il camion della spazzatura che azzanna fragorosamente cassonetti verdi, e li tiene per un attimo, come bocconi, sollevati sopra la sua bocca spalancata – e poi ne divora il contenuto, e lo digerisce nel suo ventre ingordo. Semafori verdi e insegne gialle, autobus in manovra, autobus fermi tra le pensiline. Biglietterie automatiche che non funzionano mai. CIRCONVALLAZIONE CORNELIA. Capolinea.

Scesero. Un fiume di folla convergeva sul marciapiede e s'imbucava nelle scale della metropolitana. S'ingorgarono anche loro. Passando davanti ai cestini che offrivano «Metro», il giornale gratuito, i passeggeri ne afferravano una copia. Emma non la prese. Mamma non leggeva mai i giornali. Diceva che quello che è successo è successo, e quello che non è successo non è successo. E comunque, ci sono solo brutte notizie e morti ammazzati. Nei caldi tunnel, sottoterra, era già estate. Mamma si sfilò la pelliccetta e se l'appese alla spalla. Aveva messo la maglia amaranto, con una scollatura sfrontata. Mamma stava per compiere quarant'anni, e secondo Valentina li dimostrava tutti – ma quando l'aveva conosciuta, il prof le aveva detto che sembrava la sorella maggiore di Valentina. Stupidamente contenta, e però diffidente di natura, mamma gli aveva chiesto se lo diceva a tutte le donne che incontrava, per pura gentilezza. E il prof, stupefatto, aveva risposto che effettivamente sí. Mamma sarebbe stata capace di innamorarsi del prof. Valentina non voleva diventare cosí, e infatti i maski non li filava per niente. Di conseguenza i maski non filavano lei – o viceversa: difficile dire come comincia la ripulsa reciproca e perché. Fatto sta che non aveva mai baciato un ragazzo né desiderato farlo. I maski sono tutti str. Preferiva Brian Warner in arte Marilyn Manson – che nessuno avrebbe saputo dire se era maskio, femmina o demonio.

La metro arrivò con una folata di vento. Sulle fiancate, e perfino sui finestrini, qualcuno aveva spruzzato con la vernice colorata un popolo di omini goffi, tristi, malinconici. Sulla porta dell'ultimo vagone, un omino tutto capelli teneva in mano un telecomando, accingendosi a premere l'unico pulsante. FA' BOOM!, diceva l'omino a chiunque lo guardasse. Fa' boom! disse a Emma, Kevin e Valentina. Ma poi le porte si aprirono, e l'omino scomparve. Schizzarono nel vagone – sgusciando fra i viaggiatori per assicurarsi i posti in fondo. Madre e figlia sedettero l'una di fronte all'altra. Emma prese Kevin in braccio, e se lo assestò sulle ginocchia. Gli aggiustò gli occhiali che gli scivolavano sul naso. Lui la fissò, estasiato, con l'unico occhio – l'altro era coperto da un vistoso cerotto che era stato bianco e ora era sporco e aveva assunto un colore grigiastro. Emma gli cinse la vita con le braccia e gli mordicchiò dispettosamente l'orecchio. Kevin si dimenò, ridendo. Adorava essere stuzzicato da lei.

«Da uno a dieci, quanto mi vuoi bene oggi?» bisbigliò Emma, soffiandogli sul collo. «Se m-m-mi fai le cotolette e le p-p-patatine, sette», rispose Kevin. «E domani?» «S-s-se non esci, nove meno». «E dopodomani?» «Se mi c-c-compri le niche dieci e l-l-lode». «Stai diventando uno squalo della finanza, ranocchio». «Cos'è uno squalo della finanza?» «Uno che non mi piace». «Mamma, n-n-non le voglio le p-pa-patatine». «Meglio, cosí non le mangio nemmeno io», rise Emma. «Ma non ti stai prendendo le pillole dimagranti di zia Debora?» s'intromise Valentina. «Mi sa che non funzionano», commentò Emma. «Sí che funzionano, – disse Valentina, – forse ti sta cambiando il metabolismo. Alla tivvú hanno detto che quando invecchiano le donne assimilano di piú i grassi». Emma avrebbe voluto far notare alla figlia che non è carino e nemmeno giusto dire a una donna di quarant'anni che sta invecchiando, ma non lo disse, perché Kevin reclamava la sua attenzione, bisbigliandole nell'orecchio la sua ferma e convinta intenzione di non mangiare piú. Poi spiegò: «Se non m-m-mangio piú, non divento grande». «Oh, non ti illudere, forse cresci di meno, ma cresci lo stesso», lo smentí Emma, soprappensiero. «E c-c-come si fa a non cr-cr-crescere?» «Non si fa. La natura ha le sue leggi». «Io non voglio m-m-mai diventare grande». «Perché?» disse lei, senza capire. Kevin ci pensò su, poi aggiunse, preoccupato, «Perché non voglio che tu muori».

«Che vuoi dire? – chiese Emma, e poi si maledisse per aver

buttato là quella frase, stanotte. – Non ci pensare piú, cucciolo. Non succederà. Io diventerò vecchissima come la befana e tu mi porterai in braccio, come adesso io porto te». Non del tutto rassicurato, Kevin si avvoltolò nella sciarpa di piume di lei e si mise a disegnare col dito sul vetro impolverato, con una smorfia di beatitudine sulle labbra. Valentina chiuse gli occhi perché qualcosa, nella tenera intimità di mamma e Kevin, la feriva. Ciondolò la testa – per un attimo sorrise. Emma fu trafitta da un'emozione lancinante. Sua figlia stava cambiando. Cambiavano il colore dei capelli, l'espressione del viso, le forme. Forse le somigliava. Forse sarebbe stata migliore di lei. BALDO DEGLI UBALDI. VALLE AURELIA. Cosí ogni giorno, da quando la moto era un rottame dal carrozziere. Gli unici momenti in cui li aveva tutti e due accanto – momenti preziosi, eppure inutilizzabili – resi muti dal fragore del treno, storditi dal calore malsano dei vagoni, pigiati fra estranei, senza potersi parlare, senza ascoltarsi, vicini ma in realtà lontani, assenti. Altrove. Sto perdendo i loro momenti piú belli. E non torneranno. Valentina cresciuta e cambiata. Valentina seria e saggia e ostile – d'un tratto le sembrò quasi un'adulta – che ascolta la sua canzone e la giudica e la condanna. E invece non sa niente di me.

«L'ho visto», disse a un tratto Valentina. «Chi?» chiese Emma, sporgendosi oltre la spalla di Kevin – cosa stava scrivendo sul finestrino? K, E, V, il suo nome. Perché i bambini scrivono nella polvere, nella neve e sulla sabbia? Per chi? Valentina si tolse le cuffie e si chinò in avanti. «Papà, – disse. – È venuto sotto casa. Che vi siete detti?» «Niente», rispose Emma. Non ci siamo detti niente. Non abbiamo piú niente da dirci.

Kevin finí di scrivere il suo nome sul vetro e si abbandonò compiaciuto fra le braccia di Emma. Oh, meravigliosi tragitti in autobus e sulla metro e poi su un altro autobus – interminabili spostamenti, interminabile Roma, bella e lontana dietro i finestrini o sopra la loro testa – sprofondato fra le gambe di mamma, stretto e sballottato contro il suo seno e contro di lei, sempre agguantato e abbracciato e salvato. Oh, se tutto il giorno fosse cosí – questo essere trasportato, questo andare, protetto e

al sicuro – vicini, stretti stretti, noi due. Uno zingaro attaccò la
questua pigiando furiosamente i tasti della fisarmonica. Si levò
una cucaracha stridente, che i passeggeri accolsero con malumore. «È una vera invasione, – latrò l'uomo appeso alla sbarra
orizzontale, incastrato fra i sedili, le cui ginocchia sfioravano
pericolosamente la nuca di Emma. – Accattoni, storpi, mendi-
canti, Roma pare Calcutta, prima non era cosí, dovrebbero ri-
buttarli tutti a mare e affondarli a cannonate». «Perché non ti
rimetti con lui? – azzardò Valentina, e per un attimo sperò che
tutto potesse aggiustarsi. – Perché non gli dài un'altra possibilità?» Emma riconobbe le parole di Antonio e tacque, confusa.

CIPRO-MUSEI VATICANI. Aveva ancora due fermate per spiegare alla figlia perché non poteva riconciliarsi con Antonio.
Due fermate – cinque minuti. Troppo pochi. Domani è sabato.
Avrò tutto il giorno per parlarle. Lo farò domani. Rimase in silenzio, le mani abbandonate sulle ginocchia magre della figlia
– fissando la pubblicità del Telefono Rosa che dondolava su un
cartoncino dietro la testa di Valentina. IL FILO CHE UNISCE LE
DONNE CONTRO LA VIOLENZA recitava lo slogan. Sul cartoncino,
la cornetta del telefono rosa era sollevata. SIAMO QUI PER ASCOL-
TARTI – VIENI. Ascoltarti! Mai conosciuto qualcuno che volesse
ascoltare. Tutti se ne fregano di tutti. Blablabla.

OTTAVIANO-SAN PIETRO. Salí una mandria di turisti giapponesi. Il vagone rigurgitava. I turisti uccidono. Non vedono i romani che schiacciano, che spingono, che urtano, non stabiliscono
un rapporto fra loro e Roma, salvo trovare il profilo di una madonna in qualche commessa. Le loro gambe, macchine fotogra-
fiche, ombrelli e sederi le nascosero la delusione di Valentina.
Lo zingaro della fisarmonica le allungò sotto il naso un bicchiere
di cartone. Poche monetine luccicavano sul fondo. Emma non
lo vide nemmeno e lo zingaro passò oltre, scontento. È venuto
il momento di dirle tutto. Ormai è grande abbastanza. Forse
riuscirà a perdonarmi. Forse. Oh, se fosse già domani. LEPANTO.

Emma fece scendere Kevin dalle ginocchia, si alzò, raccolse
lo zainetto del figlio, si chinò per darle un bacio – ma Valentina in quel momento la odiava perché adesso aveva la certezza

che non sarebbe mai tornata a via Carlo Alberto e non avrebbe mai piú visto il padre, perciò voltò la testa di scatto ed Emma impattò sulla frangia ispida dei capelli. Per un attimo indugiò, sballottata dagli scossoni della metro che riaffiorava in superficie e valicava il Tevere correndo fra i vetri sporchi di Ponte Nenni. Fu sul punto di dire qualcosa, ma non la disse e cominciò a farsi largo verso l'uscita. Non è questo il momento – non voglio un momento rubato, fra estranei, di fretta. Domani è sabato. Non li porterò a Ostia, non andremo al mare – staremo a casa. Le parlerò domani. FLAMINIO.

È scesa. Le porte si richiusero. Per un istante, Valentina vide Emma e Kevin che camminavano sul marciapiede mano nella mano, verso l'uscita in fondo al tunnel – lei alta e distratta e assorta, lui piccolo e fiducioso e cieco come un pipistrello. Lei camminava sbadatamente al di qua della linea gialla. Era pericoloso. Il treno, partendo, poteva urtarla. A volte, Valentina aveva la sensazione di doverla proteggere. Che in realtà Emma corresse un grave pericolo, e non lo sapeva. In quei momenti la paura che potesse accaderle qualcosa di tremendo le toglieva il fiato e voleva trattenerla, avvinghiarsi a lei e non lasciarla andare mai piú. Bussò al vetro – per segnalarle di stare attenta – ma lei era già oltre. Poi il treno si avviò, e prese subito velocità. Il flusso dei passeggeri diretti verso le scale mobili li inghiottí e la perse.

Maja camminava a piccoli passi per rispettare l'andatura di Camilla, la mano stretta attorno al suo gracile polso, ascoltandola cinguettare di cose alle quali non riusciva a prestare importanza. Non a quest'ora, perché alle otto e un quarto del mattino a causa della pressione bassa connetteva appena. Elio avrebbe preferito che affidasse l'incombenza ai poliziotti della scorta, perché era ossessionato dal pensiero che qualcuno volesse far loro del male – rapirle o ucciderle – ma Maja non credeva che i nemici di Elio sapessero o si curassero dell'esistenza sua e di Camilla. Era con lui che ce l'avevano. Le poche volte che poteva, accompagnava la bambina lei stessa – le piaceva essere notata al cancello della scuola elementare, come una brava madre. Il pensiero di non essere una brava madre la perseguitava. Si sentiva sempre in colpa. Quando stava con Camilla, perché trascurava il lavoro. Quando lavorava, perché trascurava Camilla. La scuola distava da casa poco piú di dieci minuti. Camminavano per le strade solitarie dei Parioli, tranquille prima dell'apertura degli uffici e l'arrivo dei funzionari delle ambasciate. Via Mangili era talmente deserta che da sotto un'auto in sosta sbucò un topo – grosso come un gatto – che risalí tranquillamente sul marciapiede e le fissò con le sue vivide pupille nere. Indignata dalla sfacciataggine del roditore, Maja trascinò via Camilla – lercio topo di fogna, come si permetteva di rovinare la loro passeggiata? Ma la bambina strillò allegramente. Come amava i poveri brutti topi. Quanto avrebbe voluto portarlo a casa e addestrarlo, come un criceto. «Lo prendiamo, mami?» «No, tesoro, – gridò Maja, picchiando il tacco sul marciapiede per mettere in fuga il mostro. – Tutto quello che vuoi ma i topi proprio no». Indignata dalla sciatteria dei netturbini romani. Bisognerà protestare. Un topo di fogna a via Mangili! Questo quartiere sta degenerando.

Sbucarono in viale Buozzi. C'era poco traffico, Roma si sveglia tardi. Camilla sempre cosí quieta oggi insolitamente ciarliera. La contagiosa allegria della bambina dissipava il retrogusto nauseante di una notte amara e di ribollenti, tetri pensieri. Superarono l'edicola – nel chioschetto la giornalaia sfogliava avidamente «Chi». Diligenti, ferme alle strisce pedonali, si specchiarono negli sportelli scuri di un'auto di passaggio: bambina con codini e cappotto azzurro, giovane signora con spolverino grigio e foulard di seta cangiante. Impeccabile, anche di primo mattino. Anche dopo una notte cosí. A pochi passi dall'edicola, s'ammucchiava una pila di «Solocase» – la rivista gratuita di annunci immobiliari. Maja ne afferrò distrattamente una copia. Da settimane, tutti i venerdí sfogliava quella rivista – non doveva vendere una casa, né acquistarla, però l'idea stessa che esistessero case non sue ma potenzialmente tali le trasmetteva una piacevole sensazione di libertà. «Le candeline, – stava di-

cendo Camilla, – mami ti sei ricordata che le voglio rosse?»
Maja evitò di rispondere. Nessuno si fermava alle strisce pedonali, e s'era stancata di aspettare. Stringendo il polso di Camilla, la sospinse avanti, per mettersi in salvo sul marciapiede di
fronte. Due spaziali maxiscooter le sfiorarono, schivandole come birilli. Camilla respirò il fumo pestilenziale delle marmitte,
tossí, e Maja augurò a quei maleducati di cadere su una macchia
d'olio e rompersi l'osso del collo. I bambini non sono previsti,
in questa società di barbari. Sono un fastidio e un'anomalia. Se
potessero, un giorno o l'altro finirebbero per dare loro la caccia,
e sterminarli, come gli insetti nocivi.

Già s'intravedeva l'edificio celeste della scuola, preceduto
da un vasto cortile alberato. Camilla affrettò il passo – perché
le piaceva molto andare a scuola – e Maja si sentí traboccare di
orgoglio contemplando la grazia della figlia – squisita nel cappottino di lana azzurra, deliziosa coi codini castani scriminati
da una riga che le divideva la testa in due lune perfettamente
identiche, innocente, aggraziata principessa saltellante fra le
deiezioni canine e i motoscooteristi prepotenti. Davanti alla
cancellata già s'addensava il nucleo dei genitori, scolaretti e as-
sonnate cameriere dalla pelle scura, e Maja si ricordò di appic-
cicarsi sulle labbra il sorriso fatuo e mondano indispensabile a
proteggersi dall'invadenza altrui e a sembrare benevola, felice.
Fece in tempo a ripetersi, meccanicamente, come una litania:
sono felice, *sono* felice. Poi la vide.

Stava attraversando la strada neanche venti metri piú oltre
– non sulle strisce, esempio estremamente diseducativo per il
bambino. Se non cambiava direzione, se la sarebbe ritrovata
davanti. Oh, no, non aveva proprio voglia di incontrare quella donna. Si fermò bruscamente. «L'hai presa la merendina?»
chiese, tanto per poter fingere di cercare qualcosa nello zainetto
della figlia. Camilla, educata come sempre, si fermò ad aspettarla. Una bimba che era un angelo, piena di delicatezza per
chiunque ma soprattutto per la sua mamma. Felicità vera, improvvisa, troppo breve. Echeggiò un brutale, prolungato colpo
di clacson, e un insulto lanciato dal guidatore di un furgoncino

– «E guarda dove vai, stronza!» La donna non degnò il maleducato di una risposta. Incedeva, oscillando sulle lunghe gambe, i capelli spettinati al vento, la stola di piume arancioni che
svolazzava dietro di lei come una bandiera. Il guidatore si pentí
dell'insulto e si voltò ad apprezzare – per un attimo Maja incrociò il suo sguardo arrazzato ancorarsi sulle terga della donna,
fasciate dalla gonna aderente che spuntava sotto la pelliccetta.
E madre e figlio avevano già attraversato.

Il bambino grassottello, il cui unico occhio era amorosamente
fisso sulla madre, le artigliava il braccio, come temesse di perderla. Fortunatamente non le avevano notate. «Avrai le candeline
rosse, Camilla», si affrettò a prometterle benché le candeline
rosa fossero già state ordinate al catering e questo imprevisto
era un'ennesima seccatura, dal momento che Navidad l'aveva
lasciata per tornare in Venezuela, e Sidonie Verrière rifiutava
qualunque incombenza ritenesse non degna del suo diploma di
puericultrice. Maja si accorse con disappunto che Camilla si
era già dimenticata delle candeline: aveva lo sguardo incollato
al bambino con gli occhiali di plastica e l'occhio destro benda-
to da un cerotto, che appariva e spariva dietro i finestrini delle
auto in sosta. Maja riconobbe la sua ansia – nel fremito della
mano, nell'impulso a stento trattenuto di rincorrerlo. Non si
mosse né accennò a seguirli, ma l'ansia di Camilla la pugnalò al
cuore. Be', pazienza, lo ritroverà in classe, ma io non voglio incontrare quella donna. Invece Camilla – incredibile, era la prima volta – le aveva già disubbidito. «Kevin! – stava gridando.
– Aspettami Kevin!»

Kevin si voltò, sorpreso. Il suo occhio individuò Camilla
e si accese. Oh, sí, letteralmente si accese. Sono trasparenti, i
bambini, non sanno fingere. Questo è causa per loro di grandi
sofferenze. Il bambino orbo col nome cafonissimo raggiante di
incontrare la mia Camilla. Si era fermato ad aspettarla, e accanto a lui era ferma anche la madre. Costretta a salutarla, inevitabile ormai. La bionda con gli stivali e la pelliccetta di pelo di
cane era a pochi passi. Benché truccata, rossetto scarlatto sulle
labbra e un filo di fard sulle guance, era pallida, con l'aria di

non aver chiuso occhio, stanotte. La sua stanchezza trasudava qualcosa di erotico, sembrava alludere ad accoppiamenti e orgasmi plurimi. Qualcosa di indefinibile colmava talmente quella donna da esprimersi anche al di fuori della sua volontà – nel sorriso, nello scintillio dello sguardo.

«Buongiorno Camilla, buongiorno signora Fioravanti», disse Emma. Maja ricambiò con una smorfia amabile, ma gelida. Le suore s'affrettavano già in classe, e tutti i genitori erano schierati nel cortile, ormai. Seccante farsi vedere in compagnia di costei. Potevano pensare che la frequentasse. Camilla strappò arditamente l'orbo al braccio della madre. Percepí i due bambini confabulare a bassa voce. La bionda pallida con gli stivali e la pelliccetta di pelo di cane le camminava accanto – e continuava a sorridere, amichevolmente. Maja capí che stava cercando qualcosa da dire e per scoraggiare un eventuale tentativo di conversazione si ostinò a fissare la rugosa indifferenza del marciapiede.

La infastidiva, costei. Era volgare, proprio volgare. Con le unghie dipinte. Con la tintura sbiadita – la ricrescita bruna chiaramente visibile all'attaccatura dei capelli. Con la stola di piume di struzzo – che non va piú di moda da decenni. Arancione, poi – praticamente un pugno in un occhio. Con la pelliccetta sbottonata e una maglia troppo aderente – si riconosce l'orlo del reggiseno, e tutto il resto – e talmente corta che lascia scoperto l'ombelico. Fortuna che le occasioni per incontrarsi erano poche. Che mistero, gli uomini. Nessuno avrebbe mai indovinato che questa pescivendola appariscente era la moglie di un poliziotto serio come Antonio Buonocore. A Elio però piaceva. Una volta, quando aveva saputo che i Buonocore festeggiavano il loro anniversario di matrimonio, l'aveva spedita a comprarle un paio d'orecchini, con la scusa che solo le donne sanno quel che piace alle donne. Gli piaceva perché Elio si portava a letto le donne volgari – e questo, anche se non avrebbe dovuto, Maja lo sapeva. Probabilmente si era portato a letto anche la moglie dell'agente Buonocore.

«Non hai risposto all'invito, non lo mandi?» chiese Camilla alla bionda. Emma sgranò gli occhi, sorpresa. «Mando dove?»

«A Palazzo Lancillotti, a via dei Coronari. Alla festa». «Che festa?» chiese Emma. «La mia festa, – spiegò Camilla, con un sorriso celestiale, da fatina buona. – Ho mandato gli inviti due settimane fa, c'era scritto rsvp, che significa répondez s'il vous plaît, ma tu signora non hai confermato». «Kevin non ha ricevuto nessun invito», rispose Emma. Lo disse con noncuranza, perché aveva fretta di correre al lavoro, per non presentarsi in ritardo proprio quando s'avvicinava la scadenza del contratto, ma invece era una tragedia. Kevin avrebbe voluto azionare il digidispositivo e digievolversi – per tirare fuori gli attributi, diventare un campione e scatenare un attacco micidiale. Ma era ancora un mostro digitale allo stadio di recluta. Sicché era destinato alla sconfitta. Camilla Fioravanti, la quale mai gli aveva rivolto la parola in classe se non per rimproverarlo, non lo avrebbe mai invitato alla sua festa, e ora si divertiva a umiliare lui e mamma davanti alla signora Fioravanti – impeccabile come quelle delle soap coi capelli immobili e foulard cangiante, profumata e ricca e rispettata tanto che la suora maestra raccomandava sempre a Camilla di salutarle la mamma, mentre non gli aveva mai raccomandato di salutarle la sua. Bisbigliò la nenia – *Digimon, Digital monsters,* | *Digimon are the champions.* Fu sul punto di ammollare una sberla alla piccola vipera Fioravanti, ma si limitò ad arrossire come un peperone. L'occhio chiuso dal cerotto gli bruciava. L'occhio aperto, storto, cercò disperatamente Emma. Era orribile essere umiliato in sua presenza. Per mamma voleva essere perfetto, il migliore, o almeno sembrarlo. Non doveva sospettare niente, lei.

«Ma io ti ho invitato, ti giuro», sussurrò Camilla, smarrita perché l'invito non era stato recapitato, Kevin Buonocore non sarebbe venuto alla sua festa, era stata tradita. Ma da chi? Chi poteva averle fatto questo? Confusa, Emma accarezzò i capelli di Kevin, dritti sulla testa come aculei di porcospino per merito di un formidabile gel. Fissò duramente l'elegante giovane signora che non aveva invitato Kevin alla festa di compleanno della figlia. Non voleva mortificare Kevin, ma neanche ascoltare false scuse e fingere di credere che fosse questione di un di-

sguido postale. Odiò la giovane signora con lo spolverino grigio
sotto le fronde fiorite dell'oleandro, Audrey Hepburn crudele,
incurante di ferire l'orgoglio del suo bambino e di calpestare i
timidi inespressi sentimenti della figlia.

Maja evitò lo sguardo della madre di Kevin. Che situazione incresciosa. Davvero imbarazzante. Naturalmente Camilla
aveva invitato alla sua festa Kevin Buonocore, era una bambina
d'animo squisitamente gentile. Piangeva per la morte delle for-
miche che senza volerlo schiacciava camminando, seppelliva le
farfalline fulminate nei paralumi, pregava per la sopravvivenza
delle foche antartiche, si commuoveva per i marmocchi addormentati tra le braccia di perfide accattone accasciate davanti alla
chiesa, la domenica mattina. Camilla non aveva escluso nessuno. Il suo elenco di invitati comprendeva sessantuno bambini
– i compagni di classe tutti piú le compagne del corso di ginnastica ritmica, equitazione e pittura. Ai quali andavano aggiunti
i figli degli amici di Elio, i cuginetti e altri bambini variamente
imparentati. Per un totale di centoventitre bambini. Benché i
saloni di Palazzo Lancillotti fossero destinati a ricevimenti affollati – ci avevano festeggiato anche Re Juan Carlos e Lady
Diana – un'orda simile di minorenni era da evitarsi assolutamente. Alla fin fine, questa non era la festa di Camilla – o solo
in parte – ma la festa di Elio. Camilla compiva sette anni, ma
avrebbe compiuto gli anni anche l'anno prossimo, mentre Elio
doveva cogliere l'occasione adesso. La festa capitava al momento giusto per consolidare le preferenze degli elettori, stringere
relazioni utili o convincere gli indecisi – quindi piú dei bambini
erano importanti i loro genitori. Perciò dall'elenco di Camilla
erano stati depennati i bambini con genitori privi di relazioni.
I Buonocore – un poliziotto e una casalinga, entrambi di famiglia modestissima, in pratica due poveracci – che relazioni potevano mai vantare? Eliminati.

Tuttavia, adesso che Camilla la fissava, tremando, sbalordita, e anche Kevin la fissava col suo unico occhio storto e troppo grande dietro la lente dell'occhiale, e anche la falsa bionda
Emma la fissava coi suoi occhi neri scintillanti e schietti – il

suo calcolo, il suo gesto, il fatto stesso di avere architettato una festa simile le risultò disgustoso. Represse a fatica un conato.

Suonò la campanella, ma mentre i loro compagni si affrettavano nelle aule, i due bambini tacevano, fermi nel cortile della scuola – entrambi mortificati e offesi. Passarono altre madri, altri padri. Salutavano Maja con sorrisi sperticati, e Maja rispondeva a tutti con un sorriso artificiale, di suprema cortesia. A tutti diceva: «Spero di vedervi nel pomeriggio, vi aspetto». Recitava. Emma avrebbe voluto essere come lei – ricambiare l'indifferenza con l'indifferenza, e il disprezzo con il distacco, e non ne era capace. Tutto la feriva. Ogni allusione alla sua inadeguatezza e ogni silenzio. «Naturalmente aspetto anche Kevin», le concesse infine Maja, con un sorriso convenzionale. Non poteva fare diversamente. Emma cercò di darsi un contegno ravviandosi la chioma – scapigliata e in disordine a causa del vento nel tunnel della metropolitana, e disperatamente bisognosa di un parrucchiere: non ci metteva piede da piú di due anni. Si affrettò a declinare l'invito-elemosina della moglie dell'onorevole. «Grazie. Ma la sorella viene a prendere Kevin all'una, e non c'è nessuno che può riaccompagnarlo in centro nel pomeriggio. Abitiamo troppo distante». «Non state piú a via Carlo Alberto?» si incuriosí Maja. «No, abbiamo traslocato alle torri di Torrevecchia, – tagliò corto Emma. – Vicino a Primavalle», aggiunse, perché di certo la signora Fioravanti non aveva mai sentito nominare quella borgata.

«Oh, che peccato», sospirò Maja, sollevata. Era cosí abile che la sua contrizione sembrava autentica. Emma non si lasciò ingannare. «Meglio cosí. Preferisco che Kevin non si affeziona ai suoi compagni. L'anno prossimo gli cambio scuola, questa è troppo scomoda per noi. E poi io sono contraria alle private, non è stata un'idea mia, non volevo mandarlo qui, è stato mio marito a insistere, e anche il suo. Tanto i bambini ci mettono poco a farsi nuovi amici». Maja percepí dolorosamente il dispiacere di Camilla. Camilla era ancora parte di lei – dentro di lei. In ogni sua fibra, vena, muscolo. Dal giorno in cui aveva saputo della sua esistenza, vivevano all'unisono. Si pentí di aver cestinato l'invito a Kevin Buonocore. Si pentí di essere stata scortese con sua madre – perché, poi? non poteva essere andata a letto con Elio, l'aveva visto solo alle feste dell'asilo, e non gli aveva mai parlato, sempre pedinata dal figlio orbo che non la mollava un istante. Orribile aver fatto soffrire Camilla, tanto delicata tanto sensibile. Averlo saputo, averlo saputo.

«Sto facendo tardi, devo scappare», disse Emma a Kevin, che la fissava, spaesato per la clamorosa notizia del cambio scuola – notizia attesa da mesi come una liberazione – ma che stranamente, siccome Camilla Fioravanti lo aveva invitato alla sua festa di compleanno, non gli procurò nessun piacere. Anzi, dolore, come un pugno in pancia. «Ci vediamo stasera, cucciolo. Se a cena ti faccio le cotolette e le patatine da uno a dieci quanto?...» «D-d-die-ci e lode», zagaiò Kevin. Emma si chinò ad abbracciarlo e lo baciò sulla bocca. A Maja parve un bacio troppo prolungato, decisamente erotico. Ma la bionda non aveva ancora finito, gli sollevò gli occhiali e gli stampò un bacio anche sul cerotto sporco. Kevin si aggrappò alla pelliccetta con tutte le sue forze. Cercava di trattenerla. Lo faceva ogni mattina. Odiava la scuola perché lo portava via da lei. La vedeva cosí poco, mamma lavorava in cento posti diversi, e a volte rientrava quando quella rompipalle di nonna Olimpia lo aveva già spedito a letto – e allora, nel sonno, ma solo vagamente, percepiva che mamma si era distesa nel suo scomodo letto estraibile e lí restava, con la bocca affondata nei suoi capelli, senza potersi addormentare perché sempre sul punto di cadere sul pavimento.

«Hakuna matata, Kevin. Adesso devo andare», ripeté Emma, sciogliendosi con strazio da quell'abbraccio. Camilla realizzò che la bella madre di Kevin stava andando via e Kevin Buonocore cambiava scuola – offeso tormentato e ignaro – e non c'era piú tempo e tutto era perduto. Afferrò la sua borsetta. Una borsetta di velluto, un po' logora, senz'altro piú logora di quelle che mamma regalava ai poveri della croce verde – ma la madre di Kevin era diversa da mamma, era una madre tutta bionda, colorata di viola, arancione e rosso e profumata d'incenso come la statua della madonna. «Signora, – disse, piena di

speranza, scuotendola per la borsetta, – Kevin può pranzare da
noi e venire alla festa con me, tanto poi viene pure mio papà e
cosí può riaccompagnarlo la scorta». Parlava con vocina esile,
ma ferma. Ferma in modo inaudito.

Kevin sospirò, stupefatto. Da quando, fin dai tempi dell'asilo,
frequentava la sua classe, Camilla Fioravanti non gli aveva mai
rivolto la parola. Era anzi la sua piú severa persecutrice. Forse
per questo lo voleva tanto alla sua festa. Che festa è una festa
senza lo zimbello? Come si fa a divertirsi? Dunque lo voleva per
tormentarlo. Ma lui si era abituato a essere tormentato e alla
festa voleva andarci. Ci andavano tutti. «Sei gentile piccola»,
disse Emma, carezzando la guancia di Camilla. Che bambina
soave. Un miracolo, data la sprezzante superiorità padronale
della madre. «Ma vedi, noi non abitiamo piú con il papà di Kevin, perciò non può riportarlo a casa, è proprio impossibile».

Dunque è no. Camilla col labbro tremante, sull'orlo del pianto – lo sguardo fisso sul cerotto che sfigurava il volto paffuto di
Kevin e lo faceva sembrare disorientato e cieco. Maja intuí confusamente che era proprio quel cerotto la ragione dell'interesse
appassionato e segreto che Camilla nutriva per quel bambino
sgraziato e goffo e privo di relazioni sociali. Camilla distrutta. La
sua delusione, la prima della sua vita, alla quale è completamente impreparata, rovinerà la festa di compleanno. È importante
che la festa riesca. È importante che il figlio di Buonocore venga a questa maledetta festa. «Lo lasci venire, non si preoccupi,
lo riaccompagnerà la nostra baby-sitter», disse Maja a Emma,
con familiarità eccessiva. E invece voleva tenerla a distanza.
Perché era priva di relazioni sociali. Perché non viveva piú col
marito (come mai Elio non gliel'aveva detto?), dimostrando
che è sempre possibile porre fine a un matrimonio. Perché aveva sul viso sbattuto i segni di una notte d'amore. Perché era
una donna carnale e provocante. Con quegli stivali, con quella
pelliccetta di pelo di cane. Sintetica, comprata forse alla Ovs.
O peggio: autentica! Anche per quelle tette traboccanti sotto
la maglia aderente, ebbene sí. E le natiche sode. E gli occhi neri scintillanti, e la bocca sensuale. Insomma, perché gli uomini

si voltano a guardarla vogliosi e arrapati e chissà quanti se n'è
portata a letto. Mentre io solo quattro, e coi primi tre è stato un
tale disastro che non contano e poi ho incontrato Elio credevo
fosse l'uomo della mia vita ed è venuta Camilla ma il desiderio
si è spento siamo come padre e figlia, io ormai destinata alla
rappresentanza alle fotografie è tutta una messa in scena non
so com'è successo ho solo trent'anni è tutto finito.

«Non vogliamo crearvi tanto disturbo», disse Emma, incerta, perché non voleva privare Kevin di una festa che desiderava
tanto. Lo aveva privato di troppe cose. «Nessun disturbo. Hai
visto, patatina, che si aggiusta tutto? – disse dolcemente Maja
alla figlia. – Adesso sbrigatevi che sono tutti in classe». Porse
lo zainetto a Camilla e la spinse verso l'ingresso, dove il bidello
stava chiudendo il portone, fissandola finché il suo cappottino
azzurro e i suoi codini castani scomparvero dietro la vetrata. Le
due donne rimasero l'una accanto all'altra, indecise nel cortile
ormai vuoto e silenzioso, e si guardarono e Maja voleva chiederle come era successo e quando aveva lasciato Buonocore e
come fa una donna con dei bambini piccoli a ricominciare una
vita da sola. Ma siccome non trovò il coraggio di chiederglielo,
Emma s'avvolse nella stola di piume di struzzo, s'abbottonò
la pelliccetta e nascose le sue forme ridondanti e indirizzò alla
giovane elegante Audrey Hepburn dei Parioli un sorriso privo
di riconoscenza. Poi s'allontanò scodinzolando, elastica sulle
lunghe gambe, pallida e sbattuta e desiderabile e desiderata infatti, seguita dallo sguardo sconcio del bidello, lasciando dietro
di sé una scia di profumo dolciastro e di desiderio inappagato.

Nona ora

Alle nove e mezzo il viso dell'agente si materializzò puntualmente nello schermo del videocitofono – grigio come un ectoplasma per via della telecamera. Elio afferrò la valigetta con i discorsi redatti per lui da Paolo Calvo, già scrittore fallito di romanzi introspettivi d'ambiente alto-borghese convertitosi in affidabile ghost writer, e rispose «Sto scendendo». Le porte automatiche del piccolo ascensore si chiusero con un fruscio. Elio si valutò nello specchio. Una nuvola di capelli brizzolati, un lunghissimo naso impercettibilmente deviato verso destra da un antico pugno, gli occhi vividi dietro le lenti. Indossava pantaloni di tela e un maglione blu, nella scollatura traspariva uno spicchio di camicia celeste, sbottonata. Oggi si spingeva ai margini della circoscrizione, il suo tour prevedeva una ramazzata di voti nelle periferie: nell'ultima riunione con gli strateghi si era deciso di abolire la cravatta, giudicata troppo formale. L'onorevole doveva dare l'impressione di essere uno di loro: alla gente che vive fuori del Raccordo Anulare non piace votare un avvocato dei Parioli, un manichino il cui vestito costa il triplo del loro stipendio mensile. Ripassò mentalmente i cardini della campagna elettorale: ALLARME SOCIALE – SICUREZZA PER I CITTADINI – SOGNI. Parlare facile. Frasi brevi. Sii semplice. Sorridi e proteggi. Rassicura e bastona. Si piacque anche conciato da tribuno, o da velista pronto a prendere il largo. Con quei capelli a cespuglio e il maglione da barca aveva un aspetto decisamente giovanile. Si esaminò i denti, che aveva giallognoli e purtroppo parecchio storti, casomai nelle fessure fosse rimasta incastrata qualche briciola della colazione, poi si sorrise. Sii sempre ottimista. Ricorda: i sogni sono l'unica merce che non deperisce mai.

Il caposcorta era appoggiato al cofano della Lancia – e fumava, immerso nei suoi pensieri. Quando però la sua "personalità" sbucò fra le ortensie blu che incorniciavano il cancello del villino, Antonio si staccò automaticamente dall'auto, si accertò che nessuno gli avesse teso un'imboscata tra le palme e le magnolie del giardino privato, quindi gli venne incontro, lo tallonò da presso e lo pilotò alla macchina. «Buongiorno Buonocore», lo salutò Elio col consueto calore, mentre l'agente autista gli apriva la portiera. «Buongiorno onorevole», ricambiò Antonio. «Nuvole pure oggi, questa primavera ci fa i dispetti, eh?» gli disse Elio, tanto per creare un'atmosfera simpatica di cordialità. Antonio Buonocore bofonchiò un commento a proposito della primavera – una stagione che gli urtava i nervi. Ma aveva già chiuso la portiera blindata, e a Elio sfuggí il senso del discorso. Il suo caposcorta era un tipo laconico, e benché trascorressero molte ore insieme, le loro conversazioni si limitavano di solito al campionato di calcio, o all'andamento della Borsa e di Wall Street (solo nel mese di aprile il Nasdaq ha guadagnato il 37%, regalando eccezionali profitti sui fondi azionari che entrambi hanno nel portafoglio titoli, sebbene in misura incommensurabilmente diversa). Ma anche all'interpretazione corretta della Bibbia, nella quale Buonocore cercava le risposte alle domande che lo assillavano, ma che trovava piuttosto difficile da leggere, tanto che non era mai andato oltre quella parte che si chiama Esdra. Per lo piú si limitava ad ascoltarlo, dal momento che invece a Elio le parole sgorgavano dalle labbra come l'acqua dalle fontanelle di Roma: in continuazione, gratis, sempre. Benché a volte le domande bibliche di Buonocore lo mettessero in difficoltà, e per esempio non aveva saputo spiegargli perché Dio voglia mettere cosí duramente alla prova Giobbe. La sua presenza era però per Elio fonte di serenità. Lo faceva sentire straordinariamente sicuro. Aveva la sensazione che finché l'agente scelto Buonocore avesse vegliato su di lui, nulla di male sarebbe potuto accadergli. Quel poliziotto lo ignorava, ma in effetti era diventato una specie di talismano.

Elio prese dal sedile la mazzetta dei giornali. Buonocore si premurava di comprarglieli prima ancora di rilevarlo, cosí che lui potesse aggiornarsi mentre l'autista si destreggiava nel traffico. Elio non aveva mai avuto il cuore di dirgli che non ne aveva bisogno, dal momento che era abbonato a un'agenzia specializzata: pagava cinque milioni all'anno perché oscuri lettori selezionassero per lui gli articoli, in modo che, entrando in ufficio, già trovava i fax delle notizie degne di lettura ad aspettarlo sulla scrivania. Inoltre, benché non fosse suo compito e anzi non spettasse a un agente scelto di Pubblica Sicurezza fargli quasi da domestico, a Elio non era mai venuto in mente di ringraziarlo per questo. Gli sembrava una conseguenza naturale dei loro ruoli nella società. Del resto Buonocore aveva accettato di buon grado mansioni ancora piú umili – come scortare Maja dall'analista e Camilla al circolo ippico sulla Flaminia dove alloggiava il suo pony Xanadu – e mai se n'era lagnato.

Elio sfilò la copia ancora intonsa del «Corriere» e la sfogliò per vedere se in qualche articolo si parlava di lui. Ma il suo nome non figurava. Incerto se considerare la sua eclissi mediatica come un segnale positivo – negli ultimi mesi era finito sui giornali solo in relazione al processo in cui si era ritrovato invischiato – o come un indizio di decadenza, fissò la nuca del capo-scorta, sistemato comodamente nel sedile anteriore. Si sprigionava qualcosa di rassicurante da quella massiccia schiena in divisa, da quel collo taurino. Quella gagliardia virile, rafforzata dall'obbligo di eseguire il proprio dovere, suscitava in Elio piacere e gratitudine, e aveva un gradevole effetto calmante. Nel panorama disordinato delle strade che si snodava dietro i finestrini, nella coreografia labirintica del traffico, la larga schiena del poliziotto fungeva da perno e da centro di gravità. Buonocore portava i capelli rasati quasi a zero. Aveva spalle larghe e braccia poderose, coi bicipiti scolpiti in palestra che la stoffa della giacca non riusciva a celare. In gioventú era stato campione di judo per la squadra della polizia – almeno cosí gli avevano riferito quando glielo avevano assegnato, allorché, dopo ripetute minacce di matrice terroristica o forse mafiosa, in una busta a lui indirizzata erano stati recapitati tre proiettili. L'uomo scelto dal caso – in verità dal ministero dell'Interno – per vegliare sulla sua vita, e su quella dei suoi cari. La scorta – gli avevano detto – non è un'assicurazione sulla vita, ma un deterrente, una specie di serratura: neanche una porta blindata funziona contro i ladri, però serve. Quest'uomo non ti lascerà mai. Tu sei la sua missione. Quest'uomo ti seguirà ovunque andrai e non sarà tranquillo finché non avrà chiuso la porta di casa tua alle tue spalle. Buonocore aveva buone referenze, sebbene nessuno avesse spiegato a Elio come mai un poliziotto tanto dotato nel fisico quanto nella volontà a quarant'anni passati si ritrovasse ancora agente scelto. Comunque godeva della sua piú totale fiducia. Lavorava con zelo quasi religioso – e non si sceglie di passare al servizio scorte per caso. Proteggere gli altri è una vocazione. Come fare il politico. «Onorevole, – diceva Buonocore, – dove dobbiamo portarla?»

Elio non se lo ricordava. Consultò l'agenda. Fu sopraffatto dalla scoperta che oggi, venerdí 4 maggio, san Ciriaco di Gerusalemme vescovo e martire, penultimo venerdí di campagna elettorale, la pagina relativa prevedeva 12 eventi. 12! La deposizione di una corona di fiori sul luogo in cui un magistrato era stato assassinato dalle Brigate Rosse, la visita alle officine Varese, ultimo baluardo industriale di una periferia le cui fabbriche in disuso erano divenute favelas per immigrati clandestini, un saluto al convegno dei giovani imprenditori della Confcommercio, la consegna del premio «Ramarro d'oro» 2001. E poi casalinghe, genitori, artigiani, tassisti, cacciatori, sportivi, perfino amministratori di condominio. ALLARME SOCIALE – SICUREZZA PER I CITTADINI – SOGNI. Il primo incontro era previsto alle dieci e trenta al Mercato rionale del Casilino. L'onorevole Fioravanti va a cercarsi voti al mercato, tra le bancarelle della frutta, dove puoi soppesarli come melanzane: toccarli. La gente comune è stufa di vederti sotto i riflettori, nella scatola catodica, vuole verificare che tu abbia mani, occhi, orecchi, ti vuole parlare delle cose che gli stanno a cuore, i prezzi, l'inflazione, gli scippi, gli ascensori rotti, i roghi dei rifiuti tossici, i transessuali che degradano i quartieri, gli immigrati che svalutano le case. Cose cosí. Ma lui ne ha le palle piene della propaganda, dell'allarme sociale, della gente comune. E comunque è in anticipo. Il Presidente. Deve parlare col Presidente.

Al numero riservato, il telefono squillò a vuoto parecchie volte, finché infine la nota voce di Elsa Benelli lo informò che il Presidente era fuori stanza – un attimo prego. Dopo qualche minuto, però, fu di nuovo la Benelli a riferirgli che il Presidente era in riunione, voleva lasciargli un messaggio? «Lo avverta che ho urgenza di parlargli», disse Elio. «Certo», assicurò la Benelli, e fu subito silenzio. La nuca rasata di Buonocore – questo brav'uomo solido come una roccia. Elio indugiò qualche istante col cellulare fra le mani, imbambolato. Non gli era piaciuto il tono della segretaria del Presidente. Quelle parole – pronunciate meccanicamente. Forse non lo aveva riconosciuto? Ebbe lo spiacevole sospetto di essere stato trattato come un peone qualunque. Un importuno cui dire impunemente: il capo è in riunione. In riunione! Il Presidente non era mai in riunione alle nove e mezzo del mattino, e comunque mai in una riunione tanto segreta da non poter scambiare due parole col suo amico Elio. Strano comportamento. Strana la voce della Benelli. Strana giornata, iniziata male, con quel sogno di malaugurio.

Il Presidente non aveva voluto parlargli. Inutile nascorselo. Ma perché? Questo suo improvviso negarsi era forse un avvertimento? Il sintomo del suo disamore? Della sua ira funesta? della sua vendetta? del suo abbandono? Elio aveva assistito a decine di volte a episodi analoghi, aveva visto ira vendetta e abbandono abbattersi su un malcapitato che aveva commesso qualche colpa apparsa imperdonabile al Presidente. Il Presidente era cordiale, amichevole e generoso con gli amici, ma inesorabile e spietato coi nemici e con quanti non riteneva piú degni di essere considerati amici. A volte decretava le sue sentenze con la capricciosa ingiustizia di un bambino, ma il fatto che gli sventurati prescelti non meritassero la sua collera non cambiava affatto il loro destino. Mai Elio avrebbe immaginato che ira vendetta e abbandono potessero abbattersi su di lui. Mai aveva commesso azione, mai pronunciato parola che potesse danneggiarlo o essere male interpretata. Pesava gli aggettivi nelle interviste, mai si era lasciato cogliere in trappola dalla furbizia di un giornalista. Mai aveva ammesso alcunché, né in procura né altrove. Sempre lo aveva tenuto fuori – salvaguardato e tutelato in ogni modo. Eppure. Il Presidente si era fatto negare.

«Dove devo portarla, onorevole?» chiese di nuovo Antonio, quando gli sembrò di aver aspettato abbastanza. A volte lo assaliva la sensazione umiliante che Fioravanti scambiasse lui e gli altri agenti della scorta per suoi dipendenti. Tuttavia ancora sperava che un giorno capisse qual è la differenza fra un pidocchioso bodyguard mercenario e un pluridecorato agente scelto di Pubblica Sicurezza. Il migliore agente del Commissariato Appio, benvoluto da tutto il quartiere, destinato a un'ascesa irresistibile in Polizia. Se non fosse stato per, per, per quella troia degenerata – lui adesso non sarebbe qui, a fare da leccapiedi a un deputato che si caca sotto per via di un volantino con la stella a cinque punte e di qualche proiettile ficcato in una busta. Si voltò verso di lui – gli occhietti a puntaspillo dell'onorevole barbagliavano dietro le lenti rettangolari, il lunghissimo naso affilato fendeva la penombra dell'automobile.

«Ho bisogno di un caffè, Buonocore», rispose Elio. Sii sempre ottimista. Sarà stato per caso. Avrà davvero avuto una riunione. Non cedere allo sconforto. Non a nove giorni dalle elezioni, non quando c'è da tener duro. *Battaglioni del lavoro | battaglioni della fede | vince sempre chi piú crede | chi piú a lungo sa patir*: questo era il suo motto a vent'anni, quando sproloquiava nel ciclostilato del suo gruppetto di sprangatori. Oh, idealismo giovanile. Chi patisce a lungo si fiacca. E da qualche mese tutto gli era avverso. Mentre Buonocore, alla radio trasmittente, segnalava l'imprevisto cambio di itinerario alla macchina della scorta che li seguiva, e l'autista dirottò sul bar delle Muse – dove, talvolta, di mattina, gli piaceva indugiare davanti al cappuccino – Elio tornò a sfogliare il «Corriere». Con maggiore attenzione, stavolta, esaminando anche i trafiletti e i riquadri in corpo piccolo. Nessuna traccia di lui. Spizzò fra le prime pagine di «Repubblica» – con timore, perché quel giornale lo maciullava da mesi, ma anche con compiacimento, perché il potere si valuta dai nemici, ed essere odiato da un giornale d'opinione della classe dirigente di questo paese procura una certa soddisfazione. Significa essere importanti, contare. L'indifferenza condanna. La mediocrità distrugge – e tutto Elio riteneva di essere fuorché un uomo mediocre. Ma nemmeno nei temibili articoli al vetriolo di «Repubblica» veniva mai menzionato il nome di Elio Fioravanti.

Al bar delle Muse, precedette Buonocore al tavolino d'angolo, riscaldato da un tenue raggio di sole. Giganteschi gabbiani transitavano, stridendo, al di sopra degli alberi. Elio odiava il richiamo roco dei gabbiani – disperato, quasi umano. Aveva sempre l'impressione che volessero dirgli qualcosa – e non si trattava di un complimento. La proliferazione dei gabbiani in una città priva di mare gli pareva un'assurdità inspiegabile. Ma forse era un segno dei tempi: i gabbiani sono parassiti, e vivono di spazzatura. Roma li aveva accolti. Roma accoglie tutti. E non perdona nessuno. Sorseggiando il secondo caffè amaro della giornata, sfogliò freneticamente la mazzetta. «Il Sole 24 Ore». «La Stampa», «Il Messaggero», «il Giornale», «l'Unità» – poi anche «Il Giorno», «La Nazione», «L'Unione Sarda». Il risultato? Una citazione. In terza pagina, sul «Tempo», si riportavano alcune indiscrezioni relative a una sua possibile candidatura al ministero degli Interni in caso di vittoria della coalizione. Indiscrezione fatta filtrare da lui stesso a un giornalista amico, ma del tutto priva di fondamento, che non gli diede perciò alcun piacere. Si sentí abbandonato. Decaduto. Solo.

Buonocore si grattava distrattamente i testicoli, gli occhi in febbrile perlustrazione del giardinetto nel quale però, a quell'ora, si aggirava solo un pensionato in carrozzella, spinto dalla svogliata badante slava. Vegetazione incolta, ortiche, siringhe, stracci, giostrine rugginose – la decadenza in ogni cosa. Elio si accorse che stamattina il poliziotto non si era rasato: il pizzetto era contornato da una ispida peluria scura. A ben guardare, nonostante il completo d'ordinanza, aveva un aspetto insolitamente trasandato. Occhiaie da panda e un colorito malsano. Le mani gli tremavano. Che genere di preoccupazioni poteva avere un semplice poliziotto? Poiché la sua era terribilmente complicata e stressante, Elio invidiava la vita semplice degli umili. Invidiava la vita semplice del suo angelo custode – tutto casa e lavoro, l'incarnazione piú convincente della trinità Dio Stato e Famiglia per rappresentare la quale lui stesso si era fatto eleggere in Parlamento. Un lavoro sicuro e moralmente nobile al servizio dello Stato, una bella moglie, due bambini: cosa desiderare di piú?

Elio conosceva il figlio minore di Buonocore – che, avendo la stessa età di Camilla, aveva fatto iscrivere allo stesso asilo in modo che il poliziotto lo accompagnasse quando veniva a prendere servizio. Era stato proprio lui a intercedere presso le schizzinose suore dell'Istituto perché accettassero il figlio del suo capo-scorta. Alle feste della scuola, aveva adocchiato anche la moglie – una bionda flessibile e formosa, dagli occhi neri scintillanti come ossidiana e dal sorriso contagioso. Somigliava vagamente a Lorena. Ma era piú vissuta, piú intrigante. Le aveva parlato una sola volta, nel bagno delle donne – quasi di nascosto, perché cosciente di commettere un'azione deplorevole. Non si ricordava come – dopo una conversazione fulminea – fosse riuscito a darle il suo biglietto da visita, e ad aggiungere a matita il suo numero riservato di cellulare. Mi chiami, se dovesse avere bisogno di qualcosa, qualunque cosa, le aveva detto. La bionda moglie di Buonocore gli aveva sorriso maliziosamente – e lui seppe che aveva capito.

Adesso, guardando il suo angelo custode, si vergognò del biglietto da visita e della proposta. Provava rispetto per lui. Fu sollevato al pensiero, pure in sé deprimente, che la moglie non lo avesse ancora chiamato. Buonocore si aggiustava l'auricolare sul padiglione dell'orecchio, si strappava a morsi le pellicine delle unghie, fissando con sguardo torvo un passero che becchettava una briciola sul tavolino accanto. Qualche tempo prima, gli aveva lasciato capire di avere dei problemi, con la moglie. Ma allora Elio aveva troppe preoccupazioni per approfondire quelle del capo-scorta. Inoltre era essenziale mantenere le giuste distanze. Adesso però gli sarebbe piaciuto chiedergli se quei problemi li aveva risolti, se poteva fare qualcosa per lui – era un brav'uomo, e senz'altro il migliore tra quanti, arrivisti e mascalzoni, gli volteggiavano intorno. «Prenda un caffè con me», gli disse, invitandolo a sedere. A un tratto, aveva urgenza di non pensare alla voce metallica di Elsa Benelli – il Presidente è in riunione – all'assenza di citazioni sui giornali, alla misteriosa indifferenza che invischiava come una ragnatela il nome dell'onorevole Fioravanti. Non pensare che il Presidente volesse *lasciarlo cadere*.

Buonocore scambiò una rapida occhiata coi tre agenti della macchina di supporto, e sedette di fronte a lui, senza però abbandonare l'attitudine sospettosa e vigile che glielo rendeva tanto prezioso. Elio vedeva questo poliziotto un giorno sí e un giorno no da anni. Buonocore era venuto con lui a Bruxelles, a Parigi, a Ansedonia. Lo aveva seguito al parlamento, in tribunale, in spiaggia e perfino in clinica, mentre l'andrologo gli infilava un tubicino nel pene e gli faceva il tampone uretrale. A pensarci bene, era la persona che lo conosceva meglio – che conosceva i suoi spostamenti, i suoi appuntamenti, i suoi impegni, i suoi segreti, le sue bugie. E non se n'era mai approfittato. Sempre silenzioso, sempre corretto, di una discrezione esemplare. Un autentico angelo custode. E invece lui non sapeva niente di Buonocore. Niente della sua vita privata. Niente delle sue passioni – dei suoi guai. «Ha una faccia, stamattina. Fatto bagordi, stanotte?» buttò là, cordialmente. Antonio rispose che quando arriva il venerdí gli cresce il nervoso. Perché dopo il venerdí viene il sabato e il fine settimana lo ammazza proprio, tanto non ha niente da fare, ormai. La domenica è il giorno peggiore, come Ferragosto e Natale. Per fortuna questa domenica lavora per l'onorevole. Poi ingurgitò furtivamente una pasticca e trangugiò d'un fiato il caffè. «La domenica un padre deve passarla in famiglia, il ministero dovrebbe mandarmi di turno qualche ragazzo scapolo», commentò Elio. «Ormai sono contento quando mi capitano i turni di festa, perché i figli non ce li ho piú. Mi mancano come quando sott'acqua ti manca l'aria. Mi sento inutile – finito, senza di loro», disse Buonocore, tetro. Ma Elio non colse l'allusione, perché momentaneamente distratto da una giovane donna succosa come una papaya che, in sella a un pesante maxiscooter metallizzato, cercava parcheggio nei pressi del bar.

«Come sta la sua bella signora?» chiese poi, tanto per non lasciar cadere la conversazione. «Oh, lei sta bene», rispose Antonio, fingendo di ignorare l'assurdità di quella domanda dopo un'affermazione tanto grave e dolorosa per lui. «E i bambini? Kevin? Come va l'occhio? Ha sempre quel problema?» «Sí, ma va migliorando». La faccia assorta di Antonio – scura, autoabbronzata grazie a una crema formidabile – non lasciava trapelare alcuna emozione. Mai Elio avrebbe potuto immaginare che il suo angelo custode non parlava al figlio da quasi due anni, e non aveva la minima idea che avesse un problema a un occhio. Fosse stato per lui, Kevin poteva essere diventato cieco.

La benevola confidenza dell'onorevole aveva colto Antonio di sorpresa. Da anni, lo seguiva come un'ombra. *Era* la sua ombra. E mai Fioravanti si era mostrato grato della sua sollecitudine. Non sembrava nemmeno rendersi conto che, se gli avessero sparato, era Antonio che si sarebbe beccato la pallottola destinata a lui, che sarebbe saltato sulla stessa bomba – che sarebbe morto, per lui. Si era limitato a coprirlo di regali – nelle feste comandate. Regali per Emma, per i bambini. Ma Antonio quei regali anonimi, accompagnati da un biglietto da visita biffato da uno sgorbio, senza nemmeno una parola di suo pugno, non li apprezzava: perché pensava sempre che chi ti regala qualcosa vuole comprarti, e la sua amicizia andava conquistata giorno dopo giorno, e i soldi non l'avrebbero mai pagata. All'inizio aveva vissuto come un'umiliazione immeritata il trasferimento alle scorte – lui, nato per la vita dura di pattuglia e di strada, trasformato nel servo di un potente, sempre in tiro, con quell'infernale aggeggio cacciato nel padiglione auricola-

re, e il giubbetto antiproiettile che d'estate fa morire di caldo,
come una corazza. All'inizio detestava la "personalità" che gli
era stata assegnata, quell'avvocato frivolo e mondano sempre
pronto a raccontare barzellette, a canticchiare *Vincere vincere
vincere*, e sempre di buonumore. Ma poi, col tempo, l'avvocato
furbo e inguaiato in mille intrallazzi, circondato da donne di
costumi discutibili, loschi figuri e sedicenti finanzieri, col tempo quell'uomo cosí diverso da lui, immorale, bugiardo, epider-
mico, cosí sfacciatamente felice gli era diventato perfino simpatico – e anzi gli sarebbe piaciuto essere come lui. E avrebbe
voluto piacergli davvero, non essere considerato solo il corpo
che fermerà la sua pallottola, e il braccio che impugna la mitraglietta che lo salverà. E siccome ognuno stima colui che lo
ignora e lo disprezza, Antonio si era perfino augurato la bomba
e l'attentato, per guadagnarsi con l'eroismo, sul campo, l'ap-
prezzamento, la riconoscenza – o almeno la considerazione, da
parte di Fioravanti, che anche lui era un essere umano. E oggi
che finalmente, al bar delle Muse, l'onorevole Fioravanti si accorgeva – sebbene superficialmente – della sua reale esistenza,
la cosa non gli dava piú alcun piacere. Niente aveva piú importanza per lui. Il mondo gli stava sfuggendo, scivolava via, si di-
sintegrava, e Antonio non riusciva a trattenerlo.

Poi gli baluginò la speranza che l'onorevole con tutte le sue
conoscenze e i giudici corrotti o corruttibili che frequentava
potesse aiutarlo e attaccò la litania a proposito delle possibilità
che ha oggigiorno un padre separato di ottenere la custodia dei
figli, praticamente nessuna in questo paese retrivo abbarbicato
alla figura della madre. Che invece le donne non sono piú quelle
di una volta. Questa nostra società si sta autoterminando, non
ha futuro, perché tutti inseguono una felicità egoistica, imme-
diata, sterile, e bisogna porre un argine anche legale a questo
disfacimento. Ma l'onorevole non era capace di ascoltare gli altri, perché si occupava solo di se stesso, e guardava spudorata-
mente l'orologio e già era tempo di andare: prima di consumarsi
le scarpe tra i banchi del mercato – disse proprio cosí – aveva
ancora una cosa da fare.

Volle essere sbarcato davanti a Sant'Agostino. Antonio dovette quasi rincorrerlo mentre saliva a passi rapidi l'irta scalinata bianca. C'era una profuga accasciata di traverso sull'ingresso, che ostruiva coi piedi e col fagotto lercio nel quale sonnecchiava una creatura rachitica e caccolosa – forse il figlio o forse no. Una ragazza dagli occhi a mandorla, coi lunghi capelli neri. SONO POVERA DI SARAJEVO O CINQUE BAMBINI NON O LAVORO AIUTATEMI. Elio le depose in grembo una banconota da diecimila, che la profuga fece sparire fra le sottane, indirizzandogli un sorriso. Il primo sorriso che il mondo ostile avesse oggi riservato all'onorevole. «Dio ti benedica», le disse. E benedica anche me. Notò di sfuggita che qualcuno aveva spruzzato di vernice nera il travertino della facciata. Una svastica accompagnava la scritta: HO FATTO UN SOGNO. Il sognatore si era perfino firmato: ORDA DI BARBARI. Gli sarebbe piaciuto capire i giovani di oggi. Perché anche lui da giovane aveva poco rispetto per i simboli del potere, ma non gli sarebbe mai venuto in mente di profanare una chiesa. Spinse il portale. Sant'Agostino era deserta. Le monumentali chiese di Roma sempre vuote – tranne che per i matrimoni e i funerali – gli ricordavano le tombe etrusche e i templi greci, testimonianza magnifica e inerte di civiltà ormai scomparse. E questa decadenza, questo disamore, la solitudine degli affreschi e degli altari, dei porfidi e dei cori lo intristiva, ma non sapeva come porvi rimedio.

L'onorevole si fece il segno della croce e piegò il ginocchio rimirando l'altare – e anche i poliziotti, che lo seguivano, lo imitarono. Antonio non era mai entrato a Sant'Agostino. L'altezza del soffitto lo impressionò. Quanto il cielo azzurro, punteggiato di stelle, che brillava sulla navata destra. C'erano tele scure appoggiate nelle cappelle laterali, e larghi, scuri banchi lungo la navata centrale. C'erano colonne, marmi pregiati e statue ovunque. Lo intimidirono e gli ricordarono che non si era piú presentato dal prete della comunione di Valentina, dal quale all'inizio di tutto questo caos era andato tanto per parlare del senso della vita con qualcuno in contatto con Dio, che magari poteva indicargli il segreto per rimettere a posto le cose. Quella

chiesa – la parrocchia della suocera – però era molto diversa. Di
cemento armato, costruita negli anni Ottanta, completamente
priva di arredi: le file di banchi fatte di seggiole incollate fra loro, rubate a un cinema di periferia ormai chiuso da tempo. Non
c'erano altari né quadri: le pareti erano nude. Solo nell'abside
c'era un affresco dipinto da un pittore moderno sconosciuto:
nel cielo blu galleggiava una donna di bianco vestita, che pareva volare. Quella chiesa, di cui non ricordava neanche il nome,
ad Antonio piaceva, c'era tanta luce, mentre Sant'Agostino era
buia, e incuteva una sorta di timore. L'agente Romeo controllava la porta, e lui aveva perso di vista l'onorevole. Se fossero
stati in strada, sarebbe stata un'imperdonabile leggerezza. Lo
cercò, inoltrandosi nella navata. Le sue stridule scarpe di vernice scricchiolarono sul pavimento di marmo. Oltrepassò cardinali, crocifissi e tombe di famiglie patrizie. Ignorò santi e
profeti, Isaia e san Guglielmo, santa Caterina e san Girolamo,
santo Stefano e san Tommaso, santa Monica, la Madonna delle
rose e perfino il Padreterno. Aggirò l'altare barocco. Nessuna
traccia dell'uomo che mai avrebbe dovuto perdere di vista. Su
un mobiletto di ferro battuto brillavano due candele. Poi, nella
densa penombra, lo scovò. L'onorevole si era inginocchiato su
una scomoda balaustra di marmo, davanti alla prima cappella
della navata sinistra. Fissava assorto una tela buia, che occupava interamente l'altare.

Antonio distolse lo sguardo. Lo imbarazzava spiare l'intimità di quell'uomo che non aveva intimità e non poteva nascon-
dergli niente. E non c'è niente di piú intimo di una preghiera.
Poiché nella chiesa non c'era nessuno, e nessuno attentava alla
vita dell'avvocato, si diresse verso il chioschetto delle cartoline,
illuminato da un faro. Roteò la rastrelliera, ma senza fare caso alle immagini in vendita. Non lo attiravano le cose vecchie.
Gli davano un senso di tristezza. Fioravanti fissava qualcosa di
bianco, vivido nell'oscurità. Poi infilò una moneta nella fessura di una cassetta, e il quadro si accese all'improvviso. Allora
affondò la testa fra le mani e cominciò a bisbigliare. Antonio si
chiese cosa mai potesse chiedere a Dio un uomo come l'onore-

vole Fioravanti, che aveva avuto tutto dalla vita. Soldi, salute, successo, due mogli, varie amanti di cui l'ultima carrozzata da rizzarlo anche a un morto, due figli, fama, potere, e anche una casa stupenda – un intero villino liberty a via Mangili, tre piani affacciati nel verde, col giardino privato, gli aranci e le magnolie. Antonio sí che avrebbe dovuto pregare. Lui sí che aveva richieste da avanzare. Ma Dio non lo avrebbe ascoltato perché ormai il suo cuore era pieno di odio. Mentre Dio è amore e perdono.

Gli venne la curiosità di scoprire davanti a quale immagine sacra il molto mondano onorevole Fioravanti si fosse prostrato, e s'avvicinò di qualche passo – le suole cigolarono lamentose. Alla luce nuda della lampadina, i capelli ricci e brizzolati dell'avvocato diffondevano una luce argentata, come bagnati da gocce di pioggia. Nell'angolo sinistro della tela, come uscisse da casa sua, e grande come fosse vera, c'era una donna bruna con un ragazzino in braccio. Era scalza. Davanti a lei, stava un uomo di mezza età inginocchiato – quasi nella stessa posizione in cui si era inginocchiato l'onorevole. Probabilmente quella donna era Maria, e il pupetto nudo Gesú. Ma non c'era niente di sacro in quell'immagine. Qualcosa di molto familiare, invece. Qualcosa che riconobbe con lancinante nostalgia. Era una donna, con un bambino. La donna era bruna, fiera e semplice, come, come, come… Il bambino aveva tre, forse quattro anni. Poteva essere Kevin, o almeno il Kevin di cui Antonio aveva memoria, prima che lei glielo portasse via. Prima che distruggesse la sua vita, trasformasse l'agente speciale in un lacchè, i suoi bambini in due estranei. Gli venne un desiderio pazzo di rivedere entrambi. Emma, e anche Kevin. Come era stato possibile perderli. Se almeno ci fosse stato un vero motivo. Allora forse sarebbe stato possibile dimenticare. Ma cosí no, cosí ogni giorno il dolore si rinnovava, e il tempo, invece di cicatrizzare la ferita, la mandava in cancrena.

Il giorno della nascita di Kevin, aveva sempre detto e diceva ancora, è stato il piú bello della mia vita. Un maschietto di tre chili, paonazzo tra le braccia di Emma. E lei glielo aveva affidato, sorridendo, grata. Lui aveva preso in braccio quell'essere

talmente nuovo da non avere neanche un nome, che dormiva e
forse sognava. Si era chiesto con tenerezza cosa sogna un neonato: forse la vita prima della vita, come lui sognava quella dopo la morte. Mio figlio. Mio figlio che si chiamerà Kevin e un
giorno somiglierà a me. E gli insegnerò a nuotare, e a giocare a
pallone, a essere giusto e a difendersi. Kevin non lo sapeva, ma
era stato fabbricato per salvarli. Perché il loro matrimonio era
finito, e avevano cercato di ridargli vita con lui e tramite lui.
Ma non era andata cosí. Kevin era diventato qualcos'altro – con
le sue pretese, le sue esigenze, era diverso da come lo aveva sognato, era un estraneo, non aveva cambiato Emma, non aveva
preso le sue parti contro di lei, era solo un altro nemico contro
cui lottare, lo aveva deluso – e anche quel filo si era spezzato. E
ormai non conosceva la sua faccia, né la sua voce. Non li avrebbe riavuti. Li aveva persi. E non c'era niente che potesse farla
tornare indietro. La luce si spense, e la donna bruna con Kevin in braccio ripiombò nell'oscurità. E adesso non c'era che il
buio. E una cosa sola da fare.

La tela era una lavagna, solo la carne diafana del bambino
e il volto stanco di sua madre biancheggiavano sul nero. Elio
sollevò la testa. Notò il capo-scorta, importuno – impalato accanto alla balaustra. Si rialzò in fretta, pentito di essersi lasciato scorgere in un momento di debolezza. Si sgrullò i calzoni,
si spolverò la forfora che gli impollinava il maglione, si voltò
e s'avviò verso l'uscita. «Onorevole!» lo chiamò Antonio, af-
fiancandolo. La sua voce echeggiò nel silenzio rarefatto della
chiesa. «Devo chiederle un favore. Ho bisogno di interrompere
il servizio alle due». Era una richiesta assolutamente inaudita.
«Be'... – esitò Elio, chiedendosi dove diavolo sarebbe stato alle due, – non è a me che deve chiedere il permesso, ma al ministero – perché possano mandare un sostituto». «Lo so, – insisté
Antonio, in fretta perché non aveva tempo di spiegargli, ma a
un tratto per lui era tutto chiaro, – lo so, è che le sto chiedendo un favore personale».

Elio si voltò un'ultima volta verso la *Madonna dei Pellegrini* – la piú convincente Madonna che avesse mai visto in tutta

la sua carriera di peccatore e l'unica che riveriva. Il peccatore
Caravaggio aveva saputo fare di una semplice romana, di una
modella qualunque, peccatrice anche lei, la madre del redento-
re – e di questo il popolo gli è sempre stato riconoscente, e l'ha
sempre venerata. Perché se quella donna, che potremmo amare,
se quel bambino, che potrebbe essere nostro figlio, sono lo stru-
mento della salvezza di Dio, anche noi potremo essere salvati.
Muto, la pregò un'ultima volta di proteggerlo, di fargli vincere
le elezioni, di non lasciarlo cadere dal cuore del Presidente –
non perché ciò avesse una qualche importanza per l'andamento delle umane cose, ma proprio perché ne aveva solo per Maja
e per Camilla, e perché le sue donne erano innocenti del male
commesso, e non meritavano di pagare al suo posto.

«Si tratta della mia famiglia, – disse Antonio. – È molto
importante». Elio cercò di ricordarsi cosa doveva fare, nel pomeriggio. Gli pareva di dover battere le borgate della Casilina.
Territorio ostile. Altamente probabili imboscate e contestazioni
da parte di gruppuscoli verdi e rossi. No, gli agenti della macchina di supporto non bastavano. Non poteva fare a meno del
suo angelo custode. «Un'altra volta, Buonocore, oggi ho proprio bisogno di lei». Antonio subí il rifiuto – netto e deciso –
ma non si arrese. «È l'ultimo favore che le chiedo». «L'ultimo
favore! – rise Elio, posandogli con familiarità una mano sulla
spalla. – È il primo, mi pare». Antonio spinse la porta e mentre lo investiva la bianca luce del giorno tornò a ripetere, serio,
senza guardarlo, che era proprio l'ultimo.

Decima ora

L'inserviente la avvertí che il cellulare stava squillando nella sua borsa. La signora Fioravanti desiderava rispondere? Maja sollevò la testa, rassegnata a non avere tregua nemmeno dal parrucchiere, in uno dei momenti piú piacevoli dell'esistenza di una donna – quando il giovane shampista, efebico e aggraziato come un ballerino, le massaggiava le tempie, le pettinava i capelli bagnati con una delicatezza tale che lei sentiva una corrente elettrica, scandalosa e inequivocabilmente erotica, scorrerle nel corpo, da troppo tempo disabituato a essere maneggiato con tanta attenzione. Ma nel giorno della festa di Camilla, c'erano mille cose ancora da sistemare. «Oh, sí, rispondo», disse. L'inserviente le appoggiò il telefono all'orecchio sgocciolante – perché lei non dovesse nemmeno muoversi. Ai suoi piedi la manicure, con la sua mano abbandonata in grembo, continuò imperterrita a verniciarle le unghie. Con la perizia di un artista alle prese con una miniatura, pennellò il colore nell'ovale del pollice – una sfumatura di madreperla argentata molto chic, trasparente, quasi invisibile. «È l'immobiliare Gabetti, – spiegò una voce sconosciuta. – Ci ha telefonato poco fa per l'appartamento all'Aventino. Sono a sua disposizione».

Maja sollevò la testa di scatto. La manicure cadde dalla seggiolina, e le dipinse involontariamente una striscia di smalto sul dorso della mano. I capelli bagnati gocciolarono sulla tunichetta di raso. «Non c'era urgenza, – bisbigliò, alzandosi, – volevo

solo qualche informazione». I suoi occhi cercarono un anfratto
in cui nascondersi, ma il salone era affollato. Fra le sue amiche
– ed evidentemente ormai la cosa si era risaputa – il parrucchiere stylist Michele in arte Michael godeva di una reputazione
sovrana: un mago capace di far sembrare una diva la scorfana
piú scoraggiante. C'erano donne coi capelli bagnati accoccolate
nelle poltroncine, altre impettite sotto il getto dei phon, altre
ancora mollemente riverse nelle seggiole, con ciuffi di capelli
spalmati di cachet e incartati nella stagnola d'argento, il che le
faceva sembrare delle extraterrestri. Donne in attesa sui divanetti, donne al lavaggio. Ovunque.

«Si tratta di un tricamere di centoventi metri quadrati cal-
pestabili, ristrutturazione di pregio, con affaccio nel verde – il
giardino vanta piante di alto fusto, veramente un sogno, – recitava la segretaria dell'agenzia immobiliare. – Se vuole vederlo,
posso inserirla nelle visite di oggi». «Oh, no, – protestò Maja,
abbassando la voce. – Era giusto per avere delle informazioni,
una mia amica deve trasferirsi a Roma, mi ha pregato di aiutarla a cercare all'Aventino». Caracollò verso la porta, sgoccio-
lando, superò le dame assise sugli sgabelli, intente a sfogliare
«Amica», «Glamour» o «AD» mentre un'assistente di Michael
le phonava, le stirava, le allisciava o le arricciava, o l'ultima pe-
dicure scartavetrava le unghie dei loro piedi. Spinse la porta a
specchio con la spalla e si rifugiò in strada. «Guardi, l'appartamento è veramente un sogno, e il prezzo è trattabile». «Oggi
non posso, – disse Maja, – non farei in tempo ad avvertire la
mia amica, è impossibile».

«Abbiamo già due clienti intenzionati a fare un'offerta, –
proseguí la sconosciuta, incurante del suo apparente disinteresse.
– All'Aventino non si vende niente, se la sua amica cerca casa
lí, le consiglio di andare oggi». Maja si domandò quale oscuro
impulso l'avesse indotta a chiedere informazioni su quella casa.
Non l'aveva mai fatto. Di solito si limitava a sfogliare quel maledetto giornale di annunci quasi per gioco. Forse essersi ritrovata senza nulla da fare, nella casa vuota alle nove del mattino
– lei che di solito doveva pensare a centomila cose contempora-

neamente. Se fosse andata a lavorare. Se ci fosse stata Navidad
non le sarebbe neanche passato per la testa – era una ragazza
cosí cattolica, serena, cosí all'antica. È che all'improvviso si era
sentita talmente scontenta. L'incontro con Emma Buonocore
l'aveva scombussolata. Scoprire che una madre di famiglia tutt'a
un tratto pianta il marito, piglia i bambini e se ne va. Quei due
sembravano cosí affiatati. Una cosí bella famiglia. E anche Elio
e io sembriamo cosí affiatati. Una cosí bella famiglia. Basta ru-
minare su queste stupidaggini. Però non era gradevole immaginare che un'agente immobiliare sapesse che Maja Fioravanti
cercava casa. «Grazie lo stesso», conclude, all'improvviso ab-
battuta, sul marciapiede di via Mercalli – schiacciata dal senso
di colpa. Dietro la porta a specchio, il salone di Michael era
completamente invisibile. Lo specchio rifletteva solo lei stessa.
Maja sapeva, però, che le donne in attesa nel salottino potevano
vederla. «Guardi, facciamo cosí, – insisté la furba segretaria.
– Io inserisco nell'elenco degli appuntamenti il nome della sua
amica. Alle due. Se non viene, non sarà un problema. Il nostro
agente va lí comunque».
    Alle due – ci pensò su Maja. Quanto ci avrebbe messo? Alle
quattro i bambini cominceranno ad affluire a Palazzo Lancillotti e lei dovrà essere presente. Be', alla fin fine perché no? Cosí,
tanto per svagarsi un po'. Altrimenti il suo cervello continuerà
a rimuginare – e i pensieri oggi assumono una consistenza soli-
da, tendono a diventare contundenti. «Se alla mia amica sarà
possibile, verrà alle due», consentí. «Che nome devo segnare?»
«Riva», disse Maja. Era stata per piú di un quarto di secolo la
signorina Riva, prima di diventare la signora Fioravanti. Attraversò il salone come una sonnambula e tornò a sedersi nella pol-
troncina davanti al lavabo. Appoggiò la nuca sulla vasca di plastica. La manicure non si era neanche mossa. Chiuse gli occhi e
il giovane shampista riprese a massaggiarle le tempie con le sue
mani delicate. Non riuscí a ritrovare il godimento consueto. La
tunichetta umida le trasmetteva una sensazione di freddo. Cosí
affiatati, cosí affiatati – continuava a ripetersi.
    L'angelico shampista la guidò verso un'alta poltrona girevo-

le. Il mago Michael le tolse il turbante. I capelli scuri, fini fini, ricaddero sulle orecchie. Nello specchio, Maja guardò con stupore e inquietudine il suo riflesso. Nessuno poteva immaginare che questa giovane signora graziosa minuta e fragile come un uccellino fosse in realtà uno spregiudicato prodigio di doppiezza. Maja fissò angosciata le forbici argentate che scintillavano fra le mani di Michael. «Cosí niente colpi di sole, – diceva, con la sua voce artefatta, – lei è una vera conservatrice, signora Fioravanti, ha paura delle cose nuove. Starebbe benissimo con qualche ciocca color melanzana, darebbe luce al viso. Come vuole. Teniamo il castano naturale. Ma perché non mi lascia almeno provare un taglio piú trendy, con ciocche di lunghezza diversa, ha visto l'ultimo film di Juliette Binoche? Se vuole posso restare sul classico ma non è fashion e francamente la invecchia parecchio». «Faccia lei», mormorò Maja. Il mago sorrise, perché finalmente la cliente era in suo potere, e fece scattare le forbici. Maja aggiunse, con un sorriso sognante: «Michael, mi faccia sembrare piú giovane».

Il professor Ferrante cominciò gli esami alle dieci e mezzo, un'ora dopo il previsto. Gli studenti iscritti – piú di duecento – giacevano in posture scomposte sulle panche del corridoio. Alcuni fumavano, altri compulsavano disperatamente le dispense, perché uno degli esaminati, uscendo, aveva assicurato che il ricercatore – portaborse del professore da tempo immemorabile, ormai incanutito nella frustrante attesa di una cattedra – non faceva domande sui testi, ma solo sulle dispense del seminario da lui tenuto e che nessuno aveva frequentato. Una ragazza masticava una gomma americana fissando il muro grigio topo davanti a sé, come se cercasse di ricavarne le nozioni che non aveva avuto il tempo di imparare. Zero era affacciato alla finestra e fissava la temibile Minerva scudo-fornita che oziava nel laghetto dell'università, specchiandosi in un velo d'acqua putrida. Seguí l'andirivieni concitato dei promossi e dei bocciati, rilassato come se osservasse lo spettacolo dal pianeta Marte. Diritto penale era il suo decimo esame in tre anni: una media accettabile benché non proprio onorevole. Ma ormai aveva superato la fase del dovere e della rivalsa – era approdato all'indifferenza. Quella mattina superò l'ultimo confine, e giunse a chiedersi perché accidenti si trovasse qui, e se per caso il ragazzo stralunato che ciondolava nel corridoio della facoltà di giurisprudenza non fosse il suo sosia. Lui era rimasto nella mansarda affacciata sul cilindro enigmatico del Gazometro, ad assemblare inneschi e pezzi di metallo per far saltare i simboli del nemico. Uscí una ragazzetta in lacrime – spiegò confusamente agli studenti che subito la circondarono che l'assistente giovane era una carogna, un leccaculo, un pezzo di.

L'assistente in questione – un panzone occhialuto il cui corpo denunciava trionfalmente il rapido deteriorarsi della sua autostima – s'affacciò sulla soglia dell'aula e chiamò i nomi dei prossimi da interrogare. Uno era il suo. Svogliatamente, Zero si staccò dalla finestra e pensò che tra poco era fuori. Un piccolo sforzo di memoria e si guadagnava piena libertà per tutta l'estate. Aveva in programma di andare a Barcellona e prendere contatto con gli anarchici del gruppo di Barricada. Fratelli puri e tosti veramente. Il loro motto era: *Voglio un paese nel quale il denaro non viene speso – voglio vivere una vita immacolata.* Lo attirava, Barcellona. La Spagna era passata dal fascismo alla libertà con una impressionante naturalezza. In Italia non erano bastati sessant'anni. Laggiú c'era piú energia, dinamismo, speranza – le cose cambiavano, le idee nascevano, gli artisti creavano. Roma era una città decrepita e immobile, un meraviglioso pantano. Il passato le impediva di avere un futuro. Gli abitanti giravano in cerchio, come dannati. Nessuno usciva dalla bolgia che gli era stata assegnata. L'assistente lanciò un'occhiata colma di disprezzo alla marmaglia di studenti di cui aveva fatto parte fino a pochi anni prima e vide avanzare un ragazzetto esile, coi capelli lunghi tinti di viola e acconciati in trecce spinose, all'estremità delle quali tintinnavano dozzine di perline. Portava un anello al naso e aveva una palla d'argento conficcata nella lingua. Nonostante quei segni tribali, stringeva nella mano destra una professionale ventiquattrore di pelle. Si scansò per lasciarlo entrare. Il ragazzo odorava di cane.

Zero prese posto sotto la lunga cattedra soprelevata sulla quale troneggiava il molto influente professor Ferrante, borioso luminare di diritto penale, noto per le sue lezioni sovraffollate e per i suoi commenti al codice – astrusi come fossero scritti in turco. Ferrante parlava con un'altra docente e per qualche minuto nemmeno si accorse che l'esaminando aspettava pazientemente il suo turno, rattrappito sulla seggiola, in atteggiamento di sottomessa diligenza. Quando se ne accorse, lo ignorò. Aveva di meglio da fare. Zero intercettò qualche brandello di conversazione. Non riguardava il diritto penale. Il professor Ferrante e la donna risero. Sembravano conoscersi intimamente.

Zero si chiese di nuovo cosa ci facesse in quest'aula. Non desiderava diventare giudice né notaio. Nemmeno avvocato, benché ci fossero molti poveri cristi da difendere e anarkici da liberare dalle galere dei padroni. Non desiderava diventare niente. Ma essere qualcosa – dare un senso alla sua vita. Che non ne aveva nessuno. Posò il libretto elettronico sulla cattedra. Ferrante gli prestò la stessa attenzione infastidita che avrebbe prestato a una mosca. Entrò un altro studente, se lo accaparrò l'assistente carogna, che voleva darsi da fare per rendersi utile, così il professore dopo la fine del dottorato gli avrebbe assegnato una borsa di studio. L'assistente temeva di essere considerato superfluo dall'università, e abbandonato al suo destino nel mondo feroce. Lo studente venne interrogato in fretta, e in fretta rispose. L'assistente non ascoltava le sue risposte, lo studente non ascoltava se stesso. Parlava. Vomitava grumi mal digeriti di giurisprudenza. Presto sarebbe diventato uditore, e poi giudice. Tutti prima o poi trovavano il loro posto nel mondo, solo Zero, a ventitre anni compiuti, non ne aveva nessuno – in quel mondo non c'era posto per lui.

«Cominciamo, – disse il professor Ferrante quando infine la collega si congedò, lasciandosi dietro una scia di patchouli, caprifoglio e tuberosa. – Parliamo dei delitti contro il patrimonio. Articolo 624». «Furto», affermò Zero, atono. Il professore gli chiese cosa si intende per impossessamento. «Appaiono problematici i rapporti fra sottrazione e impossessamento, – ri-

spose Zero meccanicamente, senza ascoltarsi. – Per alcuni i due
momenti coincidono, ma per altri i due momenti rappresentano
due concetti da tenere distinti. Il fatto tipico si realizza integral-
mente solo quando l'agente consegue l'autonoma disponibilità
del bene, in modo che questo venga a trovarsi fuori da ogni di-
retto controllo da parte del derubato». Espulse le nozioni in-
gurgitate nelle settimane precedenti. Una fabbrica. Una catena
di montaggio. Macinati, tritati, infilati nella macchina infernа-
le, inscatolati e spediti in giro per il mondo, senza essere altro
che anonimi nessuno – zero. Tuttavia, Zero riuscí a respingere
in un angolo della coscienza quei pensieri molesti, rimase con-
centrato, si assoggettò a quel rito vuoto e assurdo, un sacrificio incruento a dèi nei quali né lui né il professore credevano.

A un tratto – mentre spiegava la differenza tra il momento
consumativo e il tentativo, per esempio di furto nei supermer-
cati – nell'immensa aula vuota si levò un suono lieve, un cicalio
insistente come una musica lontana. Proveniva dalla sua valigetta. Purtroppo aveva dimenticato di spegnere il cellulare. Per un
attimo si bloccò, raggelato, poi decise di ignorare lo spiacevole incidente, finse che il telefono non fosse il suo e continuò a
disquisire dei rapporti tra il furto e l'appropriazione indebita.
Li conosceva bene. Il furto era stato il primo reato che aveva
commesso, a quindici anni. Aveva rubato un francobollo antico – rarissimo esemplare di un paese coloniale africano – dalla collezione del padre. Non sapeva che valesse tanto, l'aveva
scoperto solo dopo – quando già da tempo lo aveva gettato nel
water. Contava solo il fatto – la requisizione e la distruzione
di un bene altrui. Ma il telefono continuò a suonare. Quattro
squilli, cinque, sei, dieci. La persona che chiamava – senz'altro
Meri o Poldo o Ago, angosciati dalla crisi del Battello Ubriaco
sull'orlo dello sgombero salvo miracoli ai quali nessuno di loro
credeva – non demordeva. Dietro la cattedra, il professore si
agitò, scandalizzato. L'altro esaminando tacque. Nel silenzio, la
musica lontana e soffocata divenne piú nitida: la suoneria com-
poneva le note – ormai riconoscibili – di *Bella Ciao*.

Tacque anche Zero. Le note ricamavano *Stamattina mi sono*

alzato. O bella ciao bella ciao bella ciao ciao ciao. «Dove pensa di essere, in montagna?» ruggí il professore. *E ho trovato l'invasor.* Zero non rispose. Che poteva dire? Magari quest'aula squallida e fatiscente, mai restaurata dai tempi di Piacentini, fosse la montagna dei resistenti. La gente come il professore li chiamava banditi. *O partigiano portami via.* «Questa è l'università piú grande d'Italia, – scandí adirato il professor Ferrante. – Lo sa chi ha fatto lezione alla Sapienza? Ne dubito, voi giovani siete analfabeti. Qui sono passati gli statisti piú validi di questo paese. Aldo Moro, Vittorio Bachelet. Si vergogni».

Zero non riuscí a vergognarsi. Si vergognava di essere quello che era, si vergognava di suo padre, del mondo in cui lo avevano gettato a naufragare, della sua vita, anche dei sentimenti che provava per la persona sbagliata – ma non di questo. *Stamattina mi sono alzato e ho trovato l'invasor.* Armeggiò nella valigetta e spense il telefono. Fissò il professore, con sguardo celeste e mite. «Vado avanti?» chiese, educatamente. In fin dei conti il professore non lo stava nemmeno ascoltando. Prendeva appunti sul suo palmare, aveva di meglio da fare che valutare la preparazione di uno dei suoi mille studenti. Era tutta una finzione, una farsa – ma quel telefono la smascherava, li smascherava, non poteva ammetterlo. Doveva punirlo. Zero capí che sarebbe stato bocciato. Gli dispiacque, perché preferiva partire per Barcellona contento di sé, almeno moderatamente, o comunque non colpevole di aver gettato un semestre dalla finestra, ma fu un dispiacere superficiale, che durò meno del rossore che gli imporporava le guance.

Il professore lo studiò a lungo, storcendo la bocca, come se avesse visto uno scarafaggio. «Lei pensa di presentarsi in un tribunale della Repubblica Italiana con l'anello al naso come un selvaggio?» gli chiese. «Perché no? – rispose Zero, consapevole che ormai l'esame era andato. – In fin dei conti un tribunale è una giungla in cui vige la legge del piú forte». «Porta la parrucca?» lo scherní Ferrante fissando le sue lunghe trecce. Forse con invidia: era quasi calvo. Code filacciose gli strusciavano il bavero della giacca. Pochi peli, radi, patetici. «No, – rispo-

se Zero. – Sono capelli miei». I capelli: l'unica cosa che aveva
ereditato dal padre, l'unico segno del loro comune sangue. Ricci, crespi, duri come fil di ferro. Li aveva tinti di viola per non
portarli uguali a lui. «Lei pensa che un giudice o una giuria popolare possano prendere sul serio un rappresentante della legge
coi capelli viola? – insisté Ferrante, sul punto di perdere la pazienza. – È questo il rispetto che lei ha per la Legge?»

«La Legge siamo noi, – rispose Zero, mite. – Tutto cambia».
Pensava che forse un giorno i suoi capelli viola sarebbero divenuti
un segno di rispettabilità come la cravatta, la pancia, o il rolex.
Cent'anni fa, se avessero detto a un professore di diritto penale
che avrebbe dovuto esaminare studenti di sesso femminile, libere
di entrare in aula senza cappello come le donnacce di strada, non
ci avrebbe creduto. Ferrante afferrò il libretto elettronico, con
l'intenzione di bocciare senza pietà quel contestatore saccente
e sudicio come un barbone, quando gli cadde lo sguardo sul nome. Piuttosto comune, del resto. Esaminò il ragazzo emaciato
che sedeva sotto di lui, rassegnato al suo destino. Lineamenti
delicati. Occhi celesti, che nella luce grigia dell'aula mandavano riflessi di ardesia. Naso aquilino – no, non gli somigliava per
niente. Eppure. Un'eventualità molto improbabile. Sgradevole,
tuttavia. Meglio accertarsi, prima. Il suo viso perse l'espressione
collerica e indignata, si addolcí. Chiese: «Lei è parente?»

Zero esitò. Arrossí. Strinse i pugni, si grattò la testa. Gli
passò davanti san Francesco, nudo sul sagrato della chiesa, che
rinnega l'osceno mercante responsabile dei suoi giorni. Fissò il
libretto – squallido, derisorio pezzo di plastica tra le mani del
professore, sgargiante testimone della sua nullità. «Sí, – rispose. – Sono il figlio».

Il professor Ferrante tamburellò con le dita sulla cattedra.
Dunque il partigiano teppista era il figlio di Fioravanti. Probabilmente i due non erano in buoni rapporti, dal momento che
Elio non aveva mai menzionato l'esistenza di codesto Aris, studente del terzo anno di giurisprudenza nella stessa università
che, prima di dedicarsi unicamente alle consulenze e ai lucrosi
affari del suo studio, Elio aveva bazzicato senza troppo onore.

Del resto Fioravanti, fin da quando era solo un ricercatore salottiero e brillante, menzionava solo chi gli tornava utile menzionare – straordinarie le allusioni a personalità influenti, gettate là sbadatamente nelle conversazioni piú spicciole, come alludendo a frequentazioni intime. Era sempre stato un calcolatore. Un prezzemolo che metteva radici in tutti i campi potenzialmente fertili. Lasciava credere di giocare a tennis col consigliere, di andare in barca a vela col tale ministro. E a poco a poco, si era finito per credergli. Ormai era una istituzione – benché nessuno avesse capito su cosa si fondasse il suo potere. E col Presidente giocava a tennis davvero: quei due, compagni di doppio, coi calzoncini bianchi e i muscoli cascanti, fotografati nel campo da tennis della villa del Presidente a Capri erano finiti sui mensili patinati rivolti a uomini che aspiravano a definirsi di successo – come quegli attori, industriali, politici che s'infilavano, quasi di straforo, tra le pagine ammiccanti di pubblicità di profumi, scarpe, macchine e orologi. Cosa lo avrebbe fatto salire nella considerazione di Fioravanti? Che il suo ex collega Ferrante gli bocciasse il figlio o glielo promuovesse?

Un padre è pur sempre un padre, Fioravanti preferirà un figlio laureato piuttosto che un vagabondo. La coriacea coscienza del professore non ne avrebbe sofferto. Tutti ci avrebbero guadagnato. E chissà che un domani Fioravanti per gratitudine non lo invitasse a uno dei suoi ricevimenti, ai quali l'universa Roma sgomitava per partecipare, dal momento che chi ne risulta assente viene chiacchierato come un reietto. Lo studente Aris Fioravanti del resto pareva preparato. Aveva già dato nove esami, e con una media piuttosto alta. Promuoverlo, dunque, e raccomandargli di salutare il padre – in modo che il ragazzetto sappia perché non lo ha cacciato con ignominia nonostante il telefono volgarmente acceso durante un esame. Che tristezza questi giovani veterocomunisti. Fossilizzati su simboli defunti. Su un mondo spazzato via dalla globalizzazione. Ancora *Bella Ciao*. Questi giovani petulanti che si credono partigiani per poter combattere i nazisti e l'invasor. Fu malignamente contento all'idea che Elio Fioravanti – Ascensore, come veniva sopran-

nominato in facoltà dai colleghi invidiosi – fosse afflitto da un
figlio coi capelli viola e l'anello al naso, che apparteneva a una
tribú di selvaggi contestatori. Il figlio di Ferrante invece lavorava a Milano, direttore del marketing di una multinazionale.
Lo studente Aris fissava senza troppo interesse il suo libretto
elettronico. Il professore gli fece ancora tre domande – lievemente maligne, dal momento che riguardavano l'articolo 270
(associazioni sovversive), e il 272 (propaganda e apologia sov-
versiva o antinazionale). Ascoltò con predisposizione benigna
le sue risposte, gli affibbiò un onesto ventisei di compromesso
e lo liquidò. Quando gli raccomandò di salutargli *l'amico* Elio
– appoggiando la parola amico con un tono vagamente mafioso
– Zero annuí, tristemente.

Uscí dall'aula senza voltarsi. Si vergognava di essersi aggrappato al nome di suo padre. Quell'uomo era il suo peggiore
nemico. Doveva rinnegarlo e lasciarsi bocciare. Sarebbe uscito
sconfitto, ma a testa alta. Avrebbe potuto sentirsi fiero di sé.
Bella Ciao. Invece sei un codardo. La tua vita di compromessi.
Di astensioni e vili silenzi. Di assegni mensili e rivolte effime-
re. Altro che Total Devastation, altro che Fa' Boom! Sentí che
per espiare gli restava un'unica possibilità: bere l'amaro calice
fino in fondo. Andare da suo padre a estorcergli i soldi per salvare il Battello Ubriaco, l'unico luogo di Roma al quale sentiva di appartenere. L'avvocato Fioravanti, oggi amico di preti e
moderati ma in giovinezza scalmanato esponente della Legione,
non lo saprà mai, ma proprio lui salverà dallo sgombero e dalle
ruspe demolitorie un centro sociale nel quale vivono anarchici,
punkabbestia e sfaccendati che manderebbe subito in galera o
restituirebbe al lavoro nei campi – «braccia sottratte all'agricol-
tura» è una delle sue battute preferite, quando parla della gioventú alternativa. Ci andrai subito, sottomesso, sconfitto, per
bere fino in fondo la feccia dell'umiliazione. Tu non sei Zero.
Sei Aris Fioravanti. *Sono il figlio, sí, sono il figlio, sono il figlio.*
Non rispose agli studenti che gli si affollarono intorno chiedendogli ansiosamente quali domande gli avesse fatto Ferrante.
S'allontanò in fretta, come dal luogo di un misfatto.

Recuperò il telefono nella valigetta. Voleva richiamare Meri e dirle che avrebbe sacrificato quell'ombra di orgoglio e dignità che ancora gli restavano e avrebbe salvato il Battello Ubriaco, quando s'accorse che non era stata la spagnola a telefonargli mentre recitava la sua ignobile parte nella farsa. Nel display era memorizzato il numero di Maja. Corse fino al laghetto della Minerva, e si fermò solo quando gli parve di essere abbastanza lontano dall'influenza nefasta della facoltà di giurisprudenza. «Aris?» cinguettò la sua voce flebile, educata, perfetta. Bevi il calice fino alla feccia – inginocchiati perché anche Lei gli appartiene, inchinati perché lui ha tutto e può tutto e tu niente. Ti ha lasciato le briciole del suo denaro, gli scarti della sua eredità genetica, gli avanzi dei sentimenti che ha rubato alla moglie. «Ciao Maja, – disse. – Mi hai cercato?»

«Dove sei?» sospirò Maja. Zero percepí una promettente allegria nella sua voce. «Ho preso ventisei a diritto penale», disse – subito disgustato di vantarsene. Ma sapeva che Lei ne sarebbe stata contenta. A volte, anzi, aveva l'impressione di continuare a macinare esami solo per non deluderla – perché Maja gli raccomandava di non commettere l'errore idealistico di abbandonare l'università per la fretta di vivere e impegnarsi nel mondo, doveva pensare al suo futuro. Magari voleva andare in Africa con le ONG, o diventare un infermiere o un fotografo di guerra, o chissà che altro, ma una laurea poteva servirgli sempre. Maja però non si abbandonò a complimenti, né si mostrò felice di sapere che aveva superato il puntuto scoglio del diritto penale. «Era oggi che dovevi venire a pranzo da Camilla?» gli chiese, con sconcertante superficialità. Come poteva dimenticarsene? Sí, proprio oggi. Anche se gli amici lo aspettavano al Battello Ubriaco per festeggiare l'esplosione – il suo grande avvenire di piccolo chimico, alchimista e subcomandante. Ma soprattutto per discutere la strategia di opposizione all'ordinanza di sgombero. Si affrettò a confermare. Quando Maja ti convoca a pranzo, accorri come un cane. E non te ne vergogni. Anzi, vorresti essere il suo cane – per seguirla ogni giorno, ogni ora, per guardarla mentre ti ignora, per accoccolarti nella sua ombra. «Camilla oggi a pranzo ha un amichetto e io ho avuto un contrattempo, – disse Maja. – Bisogna che rimandiamo».

«Rimandiamo?» le fece eco Zero, deluso. Da quanti giorni non la vedeva? Sette? Nove? Undici. Undici giorni di agonia. Del resto, perché mai avrebbe dovuto vederlo? Maja aveva la sua vita. Un marito, una figlia, il lavoro, relazioni sociali, piaceri, doveri. Cos'era lui in quella vita? Una parentesi. Conversazioni interminabili sull'economia, l'ingiustizia sociale, l'influenza delle comunicazioni di massa sulla psiche dell'uomo occidentale, la perversa, scientifica deviazione della libido dalla sessualità all'acquisto di beni superflui. Passeggiate interminabili – al Roseto comunale, a Villa Borghese, sulle banchine deserte del lungotevere. Nient'altro. Eppure in quelle passeggiate inconcludenti si concentravano le poche ore che sentiva di avere realmente vissuto. «Devo andare da una parte», gli stava dicendo Maja, vaga. Lui protestò: «E non possiamo andarci insieme?»

Undicesima ora

Ciao dolcissimo diario, scusami se non ti ho potuto scrivere.
Vorrei dirti ke sono successe tante cose, e invece la mia vita è
vuota. Pallavolo, scuola, pallavolo. Tutti i sabati sono uscita con
Miria – ma sono i suoi amici. Io voglio amici, ma ai brutti non
spettano amici se sono amici dei belli. X questo io con te sono me
stessa, ti parlo di tutto, + ke al mio amico, + ke alla mia amica. Io
non ho amici. Sono emarginata.
Nonna mi ha fatto l'oroscopo. Dice ke avrò un periodo nega-
tivo fino a luglio, noia e svogliatezza, non novità in amore. Do-
po, passioni, felicità. Io ci spero. Se riuscirò a innamorarmi, anche
solo a luglio, sarò pazzamente contenta. Io voglio essere normale.
Ieri ho litigato con mamma xké voglio andare a Brighton in va-
canza studio con Miria e lei dice ke non mi manda xké sono trop-
po piccola. La verità è ke non vuole chiedere i soldi a papà. La
odio! Le ho anke dato uno schiaffo, e dopo mi è dispiaciuto ma
non gliel'ho detto.
Sono violenta. Devo cambiarmi.
La mia ricerca è piaciuta al prof. Mi ha dato ottimo, esauriente.
Ha letto a voce alta la mia frase sulla tridacna, «la conchiglia più
grande del mondo nelle cui valve potrebbe rannicchiarsi un uomo
– e morire». Abbiamo scherzato sul fatto ke sarebbe bello essere
seppelliti dentro una conchiglia piuttosto ke in una cassa da mor-
to. Io ho fatto notare ke di tridacne se ne trovano poke xké sono
vittime delle bramosie dei collezionisti e comunque x motivi igie-

nici e x mancanza di spazio oggi è meglio farsi cremare. Il prof ha detto ke sono un po' buia – non so ke intendeva dire.

    Mi sono accorta ke gli voglio bene. È veramente piú ke un professore. Uno alla classe ci si affeziona, eccome. Io non riesco a parlare con mamma come con il prof. Io quando parlo con lui capisco tante cose. Io non mi devo creare un modello ideale, xké potrei aspettare tutta la vita una xsona ke non esiste. Bisogna accettare le xsone come sono. Ma io sono egoista e mi è difficile amare i difetti di un altro.

    Stanotte papà è venuto di nuovo. Io l'ho visto, ha cercato di parlare con lei, e lei lo ha cacciato via. Non è giusto ma non ci ho potuto fare niente.

    Gli ho scritto una canzone. Vorrei tanto dargliela!

Canzone del masochista

La moglie se n'è andata
e non lo capisce piú
la moglie altrove è andata
e un altro amore avrà. Lui è da solo
sempre solo.
E non parla piú.
Un voto a se stesso ha fatto
e amici non ha piú.
Esce solo.
Ma non sanno dove va.
Non lo dirà.
E lo faranno cattivo
ma non è che solo
solo da morire

    Noi Buonocore siamo come i numeri. 2 numeri relativi si kiamano concordi quando hanno lo stesso segno ke li precede. Io e papà siamo 2 numeri relativi concordi. 2 numeri relativi si dicono opposti quando hanno il segno diverso e il modulo uguale. Papà e mamma sono 2 numeri opposti.

Non so qual è il nostro valore assoluto.

Ho preso una decisione. Se torna, anke se lei non gli vuole parlare, scendo io.

Oh, papà, torna anche stanotte!

Oggi mi sento felice, anke se non c'è niente di particolare x esserlo. Anzi, è una squallida giornata.

Mi sento ke torna.

Quando lei gli ha chiuso la serranda in faccia, lui nella macchina si è messo a piangere. Lo volevo consolare. Piangevo ank'io. Io mi sento sola come lui. Mamma questo non lo capirà mai.

A volte spero ke lei esce di testa e si mette con qualcuno, non m'importa ki, uno str. qualunque, cosí io potrei tornare con lui. Mi dispiace pensare queste cose. Sono buia? Sono fatta cosí.

Adesso ti devo salutare, il prof si è accorto ke mi sto facendo i fatti miei. Si parla dell'amore che proviamo noi verso i genitori. Li amo, io? Sono disposta a sacrificare me stessa x loro? Io penso di no, eppure li amo. Dev'essere qualcosa di + complesso dell'amore.

4 maggio

«Valentina, se non stai scrivendo l'*Odissea*, penso che dovresti metterla da parte e continuare dopo», la richiamò Sasha, ma non approfondí il rimprovero perché doveva fronteggiare tutti gli altri ventisei della terza B. In classe montava il pandemonio, in quanto Mataloni stava guidando il gioco del minestrone, e chiamava gli ortaggi, e a turno i compagni si alzavano in piedi, e il prof li fissava sbalordito e non ci capiva niente. Se ne stava seduto dietro la cattedra, tutto stropicciato, con gli occhi stupiti dietro gli occhialini tondi, la smorfia sconfortata e i calzini spaiati, perché era distratto da morire e oggi ne aveva infilato uno nero e uno verde scuro – il che, fin da quando era entrato in classe, aveva provocato un'ilarità irresistibile, che ancora non si era spenta. «Zucca», chiamò Mataloni, e Rossi si alzò, e rise. Il prof sembrava completamente sperso. Il gioco del minestrone – che cominciava in sordina, con lunghi intervalli fra una chiamata e l'altra, e terminava con *tutti in pentola!* ovvero tutta la classe in piedi nello stesso momento – era il piú crudele fra i molti possibili durante la lezione, perché dimostrava una tale strafottenza, una tale superiorità nei confronti del professore, che chiunque si trovasse dietro la cattedra si sentiva annichilito, umiliato e consapevole della sua nullità. La prof di matematica ci si era fatta venire un esaurimento nervoso. A Valentina dispiaceva quando la classe si rivoltava contro il prof di italiano – che si sforzava sempre di coinvolgerli e fra le poesie dell'antologia sceglieva quelle che poi permettevano una discussione costruttiva, almeno cosí diceva lui. Ma questa poesia di Camillo Sbarbaro sul padre non piaceva a nessuno, e si deve pur passare il tempo in qualche modo.

Sasha si schiarí la voce, ingorgata dalla stanchezza, tentò di riportare l'ordine, senza nessun successo. Come se potesse fuggire, e librarsi al di là dell'aula, della scuola, per raggiungere la cupola di Santa Maria Maggiore o il cielo, si voltò verso la finestra. La luce solare squarciava gli occhi e infuocava l'aria densa. C'era un mucchio di gente a passeggio, là fuori, per le strade dell'Esquilino. Lui, invece, era immeritatamente rinchiuso in prigione. La mattina ristagnava in una marmellata di parole, burocrazia, interrogazioni, richiami al silenzio. Lo scirocco soffiava pollini, petali e polvere nell'aula. Dalle finestre aperte entrava il frastuono del traffico e un odore di asfalto caldo, pizza al pomodoro e scarico di macchine – l'odore di Roma. Dal cortile della scuola salivano i rimbalzi del pallone, le prime classi avevano ginnastica. Cercò di consolarsi pensando ai tulipani blu. Ma Dario era ancora lontano, nell'altra sua vita. E adesso c'era questa classe insolente, ventisette quattordicenni scalmanati, indifferenti alla grammatica, alla storia degli uomini, alla poesia italiana: versi che a loro non dicevano niente, erano solo suoni come altri nella stridente cacofonia del mondo. Indifferenti a qualunque cosa non li riguardasse, e niente sembrava riguardarli. Forse, a quattordici anni, anche lui era stato cosí, ma non se lo ricordava, non pensava mai con nostalgia al passato, l'infanzia è l'inferno, e lui ne era venuto fuori. Questo, se non altro, lo metteva in una posizione di superiorità. Ma il tumulto in classe raggiunse il livello di guardia. Se la preside era nel suo ufficio, lo avrebbe sentito. Sasha aveva qualche attrito, con quella strega.

«Ragazzi, – protestò, scoglionato, – mi rendo conto che stare seduti cinque ore dietro a un banco non è facile, ma vi assicuro che non è facile nemmeno per me». «Ma a lei la pagano! – gridò Zuccari dall'ultimo banco. – A noi chi ci paga?» «Non siete cosí interessanti. Siete sicuri che qualcuno pagherebbe per stare in vostra compagnia?», scherzò Sasha, incautamente. Allora Mataloni chiamò a voce alta «finocchio!», Abbate si alzò, e tutti risero.

Il prof per un attimo rimase pietrificato dietro la cattedra, poi disse stupidamente «Prendete l'antologia». Ma l'avevano già presa, stavano appunto leggendo Camillo Sbarbaro, quando era cominciato il minestrone. Valentina notò che cercava di far finta di non aver sentito, ma aveva la fronte imperlata di sudore. Le gocce si addensavano sulle tempie, e si rapprendevano all'attaccatura dei capelli. Un rivolo gli colò lentamente lungo la guancia, finché rifluí sul colletto della camicia. A gennaio i genitori di Mataloni avevano guidato una specie di rivolta contro il supplente di italiano. Avevano scritto una lettera alla preside e raccolto firme e si erano appellati al ministero dell'Istruzione, perché secondo loro il prof era indegno di insegnare in una scuola pubblica, dava il cattivo esempio e avrebbe corrotto i ragazzi e trasmesso un vizio che va curato come una malattia. I genitori in rivolta avevano convocato una riunione, e anche mamma c'era andata. Aveva capeggiato la fazione a favore del prof. Secondo lei erano tutte chiacchiere e pettegolezzi. Chi aveva messo in giro quella storia? Il professor Solari aveva forse molestato qualcuno? Come si faceva a crocifiggere un insegnante per i suoi presunti orientamenti sessuali? Solari invece era un ottimo educatore, e anzi mamma considerava una fortuna che i ragazzi potessero studiare con un uomo. Cosí si confrontavano con qualche figura maschile che non fosse quella del padre. E poi anche perché, oltre a svolgere quel cavolo di programma, organizzava a sue spese e per puro altruismo un mucchio di attività extrascolastiche, che ai ragazzini aprivano quel loro cervelletto piccolo

come una pallina da tennis e farcito di stupidaggini. I genitori di
Mataloni replicavano che il prof non era certo un santo missio-
nario della cultura, anzi, invitava gli studenti ai musei a teatro e
a casa sua a sentire la musica classica per degli scopi criminosi, e
insomma avevano litigato furiosamente. Mamma era tornata a
casa tutta sconvolta, dicendo che la bestialità della gente è pari
solo alla sua ripugnante idiozia. Comunque i genitori dei maski
non avevano piú mandato i figli alle attività extrascolastiche. Il
prof non ne aveva mai saputo niente. Pensava di non avercelo
scritto in fronte. Ma lei lo sapeva, e da allora ogni volta che il
prof proponeva di portarli a teatro a vedere l'*Amleto* o li invitava a casa sua per fargli vedere al videoregistratore i film del ne-
orealismo, si sentiva sempre in imbarazzo per lui.

«Leggiamo Saba», disse Sasha, sfogliando disperatamente
l'antologia. «Prof, chi è 'sto Saba? nessuna terza ci arriva, che
lo leggiamo a fare?» protestò Festa. «Chi vuole leggere?» lo
ignorò Sasha, e siccome nessuno gli venne in aiuto disse: «Vieni tu, Valentina?» La Buonocore era la sua preferita della terribile terza B. Una ragazzina intelligente, ricettiva, anche profonda. A volte Sasha aveva l'impressione di far lezione solo per
lei. Se non ci fosse stata Valentina, meglio sarebbe stato per lui
chiudere il registro, uscire e mollare tutto. Era atroce il pensiero che la sua vita fosse ormai questo – ore, giorni, mesi, anni,
a raccontare storie e fatti di cui nessuno voleva sapere niente.
La certezza di perdere la sua vita seminando nel vento, senza
costruire niente – cosí.

«Che devo leggere, prof?» disse Valentina, facendo sparire il
diario sotto il banco. Si incamminò lentamente, svogliata, verso
la cattedra, senza rivolgergli uno sguardo. «Leggi il terzo sonet-
to dell'*Autobiografia*. Pagina quattrocento». Anche Valentina
ultimamente lo deludeva. Era spesso distratta, assente. Aveva
sempre avuto giudizi molto alti – quasi tutti ottimo. Adesso, in
molte materie arrivava appena alla sufficienza. Agli scrutini del
quadrimestre, le altre insegnanti avevano calcato la mano – per
stimolarla. Dicevano che era colpa dello sport, la ragazzina si
era messa in testa di essere una campionessa di pallavolo e non

studiava piú. A lui, però, durante la gita ad Assisi, la ragazzina aveva raccontato della separazione dei suoi. Diceva che non riusciva ad addormentarsi perché le pareva di dover aspettare che il padre tornasse dal lavoro, e allora stava con l'orecchio teso a tutti i rumori del condominio, e ogni volta che l'ascensore si muoveva, il cuore le balzava in gola, anche se razionalmente sapeva che non poteva essere lui. Da piccola, aveva sempre paura che non tornasse piú. Era poliziotto, e lei temeva che un giorno un rapinatore gli sparasse in mezzo alla strada. Invece non gli aveva sparato nessuno, ma il padre non era tornato lo stesso. Sasha non credeva di essere riuscito a confortarla. Le aveva detto che, dal momento che il padre le mancava tanto, forse avrebbe dovuto farglielo sapere, e cercarlo – telefonargli, insomma. Sicuramente anche suo padre sentiva la mancanza di lei. La ragazzina aveva risposto che il padre si era dimenticato di lei e del fratellino – anche se loro non avevano nessuna colpa.

Quel dialogo gli pareva adesso il relitto di un'epoca già lontana. Per mesi, coi suoi studenti, aveva vagato in un labirinto, senza avvicinarsi al centro di un passo e senza trovarne l'uscita. All'inizio, li aveva considerati un'occasione. Quei ragazzini turbolenti, e però abulici, ignoranti e però avidi di tutto, erano la materia umana piú interessante in cui si fosse imbattuto, e in cui probabilmente si sarebbe imbattuto negli anni a venire. Gli sarebbe piaciuto decodificarli come un popolo sconosciuto – scoprire i criteri coi quali elaboravano le informazioni, il misterioso funzionamento della formazione delle coscienze. E possibilmente raggiungerli dove si nascondevano – non spegnere in loro la luce. SILLOGISMO. *Gli insegnanti rovinano gli allievi. I ragazzi sono aperti a qualunque esperienza* – aveva scritto dopo il primo giorno di scuola. *Se i tuoi studenti resteranno chiusi all'arte alla poesia e all'intelligenza, ricordati che sarà tua la causa e tuo il fallimento.* DECALOGO. *Con umiltà, pazienza, dedizione, sensibilità, allegria, mi prefiggo di abbattere il muro di incomunicabilità che li separa da me, di entrare nella dimensione esistenziale di un'intelligenza inespressa – e di liberarla, restituendola a questo mondo.* Dall'esperienza voleva ricavare un racconto, che avrebbe pubblicato sulla rivista letteraria alla quale collaborava da tempo con qualche reportage a tema sociale e novelle ispirate dal nuovo realismo americano. E poi lo avrebbe ampliato e trasformato in un romanzo. Non lo interessava la scuola, ma la gioventú – quegli anni leggeri liberi e insieme terribili sospesi sulla soglia dell'identità e della vita.

Si sentiva capace di raccontare Valentina Buonocore – e chiunque altro. Sentiva di possedere le qualità indispensabili: la lucidità, una visione del mondo, la compassione, lo stile, il dono di poter vivere defilato dagli altri eppure dentro ognuno. Per questo aveva tollerato l'invadenza della preside, i dubbi dei genitori e le insinuazioni sulla sua competenza. Aveva subito scetticismo e ironia, perché aveva uno scopo – e lui era sempre stato incapace di trovarsene uno. Per questo, a trentatre anni, mentre i suoi colleghi vincevano concorsi all'università e rastrellavano consulenze editoriali e recensioni, lui era rimasto indietro. Materiale umano – oggetto del suo libro e del suo racconto: Valentina e i suoi compagni erano stati solo questo. Sasha trascriveva i loro colloqui, un cicaleccio privo di centro e di consistenza, nel quale affioravano, come un'eco distorta, concetti che Sasha stesso aveva espresso, o che i ragazzini avevano ascoltato alla televisione, alla radio, o in famiglia, e che ripetevano senza nemmeno comprenderli. Conservava le e-mail che gli scrivevano, annotava i loro gesti, i loro gerghi, le loro battute.

Aveva perfino trascorso il Natale decifrando la crittografia di una lettera buia e sconsolata di Valentina Buonocore – mentre le famiglie celebravano una festa che non lo aveva mai riguardato, e l'amante affettava il capitone in casa dei suoceri, intrappolato in un rito al quale non riusciva a sottrarsi. Studiava il linguaggio di Valentina, catalogava le metafore, appuntava quelle sgangherate sequenze verbali con un rigore – e una passione – che mai aveva conosciuto. Aveva già scritto duecento cartelle, e poi si era bloccato. Ci aveva messo i ragazzini e i loro genitori. Però continuava a mancargli la storia che potesse tenere tutto insieme. Inoltre, col passare dei mesi, non era piú riuscito a ignorare quale violenza, oscenità e abuso si nasconda nell'atto stesso di studiare e raccontare nel nome della letteratura un essere umano privo di tutto e senza difese, fragile e completamente inerme. E cosí aveva finito per abbandonare il libro. Si era limitato a vivere accanto al suo materiale umano, chiedendogli di ignorarlo. Di fare come se non ci fosse – sentendosi a un tempo una spia, un baro e un traditore, ma anche il custode, il padre e il fratello di quei ragazzi.

Adesso il romanzo che avrebbe dovuto trasformarlo in uno scrittore era finito in una scatola da scarpe, insieme a un ammasso di detriti: articoli di giornale sull'afasia degli adolescenti, bigliettini d'amore che le allieve gli scrivevano di nascosto e gli recapitavano nella cassetta postale, braccialetti di filo che gli regalavano al ritorno dalle vacanze, fotocopie di un saggio di sociologia sulla crisi della famiglia, una brutta cravatta a righe che secondo Valentina invece a lui sarebbe piaciuta in quanto che il prof era l'unico maskio che conosceva che potesse mettersi una cravatta senza sembrare vecchio o out. E un segnalibro di pelle – cosí prof ogni volta che legge un libro si ricorda di Valentina Buonocore della terza B. Gli pareva che quell'ammasso informe ma non privo di senso e di storia rappresentasse Valentina e i suoi compagni molto piú delle sue parole.

«Leggi per favore», la invitò – o forse la stava pregando. Saba, quanti anni passati sulle sue poesie, quanta simpatia per la sua calda vita, per la sua serena disperazione, per la sua leggerezza, i suoi fulminanti apologhi, i suoi segreti. Era l'unico scrittore italiano che Sasha fosse felice di dover insegnare agli studenti. Valentina stava in piedi davanti alla cattedra, con l'antologia fra le mani. Una ragazzina come migliaia di altre, con la coda di cavallo, la canottiera a righe colorate che lascia scoperte le clavicole e le braccia troppo magre, e i jeans con la vita talmente bassa che l'elastico delle mutande sporge al di sopra della cinta. Una ragazzina confusa e insicura – un'orfana.

«*Mio padre è stato per me l'assassino*», cominciò Valentina. La classe rideva.

Dopo due ore ad ascoltare in cuffia le lamentele dei clienti, la testa ronzava come uno sciame di calabroni. Le bruciavano gli occhi: sullo schermo del computer lampeggiavano solo cifre verdi. Cercò scampo – ma le pareti non offrivano distrazioni, e al di là della sua postazione il display di sala visualizzava altri numeri, ancora piú inquietanti: le informazioni statistiche generali sui principali indicatori di traffico e di performance, nonché il livello di traffico per operator group e il tempo medio di attesa alla risposta. 2 minuti. *15 telefonate in coda per i 16 operatori della sala.* «Pronto, sono Emma, – enunciò in fretta, come le avevano insegnato durante la formazione, – cosa posso fare per lei?»

Ascoltò il problema dell'utente. Affrontò l'enigma annidato nei numeri impalpabili dello schermo. Cercò di essere suadente. L'utente cominciò a urlare. Gli spiegò che era inutile che se la prendesse con lei per il cattivo funzionamento del servizio, lei non poteva fare reclami, non disponeva di materiale cartaceo, poteva solo verificare i dati. Ebbe l'impressione che l'utente non si rendesse conto che lei era lí, viva, vera, ma che la considerasse un'emanazione del computer – un'entità immateriale, inorganica. E in un certo senso lo era. «Il sistema informativo è costituito su piattaforme software che preordinano e comandano ogni mia operazione nei minimi dettagli, – spiegò, dolcemente, – i processi non sono modificabili dal singolo operatore. Mi dispiace».

L'assistente sbucò dietro la parete mobile. La sorvegliava. Li sorvegliava. Il suo rendimento costantemente monitorato. «4 minuti, numero 7, – le fece segno con le dita, – non ti mettere a chiacchierare, hai massimo quattro minuti per intrattenere il cliente, one call solution, ricordati». Vaffanculo, le augurò Emma. Intrattenere il cliente, che razza di espressione si sono inventati i papaveri dell'azienda. Non sono una puttana.

Dai paraventi di compensato che separavano la sua postazione dalle altre operatrici sedute alla stessa isola, ogni tanto filtravano voci eccitate, e risa. C'è allegria, oggi, in sala. Le sarebbe piaciuto conoscerne il motivo, e condividerla. Ma Emma non aveva confidenza con le colleghe, molto piú giovani di lei, per lo piú studentesse che avevano preso il lavoro al call center per pagarsi le tasse universitarie, contando che l'impegno richiesto dal telefono non le avrebbe distratte dagli studi. E benché l'impegno richiesto fosse davvero scarso, intellettivamente parlando, era però massacrante – e, per quanto ne sapeva lei, nessuna si era ancora laureata. Quando l'orologio segnò le undici, aveva un tale malditesta che si concesse di staccare il telefono e raggiunse la macchinetta del caffè. Gli obiettivi aziendali la rimproverarono dall'alto dei muri. 1. FORNIRE ACCESSO A UN SERVIZIO AFFIDABILE E DI ELEVATA QUALITÀ. 2. MISURARE IL LIVELLO DI SODDISFAZIONE DELLA CLIENTELA. 3. FORNIRE INDICATORI RISPETTO AI PRODOTTI E AI SERVIZI RESI. 4. FORNIRE INDICAZIONI PER L'ADEGUAMENTO DELL'AZIENDA AL MERCATO. 5. ORIENTARE LE POLITICHE DI MARKETING DELL'AZIENDA. La pausa caffè non era prevista.

L'operatrice della postazione 9 – una brunetta con la quale aveva talvolta fatto illazioni sullo stato civile del giovane capo reparto, con la faccia da spot pubblicitario e perciò concupito dalla maggior parte delle telefoniste, ancora nubili e ignare degli svantaggi del matrimonio – si versò in gola con una smorfia di disgusto il contenuto di una tazzina di plastica e le chiese, di buonumore, se aveva ricevuto il messaggio. «Quale messaggio?» esclamò Emma. «Ah, boh, non lo so», si affrettò a dire l'altra, rendendosi istantaneamente conto dell'errore. Buttò la tazzina di plastica nel bidone e schizzò al suo posto prima che Emma potesse farle ulteriori domande. Mors tua, vita mea – qui funzionava cosí. Emma, perplessa, infilò la moneta nell'apparecchio e poiché non accadeva nulla assestò un calcio alla macchina. La tazzina cominciò a riempirsi. Poche gocce nere, d'aspetto velenoso, stillarono dalla cannella. Quando l'operatrice della postazione 13 le passò davanti – pregna di nicotina per via della sigaretta appena aspirata di nascosto nella toilette – la intercettò e, anche se ebbe la netta sensazione che l'altra avesse cercato di evitarla, le chiese se avesse ricevuto il messaggio.

«Sí, per fortuna, – rispose la ragazza, – non so cosa avrei fatto, sennò. Ho già prenotato il ristorante per il ricevimento. Mi sposo fra un mese». Emma sentí una fitta tra le costole – come una premonizione. Non si erano saldate bene, dopo la frattura, e adesso funzionavano come un barometro – segnalavano pioggia in arrivo, o guai. Deglutí in fretta il caffè. «Cosa c'era scritto, esattamente?» chiese, sforzandosi di sembrare indifferente. «Non l'hai ricevuto?» s'insospettí la numero 13. Emma scosse la testa. «Vedrai che lo ricevi oggi. Con la voce che ti ritrovi, sei l'unica che soddisfa i clienti, qua dentro», assicurò. Ma non la guardava. Fissava i fili dell'alta tensione sospesi come una ragnatela, al di là delle vetrate. «Ti prego, dimmi cosa c'era scritto», insisté Emma. E la numero 13 ammise. «L'azienda ha il piacere di informarmi che sono riconfermata per altri sei mesi».

Emma si avvicinò all'assistente di sala, in balía di brutti, brutti presentimenti. Le chiese il permesso di consultare la sua casella di posta elettronica. «Non hai nessun messaggio da parte dell'azienda, – rispose quella, – torna al posto. Il tempo d'attesa non deve superare i due minuti». Si infilò di nuovo le cuffie. Che significava questa storia? Che non era stata riconfermata? Il suo contratto scadeva il 14 di maggio. Mancavano dieci giorni. Lavorava per la compagnia da sei mesi. Lo scorso dicembre, si era perfino offerta per il turno del 25. Aveva trascorso un Natale triste e sfigato alle cuffie, mentre i bambini scartavano i regali nella villetta di suo fratello a Ladispoli – e glielo avevano pure rimproverato, Kevin si era rifiutato di parlarle per due giorni, offeso. Non aveva mai preso un giorno di malattia. Neanche per accompagnare Kevin dall'oculista. Non era mai stata richiamata. Mai piantato grane. Mai scioperato. Mai firmato petizioni contro la nuova catena fordista della comunicazione. Mai presa la tessera del sindacato. Accuratamente nascosto le sue idee – e del resto, se anche le aveva avute, ormai non ne aveva piú. Aveva rinunciato a tutto ciò che non poteva permettersi, e le idee erano state eliminate come le vacanze, il parrucchiere, la macchina, le scarpe nuove, i vestiti nuovi, il cinema.

Per quanto ne sapeva, l'azienda stava andando bene. Almeno, cosí dicevano al telegiornale. Le compagnie telefoniche di mezzo mondo avevano fatturato utili strabilianti negli ultimi anni. Certo, qualche solone parlava di inevitabile ridimensionamento e si prevedeva che negli anni a venire lo sviluppo si sarebbe fermato. La nuova economia rischiava di sgonfiarsi se la vecchia economia non tirava piú, e i titoli in Borsa si stavano afflosciando. Ma lei di queste cose non capiva niente, e poi che c'entrava? Lo aveva detto anche la numero 13 – lei era l'unica che funzionava, qua dentro. E i complimenti fra colleghe non si sprecavano. C'era competizione – fosse anche per accaparrarsi una telefonata. Però le altre avevano ricevuto il messaggio di conferma, e lei no. Dovevano assolutamente rinnovarle il contratto. Era l'unica entrata fissa su cui poteva contare. Gli altri lavori erano troppo precari – ci pagava a stento i libri di scuola di Valentina. Squillò il telefono. Benedisse quel suono stridulo – che le permetteva, però, di incrementare il rendimento. «Salve, sono Emma, – cicalò, quasi gioiosamente, – cosa posso fare per lei?»

«Puoi fare molto», disse l'uomo. Benché la voce provenisse da lontano, disturbata, sopraffatta dalle interferenze del traffico, lo riconobbe subito. «Oh, ti prego, Antonio, – sussurrò, – non devi chiamarmi qui». «Non sei gentile, ti sto facendo un favore. Ti faccio guadagnare dei soldi». «Non ho bisogno dei tuoi favori», sussurrò, sperando che l'assistente di sala non la stesse sorvegliando. «Ma non funziona che piú tieni l'utente al telefono piú ti pagano, come le mignotte?» rise Antonio, beffardo. «Hai quattro minuti, – esclamò Emma, – che vuoi?» «Quattro minuti?» rise Antonio. «Non mi piaci al punto di soddisfarmi in quattro minuti». Poi, ovunque fosse, passò un camion dei pompieri o una betoniera, e per un attimo lo perse. Emma si morse le labbra. Non aveva voglia di scherzare, con lui. «Se torni un'altra volta sotto casa di mia madre ti denuncio», intimò. Il principale obiettivo aziendale – punto 6: AZZERAMENTO TEMPI IMPRODUTTIVI – la ammoní dall'alto della parete. «Sei fuori strada, – disse Antonio. – Oggi cambia tutto. Ti devo parlare».

«Ti ho già detto di no», lo interruppe Emma, esasperata.

«A che ora stacchi?» disse Antonio, irritato perché voleva ricominciare daccapo, non aveva detto nulla di quello che aveva previsto di dire, o non nel modo in cui avrebbe voluto, e fu tentato di far cadere la linea. Era tutta colpa della sua voce. Lo confondeva. Gli faceva mulinare il sangue. Voleva dirle mi manchi, la casa sta cadendo in pezzi senza di te, io sto cadendo in pezzi, aiutami, Emma, e invece disse: «Sei cosí impegnata a divertirti che non trovi un'ora per tuo marito?» «Dio, non ricominciare», sospirò Emma. Per un attimo, intercettò lo sguardo incuriosito della vicina, che si sporgeva dietro la fragile parete divisoria. I telefoni tacevano. Nel salone del call-center regnava un silenzio da acquario.

«Che dice lo psicologo?» bisbigliò, cauta. «È stato lui a convincermi di riallacciare», mentí Antonio, che non si era presentato neanche una volta dallo psicologo, e non sapeva nemmeno che faccia avesse. Al momento della sentenza di separazione, sconfessando le pretese di Emma e della sua avvocata femminista che voleva proibirglielo o costringerlo a incontrare i bambini in una struttura protetta dei servizi sociali, il giudice gli aveva concesso di vederli un fine settimana su due, senza limitazioni – purché si sottoponesse alla terapia psicologica. Ma a Antonio non era mai passato per la testa di raccontare i fatti suoi a un mercenario. «Lo psicologo, – mentí, – dice che è importante per il mio equilibrio ristabilire un rapporto normale con te». «Stai meglio? Riesci a dormire? Ti stai curando?» chiese Emma, con una sollecitudine di cui si pentí istantaneamente. «Te ne frega qualcosa?» si risentí Antonio. Se l'avesse avuta davanti, l'avrebbe strozzata – ma per fortuna era lontano parecchi chilometri, seduto sul cofano dell'auto blu, nel garage di un condominio, mentre l'onorevole Fioravanti, nella sede della Federazione nazionale al Nomentano, tentava disperatamente di convincere una quarantina di scarmigliate casalinghe di sinistra, che già avevano venduto il voto alla concorrenza, della bontà del suo programma elettorale. «Di che hai paura, amore? – disse. – Voglio solo vederti».

Ecco, l'aveva detto. Emma, sorpresa, finse di non capire, e

protestò con un certo calore che le importava, invece, che lui
stesse meglio. «Sono contenta se vuoi ristabilire dei rapporti ci-
vili, ma devi darmi il tempo di abituarmi all'idea». Di civile, fra
loro, ormai da molto tempo non c'era proprio niente. *1 minuto
ancora per il cliente*. Altrimenti non avrebbe potuto rispettare
lo standard di quindici chiamate l'ora. «Vieni a casa, stasera»,
insisté Antonio – all'improvviso carezzevole, insinuante. Un
Antonio defunto da tempo, e ormai dimenticato. «Ci prepa-
riamo una cenetta, noi due, ti ricordi? da soli, come prima dei
bambini, vedrai che è tutto passato, sto bene adesso». E mentre
Emma indugiava, la cuffia premuta sulle orecchie, chiedendosi
se credergli, o se diffidare di lui ancora una volta, perché ancora una volta stava cercando di raggirarla – l'assistente di sala le
toccò la spalla. «Questa è l'ora del picco, – la ammonì. – Hai
due chiamate in coda, risolvi il problema del cliente e chiudi».
Emma annuí. Niente messaggi. Niente rinnovo del contratto.
Niente discorsi chiarificatori con Valentina. Antonio passa la
notte armato sotto casa e adesso come nulla fosse vuole infilarsi
di nuovo nella sua vita e lei non riesce a impedirglielo. «Devo
chiudere, Antonio, – sussurrò, – ti chiamo dopo». «No, non puoi
chiamarmi dopo, l'onorevole ha quasi finito», protestò Antonio.

Ma Emma riagganciò, e per un lungo istante rimase immobile, con le cuffie sulle orecchie – ad ascoltare il lancinante segnale della linea libera. Non ho mai tempo per le cose importanti. Che vita è? In che modo sono rimasta intrappolata? Forse
tutte queste cose potevano essere diverse, se solo avessi agito
diversamente. Ma cosa ho sbagliato, e quando e dove? In che
momento è andata persa la speranza degli anni migliori, quando
c'erano i vestiti nuovi, la macchina nuova e i soldi in banca –
e l'amore? Ero sicura che sarebbe durato. Come ha fatto tutto
questo a sparire? Ma come succedono queste cose?

L'orologio sopra il bancone delle operatrici segnava le 11,17.
Aveva davanti a sé piú di tre ore di agonia. E non poteva aspettare. Doveva sapere. Chiese alla vicina di prendere lei le sue
chiamate, e la ragazza se ne stupí, perché, costrette a conten-
dersi gli utenti, le operatrici non si scambiavano favori. Per

questo là dentro non erano nate amicizie. Ognuno per sé, Dio
non pervenuto. Emma attraversò il salone. Con le cuffie sulle
orecchie, le ragazze si dondolavano sui seggiolini, inchiodate
alle loro postazioni, innaffiate dalla luce fredda dei neon – interminabili tubi di vetro sospesi a due metri di altezza sopra le
scrivanie. I telefoni squillavano. Le voci si intrecciavano. Aveva trascorso sei mesi, qui dentro. Sei mesi ad ascoltare gli altri.
Senza che uno solo di loro mai ascoltasse lei. Si diresse verso la
stanza del capo reparto e, anche se non aveva diritto alla pausa
e non aveva appuntamento, ignorò la segretaria, impegnata coi
capricci del fax, e bussò alla porta, con decisione. Non aspettò
di essere invitata a entrare.

Il capo, che era al telefono con la fidanzata, la trafisse con
un'occhiata sbalordita. «Cosa vuole?» l'apostrofò sgarbatamen-
te. Non ricordava il nome dell'operatrice n.7. Forse non l'aveva
mai saputo. «Devo parlarle», disse Emma. Nell'ufficio inondato
dal sole, un ficus lussureggiante protendeva le foglie di un verde clorofilla verso la Tiburtina. Sul calendario, l'illustrazione
del mese di maggio era una cattedrale barocca, forse spagnola.
Il capo non le fece cenno di sedersi, ma Emma si sedette ugualmente, perché non si può accettare di parlare con un superiore
stando in piedi. Gli uomini seduti sono sempre in posizione di
vantaggio. Stanno in piedi gli imputati, gli scolari, i soldati. Seduti i professori, i giudici, i generali. Il capo era giovane. Neanche trent'anni. Occhi smorti color acqua, completo blu, cravatta di seta e camicia celeste di Fellini. Nessuna manifestazio-
ne ulteriore di attività cerebrale. «Cosa posso fare per lei?» le
chiese, esattamente come a lei era stato insegnato a chiedere ai
clienti. «È per il contratto», disse Emma, decisa. Aveva sempre
saputo cavarsela. Affrontato mille volte pupazzi simili e perfino
piú temibili. Non poteva lasciarsi intimidire da questo pivello.
«Ho saputo che le lettere di conferma sono già state inoltrate».

Il capo tamburellò la stilografica sul ripiano di vetro. La
scrutò, infastidito dall'intraprendenza dell'umile sottoposta.
Rimase sorpreso nel constatare che si trattava di una bionda
notevole. Sfiorita, forse, ma certo sprecata per un posto da

telefonista, della quale l'utenza apprezzava al massimo il timbro vocale. Confermò. «L'azienda ha deciso di portare avanti una strategia di comunicazione piú moderna e piú efficace. Da questa primavera i lavoratori confermati lo apprenderanno direttamente dal computer». «E gli altri?» Emma, dura. Il capo esplorò con gli occhi smorti l'anatomia della dipendente. Tumide labbra color ciliegia, un davanzale opulento. Peccato non essersene accorto prima. Ma forse una fortuna: i rapporti personali sono severamente interdetti dal regolamento dell'azienda. Si rischia di rimetterci il posto, per una scopata cosí. «Gli altri non riceveranno il messaggio».

«Mi sta dicendo che ho perso il lavoro?» disse Emma. Avrebbe voluto dirlo con voce dolce umile e sottomessa, e invece lo disse in tono aggressivo, come volesse sbranare quel pupazzo di nemmeno trent'anni che metteva in mezzo a una strada una madre di famiglia. Figlio di papà laureato in economia e commercio, masterizzato chissà dove, senza nessuna idea di cosa significhi tirare su due figli da sola, e cercarsi un lavoro alla soglia dei quarant'anni – quando la prima cosa che ti chiedono ai colloqui di selezione del personale è: lei è sposata? ha figli? Come se avere figli rendesse handicappati e invalidi. Il che in un certo senso è anche vero, perché nessun lavoro, nemmeno quello sognato tutta la vita, può competere con Kevin e Valentina. Quando un vecchio amico le aveva proposto di partire in tournée con un gruppo piuttosto avviato di smooth jazz, lei aveva rinunciato, perché la tournée l'avrebbe portata troppo lontano. Aveva cercato un lavoro diurno, e part-time. Accumulando una deprimente quantità di rifiuti, finché, quando aveva sostenuto il colloquio con il capo pupazzo di questo replicante piú giovane, gli aveva garantito di non essere incinta, e di non avere figli. Aveva dovuto cancellare Kevin e Valentina, mentre erano l'unico faro che desse una rotta alla sua vita scombinata, e l'unica sua luce.

«No, – rispose il pupazzo, vago. – Solo che gli altri non riceveranno il messaggio». «I messaggi di conferma sono già stati inoltrati tutti?» chiese Emma. La sua voce graffiava come un'unghia su una lavagna. Il giovane capo, a disagio per la franchezza sfrontata dell'operatrice, si alzò, per farle capire che doveva andarsene prima che questa conversazione prendesse una piega sgradevole. «È probabile, ma non sono io che me ne occupo», la prevenne, sforzandosi di continuare a sorridere. Non avrebbe saputo dire perché, ma temeva che quella donna fiera e aggressiva gli piantasse il tagliacarte nel cuore. «La prego, – sussurrò lei invece, con una voce incrinata che non si sarebbe mai aspettato, – non posso permettermi di perdere questo lavoro. Non mi faccia questo, ho sempre lavorato bene, mi avete pure proposto di passarmi dal front end al back office, nessuno si è lamentato di me... Non sono sola, io ho, non posso, a lei forse settecentomila lire al mese sembrano niente, invece...»

«Non sono io che decido quali operatori devono essere nonrichiamati», disse eufemistico il capo, trincerato dietro la scrivania, mentre il sorriso di circostanza gli avvizziva sulla bocca. La donna non si muoveva. Lo fissava con una tale imbarazzante e disperata fissità che lui arrossí. Anche perché adesso il suo caso gli era chiaro. Lo ricordava perfettamente: se ne era discusso alla riunione delle risorse umane neanche cinque giorni prima. Quella specie di miss da angiporto, l'operatrice n.7, si chiamava Emma Tempesta, era nata a Roma nel 1961, accludeva un diploma di maturità magistrale con voti mediocri, un curriculum ridicolo e praticamente privo di esperienze professionali. Di solito l'azienda preferiva contrattuare donne piú giovani, laureate o sul punto di laurearsi, che poi si sposano o cercano un lavoro migliore – e perciò vengono qui solo di passaggio e senza la pretesa di essere poi assunte. Ma questa donna aveva una voce idonea e, al test attitudinale, aveva rivelato di possedere la dote piú richiesta dall'azienda: la capacità di ascolto. Il suo rendimento era piuttosto alto, eppure Emma Tempesta era stata sacrificata. Ragioni squisitamente anagrafiche. La compagnia preferiva personale piú giovane e piú flessibile, al quale offrire un contratto di formazione. Ancora meno oneroso del contratto con cui era stata assunta la donna. Gli dispiaceva per lei, ma che poteva farci? Il mercato del lavoro andava cosí.

Aggirò l'operatrice – impietrita sulla seggiolina degli ospiti, la schiena dritta, le gambe accavallate, gli occhi fissi su di lui, come in attesa di una grazia – e si diresse verso la porta. La aprí, perché quella donna doveva proprio uscire – anzi non avrebbe dovuto neanche farla entrare. La regola 5 del manuale del dirigente impone di non ricevere una sottoposta in ufficio senza testimoni per non incorrere in un'eventuale denuncia per molestie. Ma Emma non si mosse. A poco a poco sembrò afflosciarsi sulla seggiolina. La sua orgogliosa dignità si infranse. Il capo rimase qualche istante in piedi accanto alla porta – poi, delicatamente, la richiuse. Emma stava piangendo. Sussultava, in silenzio, asciugandosi furtivamente le guance con le dita. Ogni tanto tirava su col naso, con un risucchio sommesso. I sussulti si fecero piú frequenti, il respiro spezzato. Grosse lacrime zampillarono sulle calze – per un attimo brillarono sul nylon, e poi si spensero.

Il capo era stato istruito a gestire le risorse umane, aveva appreso parole e comportamenti utili, simulato varie eventualità critiche, ma non gli era mai capitato un caso del genere, e non ricordava le istruzioni. Né Emma Tempesta si curava adesso di lui. Piangeva, in silenzio, come se lui non esistesse. E certo doveva fingere che non esistesse perché mai avrebbe voluto umiliarsi in sua presenza. Avrebbe strisciato, avrebbe mendicato, gli avrebbe succhiato il cazzo, se glielo avesse chiesto – ma mai e poi mai avrebbe voluto sembrargli una donna fragile, una vittima per la quale provare fastidio e al piú compassione. «Signora Tempesta sono certo che col suo titolo di studio potrà trovare un lavoro piú qualificato e meglio retribuito in una scuola privata, – la incoraggiava amichevolmente il giovanotto. – Vedrà, quella che le sembra una catastrofe si rivelerà invece un progresso importante per la sua vita». Emma si asciugò gli occhi col dorso della mano. Aveva bisogno urgente di un fazzoletto. «A volte le sconfitte, – si rianimò il giovanotto, rammemorandosi un utile detto del manuale, – si rivelano i nostri migliori successi».

Emma afferrò il kleenex che il capo le porgeva e si soffiò rumorosamente il naso. E a poco a poco ritrovò la sua dignità. Si ricompose. Raddrizzò la schiena, si asciugò gli occhi, si ravviò i capelli, aggiustandoli sulla nuca con un nodo allusivo. Si alzò in piedi, e s'accorse di essere piú alta di quell'allocco, un insignificante nanetto di un metro e sessanta. Depose il fazzolettino zuppo sulla scrivania, gli sfilò davanti, ignorandolo come fosse un divano, oscillando sugli stivali con l'andatura vaporosa e indifferente che tanto turbava gli uomini. Aprí la porta e non si curò di chiudersela alle spalle. Attraversò il salone, sedette alla sua postazione, s'infilò le cuffie e, siccome il display segnalava 3 telefonate in attesa, rispose.

II A. Descrizione: Il mio papà

Il mio papà fa l'avvocato e non c'è mai perché è troppo innaffarato con una commissione nel Parlamento dove scrivono le legi.

È un lavoro importante ma io preferisco lestate quando andiamo nella villa di Ansedonia e stiamo insieme dalla mattina alla sera. A scuola non mi viene a prendere mai.

Forse soffre per noi, ma abbiamo tutto loccorrente.

Mio padre non è tanto alto. Ha qualche capello bianco e per il resto è scuro. Somiglia al pesce spada e infatti ha il naso lungissimo.

Mio padre è di un simpatico carattere e allegro e ci fa ridere sempre e non ha difetti però uno sí.

È vecchio e certe volte se giochiamo nella spiaggia la gente pensa che è mio nonno. Io li ho detto che è vecchio. Mio padre dice che è una malattia che non si cura.

Mamma dice che non è vero perché a solo cincuantun anni come Ricciard Ghir che non è vecchio. Però il padre di Veronica di anni c'è na trentotto e il padre di Kevin cuarantadue cioè tutti meno del mio. Io però preferisco mio padre.

Camilla Fioravanti

(Brava. Attenta all'ortografia!

Camilla Fioravanti è dotata di un acuto spirito di osservazione. Forma sufficiente, contenuto buono)

Mio padre è morto, io avevo quattro anni. Lo hanno sparato mentre portava un deputato.

Mio padre infatti era poliziotto delle scorte. Mio padre è un eroe e l'hanno parlato al telegiornale. Io, non mi ricordo se mi è dispiaciuto che è morto, perché ero piccolo.

Era alto un metro e ottantacinque, portava 46 di scarpe. Si teneva i capelli rasati per non sudare nella palestra, e le basette a virgola come Paolo Di Canio.

Io, da grande non voglio fare il poliziotto, ma il deputato, così un giorno qualcuno muore al posto mio e io vivo per sempre.

Kevin Buonocore

(Benino. Puoi fare di piú!

Kevin Buonocore si esprime con facilità sorprendente, dato che si applica poco. Forma piú che buona, contenuto inaccettabile)

«Kevin?» lo chiamò la suora. Lui, che stava appiccicando una caccola sul ripiano inferiore del banco, sobbalzò. Strusciò il dito sullo strato essiccato di moccio, che si sfaldò come zucchero caramellato. La campanella suonò la ricreazione, e la classe schizzò in piedi pronta a scappare in cortile, ma suor Angelica non si mosse. Che vuole questa pupazza? Era bruttissima e puzzava di capra. A lui faceva impressione perché sulla guancia aveva un neo con un pelo bianco conficcato dentro e pur essendo una femmina non era sposata. Mamma dice che le suore sono vergini, cioè si sposano con Dio, che però non ha corpo e non può fare l'amore, ed è per quello che le suore non fanno figli. Però rompono ai figli delle altre.

«Kevin ho dovuto darti un brutto voto per la descrizione», disse dolcemente la suora. «Errori non ci stavano», protestò Kevin. Ma tanto era inutile. La pupazza lo aveva preso in puzza e gli dava sempre voti risicati. Fare i compiti non serviva a niente, perché accidenti doveva continuare a perdere tempo a scuola. Si alzò: non voleva far vedere a Camilla Fioravanti, la quale lo stava aspettando sulla porta, chissà perché, che parlava con la suora delle frasi. Quando la suora parlava delle frasi

con qualcuno in segreto, significava che aveva fatto degli stra-
falcioni tanto gravi che non si potevano dire alla classe sennò
tutti lo prendevano in giro. «Kevin, non sono importanti solo
gli errori di ortografia, – lo ammoní severamente suor Angelica. – Gli errori dell'anima sono ancora piú gravi. Non si dicono
le bugie. Chi dice le bugie va all'inferno». «Io n-n-non dico le
bugie», protestò Kevin, sfilando dall'astuccio il pacchetto delle
figurine. Aveva promesso ad Anzalone, ras della quinta C, di
giocarsele a ricreazione.

Camilla Fioravanti si stufò di aspettarlo e uscí. La classe
era vuota. L'occhio strabico di Kevin planò sui giubbetti appesi all'attaccapanni. Se la capra la smetteva di affliggerlo, poteva esplorare le tasche e pescare qualche piotta per giocarsela ai
videogame prima di tornare a casa. Poi si ricordò della festa, e
lasciò perdere. La suora prese il diario e scrisse una nota nella
pagina del 4 maggio: GENTILE SIGNORA BUONOCORE LA PREGO VI-
VAMENTE DI VENIRE A SCUOLA PRIMA POSSIBILE. HO URGENZA DI
PARLARLE. CORDIALMENTE, SUOR ANGELICA.

«Mia madre con le suore non ci parla perché non mi ci voleva mandare, non è stata un'idea sua, lei è contraria alle scuole
private», disse Kevin, alzando le spalle. «Kevin, perché ti com-
porti cosí? È molto grave quello che hai scritto», lo rimproverò la suora, tentando di acciuffarlo per la manica – perché lui,
approfittando del suo sermone, era scivolato sotto il banco e
correva verso la porta. «Te ne rendi conto? – urlava, scandalizzata. – Tuo padre non è morto!»

«Peggio per lui, era meglio s-s-se moriva!» gridò Kevin e corse
giú per le scale. Nel cortile le suore parlavano con le femmine,
sedute sul bordo della vasca dei pesci rossi. Camilla Fioravanti recitava una strana poesia sui pesci che vivono nascosti nelle
profondità del mare. *Il pesce ha un buon sapore | il pesce è libero
nel mare. | Il pesce è muto | nessuno sa che esiste | finché quan-
do muore | viene a galla. | L'anarkico è un pesce. | Naviga libero
nel sottosuolo della società | elude la rete e resta muto | quando
viene a galla | l'anarkico è morto.* Le altre, sue ancelle e schia-
ve, annuivano, anche se non capivano niente, perché Camilla

raccontava sempre delle storie strane. Quando Kevin le passò davanti, tacque di botto e arrossí come un pomodoro. Sperava che Kevin si sedesse vicino a lei, cosí gli spiegava la poesia dei pesci che le aveva insegnato suo fratello Aris – le piaceva tanto perché anche lei era muta. Ma Kevin fece finta di non vederla. Raggiunse i maschi, assiepati in un capannello, davanti alla porta dei bagni. «Ce l'hai Totti?» lo aggredí Anzalone. Portava gli occhiali a specchio, come se fosse su una pista da sci, per far sapere a tutti che era appena andato a sciare in Svizzera anche se era maggio. Suo padre lo portava sui ghiacciai con l'elicottero. Che figata, un padre con l'elicottero. Kevin sventolò la figurina del capitano biondo. Era rara. Nelle bustine, uno pescava sempre i soliti mediani, pelosi sfigati e con le mogli brutte: ma i campioni mai. «Quante me ne dai in cambio?» s'informò. Anzalone lanciò un'occhiata d'intesa al suo scudiero, ingessato nel busto come una tartaruga ninja perché aveva avuto un incidente di macchina. I gemelli Bettini, che facevano tutto quello che faceva Anzalone, risero. «Giochiamocele dentro, altrimenti le suore ce le prendono», disse Anzalone.

I bagni dei bambini non hanno porte. Cinque piccole tazze stavano allineate una accanto all'altra, separate solo da paraventi colorati. È un fatto inspiegabile, perché in nessun altro posto le tazze stanno cosí, nude – non nelle case, non nelle stazioni di servizio, non nei cinema. Kevin non pisciava mai a scuola, perché si vergognava di farsi vedere coi calzoni calati e le chiappe nude. Il bidello Guglielmo, condannato a controllare il bagno, si era assentato per fumarsi una sigaretta in santa pace. «Dammi Totti», ordinò Anzalone. «Prima f-f-fammi vedere q-q-quante me ne dai in cambio», rispose Kevin, impappinandosi. La figurina del capitano biondo era rarissima. E ce l'aveva lui. «Quanto sei stupido! – rise Anzalone, – tu devi fare quello che ti comando, perché sei un ilota».

Kevin non sapeva cosa fosse un ilota, perché non l'aveva ancora studiato. Però suonava brutto, come idiota. «Non è vero!» gridò, e si voltò per andarsene, perché aveva capito che Anzalone voleva fregarlo. I gemelli Bettini chiusero la porta e lo spinsero contro i lavandini. Anzalone gli strappò di mano la figurina. Kevin, colto di sorpresa, si lanciò in avanti per riafferrarla, ma uno sgambetto lo sbilanciò. Cadde sulle ginocchia – gli occhiali gli scivolarono dal naso e rimbalzarono sul pavimento. Lo scudiero ninja di Anzalone li prese a calci e li spinse sotto la tazza. Kevin appoggiò le mani a terra e, a tentoni, brancicò verso gli occhiali. Gli parevano lontanissimi. Il pavimento era umido perché è sempre difficile centrare il buco con la pipí. Anzalone gli agitò davanti al naso un cilindro rosso, ma Kevin senza lenti e con l'occhio buono incerottato non ci vedeva e non riusciva a capire cosa fosse. I gemelli lo avevano afferrato per i piedi e gli stavano calando i calzoni. Kevin urlò, ma lo scudiero di Anzalone gli afferrò la testa e la spinse dentro la tazza. Tirò lo sciacquone. L'aveva visto fare in un film. Una valanga d'acqua scrosciante si riversò sulla testa di Kevin.

Kevin tossí, soffocò, ingoiò una sorsata che sapeva di cacca. L'acqua gli era finita anche nell'occhio aperto. Non ci vedeva piú e non capiva niente. Sentiva freddo al sedere. Gli avevano calato i calzoni e adesso gli stavano abbassando le mutande. Cercò di divincolarsi, ma lo scudiero tirò di nuovo lo sciacquone. Meno acqua, stavolta – il cassone non si era ancora riempito – ma sempre una cascata in bocca e nel naso. Via anche le mutande. Adesso Anzalone gli schiaffeggiava le chiappe vergognosamente nude e lo pizzicava con la fiamma di un accendino. Kevin si dimenò – ma lo scudiero gli teneva la testa premuta nella tazza. Soffocava. Gli mancava l'aria. Aprí la bocca, respirò acqua, tossí, sputò, rialzò la testa per un attimo, e fu respinto verso il pelo dell'acqua – col naso sfiorò la ceramica maculata di marrone, qualcuno che aveva cacato fuori bersaglio. L'acqua gli colava dal naso, dalle orecchie, dall'occhio aperto e anche dal cerotto. «Adesso ficco una miccetta in culo all'ilota e lo faccio scorreggiare», diceva Anzalone. Gli altri, eccitati, strillavano come gazze.

Camilla rinunciò a spiegare alle amiche i vantaggi di essere un pesce – erano troppo oche per quelle storie da grandi – e le piantò in asso. Kevin Buonocore era sparito coi maschi della quinta C e non l'aveva degnata di uno sguardo. Che cosa triste, l'amore. Camilla invece lo guardava sempre. E ogni volta sentiva che le mani le diventavano fredde, le pulsava la gola e le girava la testa. Quando erano andati in gita al Vaticano a incontrare il papa, sul pullman la suora maestra aveva ordinato a Kevin di sedersi vicino a lei – non perché pensasse di farle un favore, anzi, nessuno voleva sedersi vicino a Buonocore, ma perché lei era una bambina buona e gentile. Cosí dicevano tutti. Kevin si era stravaccato nel sedile accanto al suo, talmente vicino che le loro cosce si toccavano. Camilla era cosí emozionata che stava per avere un attacco d'asma e si era dovuta spruzzare in gola tutta la bomboletta. Durante il tragitto fino a San Pietro non lo aveva mai guardato – per non tradire il suo segreto.

Nella basilica, le suore li avevano guidati in fila indiana nei posti assegnati alla loro scuola, e di nuovo Kevin si era seduto accanto a lei. Non stava mai fermo. Rideva e recitava filastrocche sporche. Mentre dietro l'altare il vescovo parlava e salutava i bambini venuti da tutte le scuole cattoliche di Roma, canticchiava *Federico Barbarossa | si cacò in una fossa | non avendo carta addosso | si pulí col dito grosso*, mangiava caramelle, le sputava in aria e le riacchiappava al volo con la lingua e si divertiva a vedere che lei soffriva della sua maleducazione. A un certo punto le aveva detto: Scommetti che mi arrampico sulla statua di san Pietro? Non ti puoi arrampicare perché adesso viene il santo padre. Io mi arrampico lo stesso, aveva risposto Kevin. Gli era venuto in mente di mostrare a Camilla quanto fosse coraggioso. Cosí forse avrebbe smesso di snobbarlo e di considerarlo uno sfigato perché abitava in un quartiere sfigato – e uno sfigato pure brutto per via del cerotto sull'occhio. E allora mentre papa Giovanni Paolo II appariva bianco e tremolante e lontano sotto il grande altare, fra le colonne ritorte come candeline, Kevin si era appollaiato davvero sul cranio di san Pietro e gli grattava la testa, come se avesse i pidocchi. La suora si era infuriata, e una guardia svizzera vestita come a carnevale lo aveva tirato giú. Kevin si era beccato un ceffone.

Perché l'hai fatto? gli aveva chiesto Camilla, fissando l'impronta rossa delle cinque dita che s'accendeva sulla sua guancia.

Cretina, l'ho fatto per te, le aveva risposto, sdegnoso. E Camilla era stata cosí smisuratamente felice delle sue parole che si era sentita male: una fila di stelline avevano preso a luccicare come un'aureola tutto intorno a lei ed era caduta a terra – stecchita. L'avevano portata fuori in braccio le suore e lei che ci teneva tanto non aveva potuto baciare le mani del santo padre. Però quando si era risvegliata, sul sagrato, Kevin faceva capolino fra le tonache delle suore, e la fissava come una morta resuscitata, con grande considerazione. Camilla non aveva spiegato a nessuno che era svenuta per l'emozione: Kevin Buonocore si era arrampicato sulla testa di san Pietro per lei. Era un segreto. Adesso però erano passati tanti mesi e non c'era stato nessun progresso, nella loro amicizia, anzi. E i segreti, se nessuno li scopre, a che servono?

Camilla scivolò silenziosamente lungo il corridoio. Forse Kevin durante la ricreazione era rimasto in classe. Lo faceva spesso. Diceva che si avvantaggiava coi compiti, ma lei lo sapeva che era per evitare i compagni che lo mettevano in mezzo, gli facevano gli scherzi crudeli – come una volta che gli avevano appeso le mutande sulla lavagna – e lo prendevano in giro perché aveva gli occhi storti e si vestiva come una zecca. Siccome anche Aris si vestiva come una zecca, a Camilla stavano simpatiche le zecche – gli animaletti che tutti odiano e anche le persone, cioè i rossi. Le stavano simpatici anche gli sfigati, che poi sarebbero i poveri, che non hanno colpa di essere cosí, in quanto Aris dice che è il caso che ci fa nascere figli di un onorevole o di un disoccupato e inoltre un giorno tutto può cambiare e i poveri diventare ricchi e viceversa. Dalla porta verde dei bagni dei maschi provenivano tonfi, gemiti soffocati e risate. A un tratto ci fu uno scoppio – una specie di peto fragoroso – e i gemelli Bettini si precipitarono fuori urlando. Anzalone quasi la travolse e lo scudiero, inciampando contro di lei, la sbatté contro il muro. La porta verde era rimasta aperta, e là in fondo, accanto alla tazza fra i paraventi verdi, spiccava un piccolo sedere bianco.

Camilla indietreggiò. Non aveva mai visto il piccolo sedere bianco di un maschio. Nemmeno il proprio, in verità. Il piccolo sedere scomparve in un paio di mutande blu attraversate da delfini che saltavano sull'acqua del mare. Il bambino accovacciato si tirò su i calzoni e avanzò sul pavimento come un cane – allungava la mano e brancolava in cerca degli occhiali. Era Kevin Buonocore. Camilla richiuse la porta per paura di essere vista. Kevin non glielo avrebbe mai perdonato se lei lo avesse sorpreso in un simile momento – le umiliazioni non si condividono. La campanella già suonava, e Camilla si affrettò in classe.

«Ogni società umana funziona come un corpo. Adesso cerchiamo di capire che cosa hanno in comune il corpo e la famiglia. Qualcuno di voi bambini sa farmi qualche esempio?» chiese suor Angelica per ravvivare la lezione. La lavagna risultava divisa in due parti. Nella parte di sinistra c'era scritto: IL CORPO. Nella parte di destra: LA FAMIGLIA. «Il corpo è fatto da membri con funzioni diverse e pure nella famiglia ci stanno membri con carattere, compiti, sesso e qualità diverse!» strillò Cristian, il primo della classe, che parlava come un libro stampato perché faceva il verso a suo padre costituzionalista. «Tutte le parti del corpo sono necessarie ma il cuore è piú importante di un piede», lo interruppe Andrea. «E anche nella famiglia ognuno è necessario perché arricchisce la famiglia», approvò suor Angelica, segnando i due punti in comune nelle due rispettive metà della lavagna. Camilla non riusciva a interessarsi all'identità di corpo e famiglia – anche se papà, tutte le volte che andava alla televisione, parlava proprio della famiglia. Lo invitavano nei programmi dove si sedeva su un divanetto, in mezzo a delle donne truccatissime – che mamma tutta aggrondata diceva che erano le amanti di qualche funzionario – e ogni volta che lo inquadravano lei si emozionava. Papà commentava delle storie che erano successe, e spesso erano molto brutte, per esempio qualcuno che aveva ammazzato qualcun altro, o interveniva contro le proposte di legge che un altro onorevole – dello schieramento opposto, spiegava mamma – voleva fare approvare. Papà distingueva la famiglia naturale dalle altre. La famiglia naturale è quella fondata sul matrimonio che lo stato e la società devono aiutare e sostenere. Le altre – cioè quelle non naturali – disgregano la

società e perciò la società non deve approvarle né aiutarle. A
questo punto il discorso si faceva difficile e Camilla non capiva quale fosse la differenza tra la prima e le seconde. Si voltò
a fissare il banco di Kevin, l'ultimo in fondo alla fila di destra,
quello degli asini che non stanno mai attenti. Era rimasto vuoto.

Carlotta aveva alzato la mano. Stava dicendo alla suora che
i pezzi del corpo sono utili solo quando restano al loro posto. Se
ti rompi una gamba non cammini. «Brava», disse suor Angelica, scrivendo nella metà di destra della lavagna – LA FAMIGLIA
punto 3: ognuno contribuisce con il suo impegno. Ognuno deve restare al suo posto. A Camilla della famiglia non importava
piú niente. I pesci saranno pure muti, ma lei la lingua ce l'ha.
A che serve un segreto se nemmeno la persona interessata lo
condivide? Lei era la sua sposa per sempre e Kevin non lo sapeva. Che senso aveva? I grandi lo tormentavano fin dai tempi
dell'asilo, e Camilla non lo aveva mai difeso, per paura che se la
prendessero anche con lei. Assisteva. Dentro di sé, era con lui,
e soffriva con lui, ma Kevin non lo sapeva. Era una cosa triste.

Punto 4. CORPO:	Punto 4. FAMIGLIA
funziona solo	se non c'è collaborazione
in collaborazione	non c'è famiglia
totale	

Suor Angelica sentenziò: «Bravi bambini, avete dimostrato che ogni società umana funziona come un corpo. Anche la
Chiesa è un corpo. Il corpo di Cristo». «Suora, – bisbigliò Camilla, alzando la mano, – devo andare in bagno». «Perché non
ci sei andata durante la ricreazione?» si alterò la maestra. Poi,
rabbonita perché la piccola, gentile Fioravanti pareva sul punto
di scoppiare in singhiozzi, la spedí fuori.

Camilla attraversò il corridoio – tastando la parete con la
mano per la paura che le cadesse addosso. Minuscoli granelli luminosi danzavano nei raggi di sole. C'era un gran silenzio. Dalle porte chiuse delle aule filtravano le voci ovattate degli alunni che ripetevano le tabelline. Il bidello Guglielmo, annoiato a

morte, si rompeva la testa con le parole crociate senza schema. Camilla spinse la porta verde del bagno dei maschi. C'era puzza di capodanno. Zolfo e polvere da sparo. Kevin Buonocore, tutto vestito, con gli occhiali sul naso, era seduto sulla tazza. Teneva l'occhio chiuso e le mani incrociate in mezzo alle gambe. Sembrava morto. Per un attimo atroce Camilla pensò che lo avessero torturato a morte. Se muore, io cosa faccio? non s'è mai vista una vedova di sette anni, oh, non morire, Kevin, io la prossima volta ti aiuto, io lo dico a mio papà, non ti capiterà piú niente, ti prego, non morire.

In punta di piedi, gli si avvicinò – Kevin aveva la faccia graffiata e i capelli fradici. Anche se portava dei grandi e brutti occhiali di plastica e aveva il cerotto sull'occhio, anche se era grosso e mangiava troppo, a lei Kevin era sempre sembrato bellissimo. Era bellissimo anche da morto. Ma era una cosa troppo triste. Kevin emise un sospiro profondo. Allora Camilla si rese conto che era vivo.

Sopraffatta dalla vergogna, scappò nel bagno accanto – riparandosi dietro il paravento verde. «Kevin?» lo chiamò piano, come fosse malato. Kevin aprí l'occhio. Si pulí la lente: sugli occhiali continuavano a formarsi delle gocce, come di pioggia. Non si mosse. Non sarebbe uscito dal bagno mai piú. Non finché la campanella suonava. Non finché la scuola non fosse stata vuota. Non sarebbe sopravvissuto all'umiliazione di rivederli. Mamma aveva detto che a settembre gli cambiava scuola? Le avrebbe chiesto di cambiare scuola già domani. Mamma capiva tutto – perché mai doveva passare tutto il giorno lontano dall'unica persona che lo capiva e lo difendeva sempre? In che modo ingiusto e crudele vanno le cose. Comunque, in questa scuola non ci torno piú. «Kevin? Kevin, stai male? Kevin?» Riconobbe la voce minima di Camilla Fioravanti. Che voleva? Era venuta per sfotterlo ancora? Se dice la parola sedere la strangolo, giuro la strangolo. E invece quella bambina timida e strana disse una cosa strana, talmente strana e inaspettata che lui non seppe cosa rispondere.

Dodicesima ora

Nel parcheggio della balera c'erano un pullman da sessanta posti, il rudere arrugginito di un motorino e le auto della scorta. La lamiera s'arroventava sotto il pallido occhio malefico del sole. Seduto sul predellino, l'autista masticava una ciabatta al salame. Nessun manifesto, nessuno striscione lasciavano intuire che quello era il pullman dei supporter di Elio Fioravanti: un chiassoso manipolo di disoccupati che, da quando l'avvocato si era lanciato nell'impegnativa fase porta a porta della campagna elettorale, lo accompagnavano ovunque andasse. La loro presenza garantiva una rassicurante dose di applausi e di sedie occupate: niente di piú desolante, in una eventuale ripresa televisiva, della visione di una platea striminzita e di intere file vuote. Zero reputava la trovata di suo padre patetica, miserevole e immorale. Benché, andava detto, per trenta giorni quei disoccupati avessero svoltato lo stipendio. Aggirò la Lancia: l'agente-autista della scorta sonnecchiava, accasciato sul volante. La balera – un parallelepipedo di cemento armato grigio, nudo ed essenziale come un mattone – gli ricordò un capannone industriale, e probabilmente lo era stato fino a poco tempo prima. Zero sollevò la tenda che separava la pista da ballo dal baracchino della biglietteria, e i suoi occhi furono trafitti dalla luce diffusa da una sfera coperta di vetrini che penzolava dal soffitto, ruotando su se stessa con lentezza ipnotica. Per qualche minuto fu accecato dal riflesso, poi la faccia di suo padre sbucò da una foresta di faggi dorati dal sole. Non stava sognando: un proiettore nascosto chissà dove accendeva panorami in technicolor sulla parete di fondo della balera. La foresta si tramutò in un oceano, le onde si alzavano e si abbassavano increspate da un forte vento.

«Solo quando c'è armonia nell'unità piccola, la comunità piú vasta si riconosce nell'idea di nazione. La famiglia è l'unità base della nazione, e perché la nazione funzioni come un organismo sano, l'unità piú piccola deve essere in concordia con la piú grande. Non si può distruggere il pilastro della famiglia come entità educativa, perché è dall'esempio che prende significato la prima vera formazione umana...» stava dicendo Elio, ingobbito su un plico di fogli che, a causa della luce sconsiderata di quella palla rotante, faticava a leggere e doveva di continuo avvicinare agli occhiali per decifrare. «L'articolo 29 della Costituzione della Repubblica Italiana dice: *La Repubblica Italiana riconosce i diritti della famiglia come società naturale fondata sul matrimonio.* Famiglia come società naturale. Ricordate queste parole scritte dai padri della nostra patria. Se la sinistra dovesse prevalere, i nostri sindaci finirebbero per sposare persone dello stesso sesso, e bambini orfani bisognosi del calore di una vera famiglia finirebbero per essere affidati o adottati da chi ha scelto di vivere una sessualità egoistica contraria alla procreazione. I bambini sono le vittime di questa umanità, di una società disattenta e disordinata nel cui orizzonte si è andata sempre piú appannando la pietà, la misericordia, la solidarietà, il senso vero della famiglia».

Zero avanzò verso il palco. Superò file e file di seggiole. A parte i supporter pagati della claque, nella balera c'erano poco piú di venti persone. Tutti anziani dai capelli canuti che mai si sarebbero sognati di convivere con qualcuno del proprio sesso e certamente ignoravano che lo facessero i loro figli o nipoti. Zero incrociò lo sguardo affranto del segretario di suo padre. Gli chiese cosa andava farneticando. Fabio Merlo alzò le spalle. «Fortuna che manca solo una settimana alla chiusura della campagna elettorale, – commentò. – L'avvocato è molto stanco. Temo abbia fatto confusione e stia leggendo il discorso previsto per l'incontro delle quattordici al Centro Genitori e Famiglie del Pigneto. Quelle famiglie lamentano la difficoltà di allevare i loro figli senza alcun sostegno da parte dello Stato. Chiedono un sussidio per i figli, assegni familiari per incentivare le nascite e combattere l'aborto, che è divenuto prerogativa dei ceti meno abbienti, cose cosí». Zero non trattenne un sorriso. «È molto faticoso per suo padre, – lo giustificò Merlo. – Farsi carico dei problemi di tutta questa povera gente, riuscire a tenere alta la concentrazione. Suo padre è un leone da foro, lo sa. Quaggiú si sente un po' come un pesce fuor d'acqua». «Ma il collegio è questo», commentò Zero, spietato.

Quando Elio terminò faticosamente di leggere, il suo discorso fu accolto da un silenzio definitivo e bruciante come uno sputo. Dalla platea dei supporter si levò un applauso sconcertato. La faccia di Elio – bianca come borotalco – ora si confondeva con le montagne innevate. Uno dei presenti disse in tono polemico che qui in borgata c'era bisogno di farmacie, asili nido, strade, collegamenti pubblici, lampioni, antenne – qua neanche la terza rete si vede e non sarà mica per caso – e l'onorevole viene a parlarci della società naturale e dei diritti dell'embrione. Ora l'embrione ci avrà pure il diritto di nascere, ma un cristiano già nato ci ha il diritto di sopravvivere con dignità. O no? Elio appoggiò i fogli sulla tribunetta, fece per infilarli nella cartella e gli cadde lo sguardo sul discorso per i comitati di quartiere di Torre Gaia. 1: <u>SANITÀ</u>. Illustrazione disegno legge sull'ampliamento delle fasce di farmaci gratuiti. Abolizione ticket sanitari. 2: <u>ASILI NIDO</u>. Illustrazione progetto x creazione asili nido nelle aziende e nelle fabbriche. Si rese conto con orrore che non lo aveva letto. Famiglia! Aveva parlato dei diritti della famiglia! Fu assalito dalla penosa sensazione di nudità che ci procura una solenne figuraccia.

Riordinò i fogli, si sfilò gli occhiali, finse di pulirli, tornò a sistemarli sulla forcella del naso, e per qualche istante tacque. Doveva assolutamente improvvisare, proseguire e salvare la faccia. L'esperienza maturata nei suoi anni di parlamentare lo aveva arricchito della preziosa capacità di mascherare anche la piú stitica mancanza di idee con un discorso faceto e ben congegnato. Si guardò intorno in cerca di ispirazione – un'idea, avrebbe pagato milioni per uno straccio di idea con cui collegare il suo sproloquio sulla crisi della famiglia alla realtà aspra dei suoi ascoltatori invalidi e pensionati. Il suo sguardo vagò al di sopra dell'uditorio offeso e ostile. Le pareti rosa della balera, i puzzle di paesaggi idilliaci che si scomponevano sulle pareti e la palla invetriata gli ricordarono le discoteche degli anni Settanta. OTTIMISMO. SOGNI. Le sue pupille si accesero dietro gli occhialetti – un barlume. Prese fiato e si tuffò.

«Voi non avete piú una discoteca, qui. Voi non avete un cinema, un teatro, un auditorium, non avete niente. I locali di svago sono appannaggio dei centri storici, e le periferie restano non-luoghi dove ci si reca solo per dormire. Qualora la coalizione di cui mi onoro di far parte dovesse tornare al Governo, potremo finalmente avviare grandi opere pubbliche e sbloccare i finanziamenti per risanare i suburbi urbani. Fra le iniziative del nostro programma c'è appunto la detassazione dei capitali investiti nell'intrattenimento. Non si vive di solo pane. Per sostenere l'economia occorre spendere, consumare, – chiosò, – altrimenti la produzione si ferma e diventiamo piú poveri. E l'offerta deve andare incontro al cliente, non il cliente incontro all'offerta. Insomma, per non parlare difficile, noi prevediamo l'abbattimento degli alveari e delle case torri, eredità dell'edilizia popolare stalinista voluta dalla sinistra negli anni Settanta. Al loro posto costruiremo piccole città modello, circondate da giardini e giochi acquatici, grandi parchi di divertimento e centri commerciali con caffè, birrerie, ristoranti e soprattutto villaggi del cinema con sale dotate di tutti i comfort. Perché i film insegnano a vivere, amici. Sí, proprio cosí. Sapete, quando ero ragazzino, andavo al cinema tutti i pomeriggi. Ci andavo per sognare. Mio padre era ferroviere». Pausa a effetto. Occhi incatenati agli spettatori. «Credevate che fosse, che ne so, medico? avvocato? Macché, era un semplice ferroviere. Eravamo molto poveri».

Zero rimase stupefatto dalla convinzione di suo padre, dalla sincerità appassionata della sua voce. Se non avesse saputo che il nonno Fioravanti – peraltro ancora alquanto arzillo – era un economista assai stimato, avrebbe creduto anche lui che fosse un umile ferroviere. In quel momento Elio stesso probabilmente era convinto di essere figlio di un ferroviere. «Be', io volevo cambiare il nostro destino, – proseguí, incoraggiato dal silenzio rispettoso calato nella balera, – insomma, non essere povero come lui. Ma erano solo sogni. Non avrei mai creduto di poterci riuscire se non avessi visto tanti film. Il cinema americano mi ha cambiato la vita. E potrebbe cambiare anche la vostra, e quella dei vostri nipoti. Prevedete il lieto fine all'americana nelle vostre vite. Abbiate il coraggio di sognare».

Riciclò la parabola di Ronald Reagan: raccontava piú o meno di un ragazzino che, trovando un mucchio di letame nella sua stanza, mentre gli altri strillano che schifo! esclama, tutto contento, ehi, c'è un pony nelle vicinanze! e questo significa che nella vita bisogna sempre essere ottimisti. Poi, siccome dubitava di aver convinto quei vecchi artritici – costretti dalle loro pensioni risibili a ridurre i consumi alla mera sussistenza – a spendere soldi in un centro commerciale o in un villaggio del cinema, o a credere alla promessa di un nebuloso futuro migliore, ricorse alle storielle del suo repertorio, già ampiamente collaudate, che facevano leva sulle paure ataviche e sulle debolezze dell'essere umano. Raccontò della vacca incazzata col tafano, greve metafora del cittadino molestato dalle tasse, e del russo ubriacone che una mattina risvegliandosi dopo la sbornia si convince di avere sognato settant'anni di comunismo. Dopo un po' ridevano anche i pochi che erano venuti fino alla balera e si erano sorbiti il suo discorso – solo per aspettare, con la pazienza di Giobbe, il momento in cui si sarebbero messi a tavola per il brunch (che diavolo voleva poi dire?) gentilmente offerto dal candidato. Quando la voce si faceva rauca, e si appannava fino a ridursi a un chiocciolio, quando la gola gli si prosciugava, quando un colpo di tosse rovinava l'effetto dell'ultima battuta, Elio ingoiava un bicchier d'acqua, e ricominciava. Sudava, gesticolava, gorgogliava, si incartava, scrollava la chioma scompigliata, rideva. Zero si vergognò dell'esibizione sfacciata di suo padre. Capí che era pronto a tutto per cancellare la brutta impressione dovuta alla gaffe del discorso sbagliato e per guadagnarsi venti voti. O forse nemmeno. Probabilmente non si ricordava neanche piú dello scopo per cui si trovava qui. Ormai c'era, e voleva solo sedurre, essere amato. Per piacere a quella gente che mai piú avrebbe rivisto si sarebbe messo a cantare, a ballare, a cucinare – qualunque cosa.

Sí, pensava, io vivrò non solo diversamente da come hai vissuto tu, ma in maniera del tutto antitetica. Io diventerò il tuo opposto, il tuo negativo. Tu non puoi vivere senza il consenso degli altri, e io voglio essere per gli altri una sfida e un pugno in faccia. Tu ami l'attività pubblica, e io la fuggirò. Tu volevi per me un ruolo pubblico, io sarò soltanto un oppositore. Tu credi nel successo, nella carriera – io non so nemmeno cosa sono. Tu vuoi la notorietà, io preferisco che nessuno sappia il mio nome. Tu avrai i funerali di stato e io morirò anonimo in qualche strada sperduta di Roma, che tu non avrai mai sentito nominare, o in una periferia qualunque di una qualunque città. Tu ti fai pagare lo stipendio dallo stato, io lo stato non lo riconosco, io la paga dello stato la disprezzo e la rifiuto. Tu dispensi elemosine, io le accetterò, perché se anche donassi tutto ciò che possiedi mai renderesti agli altri ciò che gli hai rubato. Tu hai vissuto di favori, i favori che hai elargito e quelli che hanno elargito a te, io non ho debiti né crediti da riscuotere. Tu ami la giurisprudenza, io la detesto e oggi ho dato il mio ultimo esame. Tu ami il mare solo perché puoi sorvolarlo col tuo motoscafo, e spopolarlo col tuo fucile subacqueo, io non ho mai preso in mano un fucile, né mai trafiggerò un pesce, anzi, mi considero pesce anch'io – silenzioso invisibile libero e segreto. Tu ami i vestiti firmati, perché solo una griffe ti convince di essere elegante, io vado vestito di stracci. Tu non hai mai letto un libro che non ti fosse utile, io li leggo solo se non pretendono di insegnarmi niente. Tu pensi che studiare significa prendere una laurea, io cercherò di capire me stesso e il mondo nel quale mi hai invitato. Tu credi in Dio, e io non credo e non crederò. Ora predichi la felicità familiare che non hai saputo trovare, tu che hai sprecato due volte la buona occasione, e io farò propaganda per le famiglie nuove, che tu disconosci, nelle quali i bambini non hanno un padre e una madre e qualche fratello, ma padri e madri e fratelli e sorelle in coloro che amano.

Quando finalmente Elio tacque – sfinito, completamente afono – i pensionati lo circondarono, esponendogli i loro problemi spiccioli che lui, lo giurava sulla sua bambina, avrebbe preso a cuore e portato a conoscenza del suo amico candidato sindaco. «Mi sono impegnato con assiduità sui temi degli affari sociali, e se mi permetterete di tornare in Parlamento, – prometteva, – contribuirò a superare i gravi ritardi della legislazione in materia familiare e sociale». La ruota aveva ripreso a girare – e rieccolo a scambiare battute veloci, scherzi stantii, promesse. Rieccolo a stringere mani sudaticce, rieccolo a profondersi in sorrisi, a schedare i presenti, annotare gli assenti, memorizzare nomi, riesumarne altri dalla fogna della memoria. Con un vecchio che gli disse di essere il presidente della squadretta di calcio della borgata, si lamentò di non avere piú tempo per andare allo stadio: da quando stava al Parlamento aveva dovuto rinunciare ai suoi piaceri personali. Be', quasi a tutti. Giocavo a rugby, si vantò, il rugby è uno sport educativo, una grande lezione di vita. Spiegò che da giovane amava lo scontro fisico, rude ma leale, con l'avversario. Adesso quell'amore per lo scontro rude ma leale con l'avversario l'aveva trasportato in politica. Era un lottatore. Capace di far male ma nel rispetto delle regole del gioco. Zero lo aveva già sentito dire quelle parole decine di volte – nelle interviste, in televisione, a cena. Un risparmiatore informatissimo gli chiese cosa prevedeva l'onorevole per l'economia, ieri in Borsa è stato un altro giovedí pesante, il mib30 ha perso il due e quarantacinque, l'Eni piú del quattro, e Alleanza addirittura il sedici, qua è un disastro, possibile che sia tutta colpa degli attacchi eversivi dell'«Economist»? «I disfattisti stranieri possono dire quello che vogliono, – reagí Elio, meccanicamente, come il cane di Pavlov, – l'Italia è un paese sano, l'economia si riprenderà». Zero sgusciò fra i pensionati e gli strattonò la manica. «Che ci fai qui?» lo apostrofò Elio, per niente contento di vederlo. Un pianista dotato di sorprendente talento intonò una canzone di Fred Bongusto e l'organizzatore disse ai convenuti che potevano accomodarsi al buffet, perché ora si mangiava per davvero.

«Ho avuto un'idea», disse Zero. «Non adesso», rispose Elio, asciugandosi il sudore dalla fronte. Era svuotato. Aveva dato tutto. Tregua – gli sarebbe bastato un attimo, per ricaricarsi. Sparí dietro una tenda. Zero fece per seguirlo, ma un tizio muscoloso, col pizzetto e la testa rasata, appostato nell'ombra lo intercettò, agguantandolo per un braccio. Elio se ne accorse, ma non perse tempo a spiegare a Buonocore che quel ragazzo folcloristico era suo figlio. Aveva bisogno di parlare col Presidente. Solo la sua voce poteva dargli la forza di sopportare ancora questa gente. Ora che l'aveva conquistata, non gli interessava piú.

«Ehi, che ti credi di fare?» gridò Antonio. Era contento che il teppista gli desse la possibilità di scaricare la tensione che gli montava in corpo. Era passato da un pezzo mezzogiorno e l'onorevole ancora non gli aveva detto se gli concedeva il permesso di staccare. Non è una procedura conforme, Buonocore – cincischiava – e io sono un uomo di legge. Come se quando gli faceva comodo non se ne dimenticava! Era di vitale importanza, quel permesso, cazzo. E se quel manichino capelluto vanitoso ed egoista non glielo avesse concesso, lui se lo sarebbe preso lo stesso. Perché in ogni caso non avrebbe trascorso il resto della giornata con l'onorevole. Con lei. Con Emma, o niente. Strattonò il lurido teppista – e poiché quello, stupefatto, reagí, divincolandosi, imprecando e cercando ancora di raggiungere Fioravanti – lo bloccò arpionandolo per l'anello che portava al naso e lo trascinò verso la porta-tagliafuoco. «Che vuoi? sei pazzo?» lamentò Zero, accecato dal dolore, temendo che l'anello gli lacerasse la narice. Cadde a terra. Il poliziotto lo spinse fuori. Zero rotolò sulla ghiaia, e quando cercò di rialzarsi, ancora incredulo, il poliziotto gli assestò un calcio alla schiena, con una mossa acrobatica, da arti marziali, che lo stese, senza fiato. «Non ci provare mai piú a mettere le mani addosso all'o-

norevole, zecca schifosa. Se ci riprovi ti ammazzo», minacciò.
Era alquanto convincente.

Zero cercò scampo sotto le ruote del pullman. Il poliziotto
lo agguantò per un piede. La scarpa da ginnastica gli rimase in
mano. L'altro agente – giovane, con la faccia da chierichetto –
si precipitò su di lui, afferrandolo per il gomito. «Lascialo stare, Antonio, piantala. Devi controllarti, cazzo, sei fuori di testa!» Antonio cercò di liberarsi del collega, lo spintonò, allungò
un altro calcio al corpo raggomitolato sotto il pullman, non vedeva piú niente: solo una massa di carne inerme – indifesa. In
quel momento rivide il parcheggio della discoteca, e Emma in
ginocchio in una pozzanghera, dietro la moto, con le mani al-
zate a ripararsi il viso – e gli salí in bocca un sapore di sangue.

Appallottolato sul terriccio, Zero lanciò uno sguardo amareggiato al rude custode di suo padre. Un pezzo d'uomo moro
– completamente rasato, con un pizzetto folto a triangolo, il
naso rilevante e lo sguardo esaltato. Nonostante il dolore che
gli paralizzava la schiena, non riuscí a odiarlo. Un povero servo
– devoto al padrone, e nemmeno per gratitudine, o amore, solo
per dovere. Per uno stipendio e per la divisa. Quanti anni aveva? Portava la fede. Era sposato, di certo aveva dei figli. Questo
lavoratore, padre di famiglia, si sarebbe pigliato senza esitare
la pallottola destinata a suo padre, sarebbe saltato sulla stessa
bomba. Quest'uomo non conosceva i dubbi – solo l'obbedien-
za. Sarebbe morto, per suo padre. E non ne valeva la pena. Suo
padre era una simpatica nullità. Provò pena per il poliziotto.

Accorse il segretario di Elio. Sconvolto, incredulo. Per aiutarlo a rialzarsi, gli porse la mano: a Zero parve di stringere uno
strofinaccio bagnato. Il poliziotto, imbambolato, brandiva la
scarpa da ginnastica, come fosse un'arma impropria. Sembrava
disgustato – ma Zero non avrebbe saputo dire se lo disgustava
lui, o se il poliziotto era disgustato da se stesso. «Buonocore,
non lo ha riconosciuto? – gli diceva Merlo, terrorizzato che la
colpa dell'incidente ricadesse su di lui, – è il figlio, quando l'o-
norevole lo verrà a sapere, lei passerà un guaio… deve scusarsi
immediatamente». Ma Antonio non si scusava mai – e del re-

sto ormai era al di là delle ritorsioni e della paura. Se Fioravanti voleva fare un esposto contro di lui al ministero, lo facesse pure, non gliene importava piú un cazzo di niente. Scagliò la scarpa fetente nel prato, s'accese sdegnosamente una sigaretta e, incurante dei vistosi cartelli VIETATO FUMARE sulle pareti della balera, rientrò e si appostò alle spalle della sua personalità.

Schiacciato contro un puzzle cangiante che raffigurava ora isole caraibiche, ora praterie, ora gli abissi marini, una barriera corallina visitata da pesci in livree sgargianti, continuando a conversare dell'apertura della farmacia di quartiere con la presidente del comitato per non dissipare l'impressione favorevole prodotta dalle sue storielle con la fretta di fuggire al prossimo evento, Elio rideva – tentando di dimenticare che, per la terza volta da quando si era svegliato, la voce impersonale di Elsa Benelli gli aveva ripetuto che era molto spiacente, ma il Presidente era in riunione. Rideva, ma era sopraffatto dall'angoscia. Lui era qui, nel ventre rosa di una sordida balera, a rovinarsi le corde vocali per conquistarsi un pugno di voti, a ingurgitare insalata russa e lasagna al forno per dimostrare la bontà del brunch offerto ai suoi elettori, e da qui alle tre avrebbe pranzato in altri quattro posti, ogni volta fingendo che fosse l'unica. Si sarebbe riempito come un otre, si sarebbe rovinato il fegato, avrebbe dovuto ingoiare manciate di alka seltzer, ficcarsi le dita in gola e vomitare nel cesso della sede di un sindacato, ed era tutto inutile: il Presidente lo aveva lasciato cadere. Lo aveva sacrificato.

Adesso vedeva tutto con atroce chiarezza. Maja aveva tentato di metterlo in guardia, ma lui non le aveva dato retta. Ecco perché non gli avevano confermato il collegio di prima fascia nel quale, alle elezioni del '94, aveva trionfato – modestamente con quarantamila preferenze e il quarantasette per cento dei voti. Il mio collegio porca m... dove camminavo sul velluto e tornavo a Montecitorio in carrozza. La gente mi conosceva, ci sono nato a Tomba di Nerone – conosco ogni buca della Cassia, perdio. Mi hanno dirottato in questo maledetto collegio – di sesta fascia, praticamente una guerra – con la scusa che io avevo la dote personale, la popolarità, che la massaia burina manco è nata a Roma. Puttanate. Al Casilino non è mai passato nessuno, è zona rossa – sono tutti bolscevichi. Questi qua ci appenderebbero a un lampione se potessero. E io, coglione, mi sono fidato. Invece mi hanno incastrato. Mi hanno fottuto. Levò il bicchiere. Brindò ai pochi ma fortunati presenti, dei quali giurò di ricordarsi. Ingoiò eroicamente un altro boccone. Majonese allo stato puro. Colesterolo assassino. Sacrificato. Buttato via come una vecchia ciabatta. Ma io non gli do la soddisfazione di mettermi kappaò, io piuttosto mi ammazzo. Salgo sulla torre e mi butto nel vuoto. Faccio un'uscita di scena grandiosa, degna dei viri illustri dell'antica Roma, gente capace di tagliarsi le vene e aspettare la morte chiacchierando dell'immortalità dell'anima, capaci di piantarsi un pugnale nel cuore, di gettarsi tra le fiamme. Catone Uticense. Cicerone. Seneca. Non lo salirò, lo scalino romano. Mai. Il gran gesto, ci vuole. Dimostrerò alla plebe che mi assassina che sono un antico romano anch'io.

«Papà», flautò Zero, sedendosi al suo fianco. «Che vuoi?» gli ringhiò contro. Tecnica preventiva collaudata. Quando Aris lo chiamava papà, significava che veniva a bussare cassa. Non gli diede la soddisfazione di risparmiarsi la supplica. Era l'unica che potesse prendersi, in quella balera. Per un politico, non c'è niente di più desolante di un comizio elettorale. Una volta che sei uscito vivo da un comizio, sei pronto a qualunque bassezza. «A cosa devo il disonore della tua presenza?» Zero si toccò cautamente il naso – la narice gli bruciava come se ci avessero infilato un mozzicone acceso. Esitò, consapevole del fatto che non si faceva vedere dal padre dal giorno di Natale, e che erano passati più di quattro mesi. Fra l'altro non si era comportato bene, al veglione che Maja aveva organizzato come un summit delle Nazioni Unite. Aveva bevuto troppo, aveva discusso con l'ammorbante vedova fascista di un ministro, aveva barato al mercante in fiera per il gusto di rovinare il gioco, aveva baciato Maja sul collo in cucina sotto gli occhi della pia Navidad e se n'era andato prima di mezzanotte, seguito dalla disapprovazione generale. Fissò per qualche istante il viso rabbuiato del padre – lucido di sudore, paonazzo. Osservò, ipnotizzato, unti bocconi di insalata russa sparire nella sua bocca. Trovò ammirevole il suo sforzo di fare onore al pranzo. Poi, quando s'accorse che era già l'una meno venti, conoscendo l'impazienza di Maja e la sua suscettibilità, si risolse a vuotare il sacco. Senza preamboli. Si chinò verso di lui e disse: «Ho bisogno di soldi».

«Non hai ricevuto l'assegno?» s'informò Elio, burocratico neanche fosse un cassiere di banca. In base all'accordo del divorzio amichevole concluso con Ornella, versava al figlio puntualmente due milioni al mese. Una somma piuttosto ragguardevole per uno studente già spesato di tutto. «Sí certo, ma non si tratta di me, – disse Aris. – È per degli amici». «Li conosco, questi amici?» disse Elio, tristemente. Zero scosse la testa. Elio deglutí e fissò, desolato, l'anello che luccicava al naso del figlio. Che devo fare con questo ragazzo? Cosa? Questo spaventoso alieno – questo soldato di una tribú che mi ha dichiarato guerra.

E Aris davvero gli aveva dichiarato guerra. Lo avevano convocato in questura, il giorno in cui si era appurato che il vandalo Zero, colto in flagranza di reato mentre imbrattava con scritte ingiuriose e inneggianti alla rivoluzione mondiale le saracinesche del fast food Planet Hollywood a piazza Barberini, rispondeva sui documenti al nome di Aris Fioravanti. Informazione confidenziale, naturalmente – perché l'onorevole Fioravanti è sempre stato sensibile alle esigenze dei poliziotti. Il danneggiamento è un reato serio, punibile con la reclusione fino a un anno. Articolo 635 del codice penale. Ma il ragazzo per questa volta se la sarebbe cavata con una ramanzina, e non sarebbe stato denunciato. Sentivano però il dovere di metterlo in guardia: Aris correva il rischio di cacciarsi in guai seri. Guardi che razza di messaggi semina in giro per la città.

NO AL MCMONDO. COMPRI COSE DI CUI NON HAI BISOGNO. SEI OBBEDIENTE. SEI UN CONSUMATORE. COMPRI SPAZZATURA CHE NON TI SERVE. COMPRI UN PAIO DI SCARPE DA DUECENTOMILA LIRE SOLO PERCHÉ LE USA RONALDO. DISUBBIDISCI! ROVESCIA IL MCMONDO. DI' DI NO ALLA SOCIETÀ UNIVERSALE DEI CONSUMI.

Il ragazzo frequentava cattive compagnie, bazzicava un grup-

puscolo anarco-comunista, nascondendosi dietro il nomignolo
Zero diffondeva su internet materiali al limite della sovversione
e dell'apologia di reato. Elio aveva ringraziato i poliziotti per la
loro sensibilità – e poi, nella quiete del suo studio, si era letto
lo scritto di quel farneticante Zero dall'inizio alla fine. Quelle
parole tremende le ricordava ancora a memoria.

*Io ho scelto di non essere padrone di niente e servo di nessuno.
Io credo che un altro mondo è possibile: non sarà quello dove lo
stato sarà buono e forte, ma quello dove non ci saranno più stati,
e non sarà quello che avrà leader migliori, ma quello dove non ci
saranno leader, non sarà quello dove gli oppressi staranno meglio,
ma quello dove non ci saranno più oppressi né oppressori. Ciò che
posso fare per creare quel mondo è combattere le politiche elettorali, il sistema dei partiti, la democrazia rappresentativa – perché
usando la parola democrazia come una formula propagandistica si
impadronisce del potere e lo toglie dalle mani del popolo – e le alternative riformiste – perché mirano a realizzare cambiamenti solo
superficiali per mantenere il sistema cosí com'è. Cercherò sodali e
complici, e se non li troverò agirò da solo. E se a nulla dovessero
condurre le mie azioni, mi limiterò a unirmi al caos. Per questo
scopo, mi dedicherò alla lotta di classe, al sabotaggio, al danneggiamento della proprietà e alla disobbedienza civile e diffonderò la
cultura della resistenza, affinché lo stato e tutti i suoi rappresentanti
sappiano che in nessun momento e in nessun luogo saranno al sicuro.*

Ora questo alieno aggressivo e intransigente se ne stava seduto accanto a lui, sotto la luce impazzita della palla di vetro, e si
tastava il naso arrossato e dolorante e pretendeva anche che gli
desse dei soldi per aiutare lui e i suoi amici – i quali un giorno
forse gli avrebbero sparato. Aris coi capelli viola, con le trecce
spinose come il predicatore di una religione ignota. Aris bucato da ami da pesca, anelli e catene di metallo, irriconoscibile e
infatti sconosciuto – determinato e solitario e selvatico e profumato di erba e di cane, di terra e di una ostinata purezza. Ma
questo alieno è pur sempre il mio ragazzo, il mio unico ragazzo.

«È per i tuoi cani?» chiese, fingendo di non capire che si trattava invece del Battello Ubriaco – quell'abominevole tana, quel covo di nullafacenti scoppiati vandali e danneggiatori della proprietà altrui. «Devo curarli, papà, si ammalano spesso, a Mabuse devo far cavare i molari, gli è venuto un ascesso. Sai che anche i cani soffrono di malattie dentarie? – disse Aris. Elio scosse la testa, ignaro. – Sto pensando di prendere un posto in campagna, per ospitarli tutti, in casa non c'entrano piú. Sabato ne ho trovato un altro, lo avevano buttato nel Tevere, chiuso in un sacco pieno di pietre, cosí andava subito a fondo». «E come lo hai salvato?» disse Elio, fingendo di interessarsi al destino dell'ennesimo randagio rognoso raccattato dal figlio. Randagio che avrebbe suscitato la pietà e l'amore di Camilla – che avrebbe tanto voluto tenerne uno in casa – mentre lui aveva sempre odiato i cani, stupidi quadrupedi vulnerabili e servili come gli esseri umani, ai quali assomigliano piú di quanto, a volte, gli esseri umani assomiglino a se stessi. «L'ho recuperato con un rampone, – spiegò Aris, sorpreso dal suo interesse. – Si era incagliato contro l'arcata di Ponte Sublicio. L'ho trascinato fino alla banchina. È malato, sai, lo hanno abbandonato perché è vecchio e gli è venuta una paralisi alle zampe. Gli ho costruito un carrello, una tavola con le ruote, cosí può muoversi. È molto grasso e allegro di carattere. Lo chiamerò Falstaff». Elio si tolse gli occhiali e li pulí col tovagliolo. «È bello quello che fai con quei cani», disse, fissando su Aris il suo sguardo miope – inerme. Non voleva cattivarsi la sua riconoscenza. Non voleva piú niente da quel figlio. Solo che non morisse fra i cespugli del lungotevere, con un ago infilato in un braccio. Che non finisse in galera. Che mangiasse abbastanza, che incontrasse una ragazza carina, che fosse felice. Almeno un po'. «Quanto ti serve?» disse, materializzando dalla tasca dei calzoni da vela il libretto degli assegni.

Zero esitò, incerto. Gli occhiali avevano lasciato ai lati del naso di suo padre due profondi buchi rossi. Senza lenti, le sue pupille a spillo parevano insolitamente opache – quasi spente. Allora osò: «Venti», disse, arrossendo. Gli sembrava una cifra mostruosa. Non aveva mai visto venti milioni tutti insieme. Elio firmò con uno svolazzo, senza discutere. Zero si morse le labbra, perché era stato troppo facile – avrebbe potuto chiedere trenta, forse perfino cinquanta, e suo padre avrebbe firmato lo stesso. Le cifre, a inchiostro scuro, spiccavano sul foglietto azzurro del Credito Italiano. Lire: 20 000 000. Firmato Elio Fioravanti. Zero si ripeteva da tempo che non si possono scegliere i genitori. Si viene recapitati a loro, come un regalo o una fregatura. Tutt'al piú si può evitare di assomigliargli, si può evitarli. E nemmeno questo lui aveva fatto. Giurò che oggi aveva incontrato il padre per l'ultima volta. Non voleva avere piú niente a che fare con lui. Mai piú vedere il suo naso da pinocchio, mai piú sentire le sue storielle, le sue promesse, le sue frottole.

Eppure non riusciva a distogliere lo sguardo da quella cifra – esercitava un'attrazione quasi magnetica. Si chiese cosa farebbe al posto suo un altro studente di ventitre anni. Si comprerebbe la macchina. La moto enduro. Poldo partirebbe per fare il giro del mondo. Dormendo nel sacco a pelo e chiedendo passaggi ai camionisti, potrebbe star via finché gli vengono i capelli bianchi. Un altro si comprerebbe una chitarra, un pianoforte a coda, la videocamera e la macchina fotografica digitale, un computer sofisticato per registrare la sua musica. Solo in quel momento capí che la cosa piú ripugnante di quel foglietto azzurro non era la firma del correntista. Ma il nome del beneficiario: Aris Fioravanti. Fino a oggi, Aris Fioravanti era stato anche lui. Non era riuscito a liberarsene. Gli stava annidato dentro, e anche quell'altro era suo nemico. Ma io non sono quell'altro. Io sono io. Questi soldi non sono miei. Non sono mai stati miei. Io ci sputo sui vostri soldi. In quel momento, ebbe paura che Elio cambiasse idea, o si rendesse conto di quel che aveva fatto.

«Mi dài la gioia di pranzare con me in questa accogliente balera?» disse Elio, calcandosi gli occhiali sul naso. «No, papà, – rispose Zero, alzandosi, – ho un appuntamento». «Capisco, – commentò Elio, amaramente. – Chiunque è piú importante di tuo padre». Zero annuí, afferrò l'assegno e lo fece sparire nella felpa.

Tredicesima ora

«No, no, no, non voglio niente!» protestò Kevin, guardando disperato la porta del Paradiso dei Bambini – dove, come a chiudergli ogni via di scampo, s'era piazzata la commessa. Ma perché l'avevano imprigionato di nuovo? Qual era la sua colpa? Maja indirizzò un sorriso distratto alla padrona, servizievole dietro il bancone sul quale aveva sciorinato il meglio degli ultimi arrivi di Pitti bimbo: maglioncini marinari di cotone a righe orizzontali, calzoni di lino e giacche con le code. Poi individuò uno smoking da cerimonia – che abbinò, compiacendosi del suo buon gusto, a una piccola camicia bianca ricamata. Non poteva permettere a Kevin Buonocore di presentarsi a Palazzo Lancillotti in tuta da ginnastica – griffata, forse col marchio contraffatto, ma forse autentica, perché la gente senza troppi mezzi si svena per i figli, e gli compra tutto quello che chiedono, probabilmente per tacitare il senso di colpa di non potergli dare la vita che vorrebbe. Tuta in ogni caso scolorita e piuttosto sporca fra l'altro. Si vede che nessuno sta dietro a questo bambino. Succede quando entrambi i genitori lavorano. Però a Camilla non succede. C'è sempre qualcuno che si occupa di lei. Del resto la qualità del tempo che le dedico è quello che conta. Quando sarà grande capirà. Non saprebbe che farsene di una madre frustrata e infelice. Quando mi ha visto alla televisione vicino a Hillary Clinton è stata cosí orgogliosa di me. Se proprio doveva venire, Kevin Buonocore, che fosse almeno presentabile. Cioè come tutti gli altri. Era cosí buffo, per via del cerotto sull'occhio, poverino, chissà come deve sentirsi a disagio. Ha un'aria cosí spaesata. «Provali, Kevin, e dimmi se la misura è giusta». Non era sicura della taglia. Buonocore junior sembrava piuttosto paffuto. Troppe patatine. Troppi pomeriggi solo davanti alla tv. «No», disse Kevin, preoccupato, e poi la strattonò per il gomito, costringendola ad avvicinarsi. Appoggiò la bocca contro il suo orecchio e voleva bisbigliare: non ho soldi. Ma quando sfiorò con le labbra la perla ghiacciata della signora Fioravanti non ne ebbe il coraggio.

Fissò i calzoni neri dello smoking e la bellissima giacca e la camicia bianca coi ricami a rilievo e gli scarponcini lucidi che la padrona del negozio aveva tirato fuori dalla scatola – e li desiderò con tutto il cuore. Camilla sorrideva. Da quando aveva osato rivelare il segreto, non aveva smesso quell'aria saputella e trionfante. Piú trionfante lei di lui, francamente. A Kevin pareva di essere stato un po' catturato. E in realtà non gli era chiaro cosa comportava questa novità. Però non aveva chiesto spiegazioni, per non farle capire che gli capitava per la prima volta. Aveva deciso di fare tutto quello che decideva lei, cosí era sicuro di non sbagliare. La signora Fioravanti s'appoggiò stancamente al bancone. Forse si sentiva male. Era bianca come un formaggino. La padrona del Paradiso dei Bambini guardò platealmente l'orologio. Ma insomma, era l'una, doveva chiudere, anzi avrebbe già chiuso, se non fossero entrati loro – terribili le madri indecise, quante storie, che strazio, lo comprava o no questo benedetto smoking?

Maja prese per mano il riluttante Kevin e lo condusse verso lo stanzino delle prove. Si vide nello specchio. Di profilo, le parve che già si vedesse. Ma no, impossibile, non doveva essere piú grande di un mignolo. «Che c'è, non ti piace?» «Oh, sí, signora Fioravanti», assicurò il bambino, sottovoce. «E allora provalo, che aspetti?» «Ma non posso, – mormorò Kevin, desolato, – non abbiamo soldi, p-p-papà non paga gli alimenti». Camilla si chiese cosa fossero gli alimenti. Oggi con Kevin aveva imparato un mucchio di parole nuove: profilattico, ghiandola perineale, beretta e alimenti. Dagli altri compagni non imparava niente. La stuzzicava la curiosità tremenda di sapere cosa significavano quelle parole. Profilattico, in particolare, aveva un suono eccitante. Profi-latti-co, pro-fi-lattico. A che serve? Kevin dice che sua madre tiene i profilattici nella borsa.

«Ma tesoro, – rise Maja, intenerita, – che idea! non devi comprarlo tu, lo smoking è un regalo di Camilla». Lo spinse nello stanzino, e siccome Kevin indugiava, cominciò a slacciargli il giubbetto. E cosí il bravo Antonio Buonocore – sempre preciso, sempre puntuale – non pagava gli alimenti ai figli. Chi l'avrebbe mai detto. Squallido, vendicarsi sui bambini. Ma forse era una calunnia della madre per metterglieli contro. I figli dovrebbero restare fuori dalle guerre dei genitori. E invece ne sono ostaggio. «Chi ti ha raccontato degli alimenti, la mamma?» chiese, sdegnata. Kevin si lasciò sfilare la giacca della tuta. Non sapeva cosa gli stava capitando. Forse lo rivestivano perché era lo sposo della festeggiata? Però doveva impedire alla signora Fioravanti di spogliarlo. Aveva le mutande con l'elastico lento. E forse sul sedere si vedeva ancora la bruciatura della miccetta.

«No, ho s-s-sentito nonna che lo diceva a z-z-zio Fausto, – bisbigliò, cercando di respingere l'assalto della signora Fioravanti. – Nonna ce l'ha con mamma perché p-p-papà non caccia una lira la co-co-coscienza non gli prude e i figli costano e nonna consuma tutta la pensione. N-n-nonna ritira la pensione alla posta e non vuole mai dire il giorno per p-p-paura che mamma gli chiede un p-p-pre-stito». «Ma tua madre non ce l'ha un lavoro?» s'informò Maja, irritata al pensiero che Camilla, ascoltando questi discorsi, si convincesse che le donne dipendono economicamente dagli uomini e sono incapaci di cavarsela senza di loro. Lei avrebbe potuto cavarsela senza Elio. Con la sua professionalità, con la sua perfetta conoscenza delle lingue comunitarie, avrebbe potuto farsi trasferire al Parlamento Europeo di Strasburgo, alle Nazioni Unite. Non l'aveva fatto per tenere insieme la famiglia, e da anni lavorava solo quando atterravano a Roma i ministri dell'Unione Europea e le mogli dei presidenti. Ma ormai Camilla era grande abbastanza per sopportare qualche separazione. Doveva parlarne con Elio.

«Sí un lavoro ce l'ha, – si affrettò a spiegare Kevin, – p-p-
però nonna dice che è pagato peggio che scopare le scale con
tutti i soldi che ha s-s-speso per farla s-s-studiare è uno spreco,
nonna si ve-v-vergogna che la banca telefona a mamma per av-
visare che il conto è in rosso. Ma no-n-non è c-c-colpa di mamma, – aggiunse, concitato, temendo di averla messa in cattiva
luce, – lei la voglia di lavorare ce l'ha, ma se la g-g-gente non
te-te-lefona non guadagna». «Che genere di telefonate?» indagò
Maja, visualizzando all'istante la moglie di Buonocore mentre
sussurra nella cornetta parole zozze per eccitare qualche mania-
co sessuale. Era proprio il genere di lavoro adatto a una donna
come lei. Per un istante – capriccioso e insolente – la invidiò. I
discorsi ufficiali che le toccava interpretare erano cosí banali.
La loro vacua inutilità la deprimeva profondamente e a volte
temeva che l'avessero contagiata, togliendole ogni capacità di
parlare, di dire qualcosa che avesse un senso. «N-n-on lo so, –
rispose Kevin. – Mamma non p-p-parla mai di l-l-lavoro. Nonna
dice che ai t-t-te-tempi suoi certi lavori non esistevano e a lei
parlare al telefono f-f-fa ancora impressione come p-p-parlare
ai morti all'altro mondo». Maja appese al gancio il giubbetto
della tuta e fece per abbassargli i calzoni. Come sono impacciati
e fragili, i maschietti. La ginecologa dice che anche il mio sarà
un. Oddio, non ci voglio pensare oggi.

Si ritrasse bruscamente. «Finisci di spogliarti da solo, provali e poi fatti vedere», disse sbrigativa al bambino paralizzato
dalla vergogna per aver raccontato alla elegante signora Fioravanti la faccenda della pensione, di nonna Olimpia e di mamma
che risponde al telefono. Forse era meglio se le diceva che certi pomeriggi mamma faceva compagnia ai vecchi. Gli leggeva i
romanzi e gli chiedeva di raccontare di quando erano giovani.
I vecchi di mamma erano distinti. Uno era prete, e l'ultimo un
generale anche se in pensione, col sangue blu che i suoi antenati
portavano le pantofole al papa. Era meglio quest'altro lavoro,
ma ormai lo sbaglio l'aveva fatto.

Maja tirò la tenda dello stanzino. Finse di interessarsi agli
altri capi di vestiario abbandonati sugli scaffali, maneggiò

un abitino di tulle a fiori. Poi lo ripose, ma non si voltò, per sfuggire lo sguardo della padrona della boutique, la quale non aveva perso una parola e desiderava avidamente capire di chi stessero parlando. Qualcuna che conosceva? Con una doppia vita? Che cosa eccitante. A un tratto la storia degli alimenti, delle telefonate e dei problemi economici della moglie di Buonocore la disgustò. Camilla non doveva frequentare Kevin. Camilla non doveva sapere queste cose, e infatti non le sapeva – bambina serena, amata, felice. Chissà quante altre cose tristi le ha raccontato questo bambino. Camilla sarà impressionata. Penserà che la famiglia è un inferno di bugie, e la vita un volgare ricatto. Maja contemplò malinconicamente il marciapiede, invitante al di là della vetrina. Voleva correre subito a casa. Perché stava qui, in un pretenzioso negozio di moda per bambini, a perdere tempo col figlio strabico di Antonio Buonocore? Il bambino era dentro quello stanzino da almeno cinque minuti. «Ma che succede? – quasi gridò. – Perché non ti sbrighi?» Poi, piú dolcemente, perché bisogna essere comprensivi coi bambini brutti poveri e abbandonati dal padre, «sei pronto Kevin?»

«Le s-s-scarpe no», disse Kevin. Fu ostinato. Non ci fu verso di convincerlo a provarle. Disse solo che portava il 33 e che sicuramente gli andavano bene. Maja insisté che le scarpe non si comprano senza provarle, ma niente, e alla fine disse alla proprietaria che prendeva tutto – il piccolo smoking, il papillon, la camicia bianca ricamata e pure le scarpe. «Li tiene addosso?» chiese la padrona, scrutando perplessa le etichette che penzolavano dal completo nuovo di Kevin. «Sí», rispose Maja, fissando i numeri verdi che lampeggiavano nella cassa. La somma le parve spaventosa. Questo negozio era vergognosamente caro. Non è possibile spendere tanto per un vestito che un bambino metterà tre volte sí e no. Non ci vengo piú da questa ladra profittatrice dell'istinto materno. Che giorno è? Quanto le resta sulla carta di credito? Ieri aveva pagato novecentomila lire da Prada per il vestito – non poteva certo dare una festa e presentarsi con un vestito già visto. Il libretto degli assegni è finito per l'affitto di Palazzo Lancillotti – allucinante – i clown e il catering dell'agenzia e gli animatori. E il pasticciere. Che guaio, essere oltre il tetto dell'American il quattro di maggio, con tutto il mese davanti. Elio si sarebbe infuriato. Ma no, a Elio non importava niente. Elio di questi tempi pensava a una cosa sola. Lei non aveva capito perché a un tratto né lo studio né gli studi sul diritto né i clienti gli bastassero piú. Ora doveva lasciarlo in pace. Ma il quattordici maggio gli avrebbe parlato. Dopo la rielezione di Elio, lei doveva assolutamente riprendere in mano la sua vita. Trent'anni: nemmeno metà, se le aspettative statistiche di vita di un'italiana nata negli anni Settanta saranno rispettate. I prossimi trenta sarebbero stati i migliori. Non avrebbe commesso gli stessi sbagli, né accettato gli stessi compromessi. I prossimi trent'anni li avrebbe assaporati attimo per attimo. Avrebbe cercato di realizzare tutto ciò che aveva sempre rimandato. È tempo. È tempo.

Disse alla proprietaria di mettere tutto sul suo conto perché aveva dimenticato la carta di credito e sarebbe tornata domani. La proprietaria degluti – livida, ma non osò protestare. La Fioravanti aveva speso settecentomila lire e dopotutto prima o poi avrebbe pagato. Squallide le furbizie dei milionari. Che tempi. Kevin si pavoneggiava, rimirandosi nella vetrina. Pareva chiedersi se quel pinguino nero era proprio lui. «Sembri il Piccolo Principe», disse Maja, colpita positivamente dalla metamorfosi. «Oh, sí», approvò Camilla. Kevin sorrise. Avrebbe voluto che mamma lo vedesse trasformato da ranocchio in Piccolo Principe, ma mamma non era qui. E alla festa non sarebbe venuta. Tutta la sua eleganza gli sembrò inutile. Maja prese i bambini per mano. Kevin dondolava la busta del Paradiso dei Bambini nella quale aveva infilato alla rinfusa la giacca a vento e la tuta vecchia e anche le mutande, perché quelle brutte mutande non dovevano contaminare il completo nuovo.

Camminavano verso casa, in fretta perché la signora Fioravanti pareva inseguita dal vento. Camilla canterellava tra sé la parola strana – profilattico, profilattico – e alla fine cedette alla tentazione di scoprirne il significato, ricevendo per tutta risposta un'occhiata sgomenta di mamma e un commento risentito: «Non sono cose per te». Kevin rilassato perché aveva vinto lui: non si era tolto le scarpe. Non aveva mostrato alle spocchiose principesse Fioravanti il buco largo come l'alluce che devastava i suoi calzini, e che mamma non aveva ricucito perché si dimenticava sempre di occuparsi di queste cose. Poi gli venne in mente che stasera dopo la festa avrebbe dovuto restituire lo smoking e mamma non lo avrebbe visto bello come il Piccolo Principe e all'improvviso si avvilí ed era come se gli avessero conficcato un chiodo in gola.

Imboccarono una via solitaria, dove pareva non abitasse nessuno. Sul marmo bianco del cartello infilzato nel palo segnaletico si leggeva: via Mangili. C'era un gran silenzio, e solo cornacchie sfacciate si chiamavano da un ramo all'altro. I pollini vagavano in nuvole pelose come zucchero filato. Non sembrava neanche di stare a Roma. Ai lati della strada, dietro cancelli chiusi e cedri presuntuosi, si rizzavano ville antiche, a due o tre piani, circondate da giardini profumati. Le ville non erano grigie e scrostate come tutte le altre case di Roma. Erano brune, celesti, o gialle. La signora Fioravanti si fermò davanti alla piú imponente. L'intonaco era rosa pallido. Doveva essere bello abitare qui. Quando il cancello automatico si aprí, Kevin vide due donne nude di pietra che s'inarcavano ammiccando e con le mani sorreggevano senza sforzo apparente un balconcino. La signora Fioravanti frugò nella borsetta in cerca delle chiavi. Estrasse un mazzo voluminoso che doveva pesare almeno un chilo, meditò in cerca della chiave giusta, che infilò poi nella serratura della porta blindata, dimenticandosi di staccare l'antifurto che iniziò a strillare con gran fragore. Nell'atrio c'era un baule di legno intarsiato e un vaso cinese bianco e blu e un sacco di pelle irto di mazze da golf. L'atrio era piú grande dell'appartamento di nonna Olimpia. Nel piccolo ascensore rivestito di specchi Kevin sentí acuta l'assenza di mamma e dovette darsi un pizzico per non piangere.

«A c-ch-che ora?» mormorò alla signora Fioravanti che si sbirciava nello specchio e si leccava le labbra e si pettinava la frangetta. «Cosa?» rispose Maja, distratta, chiedendosi con ansietà se il nuovo azzardato taglio di Michael la faceva davvero sembrare piú giovane. Un minaccioso ragazzo puzzolente coi capelli viola e l'anello al naso corse loro incontro quando la porta dell'ascensore si aprí e la signora Fioravanti, invece di strillare spaventata dalla tremenda apparizione, si precipitò fra le sue braccia. E lí rimase, mezza svenuta – e non rispose quando Kevin le chiese, compunto: «A che ora devo restituire lo smoking?»

All'attenzione dell'on. avv. Elio Fioravanti

4 maggio

Egregio avvocato,

scusate la calligrafia ma mi appoggio sulle ginocchia. Non vi stupite che vi scrivo, io non faccio amicizia facilmente. Io difatti mi fido di voi e so che farete in modo di rispettare la mia volontà.

Dopo la morte mia e di mia moglie, vi chiedo di prendere la tutela sui nostri figli Valentina e Kevin, fino alla maggiore età di Valentina. Voi siete persona importante e avete tanti appoggi, cosí che avranno la vita piú facile. Opponetevi assolutamente a che vengono affidati alla madre di mia moglie, che è donna volgarissima, impicciona e ignorante.

Vi prego di interessarvi perché i bambini ottengono la pensione mia di agente scelto (ho lavorato in PS per ventun anni e ho preso la menzione, mettete una buona parola per me anche se manco qualche anno a maturare la pensione, voi siete inserito e io non posso aspettare).

I miei beni sono:

– appartamento di via Carlo Alberto 17, di mia proprietà, anche se non ho finito di pagare il mutuo (mancano circa cento milioni, mettetevi una mano sulla coscienza, per voi sono bruscolini).

– Fiat Tipo del '92 (150 000 chilometri percorsi circa, la carrozzeria è abbozzata sullo sportello davanti, ma il motore è buono).

– *n. 5 pistole di fabbricazione italiana e straniera (1 Springfield Armory 1911-A1 mod. Mil Spec cal. 45Acp; 1 Taurus mod. PT 92 calibro 9x21; 1 Bernardelli mod. H & H tartarugato liscio; 1 Sig Sauer semiautomatica P230 Inox Sl calibro 9 corto; 1 Mauser Luger da tiro con canna pesante cal. 22 lr;) n. 1 revolver Smith & Wesson Mod. 19 cal. 357 magnum con canna da 4 pollici e finiture brunite del 1956.*

– *n. 3 fucili, di cui 1 Izhmash semiautomatico mod. Tigr calibro 7.62 x 54 R con mirino su rampa regolabile in deriva; 1 Remington 11-87 mod. 1100 calibro 12/89 semiautomatico a canna liscia; 1 AK 47 Kalashnikov con calcio pieghevole – che però detengo illegalmente.*

Le armi le ho tenute sempre con tanta cura e sono in ottime condizioni, qualunque armatore può confermarvelo. Vendetele per pagare l'acquisto della mia tomba, che voglio essere sepolto al cimitero di Santa Caterina, e fateci mettere anche mia moglie Emma. Sulla lapide voglio scritto cosí:

«Solcheremo i mari come con l'aratro | fin nel gelo del Lete ricordando | che la terra ci è costata sette cieli». Sono versi di un poeta russo, non mi ricordo quale.

Lascio la Tipo ai miei genitori che gli voglio sempre bene e li ringrazio di tutto e spero mi perdonano. Gli raccomando di far dire messa per me per dieci anni tutti i 4 di maggio.

Ci tengo a precisare che sono sano di mente e avervi accompagnato in quella chiesa stamattina mi ha illuminato. Ho dentro di me la pace dei giusti.

Io nella mia vita volevo fare due cose. Proteggere gli altri e mantenere l'ordine.

Io il mio dovere l'ho fatto bene. Ho servito lo Stato con tanta passione ma lo Stato non ha servito me.

Io non voglio il divorzio. E però questo non importa a nessuno. Allora la legge la devo fare io. Io non lo posso accettare in quanto che la famiglia è lo scopo piú nobile della vita di un uomo che altrimenti pesa sulla terra come un sasso senza lasciare frutto e di-

scendenza, e siete voi che lo avete detto una volta che ci parlammo, forse ve lo ricordate.

Abbiamo fallito, allora il mio dovere è cancellare ogni traccia di me e di mia moglie da questa terra perché siamo un grandissimo sbaglio e tutti e due ci abbiamo colpa. Ma soprattutto lei, che è una donna egoista e ingrata e io che ci ho vissuto per dodici anni piú quelli quando eravamo fidanzati lo so. Io però la perdono di tutto, e la affido all'amore di Dio.

Tutto quello che diranno di me non ci credete, perché l'ho sempre fatto per il suo bene e per quello dei nostri figli. Neanche quello che diranno di Emma non ci credete, e ricordatevi di noi come prima di oggi, quando siamo stati felici.

Vi ringrazio per il disturbo che vi prendete in nome mio, ma me lo merito dopo gli anni che vi ho seguito sempre, e comunque è stato un buon lavoro per me proteggervi anche se penso che nessuno vi vuole ammazzare veramente, perché quando uno vuole ammazzare veramente qualcuno lo fa, e non c'è niente e nessuno che può impedirlo.

Vi faccio tanti auguri per le elezioni, spero che tornate in Parlamento e fate abrogare le circolari sulla restrizione al possesso d'armi da fuoco che sono molto retrograde in Italia.

> *Cordialmente vostro*
> *Buonocore Antonio*
> *agente scelto*

Antonio scrisse la lettera seduto nell'auto blu, mentre l'avvocato onorevole Fioravanti tentava di conquistare i commercianti del Casilino, nella sede dell'associazione. Comprò il francobollo (posta prioritaria, 1200 lire) e la busta (150 lire) al tabaccaio della Borgata Finocchio, mentre Elio telefonava al Presidente e protestava con la segretaria che aveva ragioni molto serie e urgenti per parlargli subito. A Romeo che gli chiese che diavolo scriveva – non l'aveva mai visto con una penna in mano

– spiegò che si trattava di una questione di proprietà. Quando muore qualcuno, se le cose non sono chiare, succedono sempre dei casini e alla fine chi ci rimette sono gli onesti, e i bambini. L'altro gli chiese, distrattamente, chi fosse morto. «Due che conoscevo bene», rispose Antonio, senza dare alla frase troppa importanza, al che Romeo tornò a mettere delle croci sulle schede del superenalotto e gli chiese se voleva comprare una quota del sistema. Antonio rispose di sí.

Poi rilesse la lettera e la corresse mentre aspettava l'onorevole sotto la sede del circolo Genitori e Famiglie del Pigneto. In realtà, Fioravanti gli aveva già detto che poteva staccare, ma Antonio voleva fare il suo dovere fino in fondo, e assicurarsi di lasciarlo in buone mani. Inoltre voleva lasciargli una buona impressione, perché altrimenti magari non avrebbe accettato la tutela dei bambini, e anche i bambini lui voleva lasciarli in buone mani. Tutto doveva essere in ordine – anche quando non ci sarebbe piú stato lui ad assicurarlo.

Alla seconda lettura gli sembrò di trovare la grammatica zoppicante e qualche punto oscuro, gli pareva di non aver spiegato bene le ragioni del suo gesto, ma pensò che comunque nessuno le avrebbe capite veramente e in ogni caso non avrebbe saputo far di meglio, perché a scrivere non era mai stato buono, a differenza di Emma che lo inondava di lettere d'amore e gli copiava i versi dei poeti russi, francesi e tedeschi ai tempi in cui si amavano come nessuno si è amato mai, mentre lui per dimostrarle quanto era importante non sapeva trovare le parole, ma parlava coi fatti. E anche adesso. Per cui infilò il foglio nella busta e la incollò con la saliva.

Sulla cassetta della posta di Torre Gaia era appiccicato un adesivo bianco e blu. Diceva che la posta viene rilevata alle 11 e alle 17. La posta prioritaria viene consegnata in ventiquattro ore. L'avvocato Fioravanti avrebbe ricevuto la lettera domani pomeriggio, al piú tardi lunedí mattina. Antonio si fidava delle poste italiane e dell'onorevole. Era tranquillo. Tutto sarebbe andato come previsto. Fioravanti avrebbe accettato la tutela di Valentina e Kevin. E lui avrebbe dormito accanto a Emma per l'eternità. E se c'è qualcosa, dall'altra parte, se c'è una vita nuova, non l'avrebbe sprecata.

Ma mentre infilava la busta nella fessura, lo folgorò come una visione l'immagine di Emma. Il ricordo di ogni cosa. E il residuo infimo di una speranza. Stamattina, al telefono, la voce di Emma aveva tremato. E se lei, senza neanche saperlo, se lei lo voleva ancora? Se per un miracolo, per un pentimento, chi lo sa – se tutto si chiariva, se tornavano insieme, cosa avrebbe detto all'onorevole Fioravanti? Poteva sempre aspettare il ritiro delle 17. Cosí, invece che nella cassetta della posta di Torre Gaia, imbucò la lettera nella sua tasca. Era l'una e quaranta.

Pomeriggio

Solcheremo i mari come con l'aratro
fin nel gelo del Lete ricordando
che la terra ci è costata sette cieli.

OSIP MANDEL´ŠTAM, 1918.

Quattordicesima ora

Alle due, il traffico ingorgava le vene di Roma come una trombosi. Le strade erano simili a fiumi nei quali tutto si fosse arenato. Dentro le macchine, sballottate da sussulti improvvisi, migliaia di persone erano in movimento senza andare però da nessuna parte. E Aris e Maja – sigillati nella Smart di lei, un barattolo blu e argento profumato di arbre magique alla vaniglia – erano un globulo rosso fra milioni di altri in quella circolazione ostruita, fermi e avanti tra un semaforo e un incrocio, da viale Tiziano al lungotevere, da una riva all'altra del fiume. «Perché vediamo questa casa all'Aventino?» le chiese Aris. «Per una mia amica», rispose Maja, e per cambiare argomento s'informò sulle attività di un centro sociale. Aris non gliene aveva mai parlato.

«Per esempio abbiamo aperto un ambulatorio medico per gli stranieri che non hanno accesso alla sanità pubblica». «Che cosa nobile», commentò Maja. «Facciamo anche i corsi serali di italiano per gli immigrati». «Bello anche questo. Però, a mio modesto avviso, dovreste distinguere i regolari dai clandestini». «Siamo tutti clandestini», disse Aris. Maja scosse la testa. Lo mise in guardia da una illusione tipicamente giovanile. Una specie di populismo socialmente impegnato e politicamente corretto dal quale Aris era senz'altro affetto. I diseredati, i semplici, i cosiddetti oppressi, non sono migliori dei cosiddetti ricchi. L'idea che gli oppressi sono buoni e gli altri cattivi è un'ipocrisia totale – una menzogna. Lei era certa di un fatto. Gli esseri umani nel loro complesso sono tutti ugualmente ripugnanti opportunisti e potenzialmente criminali. Il genere è condannato, è sempre il singolo individuo che può salvarsi. Aris evitò di addentrarsi in una sterile polemica sociale con lei e glissò. Una frenata li fece sussultare, e Aris urtò una busta bianca incastrata nella tasca dello sportello, fra il libretto di circolazione e il disco orario. La busta – che portava l'intestazione di una clinica privata – era indirizzata a Maja.

«Facciamo anche cose più frivole. Tipo concerti, feste». «E ballate? Oddio, da quanto tempo non vado a ballare... tu non ci crederai, ma io *adoro* ballare». Sottolineò la parola *adoro* con un'enfasi che Aris trovò eccessiva. Maja si ricordò all'improvviso del Camden Palace – una discoteca molto alternativa installata in un teatro fatiscente nella periferia operaia di Londra, che aveva frequentato assiduamente. «Che musica va adesso?» «Hip hop. Techno. Ragga. House», disse Aris. Lei era rimasta alla dark wave. Alla fine degli anni Ottanta ci si vestiva tutti di pizzi e merletti, con pesanti croci d'argento al collo e i capelli a scopa come Brian Ferry. Lei aveva percorso trecento chilometri in pullman per andare a un concerto dei Dead Can Dance. Facevano dei pezzi lugubri, terribilmente romantici. Chissà che fine avevano fatto. «Proiettiamo anche film, – disse Aris, preoccupato dal silenzio svagato di Maja. – Abbiamo organizzato una rassegna sui vampiri. Domani c'è *Dracula di Bram Stoker*, cioè di Coppola». «I vampiri? Vi siete buttati sul cinema commerciale?» disse Maja, sorpresa. Aris praticava il boicottaggio del cinema americano. Diceva che l'audiovisivo è la seconda industria degli Stati Uniti dopo quella delle armi, e siccome l'economia è l'unico indicatore di verità nella società contemporanea, ciò rivela che anche l'audiovisivo è un'arma potentissima – come la bomba atomica. Perché il cinema d'evasione è il lavaggio del cervello dei popoli dell'Impero occidentale. Gli Stati Uniti praticano il dumping dei loro film, impedendo alle altre cinematografie di svilupparsi e di diffondere modi di vita alternativi. Chiaro, no? La portava sempre a vedere film uzbeki, palestinesi e messicani – che lei francamente trovava funerei, ellittici, incomprensibili. «Ti devo prestare un libro di Caleb Cohen. Insegna psicologia delle masse a Berkeley. Ha scritto questo saggio sul disturbante. In pratica sostiene che i vampiri sono marchiati dalla diversità – vittime del pregiudizio e odiati perché temuti, costretti ad aggirarsi fra uomini che non riconoscono della propria specie, senza speranza di felicità. La loro forza risiede nel fatto che la gente non crede alla loro esistenza. Questo fa di loro dei rivoluzionari potenziali. Il principale sceneggiatore dei film di vampiri degli anni Trenta era comunista».

Maja non aveva mai pensato ai vampiri sotto questa luce politica. «Il *Dracula* di Coppola non l'ho visto, – disse sbadatamente, – è uscito l'anno che aspettavo Camilla. Ho passato sei mesi a letto per un rischio di aborto, ma tu non puoi saperlo, non mi conoscevi ancora». Ad Aris sembrava impossibile che fosse esistito un tempo nel quale il nome di Maja non corrispondeva al suo viso, ai suoi occhi scuri, alla sua frangetta, al suo sorriso. «È la piú bella storia d'amore del cinema degli ultimi dieci anni, – disse, – cioè, quella del conte rinnegato e della dolce e raffinata Mina». «Be', allora dovrei vederla. No, domani non ho tempo. Oh, be', non è questione di tempo. Che penserebbero i tuoi amici? Che frequenti una borghese, capitalista, e pure vecchia».

«Borghese e capitalista d'accordo, ma vecchia! – esclamò Aris, lanciandole un'occhiata tenera e malaccorta. – Se hai solo trent'anni!» Lo disse come se allo scoccare dei trentuno – purtroppo ormai imminenti – lei fosse spacciata. Cadde il silenzio. Sul lungotevere la colonna di auto intrappolate nel traffico sprofondò nel tunnel sotto i palazzi neri di smog. Aris si chiese dove andava tutta questa gente. Lavora, mangia e dorme, e solo quando è troppo tardi si accorge di non avere vissuto. Finestrini chiusi e facce impenetrabili al volante. Sono tutti morti, e non lo sanno ancora. Taceva, preoccupato dall'odore non piacevole di ascelle che sentiva affiorare dai suoi indumenti e che si diffondeva nell'atmosfera chiusa della macchina. Avrebbe voluto annusarsi – ma temeva di muoversi, e muovendosi diffondere quel cattivo odore. Si maledisse per non essersi lavato, stamattina. Ma si era svegliato tardi, e non voleva perdere l'esame. Che scrupolo borghese. Aprí il finestrino. Dalle finestre di Regina Coeli provenne un fuggevole odore di dado e conserva di pomodoro. I detenuti tenevano aperte le finestre, per catturare il profumo della primavera. Incrociò lo sguardo di Maja. Forse non stava pensando male di lui, dopotutto. Era, il suo, uno sguardo liquido, allusivo, da cerbiatta.

Con una lancinante nitidezza, Aris la rivide il giorno del suo matrimonio. La sposa di corallo sulla piazza del Campidoglio. E rivide suo padre – di grigio vestito, raggiante, con Camilla agghindata da damigella che sbavava sulla sua giacca e gli lavava gli occhiali con la lingua. Elio distribuiva baci agli amici, ai soci e ai clienti dello studio e anche a Ornella, già prima signora Fioravanti – la quale, benché la cosa fosse stata da tutti ritenuta di cattivo gusto, aveva voluto come testimone alle sue seconde nozze. E rivide se stesso – scheletrico diciassettenne in jeans e maglietta nera riproducente la verde foglia della marijuana, coi capelli già lunghi sulle spalle, che si teneva in disparte, appoggiato al basamento della statua del Marco Aurelio, e stringeva nel pugno la manciata di chicchi di riso che non aveva lanciato agli sposi. E quando Maja lo aveva chiamato, lui si era avvicinato e polemicamente aveva lasciato cadere il riso fra i lembi della sua giacchetta e li aveva visti sparire nell'incavo fra i seni. Elio lo aveva incenerito con un'occhiata e stringendo a una il braccio sinistro e all'altra il destro, si era messo in posa con le due signore Fioravanti. La prima, la madre di Aris, quarantasei anni, capelli tinti di biondo cammello e mascella volitiva – sua compagna d'università, avvocato anche lei, sua socia, sua sorella, ormai. La seconda minuta ed esile come Audrey Hepburn, i capelli castani tagliati corti, la frangetta e gli occhi da cerbiatta – giovane come Elio avrebbe voluto tornare a essere. Aris – il figlio malriuscito di cui suo padre si rimproverava nascita, educazione, gusti, tutto – per quasi due anni si era rifiutato di conoscerla. Dopo che un giorno, di punto in bianco, senza alcun preavviso che potesse far presagire la catastrofe, Elio aveva preparato la valigia e si era trasferito in un residence al quartiere

Trieste. Alquanto sommariamente, aveva spiegato a Ornella e a lui di avere una fidanzata. Non gli era mai capitato niente di simile, né mai si sarebbe immaginato che gli capitasse un giorno. Però era successo, e non si trattava di una sbandata senile, ma di un'occasione per rimettere in discussione la sua vita. Di rinascere, insomma. Voleva il divorzio, per sposarla.

La misteriosa fidanzata del padre Aris l'aveva incontrata solo un anno dopo, in clinica. Aveva trascorso mezz'ora ipnotizzato dietro il vetro della nursery a contemplare fagottini con teste simili ad arance allineati in file di cestini da supermercato. Gli sembravano tutti identici e invece uno di quei fagottini – dal cranio lanuginoso e stranamente oblungo – era una neonata e, per quanto gli paresse assurdo, quella neonata era sua sorella. Elio era spettinato, eccitato e giulivo. E però piangeva sconsideratamente. «Non è stupenda? – ripeteva, – non è stupenda?» Ci tenne a spiegargli che non si trattava di un preservativo bucato, né di un'astuzia della giovane compagna. La bambina non era la causa della sua separazione da Ornella. Lui e Maja stavano già insieme da tempo, l'avevano voluta, questa piccola. E me? avrebbe voluto urlare Aris. Anche me hai voluto? Il padre gliela aveva ficcata in braccio. Camilla sapeva di borotalco e di latte. Era la cosa piú fragile e indifesa che avesse mai visto. E tenendola goffamente in braccio, terrorizzato di lasciarsela sfuggire, si era affacciato infine nella stanza di "quella tizia": cosí chiamava Maja allora.

C'erano mucchi di rose, mughetti e orchidee appoggiati ovunque, sul tavolino e contro le pareti. C'era odore di fiori e di medicina. C'era la madre di lei, una damazza in tailleur col naso martellato dal chirurgo plastico e la pelle innaturalmente tesa sugli zigomi. Mordace, ripeteva a ogni nuovo entrato che mai avrebbe permesso alla piccina di chiamarla nonna, in quanto era una sorpresa un po' amara ritrovarsi già nonna a quarantacinque anni (ne aveva quasi sessanta). C'era il padre, una scopa coi capelli di un nero sospetto, fasciato in un completo color avorio estremamente costoso: un console di una stupidità sconvolgente, in permesso dalla Malaysia. C'era un nugolo sovreccitato di

amiche, giovani donne carine e ben vestite, cinguettanti, che
cercavano di tranquillizzare la puerpera sul fatto che tempo tre
mesi sarebbe tornata magra come prima. E poi aveva intravi-
sto lei – sul letto, appoggiata ai cuscini. Il viso sbattuto sotto
la frangia di capelli neri, una flebo infilzata nel braccio. Parto
cesareo – senza un minimo di discrezione la damazza ripeteva
ad alta voce che la figlia aveva affrontato coraggiosamente una
gravidanza difficile, diffondendosi in sgradevoli particolari su
fibromi uterini e contrazioni abortive. Era ancora stordita dall'a-
nestesia. Vieni, entra, Aris, gli aveva detto, con un sorriso. E
anche se non l'aveva mai vista prima, lui aveva avuto l'impressione che Maja lo stesse aspettando.

   «Sai una cosa? – gli stava dicendo, assorta. – Avevo l'età
che hai tu adesso quando ho incontrato Elio. E la pensavo come te su tante cose. Tu non puoi immaginarmi allora, ma ero
appena tornata da Cambridge. Con una laurea in filosofia – il
misticismo femminile, Hildegard von Bingen, pensa un po'.
Mi interessavano solo i misteri dello spirito, dei sogni e della
morte. Ero gotica. Mi vestivo sempre di nero. Come Morticia.
Avevo pure le unghie dipinte di nero. Pensa che ci siamo incontrati alla presentazione di una guida sui cimiteri. Elio era
amico dell'editore. A un certo punto, non mi ricordo come fu,
attaccò discorso. Io pensai, ma che vuole questo marpione? Fece qualche battuta. Non le trovai divertenti. Scommise che non
ero una ragazza triste come sembravo, e che mi avrebbe fatto
ridere. Io gli dissi che accettavo la scommessa. Non credevo che
ci sarebbe mai riuscito. Mi invitò a cena. Io vidi che portava la
fede e gli risposi che a cena poteva portarci la moglie. Lui disse
che l'aveva già fatto. Non so perché ci andai. Era brutto. Però
quei capelli a cespuglio facevano pensare a un artista. Speravo
fosse un direttore d'orchestra. Mi portò al Fungo dell'Eur – il
ristorante panoramico all'ultimo piano di quella specie di grat-
tacielo. In fondo è ancora l'unico che c'è a Roma. Il ristorante
aveva riaperto da poco. Si vedeva tutta Roma, da là sopra – a
trecentosessanta gradi. Le strade, le case, i monumenti, le chiese. C'era Roma dappertutto. Ed era infinita. Ci sono rimasta a

bocca aperta, sembrava che noi due avessimo la città ai nostri piedi. I miei ci avevano festeggiato le nozze d'argento. Io avevo un obiettivo: essere diversa da loro. Non frequentavo posti del genere. E la gente che ci andava mi faceva orrore».

«Perché mi dici queste cose?» le chiese Aris, turbato. Fissava il semaforo rosso – l'ombra violacea delle nuvole che accarezzavano i ruderi dei palazzi imperiali sul Palatino. Chissà, forse perché sperava che vedesse in lei la ragazza che era stata, e che forse esisteva ancora, da qualche parte. In quel momento, se l'avesse baciata, non lo avrebbe respinto. A volte, quando gli stava accanto, veniva attraversata da questo pensiero completamente scorretto – riusciva perfino a visualizzare la scena, a sentire la puntura della biglia di metallo di Aris sulla lingua. Quella fantasia poi svaniva, in fretta, come qualcosa di vergognoso. Stavolta indugiò piú a lungo, lasciandole sulle labbra uno strano bruciore. Ma Aris neanche stavolta aveva capito. Aveva continuato a fissare l'ombra delle nuvole, ignorandola. E poi erano rimasti in silenzio, come non sapessero piú cosa dirsi. E adesso erano arrivati, e questo era proprio l'Aventino.

«Vuoi che ti accompagno dentro o ti aspetto in macchina?» le chiese Aris, spegnendo il motore. «Vieni», gli disse Maja. La palazzina, degli anni Quaranta, era un cubo grigio, circondato da un giardino di glicini e mandarini – le finestre barbagliavano ogni volta che il sole squarciava le nuvole. Sulle serrande abbassate dell'appartamento al pianterreno era appeso un cartello verde con la scritta VENDESI. A pochi metri, dall'altra parte della strada, c'era il portone sempre chiuso della misteriosa Villa del Priorato di Malta. Appoggiando l'occhio al minuscolo foro aperto sopra la serratura, s'inquadrava la cupola di San Pietro. Non ricordava perché, ma quel posto era definito l'ombelico di Roma. Mentre maneggiava il bloster, Aris urtò di nuovo la busta bianca. Maja era scesa. Andava incontro a un tizio in giacca e cravatta, dallo stomaco carenato e bisognoso di un trapianto di capelli, che la aspettava, sul marciapiede, con una cartella in mano. Aris non riuscí a impedirsi di spiare l'intestazione della busta. REPARTO DI GINECOLOGIA.

«La signora Riva?» disse l'agente immobiliare, consultando i nominativi dell'elenco.

GINECOLOGIA. Aris deglutí. Anatomia impervia. Studiata sulle enciclopedie. Sbirciata nelle immagini deterrenti che il medico del consultorio aveva disegnato sulla lavagna dell'aula magna del Tasso durante l'occupazione, per il corso di educazione sessuale, escogitato dai ragazzi in quanto la geografia del corpo umano era assai piú utile di quella terrestre, o delle lezioni di fisica e di greco. La sua competenza geografica non era progredita molto da quelle lezioni, essendo derivata da qualche rapido strusciamento e da qualche storia nella quale il suo coinvolgimento emotivo rasentava lo zero. Una trotzkista svizzera che aveva conosciuto durante le manifestazioni di Seattle contro il WTO aveva tentato di dimostrargli che la penetrazione resta un evento liberatorio e l'atto sessuale l'ultimo baluardo della libertà individuale in un mondo massificato. Ma problemi di lubrificazione, di erezione, di orgasmo, di sincronia, imbarazzi idraulici, odori belluini, uggiolii, non lo avevano convinto che fosse preferibile alla masturbazione. GINECOLOGIA. Lo fulminò un pensiero agghiacciante. Forse Maja ha una malattia, e ha avuto la forza d'animo di non parlarne a papà per non inquietarlo durante la campagna elettorale. GINECOLOGIA. Malattie veneree? Cisti? Cancro? Aids? Villa Stuart. Aris cominciò a preoccuparsi. Dopotutto Villa Stuart era la clinica dei Fioravanti. Dove il nonno si era operato alla prostata e papà si era fatto la biopsia quando temeva di avere un cancro allo stomaco. Avrebbe voluto chiederle spiegazioni – ma Maja stava già entrando nel condominio, tallonando l'agente immobiliare. Del resto avrebbe frainteso. E Aris non permetteva a uno solo dei suoi gesti o parole di alludere a sentimenti o intenzioni che Maja avrebbe dovuto respingere, e che avrebbero avuto come conseguenza la loro inevitabile separazione. Benché forse sarebbe stato meglio, era ridicolo continuare cosí.

«Il ragazzo è con lei?» chiese, interdetto, l'agente immobiliare, quando Aris comparve nell'atrio. Improbabili, insieme. Lei appena restaurata dal mago Michael, coll'abitino di Prada comprato per la festa di Camilla a Palazzo Lancillotti, perché non avrebbe avuto il tempo di tornare a casa e cambiarsi – lui con la stessa felpa che indossava da quasi un mese, i calzoni macchiati di vernice spray e l'anello al naso. «Sí, – rispose Maja, con un sorriso impertinente. – Il suo parere è vincolante per me». Non sembrava malata. Radiosa, anzi, meno evanescente, piú in carne, con un nuovo taglio di capelli e un'espressione insolita, quasi infantile. «È difficile comprare all'Aventino», diceva untuoso l'agente immobiliare. «Chi ha casa qui se la tiene. Lei conosce il quartiere?» «Ci sono nata», rispose Maja, con una lieve punta di alterigia. L'ombelico di Roma. Poi me ne sono andata in Inghilterra, e poi è venuto Elio, e qualunque cosa cercassi, non l'ho trovata. Non torno all'Aventino da allora. La ragazza che è cresciuta qui non esiste piú.

Aris fissò gravemente il profilo di Maja. Oh, non può essere una malattia grave. Non deve soffrire, non potrei sopportarlo. Io posso ammalarmi. A che servo? Il mondo non si accorgerebbe della mia assenza. Sarei pianto – oh, sí, che tragedia morire a ventitre anni. Tutti penserebbero a quante cose avrei potuto fare. Mamma e papà rimpiangerebbero per sempre il giudice che non diventerò, Meri e Poldo il comandante che non sono. Maja l'avvocato dei poveri che non sarò. E cosí non dovrebbero accorgersi che non sarò niente di tutto questo, e non resterebbero delusi. Ma chi potrebbe sostituire Maja? Le altre donne sono piú profonde, piú intelligenti, piú necessarie – ma non esistono per me. Maja seguí l'agente immobiliare nella penombra dell'appartamento. Il vuoto faceva risuonare i loro passi. Forse dovrei dirglielo prima – se è malata gravemente, dopo penserebbe che ho pietà di lei. Non ho pietà di lei, la amo. Anche se ha sposato mio padre – la amo cosí com'è. Perché ha trent'anni, e ha avuto il tempo di capire cosa non conta. Per come cammina, nervosa, in fretta, come se stesse perdendo un treno. Per la cura con cui maneggia le cose, perché sa che possono rompersi. Perché è presente anche quando ti ignora, per la malizia che ammicca nell'oscurità della pupilla, per la sua mancanza di entusiasmo e la sua austerità, e per tutto ciò che di lei non so. Perché ho ventitre anni e preferisco trovarla oggi che diventare l'uomo di cui potrebbe innamorarsi domani. L'agente immobiliare aveva sollevato le serrande. Un grande salone completamente vuoto si riempí di luce.

Chiunque avesse abitato lí, non c'era rimasto a lungo. L'intonaco delle pareti era stato tinteggiato da poco, il parquet a listoni di acero sbiancato era lucido, come se nessuno lo avesse calpestato. Gli infissi appena restaurati, con le maniglie di acciaio satinato che sembravano non essere mai state toccate. Maja aprí la portafinestra che affacciava sul giardino. Un'alta siepe di rose nascondeva la strada. Ma dietro il muro s'intravedevano le cime dei cipressi della Villa, inclinati dal vento. Il mandarino – colmo di frutti raggrinziti che sembravano palle di Natale – sfiorava coi rami i vetri della finestra. L'ombelico di Roma. Il centro della mia vita. «Come vede, – approfittò l'agente immobiliare, – l'indirizzo è di prestigio. I proprietari l'avevano appena ristrutturato, devono trasferirsi per lavoro. Hanno urgenza di vendere, per questo il prezzo è trattabile». Maja si chiese ansiosamente cosa ci facesse qui. «L'impianto elettrico è a norma, – proseguí l'agente immobiliare, sollevando le serrande nella camera matrimoniale, poi in bagno e in tutte le finestre della casa. – C'è l'antifurto, l'aria condizionata, il riscaldamento autonomo, la cucina è di Arc Linea, con forno elettrico e isola coi fuochi. Non è stata mai usata».

«La busta», disse Aris, afferrandola per un braccio. «Che busta?», rispose lei, distratta dalla contemplazione dei ripiani d'acciaio della cucina. Lucidi, nemmeno un graffio. Sembravano uno specchio. «La busta della clinica, in macchina». Maja arrossí. L'aveva ritirata l'altroieri. Non voleva portarla in casa prima di parlarne con Elio. E non voleva parlargliene ancora. L'aveva ficcata nella Smart e se ne era completamente dimenticata. Avrebbe dovuto nasconderla. «Venga a vedere il bagno, – s'intromise l'agente immobiliare, – c'è anche la vasca idromassaggio». «Niente, analisi», disse elusiva Maja, voltandogli le spalle. Il colore dell'intonaco, sulle pareti del bagno, ricordava la polpa di un tarocco di Sicilia. «Che analisi? Non stai bene?»

«Tu che dici?», scherzò Maja, dilatoria. Aprí il rubinetto cromato del lavabo. Nell'appartamento non c'era acqua. «Perché ti fai le analisi, allora?» insisteva Aris. Il pensiero di perderla gli toglieva il respiro. L'agente immobiliare sbirciò di sfuggita l'orologio. Non si chiedeva quali fossero i loro rapporti. Nella sua carriera, aveva venduto case a coppie di ogni tipo. Non si stupiva piú di niente. Nessuno dei due, però, gli sembrava in grado di acquistare una casa cosí. Gli stavano facendo perdere tempo. «Aspetto un bambino», disse Maja bruscamente. E poi non gli lasciò modo di dire niente e raggiunse l'agente immobiliare che la aspettava, impaziente, sulla soglia della camera da letto.

Aris sbandò, come se gli avesse assestato un pugno in testa. Oh, no, non questo. Nel 1998, si era iscritto all'Associazione per l'Estinzione Umana Volontaria. Un pomeriggio, mentre oziavano troppo vicini sui divanetti pieni di peli della mansarda, leccati e molestati dalla ruvida lingua di Mabuse, dopo un serio scambio di opinioni sui massimi sistemi (la decadenza del pensiero occidentale, la tragedia della globalizzazione), Maja trovò il coraggio di dirgli che a volte nella sua vita si apriva una falla, uno squarcio, e allora aveva l'impressione di essere una creatura inconsistente, gelatinosa e senza forma – come una medusa, in balia della corrente. E Aris, invece di dispiacersi di scoprire quei rimuginamenti nella donna che per lui era l'immagine stessa della consistenza e della stabilità, si era sentito onorato di tanta confidenza. Aveva ricambiato spiegandole l'assunto del fondatore dell'AS.ES.U.V. Un americano che si faceva chiamare Les U. Knight e sosteneva la perniciosità della specie umana, la quale deve estinguersi per salvare il pianeta terra da se stessa. Se tutti gli uomini smetteranno di procreare, nel giro di due generazioni – nel 2090 diciamo – il pianeta tornerà libero come all'inizio dei tempi. Chiunque sia stato nel Sahara e ne ha contemplato la nuda, pura, trascendentale bellezza – l'immagine stessa dell'immortalità della materia – capisce cosa tornerà a essere la terra, quando l'uomo l'avrà lasciata. L'associazione non predicava il suicidio né lo sterminio di massa – solo la riflessione e l'autocoscienza. L'i-

scrizione era libera. Aris aveva la tessera numero 26 950. Maja
non aveva trovato cosí delirante il ragionamento del cavaliere
americano. Aris ne era stato contento. Si capivano, loro due.
Erano uguali. Il problema è che si erano incontrati troppo tardi, o troppo presto. Come la terra e l'uomo.

Perché gliel'ho detto? perché? Maja sfiorò coi polpastrelli la
superficie scabra del guardaroba – un lavoro di alta falegnameria
in noce tanganika. Non l'aveva detto alla madre, né al padre, né
alle sue amiche piú intime. Nemmeno a Elio. Voleva dirglielo,
era stata felice di scoprirlo – ci provavano da anni, dopotutto,
entrambi desideravano una famiglia numerosa e temevano che
non sarebbero piú riusciti a formarla. Però, stranamente, ogni
volta che ne aveva avuto l'occasione, l'aveva lasciata cadere –
perché era come se, dicendoglielo, gli affidasse non tanto il bambino quanto il suo futuro, e se stessa. Aveva sempre accettato le
cose come vengono, galleggiando sul filo della corrente, e adesso invece pensava che è sbagliato farsi trascinare dagli eventi,
le cose che non sono accadute quando le volevamo non devono
accadere piú. In fin dei conti aveva già trent'anni, e una vita
sola, e le apparteneva. In tutto questo Elio c'entrava talmente
poco. Ma ora che l'aveva detto, il fatto stava lí davanti a lei –
nella sua enormità definitiva, e le sembrò di esserne consapevole per la prima volta.

«Vuol vedere la stanza degli ospiti – o dei bambini?» disse
l'agente immobiliare. Aris la fissava con un doloroso sgomen-
to, come se lo avesse appena evirato. «Certo», assentí Maja.
L'agente lanciò al ragazzo un'occhiata inquieta. Voleva concludere la visita al piú presto, alle due e un quarto aveva un altro
appuntamento. Aris era scioccato. Maja che gli dava una notizia cosí importante con totale irresponsabilità e mancanza di
considerazione per i suoi sentimenti. L'agente immobiliare che
guardava l'orologio e temeva che da un momento all'altro arri-
vassero gli altri clienti. Il sole che disegnava arabeschi di luce
sul parquet – le pareti immacolate, questa casa cosí bella e cosí
vuota. Quando Maja gli passò davanti, Aris le voltò le spalle e
si diresse nel salone. Un figlio, non riusciva a pensare ad altro.

Se avrà un altro figlio rimarrà incatenata a Elio per tutta la vita. Tutti i suoi discorsi, tutti i suoi progetti – solo parole. Maja non lo lascerà mai. Fantastica di grandi cambiamenti, i suoi trent'anni, la sua prossima vita, cosí, tanto per dire, solo per illudersi che esiste una via d'uscita. I mesi sono scivolati via, uno dopo l'altro, e io non ho saputo cogliere l'attimo. E ormai non ci resta piú tempo, l'ho persa.

Uscí. Vagò, disorientato, su e giú per un corridoio bianco, scambiando il pulsante dell'ascensore per il campanello della casa del portiere, inseguito da una turba di donne incinte – papere oscillanti, spettri grassi e inermi. Una visione che aveva sempre trovato disgustosa. Aris aborriva le conseguenze dei rapporti sessuali: malattie genitali, infezioni, piattole, e bambini. Preferiva bastare a se stesso. Come in tutto il resto. Perfino Maja, l'amava in astratto – come un idolo benefico che non avrebbe mai toccato. L'unica volta in cui aveva seriamente preso in considerazione l'idea di avere un rapporto sessuale con lei era stato dopo aver letto in un libro la teoria del matrimonio come metafora della proprietà privata. In conseguenza di tale teoria l'adulterio è la metafora della rivoluzione, o del comunismo.

Mentre passava davanti al gabbiotto del portiere, si scontrò con la coppia delle due e un quarto. Due tizi sulla quarantina, lui con occhiali da sole firmati, lei con occhi sporgenti da rana e denti un po' ferini. «È questo l'appartamento in vendita?» gli chiesero. Aris non rispose. Li seguí, come un automa. Maja sfiorava le pareti del salone con la punta delle dita, indicava qualcosa all'agente immobiliare – si muoveva in queste stanze come se fosse a casa sua. Per un attimo lo attraversò un'intuizione che gli procurò uno spasmo muscolare. Non c'è nessuna amica. Siamo qui per lei. La sua scelta mi riguarda. Per questo mi ha voluto qui. È una dichiarazione, la promessa di un legame sempre piú forte, saldo, vero.

Agire, subito, con la stessa incoscienza di stanotte. Far esplodere la bomba e mandare in mille pezzi l'esistenza di tutti loro. FA' BOOM. Rivoluzione. Portala via. Hai un assegno di venti milioni nella tasca della felpa. I fratelli non sanno che mio padre

me lo ha dato, e lui non glielo direbbe di certo. A Barcellona ci
andremo insieme. Lui ci farà cercare – ma che può fare? Siamo
pur liberi, in questo mondo. Maja si troverà un lavoro. Non farà piú l'interprete per uno spregevole ministero. Finora per lei
le parole sono state una merce. Non ha mai dovuto dire niente
– solo ripetere. Non le è mai stato chiesto di pensare. Farà quel
che vuole. Io dipingerò. Organizzerò la sovversione mondiale
del sistema. Ma anche no. Non farò niente. Vivrò per lei. Ma
subito rifiutò quel sogno improbabile, perché la prima dote di
un anarkico è la lucidità mentale, e la valutazione oggettiva della realtà. E se anche, qualche volta, sempre piú spesso negli ultimi mesi, aveva avuto l'impressione di ascoltare il rumore dei
veri pensieri di Maja, e le parole che non gli aveva mai detto, si
era sempre ripetuto che si trattava di una misera illusione. Lui
non le aveva mai detto quello che avrebbe voluto, e lei aveva
fatto altrettanto.

«In fondo non è cosí costosa, – commentò Maja, in tono pon-
derato, perché percepiva la sua delusione e il suo risentimento,
– il mercato immobiliare è molto depresso. Sarebbe un buon
investimento. La Borsa ha reso molto, il trend è positivo da un
sacco di tempo, potrei alleggerire il portafoglio delle azioni e
monetizzare». Aris appoggiò la testa contro il muro, oppresso.
«Ognuno investe i suoi soldi come vuole. Io non ho soldi, ma
ho tempo, e potevo investirlo meglio. Avevo appuntamento al
Battello Ubriaco. C'è un mio amico arabo, un clandestino, come dici tu, lo sto aiutando a vivere con dignità, hai un'idea della cosa?» Si accorse di accalorarsi, la temperatura delle sue parole raggiunse il limite di guardia, ma non riuscí a dominare la
rabbia. «No, che ne sai tu di queste cose? tu vivi in un mondo
perfetto, gli avevo promesso che lo accompagnavo al cantiere
dal datore di lavoro, a reclamare i soldi che gli spettano, perché
un clandestino se non lo vuoi pagare, se ti viene a noia, non lo
paghi, lo butti via, tanto ce n'è altri cento pronti a prendere il
suo posto, è in questo paese che vivi». Poi la voce gli si strozzò
in un gorgoglio, e lui avrebbe voluto mangiarsi la lingua. Non
aveva intenzione di accusarla di essere quel che era, e di aver-

lo strappato ai suoi amici per coinvolgerlo in questa commedia
– ma ormai l'aveva detto. Maja lo fissava, offesa, e l'arabo dal
datore di lavoro ci era andato da solo. E anche questo era ingiusto, squallido, inutile.

«Non cambierà niente, Aris», disse Maja, conciliante. «Niente? – quasi gridò lui. – È già cambiato tutto». Lei arrossí come
se l'avesse schiaffeggiata e si chinò a firmare la cartella della
Gabetti. Le sembrava di potersi concedere un sogno, un gioco innocente, fingere, per qualche ora, di essere libera – senza conseguenze. Ecco, forse in un'altra vita a trent'anni Maja Riva avrebbe messo su casa da sola e sarebbe venuta a stare
qui. Quell'altra vita scorreva adesso accanto alla sua – e non le
sembrava meno reale, meno vera. «La casa mi piace, – spiegò
all'agente immobiliare, rimasto imperturbabile durante il loro
litigio, – è strano, entrando ho avuto la sensazione che fosse
già mia». «È cosí che succede, – si affrettò a confermare quello, a bassa voce per non farsi sentire dalla coppia delle due e un
quarto, – vuole fissare un appuntamento per tornare a vederla
lunedí?» «Sí, no, richiamerò», disse Maja. Guardò un'ultima
volta le pareti bianche del salone, la finestra, il mandarino, e
l'altra sua vita rimase dietro il portone che chiuse alle sue spalle.

«Vieni con me alla festa di Camilla? Lei ci tiene tanto. E
anch'io», tentò di ricucire Maja, indugiando accanto alla Smart.
Questa visita era stata un gravissimo errore. Avrebbe voluto
cancellare l'ora appena vissuta. «No, – disse Aris, – odio quei
bambini. Mi fanno schifo i loro genitori, e i vostri amici. Mi fate schifo anche voi». Non diventerò come tutti gli altri. Andate dove volete. Non mi importa. Non voglio niente. Perché io
non sono come voi. Tutti i vostri soldi – le vostre case, le vostre
macchine, i vostri vestiti, le vostre ambizioni – non significano
niente per me. Zero. Non voglio avere niente – nemmeno lei.
Non andrò a Palazzo Lancillotti. Non la porterò via. Non le dirò
quanto l'ho amata, e la vita che avrei voluto fare con lei. Non
voglio piú nemmeno vederla. «Fai come ti pare», disse Maja,
risentita, e s'infilò nella Smart, senza voltarsi.

Scorrazzando in motorino, su e giú per via Cavour, col casco slacciato sotto il mento, per darsi un tono, sgasando e accelerando per sorpassare Fabrizio che fa le pinne col suo cinquantino, e clacsonando per far prendere un colpo a quelle montate di Paola e Giorgia che ciucciano il gelato sul muretto dei giardini di piazza Dante. Il motorino è di Miria, perché Valentina il motorino non ce l'ha, mamma non gliel'ha comprato – dice che è troppo piccola e che le due ruote a Roma, dove nessuno rispetta le regole della circolazione, sono troppo pericolose. Però fino a febbraio Emma la moto ce l'aveva, e ci portava la puzzola, e non rispettava le regole della circolazione nemmeno lei. Ai giardinetti l'atmosfera si stava ammosciando, la comitiva si sfilacciava. La fame scioglieva l'assembramento e non c'era piú niente da fare o da dire. Valentina compí un altro periplo della piazza – tanto per fare pratica con la guida. Quasi stese una vecchia sulle strisce. «Cosí ti ammazzi, – disse la vecchia, bonariamente, – sei solo una bambina, la vita è troppo bella per buttarla via». Parlava cosí perché era vecchia e ormai ce l'aveva fatta. A quattordici anni vita non ha niente di bello.

Valentina suonò il clacson, per dare a Miria l'input a schiodare, ma la sua amica continuava a confabulare con un ragazzo altissimo, di quasi due metri, coi capelli a casco di banana. Non era uno della scuola, e nemmeno della polisportiva. Quando spediva Kevin a casa da solo, Valentina pranzava da Miria, l'alzatrice della squadra, e poi chiacchieravano per ore chiuse a chiave in camera, distese sul letto in mutande – ma anche senza – con lo stereo che pompava a palla, si spremevano a vicenda i punti neri e si esaminavano spassionatamente le gambe – per stabilire se prima della partita urgeva una ceretta. Poi passavano ai piedi nudi che tenevano sospesi in aria, e ridevano – perché le ragazze, anche quelle carine, hanno i piedi brutti. I piedi di Valentina sono incredibilmente lunghi – con le dita scheletriche – perché diventerà altissima: supera già il metro e settantatre. Poi si pitturavano le unghie con lo smalto blu. Altre volte ciondolavano al muretto, stazionavano davanti all'istituto di Miria,

che studiava al turistico di via Panisperna, oppure scendevano
a via del Corso e andavano a sentire le nuove uscite alle Mes-
saggerie Musicali. Passavano le ore nel megastore con le cuffie sulle orecchie, e lei sentiva veramente i pezzi, mentre Miria
faceva solo finta, e intanto si guardava intorno, se c'era qualcuno che conosceva. Oggi però Miria aveva puntato il ragazzo
altissimo, e quando faceva cosí, non esisteva piú la partita, né
Valentina, né niente.

Miria portava i capelli a spazzola tinti di rosso e aveva un
gregge di maski che le sbavavano dietro. Il sabato Valentina
usciva con la sua comitiva, per lo piú passavano il tempo sul
muretto a piazza Dante, ma certe volte si imbucavano alle feste
di gente mai vista né conosciuta. Era Miria che le aveva fatto
scoprire Marilyn Manson, l'aveva aiutata a rifilare una balla a
mamma per andare al concerto al Palaghiaccio di Marino. In
cinquemila stremati, esaltati, un sabba che aveva suscitato un
putiferio: dopo il concerto avevano perfino arrestato il genia-
le Marilyn con l'accusa di aver influenzato tre invasate a commettere un omicidio. A Emma Valentina aveva rifilato la balla
immane, perché mamma non le avrebbe mai dato il permesso
di andare al concerto, o sarebbe voluta venire anche lei. Ma del
resto non le diceva piú niente, perché mamma la considerava
ancora una bambina, e lei invece era già grande.

«Ce ne andiamo?», disse di nuovo. «Ma che sei lobotomiz-
zata?», sibilò Miria, sbattendo furiosamente le palpebre bistrate
come se volesse farle capire qualcosa. «Conosci Jonas? – buttò là. – È il fratello di Yuri». Yuri era il penultimo ragazzo di
Miria. Secondo i suoi racconti, baciava bene, la sua saliva aveva un buon sapore, era prudente, usava il preservativo, era capace di farle accapponare la pelle. Valentina non si ricordava
perché mai Miria lo avesse lasciato. Guardò senza interesse il
ragazzo altissimo impalato accanto alla sua amica. Era vestito
diverso dagli altri. Portava una giacca di renna con le frange, e
dei ridicoli pantaloni a quadretti mezzi sgarrati che lo facevano sembrare un pagliaccio. «No», rispose. «Ci siamo visti alla
festa di Assia», disse Jonas, rivolgendole un sorriso impaccia-

to. Aveva gli occhi color liquerizia, striati di verde. «Boh, non
mi ricordo», disse Valentina. Non era stata una festa eccitante
come aveva sperato, se ne era stata per tutto il tempo seduta su
un divano, sola e tristissima come un attaccapanni, mentre tutti intorno a lei si divertivano a pomiciare. Nessuno se la filava.
Alla fine per tirarsi un po' su si era ingozzata di sangria e aveva
vomitato tutta la notte. Nonna le aveva fatto bere un canarino
e le aveva detto che non c'è niente di peggio al mondo che una
sbronza triste. Sembrava sapere di che parlava. Nonna non lo
aveva detto a mamma – perché fra la figlia e la nipote, stava
sempre dalla parte sua. «Avevi un vestito rosso», disse Jonas.
Valentina si stupí che il ragazzo se lo ricordasse. Ma doveva essere merito del vestito. Era di mamma. Con uno spacco pazzesco
sulla schiena, che arrivava fino all'osso sacro. Le andava largo:
lo aveva dovuto stringere con dieci spille. Lei sperava che con
un vestito cosí si sarebbe sentita meglio, invece era stato peggio ancora – non si era mai sentita meno attraente. Miria si era
allontanata per spettegolare con Giorgia, l'aveva piantata con
questo ragazzo sconosciuto che non era del gruppo e non conosceva nessun altro. Valentina non sapeva cosa dire, e nemmeno
lui. Si cacciò le mani in tasca. Smanettò sul cellulare, però non
gli era arrivato nessun messaggio. Valentina rimase in sella al
motorino, con le mani sul manubrio, senza guardarlo. E dopo
qualche minuto, Jonas le disse ciao e se ne andò.

La madre di Miria la spinse indietro sulla sella, e lanciò il motorino giú
per via Merulana. «Che hai detto?» gridò Valentina. «Sei un'im-
branata, – gridò Miria, per sovrastare il rumore della marmitta
e del traffico. – Ma si può essere piú pippa di cosí?» «Che cosa?» Miria svoltò su via Labicana e si fermò al portone di un
palazzo umbertino confortevole come una caserma. Abitava al
terzo piano.

La madre di Miria faceva la pennichella in poltrona davanti
alla televisione accesa sulla ventimillesima puntata della *Ruota
della Fortuna*. Russava. Non la svegliarono. Dal caotico armadio, Miria prese la divisa della squadra, le ginocchiere e le scarpe. Il padre guardava una partita di calcio argentino in camera

da letto. «Dormo da Vale, – gli gridò Miria, – torno domani a pranzo». «Ma da me non c'è posto», avvertí Valentina, sorpresa. «Ma non vengo, vado con Paolo a Campodimare. Tanto mia madre non telefona, si fa intortare come niente, è una rincoglionita». «Chi è Paolo?» disse Valentina. Poi andarono in bagno, insieme. Il rumore che fa una vergine quando urina è diverso da quello delle donne che fanno sesso. A Miria lo aveva insegnato il padre, che aveva scoperto cosí che la figlia aveva cominciato ad avere dei ragazzi. Valentina pensava che deve essere imbarazzante avere un padre che ascolta il chiocciolio della tua pipí. Suo padre non avrebbe mai fatto una cosa del genere, appostato dietro la porta. O forse sí. Suo padre annusava le camicie, le calze e anche le mutande di mamma, perché diceva di sentire odore di sperma. Ma a quel tempo, Valentina non sapeva ancora cosa fosse lo sperma.

Scrutandola, seduta sul water, Miria indicò l'assorbente e disse che alla partita, coi calzoncini stretti, quell'affare si sarebbe visto. Le consigliò di infilarsi un tampax. Si preoccupava della sua amica inesperta. Gli spettatori maski ci fanno caso se una giocatrice è indisposta. «Ma sei fuori? – gridò Valentina. – Non ci passa!» «Allora mettiti l'ob mini, è fatto per le vergini, io me lo metto da anni». «Ma tu non sei vergine da anni, Miria!» protestò Valentina. Sapeva tutto della deflorazione della sua amica, perché Miria l'aveva raccontato in pulmino, durante una trasferta, per erudire tutta la squadra di pallavolo. La deflorazione era avvenuta nella palestra della scuola, durante l'ora di ginnastica. Una cosa patetica, perché nemmeno lui l'aveva mai fatto – da cui il consiglio alle amiche di farlo, la prima volta, con un adulto, e da cui la sua preferenza per i maggiorenni. Il primo non sapeva dove metterlo, e quasi quasi scambiava un buco con l'altro. E com'era stato? Molto dolore? Niente di che. Come un foglio di carta che si strappa. Una siringa di sangue, non di piú. Lui aveva eiaculato in quattro minuti. Piacere zero. Però per gli assorbenti interni era stata una vera svolta.

Miria aprí l'armadietto e sventolò un proiettile. Scartocciò l'involucro coi denti. Emerse un minuscolo ditale d'ovatta com-

pressa. «Ma sei sicura?» dubitò Valentina. «L'imene è elastico,
si scosta, lascia passare anche un dito», assicurò Miria. Valentina si fidava del parere dell'amica. Varie volte si erano sedute
davanti allo specchio, confrontando le rispettive aperture, per
verificare che entrambe non avessero qualche malformazione
che avrebbe impedito o rovinato la loro futura attività sessuale.
Le verifiche avevano dato esito confortante: ce l'avevano entrambe normale. Eppure, Valentina continuava a dubitare che
in una fessura cosí stretta potesse entrare un organo maschile
grosso come una pannocchia. «E se mi svergino?» chiese, dubbiosa, rigirando fra le mani quel ditale d'ovatta. «Tanto meglio,
ti risparmi una scocciatura. Magari mi avesse sverginato un ob
piuttosto che Oberdan». Poi scoppiarono in una risata convul-
sa, perché Oberdan era la versione lunga di ob – in tutti i sensi.
    Il ditale d'ovatta premette contro una parete che Valentina
nemmeno sapeva di avere. Il corpo è davvero una miniera strana. Chissà perché le donne godono tanto a farsi riempire dagli
uomini. Tutto quel mugolare infilzare gemere a lei sembrava solo
ridicolo. Mamma e papà non lo facevano. I genitori non scopa-
no mai. Il ditale d'ovatta impattò contro l'ostacolo insormon-
tabile e si bloccò. Completamente incastrato. «Non ci riesco,
– disse, sospirando. – Mi fa male». «Chi bella vuole apparire,
qualcosa deve soffrire», la rimproverò Miria, schiccherando il
proiettile insanguinato, che attraversò il bagno, infilò l'apertura della finestra e sparí da qualche parte, forse sul marciapiede
sottostante. La scrutò nello specchio, con disincanto. «M'è venuto un flash. Ti faccio diventare piú arrapante ancora», disse.
    Il negozio sembrava chiuso. L'insegna era spenta. Miria par-
cheggiò il motorino davanti alla porta e suonò il campanello.
Sul vetro c'era scritto USE YOUR BODY, PAINT YOUR SKIN. Aprí
un ragazzo di almeno vent'anni con le braccia tatuate come
Axel Rose. Miria lo baciò in bocca, tanto a lungo che Valentina, imbarazzata, prima finse di armeggiare col casco, cercando
di chiuderlo nel bauletto, e poi non sapeva piú dove guardare.
Miria gli disse qualcosa sottovoce, e Axel Rose rise. Era identico
spiccicato al cantante dei Guns N' Roses, aveva anche i capel-

li biondi lunghi e la bandana in testa. Però era quel Paolo con
la casa a Campodimare. Scesero nel locale sotto il piano della
strada. Dalle bocche di lupo si vedevano le scarpe dei passanti.
Era un posto asettico, spoglio, con un divano, un tavolino con
sopra un catalogo di stampi, e un gabbiotto di plastica e vetro
che sembrava quello dell'ambulatorio del medico della ASL. Però
sulle pareti c'erano foto di gente famosa tipo David Beckham
che si era fatta tatuare le spalle, le mani, le natiche, e anche
quello che sembrava un pene. Erano tatuaggi molto elaborati,
la pelle sembrava un foglio di carta da disegno su cui si fosse
sbizzarrito un pittore sotto effetto dell'Ecstasy. C'era qualcuno che portava sul torace una nave, altri si erano fatti incidere
sulla schiena e sui bicipiti serpenti, draghi, donne nude, spade,
sirene, samurai. Miria disse che Axel Rose le aveva tatuato la
farfalla sul seno, le aveva fatto un male boia. Però era fantastica, rosa shocking, un colore stupendo. Paolo con l'ago ci sapeva
fare, era il top nel suo campo. La gente ci veniva dalla Sicilia per
farsi tatuare da lui. «Io però la tua amica non la posso tatuare,
– avvertí Axel Rose, scrutando Valentina da capo a piedi, – è
troppo piccola. Con gli under diciotto serve l'autorizzazione
dei genitori. Sennò finisco nei casini». «Madonna, sembri mio
nonno! Vale è una ragazzina riservata, non lo va mica a dire in
giro. Fagli una rondine sulla chiappa. Cosí si vede quando gioca a pallavolo». «Non mi posso fare i tatuaggi, mia madre non
vuole», obiettò Valentina. «Vale, – intimò Miria, – devi rifarti
il look. Sei troppo normale, sembri una suora».

Valentina arrossí. Axel Rose le chiese se aveva paura del dolore. «No, per niente», rispose, perché non voleva che Miria e
il ragazzo che aveva almeno vent'anni la prendessero per una
fifona. Invece aveva una paura cane. Perché, anche se non si
era mai rotta niente, né ferita, sapeva cos'è. Aveva accompagnato lei mamma all'ospedale quando aveva due costole incrinate e il polso fratturato. Aveva dieci anni. Al pronto soccorso,
prima che visitassero mamma erano state cinque ore sulle seggiole, nel corridoio, mentre passava la gente barellata – gente
che aveva avuto incidenti di macchina o un infarto. Valentina

non si era mai resa conto di quanta gente si ammala, si ferisce o muore in un giorno a Roma. Sto impazzendo, datemi un po' di morfina, aveva chiesto mamma a un'infermiera. Quella aveva detto che la legge non lo consente e Emma si era tenuta il dolore. Era una tosta. Non aveva pianto, né a casa né al pronto soccorso. La cosa a Valentina aveva fatto grande impressione, suscitando il suo rispetto.

«Allora ti faccio un piercing che tua madre non se ne accorge. Lo vede solo il tuo ragazzo». «Non ce l'ho il ragazzo», disse Valentina. «Ti credo! – rise Miria. – Sei cieca, non hai visto come ti guardava?» «Chi?», esclamò Valentina, sorpresa. «Ti piace? È l'ultimo modello», disse Axel, porgendole un pezzo di metallo che sembrava una spilla rotta. «Costa centomila lire». Valentina lo prese, anche se non sapeva cosa farci. «La bananina te la regalo, – disse Axel Rose, – è d'acciaio chirurgico, non fa infezione». «Togliti la maglietta, – disse Miria, – te lo monta sul capezzolo. Ci mette poco, io l'ho già fatto». «Oddio, no», disse Valentina, poco convinta. «La sai fare la firma di tua madre? – disse Axel Rose, porgendole un foglio di carta stampato al computer. – Non voglio guai. Io ti faccio un favore proprio perché sei amica di Miria, ma non so niente, la firma falsa l'hai messa tu». Valentina compilò diligentemente il modulo a stampatello.

Roma lì... *4 MAGGIO*
Io sottoscritt/a ... *EMMA TEMPESTA BUONOCORE*
autorizzo mi/a figli/a ... *VALENTINA*
a effettuare il piercing.
In fede... *Emma Tempesta Buonocore.*

«C'ha due cognomi, che è nobile?» disse Axel Rose. «No, è separata», rispose Valentina.

«La madre di Vale è una cacacazzi», sospirò Miria. Ma quale madre non lo è? La sua aveva un negozio di alimentari a via dello Statuto. Però voleva chiudere perché i cinesi avevano aperto nei dintorni tutti quei magazzini empori bazar o che diavolo erano quegli antri misteriosi, e gli portavano via i clienti con la concorrenza sleale. Sua madre ripeteva sempre che questo quartiere

che era stato il cuore del popolo di Roma ormai pareva China-
town. Uno ci si sente straniero, assediato come a Fort Apache.
Parlava sempre di com'era Roma prima, di quanto era diverso
ai tempi suoi. Era la donna piú pallosa della terra.

Axel Rose prese Valentina per un braccio, la condusse nel
box e la fece sdraiare su un lettino coperto da un lenzuolo di
carta. Aprí un armadio ed estrasse un barattolo di alcool e un
paio di guanti di lattice. «Brava, la vita è una sfida, – sentenziò
Miria, solennemente, – devi provare tutto, per sapere cosa ti
piace e cosa no. Tu, per esempio, che non ti comprometti mai,
c'è qualcosa che ti piace?» Valentina pensò a Marilyn Manson,
che – sovrastato da un neonato crocifisso – ghignava sulla parete del tinello di casa di nonna, sopra il divano letto. Ma è da
deficienti innamorarsi dei cantanti. «Mi piace la pallavolo. Gli
animali. Le scienze». «Ma no, bambina, – la interruppe Miria,
– non intendevo questo. *Chi* ti piace?» Valentina scosse la testa
e giurò che non le piaceva nessuno. Miria poteva non crederci,
ma era la verità. Valentina non era normale. Era uno zombie.
Era convinta di vivere nella Siberia, un mondo di ghiaccio, dove tutto è congelato, sterilizzato. Al prof lo aveva confessato,
scrivendogli una lettera durante le vacanze di Natale. Il prof
l'aveva invitata a prendere una cassata col latte di mandorla da
Dagnino, la pasticceria siciliana della Galleria Esedra, per capire questa storia della Siberia. Aveva passato due ore bellissime
con lui. Però non aveva saputo spiegargli altro che la Siberia è
un pianeta dove non si sente niente – nessuna emozione, nessun dolore. «Togliti la maglietta», cominciò a spazientirsi Axel
Rose. «Mi vergogno», disse Valentina. «Ma dài, – sussurrò Miria, – è mio amico, adesso ci sto insieme».

Miria aveva avuto una dozzina di ragazzi da quando Valentina la conosceva. Le aveva sempre raccontato tutto nei minimi
dettagli. Perfino il sapore del loro sperma. Schifoso, simile a un
formaggio acido. Valentina si vergognava quando incontrava
uno di quei ragazzi. Lo sperma non l'aveva mai visto. Sapeva
che i maski lo schizzano dall'uccello, ma per sentito dire. Miria
diceva che i maski te lo strusciano sulle tonsille e vogliono che

lo mandi giú, ma è dura. Valentina mai e poi mai avrebbe succhiato l'uccello a un maskio. Il solo pensiero le dava il voltasto-
maco. Quando si sfilò la felpa e poi la canottiera, si rese conto
che Axel Rose esaminava con occhio clinico il suo push-up –
che aumentava generosamente di tre misure le sisette bianche a
forma di fico rattrappite per l'imbarazzo. Miria commentò che
le sue tette erano piuttosto sottosviluppate. Ma non c'era da
preoccuparsi, potevano crescerle anche fra tre anni. Lei a quindici era ancora piatta come un'anoressica. Dipende dalla costituzione. Tua madre com'è? Tutto dipende da quello.

«Ce le ha grandi», rispose Valentina, guardando allarmata
Axel Rose che trafficava con dei ferri, delle pinze e degli unci-
ni che sembravano strumenti di tortura. «A fiasco, a globo o a
pera?» insisteva Miria. Valentina disse tipo la Herzigova. La
mattina, nel corso delle comuni abluzioni corporali, restava annichilita confrontando le sue pianure con le forme scultoree di
mamma che si contorceva nella vasca, tentando di intercettare
il capriccioso filo d'acqua che schizzava dal telefono della doccia. Mamma stava nel suo corpo felice e beata come un bruco
nella mela. Non ne provava fastidio né imbarazzo. E ti credo,
era una specie di statua – morbida e con la pelle vellutata color pesca. Lei però avrebbe preferito che si coprisse come una
monaca, e si vergognava quando – purtroppo almeno una volta a trimestre, tanto per non fare la figura di essere una madre
sconsiderata – Emma veniva a scuola a parlare coi professori,
e saliva le scale e attraversava il corridoio sculettando perché
portava i tacchi alti e nello stesso tempo doveva correre perché
arrivava in ritardo, giusto tre minuti prima della fine dell'orario dei colloqui. Sfilava davanti alle aule vaporosa, profumata,
tutta ballonzolante, e ai compagni di classe gli cascava la mascella, e la fissavano sbavando, manco avessero visto Pamela
Anderson. Lei avrebbe preferito che mamma fosse come tutte
le altre, dimessa, floscia, un po' smorta.

«Sei fortunata, – commentò Miria, – i maski di una femmina guardano solo le tette. Sono tutti mikrocefali». Axel Rose
le diede uno scappellotto, e Miria scoppiò in una risata selvag-

gia, a nitrito. «Ridi ridi che mamma ha fatto i gnocchi! – disse Axel. – Tanto a te non ti crescono piú. Però a lei non glielo posso fare. I capezzoli non sono ancora abbastanza espansi». Valentina contemplò con sprezzo il suo torace scheletrico. Praticamente uno spaventapasseri. Ti credo che nessuno si accorge di te. Neanche un piercing ti puoi fare. «Tranquilla, te lo faccio all'ombelico, – la confortò Axel Rose, – poi se ti piace l'anno prossimo quando porti la quinta torni e ti faccio l'altro». Le passò un batuffolo di cotone imbevuto d'alcool sugli addominali. «Si vede che sei sportiva, – commentò, compiaciuto, – sei dura come il marmo». «Non gioca, – precisò Miria, – fa solo la riserva».

Valentina chiuse gli occhi. La sua pancia era tesa come un bongo. «Spicciati che alle cinque ce ne dobbiamo andare, – lo incitò Miria, sparendo dietro il tramezzo del box. – Ci abbiamo la partita». «Ehi, sono un professionista, – si risentí Axel Rose, – non mi mettere fretta, sennò gli piglio una vena e la dissanguo». Valentina rabbrividí. Dio, fa che duri poco. Dammi coraggio. In qualche anfratto dietro la cassa, Miria accese lo stereo e alzò il volume. C'era una cassetta dei Metallica. «Fa male!» gridò Valentina quando l'ago le trapassò la pelle. Sentí come una parete che si lacerava, poi un forte calore. Il dolore fu acuto e intenso – ma sorprendentemente breve. Non le venne da piangere. Axel Rose le disse di non muoversi, perché non era mica finita. Tanto per cominciare doveva fare un altro buco – sennò la bananina non si reggeva. Un fiotto di sangue colò sul lenzuolino di carta, macchiandolo. Valentina fissò David Beckham nel poster di fronte. A lei non piaceva David Beckham, a lei non piaceva nessuno. Non era normale. Nessun dolore, nessuna emozione – sentimenti zero. Siberia. Axel Rose armeggiava col suo ombelico. Aghi, pinze, cotone, alcool – la ferita bruciava. C'era qualcosa infilzato dentro di lei. E il sangue continuava a sgorgare. Se lo scopriva, mamma si sarebbe infuriata. Ma che poteva fare? Ormai era successo.

«Ehi? Non fare scherzi! Che sei svenuta? E se te lo facevi sulla lingua che succedeva?» diceva Miria schiaffeggiandole

scherzosamente le guance. Quando Valentina riaprí gli occhi,
il fermaglio d'acciaio trafiggeva l'ombelico – e brillava alla luce della lampada. «Adesso ti do una crema che fa chiudere la
cicatrice. Metticela tutti i giorni due volte, se sei fortunata ti
si rimargina in due mesi, sennò ci vuole un anno. Se vedi che
spurga il liquidino non ti preoccupare, è normale. È una ferita.
Per un po' è meglio se non ci giochi, a pallavolo. E stai attenta
alla sabbia e all'acqua di mare questa estate. Se ti viene l'infezione torni e te lo tolgo», disse Axel Rose, lavandosi le mani
nell'acquaio. Valentina notò solo adesso che non lo aveva fatto,
prima. Tamponò la ferita con l'ovatta. Il sangue stava raggru-
mandosi. Un bruciore, e nient'altro. Tutto qui.

 «Insomma, Jonas non ti piace. Peccato, – disse Miria. – Ti
voleva tanto conoscere». «A me?» si stupí Valentina. Rimase
immobile, come Axel Rose le aveva ordinato, rimirando nello
specchio a soffitto gli elastici neri del tanga ancorati alle anche
e quella specie di pasticca d'acciaio all'ombelico. Faceva un'impressione fichissima. «Yuri dice che Jonas ti ha puntato alla festa di Assia, dice che ha sclerato di brutto». «Per me?» sbalordí
Valentina. «Perché no? – rise Miria. – Che sei, storpia? Ti manca un pezzo? Questo Jonas è una specie di genio, fa il quarto
scientifico, è fissato con la chimica, gioca a basket, secondo me
siete fatti l'uno per l'altra». «Il quarto scientifico? È grande!»
commentò Valentina, incerta e però lusingata perché un ragazzo del liceo aveva notato lei, che frequentava ancora la terza
media. «Macché», la smentí Miria, eccitata perché le piaceva
combinare qualche intrallazzo alle amiche, e Valentina era ingenua e pura come un neonato. «Ha l'età mia, è perfetto». «L'ho
trattato male», disse Valentina, contrita. «Adesso lo messaggio
di venire alla partita», la tranquillizzò Miria.

 E mentre lei restava supina, e Axel Rose accendeva le luci
del negozio e passava uno straccio sul pavimento che era pieno
di peli e macchie di sangue, Miria prese la trousse nel borsone e cominciò a truccarla col mascara e il kajal, per ingrandir-
le gli occhi, perché se Jonas abbocca e viene alla partita, dopo
andiamo tutti in gelateria, e se son rose fioriranno. Valentina

rifletté, assorta. I pianeti finora scoperti giacciono a distanze di centinaia di anni luce dalla terra. Il diametro della nostra galassia è circa centomila anni luce. Un anno luce è poco meno di diecimila miliardi di chilometri. Impiegheremmo centomila anni solo per arrivare ad Alpha Centauri, la stella piú vicina. Un messaggio da noi inviato a un'altra ipotetica civiltà dello spazio potrebbe raggiungerla quando il nostro mondo sarà scomparso in un olocausto da milioni di anni. Esistono miliardi di pianeti e sassi cosmici che potrebbero ospitare la vita. Valentina pensò che le probabilità che due razze intelligenti possano darsi un appuntamento nella storia galattica è infima. Eppure gli astronomi aspettano il singolo evento che dimostrerà che non siamo soli nell'universo.

Quindicesima ora

Ti ucciderò quando esci da quel cancello. Ti sparerò con la Springfield Armory 1911-A1. L'ho oliata col lubrificante che una volta ho bevuto per avvelenarmi. È carica: 7 colpi + 1. Anche se non fossi il tiratore che sono, non posso mancare il bersaglio. L'ho comprata per te, anche se allora non l'hai capito e mi hai rinfacciato di aver sprecato cinque milioni per una pistola che non avrei mai usato. Ma la userò, e non l'ho nemmeno pagata tutta, solo le prime rate. Una calibro 45 Acp, in dotazione ai corpi speciali americani per operazioni antiterroristiche e salvataggio degli ostaggi. Per questo l'ho voluta. Il male ti tiene in ostaggio e io ti libererò. Ti sparerò appena ti avvierai verso il bar Vinicio's dove ogni giorno da sei mesi pranzi con una pizzetta senza mozzarella, o un panino con verdura, o un tramezzino tonno e pomodoro. Ti sparerò quando mi sarai passata davanti e avrai fatto finta di non conoscermi. Ma se mi saluterai, mirerò alla schiena e risparmierò il viso. Ti lascerò la tua bellezza, da morta non potrai piú abusarne. No, non basta. Sarebbe troppo facile, come al poligono, contro il fantasma della sagoma. Quando tiro, sei tu la sagoma, sei tu il bersaglio. Non ne proverei sollievo – l'ho già fatto tante volte. Ti investirò quando attraversi la strada e ti calpesterò e sentirò lo scricchiolio delle tue ossa e non saranno in grado di riconoscerti, dovranno guardare i documenti per scoprire che quel fagotto spiaccicato sull'asfalto eri tu.

Eppure neanche questa fantasia lo appagava. Escogitò una

soluzione ancora piú cruenta. Ti spingerò sotto la metro, mentre guardi ansiosa in direzione del tunnel e sorridi quando finalmente sbuca il fanale del primo vagone – ti spingerò sotto
le ruote mentre ancora sorridi. No, insopportabile la visione
del corpo flessuoso di Emma maciullato e fatto a pezzi in quel
tunnel che puzza di gomma bruciata. Allora Antonio sognò per
lei una morte senza sangue. Ti annegherò nell'Aniene, ti spingerò nell'acqua da Ponte Mammolo, dove ti piace fermarti a
guardare il fiume che scorre. Questa città è troppo vecchia, ci
sei tu su ogni ponte, a ogni incrocio. Ogni strada mi parla di
te. Non posso piú vivere a Roma. Voglio un mondo vergine,
voglio abitare un palazzo nel quale non sei mai entrata, voglio
una macchina nella quale non sei mai salita, un paesaggio che
non ho mai visto con te.

Ma quel mondo vergine non esiste, e se anche esistesse, Antonio non lo cercherebbe. A che scopo? Non dovrà sopravviver-
le. Per questo non la getterà nel fiume. Necessario un ultimo
contatto ravvicinato con lei. Con il suo corpo. Ti soffocherò,
stringendoti attorno al collo le calze velate autoreggenti che ti
sei infilata oggi per incontrare il tuo amante. Ti strangolerò con
le mie stesse mani. E non avrò pietà di te perché tu non l'hai
avuta. E poi per estirpare il male annidato dentro di te ti aprirò
col coltello da cacciatore che mi chiedevi di usare tu stessa, per
sbucciare la frutta ai bambini durante i picnic. Userò la lama
tagliente drop point dotata di scuoiatore a uncino gut hook. O
la sega con denti fresati per operare bene sul legno verde come
sull'osso. O la terza lama del Beretta fieldlight, smussata, a punta
concava, col gancio affilato per scuoiare la preda. Ti aprirò per
liberarti della voglia che umilia la tua carne. E poi impugnerò
la Springfield Armory, e tirerò il colpo che è già in canna, e mi
spaccherò il cuore, e avremo pace, e staremo insieme per sempre.

Emma apparve mentre, atterrito dalla vista delle sue viscere,
Antonio tornava a ipotizzare un finale scenografico, di cruda
vendetta: cospargerla di benzina appena si incammina verso la
fermata della metropolitana, due chilometri tutta sola, esposta
e senza riparo a lato della strada. La tanica colma è già pronta

dietro il sedile. E darle fuoco, per vederla entrare nelle fiamme e ardere nell'inferno che la aspetta. Sciarpa arancione svolazzante, capelli eroticamente annodati sulla nuca, borsa viola a tracolla, pelliccetta sulla spalla, stivali e gonna al ginocchio, Emma usciva dal cancello che separava la Tiburtina dall'edificio vetro e ferro dell'azienda, in compagnia di un manipolo di giovani donne che schiamazzavano ridevano e sembravano felici. Anche Emma rideva – benché a dire il vero non sembrasse felice, solo simulava di esserlo per passare inosservata. A Antonio fece tristezza la sua coraggiosa allegria.

Poi si accorse di lui, appostato sul cofano della Tipo, e smise di ridere. Una brunetta coi capelli ricci le chiese, sottovoce ma non tanto perché Antonio non la sentisse, «È il tuo nuovo tipo?» «È mio marito», rispose Emma. Le ragazze del call center si voltarono incuriosite verso l'apollo atletico e tenebroso, marito di quella loro collega sfuggente che mai aveva detto di essere sposata, né del resto portava la fede. Gli dardeggiarono un'occhiata nella quale traspariva una genuina invidia – essendo probabilmente accompagnate a maschi mosci e stortignaccoli – e si allontanarono con discrezione. *Mio marito.* Ha detto *mio marito.* E cosí Emma non aveva parlato della separazione. Nemmeno Antonio lo aveva fatto. Con tutti i conoscenti, aveva continuato a fingere che nulla fosse accaduto. Che Emma non fosse andata via, che loro due potevano ancora definirsi una coppia, e loro quattro una famiglia. Era una specie di scongiuro: finché la "cosa" non fosse stata nominata, di fatto non esisteva ancora, e forse non sarebbe esistita mai. Lo scongiuro si era rivelato efficace. Ma ormai la massa di carte prodotte dal tribunale rigurgitava dagli archivi, ormai la sentenza di separazione era stata pronunciata. Il meccanismo era innescato. Ormai la "cosa" aveva preso vita. E non poteva nasconderla piú.

In premio del suo riserbo, e di quella parola – *marito* – che cosí spontaneamente le era uscita dalle labbra, le concesse di vivere ancora dieci minuti. Emma affrettò il passo per raggiungere le colleghe, ma Antonio fu piú rapido, la affiancò e la prese sottobraccio. Investito da un profumo inebriante di incenso e di mela. Shampoo-balsamo, sempre lo stesso da anni. Si è appena lavata i capelli. Questa donna appassionatamente fedele a uno shampoo-balsamo e non al marito. Oh, ipocrita, mentitrice, troia.

«Lasciami», bisbigliò Emma, cercando di divincolarsi, ma con un movimento felpato, perché non voleva dare nell'occhio. Ancora si vergognava all'idea che il vigilante dell'azienda, un qualunque sconosciuto, scoprisse i segreti del suo matrimonio. Proteggeva lui e se stessa. Antonio tenne stretto il braccio e non lasciò la presa. «Come stai? Ti trovo bene, *Mina*». Gentile, cortese, quasi cerimonioso. Capace perfino di riesumare il nomignolo dell'intimità. «Io invece non ti trovo bene per niente, – rispose Emma, – sicuro che hai smesso di impasticcarti? Le anfetamine ti stanno bruciando il cervello». «Ci possiamo parlare come due persone normali, – disse Antonio, – o dobbiamo comportarci come due nemici?»

Emma si guardò intorno. La Tiburtina era un canale di metallo, sovrastato da una coltre di fumo. Le colleghe erano sparite nel bar Vinicio's. A quest'ora, strapieno di impiegati delle numerose fabbriche dei dintorni, che si spintonavano davanti alla vetrinetta dei panini. Operai in pausa durante la costruzione di un centro commerciale nell'isolato adiacente sbranavano una pizzetta davanti all'entrata. Non riuscí a individuare le colleghe. E comunque gli altri si fanno sempre i fatti loro. Se lui mi prendesse a schiaffi, qui, in mezzo alla strada, delle mille persone che stanno passando in questo momento, non una si fermerebbe per me.

La Tipo di Antonio era parcheggiata in doppia fila, con le chiavi appese al cruscotto. In questi due anni, Antonio le aveva chiesto almeno dieci volte un "ultimo incontro". Inaugurato con suppliche e promesse, e concluso con urla, lacrime, minacce. «Di che vuoi parlare ancora?», chiese, cauta. «Dei bambini», rispose Antonio, pentito. «Abbiamo già parlato dei bambini, – disse Emma. – Devi mantenerli, e questo è tuo dovere. Puoi vederli, e questo è un tuo diritto. Non hai fatto né una cosa né l'altra. Evidentemente non ti interessa. Ma non si può smettere di essere un padre». Antonio strinse piú forte il suo braccio. «Lo so che ho sbagliato, Mina. Dammi la possibilità di sistemare le cose».

«Come?» chiese Emma, senza farsi nessuna illusione. Non si fidava di Antonio. Perdonare tutto e tirare dritto – è questa la soluzione. È passato tanto tempo. E io sono un'altra persona. È finita. Sono libera. «La faccenda degli alimenti, – insinuò Antonio, – ti devo dare un sacco di soldi». I soldi – la parola magica per la figlia di Olimpia. Quella vecchia scorticherebbe un pidocchio, per prendergli la pelle. I soldi, i soldi, i nostri figli sono diventati un assegno – puttana bugiarda, ti sparerò in testa appena ti siedi in questa macchina.

«Antonio io non voglio parlare con te di soldi, – disse invece Emma, stancamente. – Tu sai quello che devi fare. Se vuoi fare qualcosa per i tuoi figli, fallo. Sennò, faremo a meno di te. Non ho piú bisogno di te. E neanche dei tuoi soldi», aggiunse, con rabbia. E proprio perché non era vero, e proprio perché non voleva subire ancora il ricatto della dipendenza, gli lanciò un'occhiata fiera e gli disse una bugia che le diede la prima vera soddisfazione della giornata. «Adesso ho un lavoro sicuro, Antonio. Sono stata assunta».

Antonio vacillò, perché questa era la notizia peggiore che Emma potesse comunicargli. I soldi erano l'unica speranza che gli restava. La precarietà di lei, la sua ultima risorsa. Aveva assistito, compiaciuto, al rapido precipitare di Emma giú per la scala sociale – da moglie viziata e madre a tempo pieno a impiegata part-time, assistente e collaboratrice senza tutele, madre sempre piú distratta e inadeguata. E sapeva che finché lei avesse continuato a ruzzolare, per lui ci sarebbe sempre stato uno spiraglio – almeno per il rimpianto di quello che aveva perso, perdendo lui. La parola fatale gli rimbombava nella mente. *Assunta. Assunta.* Dunque anche la sua ultima speranza moriva in questo insulso venerdí di maggio. E seppe con certezza che ormai Emma non sarebbe piú tornata indietro. E nemmeno lui.

Accarezzò la busta nella tasca della giacca. Addio. Ricordatevi di noi com'eravamo prima, quando siamo stati felici. Non scrivete troppe bugie. Abbiate un briciolo di rispetto. E pietà, se potete. Tuttavia le perdonò il suo inutile orgoglio. Povera Emma, bella nel suo ultimo giorno come da anni non era piú – ignara, pallida, indecisa, con la sciarpa arancione che ciondolava sul marciapiede, le mani magre che tormentavano la chiusura lampo della borsa: voleva aprirla per fumarsi una sigaretta, ma la lampo s'era incastrata. Antonio conosceva quella borsa viola, conosceva tutti i suoi vestiti. «Mi fa piacere per te, – le disse, freddo. – Congratulazioni. Ma io le cose le voglio sistemare lo stesso. I miei figli devono avere il meglio. Non voglio che crescono come ospiti da tua madre. Vi lascio la casa. Ma dobbiamo parlare in mezzo alla strada? – aggiunse, come se questo fosse un dettaglio privo di importanza. – Che siamo, due barboni? Per favore, Mina, non qui, andiamo a casa, andiamo dove vuoi tu». Aprí lo sportello della macchina e mormorò: «Sali».

«No», disse Emma. Mai da sola con lui – mai, ricordati quello che ti ha raccomandato l'avvocatessa. Non farti prendere dalla compassione – non hai niente da compassionare, gli hanno riconosciuto il diritto di vederli il fine settimana, se non lo ha fatto è stata una sua scelta, tu non glielo hai impedito, anche se avresti voluto, è il padre, li adora. Ma non adora piú te, ti odia. Non ti fidare. Non ha niente da dirti, non ha soldi da darti. Mai da sola con lui. «Sali», la supplicò quasi Antonio, sospingendola verso la macchina. «No», insisté Emma, che però esitava perché non voleva dimostrargli di avere paura di lui. E non l'aveva infatti, non in pieno giorno, in una strada come la Tiburtina percorsa da centinaia di camion, e attraversata adesso a gran velocità dalla corriera per Roma – dietro i finestrini intravide facce indifferenti, testimoni opachi della loro abiezione. Quest'uomo nervoso, con le pupille dilatate e le mani tremanti era pur sempre Antonio. E anche se le era diventato estraneo, come se mai lo avesse conosciuto, mai sposato, mai amato, la notte lo sognava. La notte, senza averlo previsto, senza volerlo, faceva l'amore con lui – come aveva fatto per anni – nella Tipo parcheggiata all'ombra del Verano. Sentiva la leva del cambio contro la coscia, e vedeva distintamente la sua mano premuta contro il finestrino appannato. E il viso di Antonio sotto di lei, abbandonato contro il poggiatesta, beato. E lo sentiva dentro – rapido, duro, regolare e generoso. Se ne vergognava, perché in quei sogni amava un Antonio che ormai da anni non esisteva piú, o solo per pochi istanti, in quei poveri sogni confusi e subito spenti.

Fissò incerta le riviste ammucchiate sul sedile. Sulla copertina lucida di «Men's Health» campeggiava la fotografia di un torso maschile nudo, glabro e muscoloso, al quale Antonio somigliava un tempo e si illudeva di somigliare ancora. Antonio le spazzò via con premura per farle posto. Sembrava padrone di sé. Forse, come il giudice e l'assistente sociale gli avevano ingiunto di fare, aveva cominciato davvero a frequentare lo psicologo e a curarsi la depressione. La cura gli aveva giovato, era tornato l'antico Antonio.

Il ragazzo dei suoi vent'anni, il soldato di leva, il campione di judo, e poi l'agente semplice di polizia che l'accompagnava in divisa al tirocinio in una scuola elementare, e la sera si presentava all'uscita delle lezioni di canto, che lei frequentava all'insaputa dei genitori. Antonio era l'unico al mondo a sapere che non sarebbe mai diventata una maestra, aveva studiato solo per placare l'ambizione della madre, che voleva fare della figlia la donna piccolo borghese e rispettabile che lei non era riuscita a essere. Emma invece, fin da quando a quindici anni era stata eletta Miss Mare a Ladispoli, sapeva di essere nata per il palcoscenico. Antonio era orgoglioso che la sua ragazza avesse talento. Quando diventerai una star, diceva, io lascerò la polizia e diventerò il tuo manager. Gireremo il mondo e faremo un sacco di soldi. E tu sarai famosa. Gli innamorati di vent'anni pensano che l'eternità sia dietro l'angolo.

Emma si sedette nella Tipo. Notò di sfuggita che dietro il sedile di Antonio c'era una tanica piena di benzina e si chiese perché, ma poi si distrasse, commossa dalla vista delle sue cassette – i successi di Loredana Berté, Diana Ross, Celentano, Antonella Ruggiero – ancora sul ripiano del cruscotto. Sul parabrezza, c'era ancora l'adesivo che ci aveva appiccicato anni

prima Valentina: MAKE LOVE NOT WAR. Nella Tipo ristagnava
un odore di cicche stantie e di sesso. Emma se ne stupí, perché non immaginava che Antonio avesse un'altra. Ma forse, in
cerca di compagnia, aveva tirato su una puttana. Le sembrò un
progresso incoraggiante. Quando Antonio si sistemò al volante, lanciandole uno sguardo torrido, Emma si rese conto che
la gonna le lasciava completamente scoperte le ginocchia. Per
vent'anni gli aveva ripetuto che le sue ginocchia erano una zona altamente erogena. «Portami a piazza Farnese, – disse, – il
generale mi aspetta alle tre e mezzo e non voglio fare aspettare
una persona anziana, il suo tempo è diverso dal nostro». Antonio sorrise e accese il motore.

   Siccome non vedeva l'ora di restare solo con lei – non aveva
nessuna intenzione di portarla dal generale e pensava con frenesia ai vialetti deserti dietro il Foro Italico – cominciò a sorpassare le macchine in coda verso il centro. Gli automobilisti che gli
venivano incontro in direzione opposta suonavano il clacson e
lampeggiavano gli abbaglianti per informarlo che viaggiava contromano. Antonio sentí un rigurgito di odio per la Tiburtina,
questa strada alienante, generica, accerchiata dalle fabbriche,
dalle aziende informatiche, da capannoni, costruzioni brutte,
una strada nella quale erano brutti perfino gli alberi e i fiori,
dove però Emma – questa Emma nuova che era nata dopo che
la sua Emma era andata via – si destreggiava ogni giorno da
quando non viveva piú per lui. E ormai odiava anche Roma,
questa città femmina dalle forme rotonde, una città materna,
fatta di cupole floride come seni e portici spalancati come gambe – il cui segno, come quello delle donne, è il vuoto: l'inquietante vuoto romano che mina tutto, è una malattia incurabile.
Odiava Roma come Emma, e come se stesso.

   «Perché la tua amica pensava che ero il tuo nuovo tipo?»
chiese distrattamente, aggiustando il retrovisore. «Non lo so, –
rispose Emma, fissando davanti a sé la doppia striscia che
separava le carreggiate. – Non ci conosciamo per niente, siamo solo sedute nella stessa isola». Ebbe la sensazione di aver
commesso un errore a salire in macchina, però aveva bisogno

di un passaggio e Antonio glielo doveva. Era lui che le aveva
distrutto la moto. E senza la moto, a raggiungere la casa del
generale dalla Tiburtina impiegava piú di un'ora. E in centro
c'era sempre gente. Non come qui, dove non camminava nessuno – tutti inscatolati nelle macchine a guardare la targa di
quella che ti precede. «Da quanto è che stai con questo nuovo tipo?» s'informò Antonio. Continuava a sorridere, come
se la cosa non lo riguardasse. Ma Emma conosceva da ventun
anni quel sorriso, e il tono fatuo e leggero che adottava quando invece soffriva.

Lo conosceva fin dalla prima estate. Erano in campeggio
a Lipari. Distesi nella tenda, nudi, supini, a guardare le stelle
dietro la zanzariera. Antonio le aveva chiesto il nome. Il nome
di chi? aveva risposto Emma, senza capire. Il nome del primo.
Quando avevano fatto l'amore la prima volta – in macchina, il
letto cui sarebbero rimasti fedeli anche quando avrebbero avuto
una casa e un materasso – Antonio aveva notato di non essere
il primo, ma la cosa non gli era sembrata importante. Nemmeno lei era la prima. L'importante è essere l'ultimo. A vent'anni pensava cosí. Oh, si era rassicurata lei, che importanza ha?
Non lo conosci. Sí che lo conosco invece, sbraitò Antonio, con
una voce metallica che lei non gli sospettava, sono entrato nello stesso buco, praticamente ho scopato con lui. Che hai detto?
si rivoltò lei, offesa dalla sua volgarità. Antonio non era volgare. Era premuroso, invece. Appassionato. La sommergeva di
rose! Le faceva dedicare dal deejay di Radio Stereo sdolcinate
canzoni d'amore. Il silenzio ostile cedette via via a scuse, dap-
prime vaghe poi appassionate, infine alla mortificazione di Antonio che disse di non sapere cosa gli fosse preso – non aveva
mai pensato di dire una cosa del genere. Ti amo troppo, Mina.
Poi cominciò a succhiarle le labbra, le dita, i seni, e fece l'a-
more con una delicatezza, un'attenzione per lei che non aveva
mai dimostrato, e Emma pensò che era tutto passato. Ma a un
tratto, mentre lei apriva la lampo del saccoapelo e si accingeva
a sdraiarsi, Antonio ricominciò. Il nome, il nome. Voleva sapere il nome di quel tizio. Solo il nome, nient'altro, poi l'avreb-

be lasciata in pace. Pensando di farla finita – aveva sonno, era
sveglia dall'alba – Emma glielo disse.

Si chiamava Manlio. Che nome cretino, chiosò Antonio. E
lei sbuffò, perché non le piaceva che insultasse l'uomo al quale aveva concesso la verginità. Il suo silenzio offese Antonio,
che volle sapere chi era, il compagno di banco? Un pedicelloso
studente delle magistrali unico pollo in mezzo a trenta galline?
No, spiegò allora Emma, compiaciuta, era il supplente di religione. Sapeva tutto sulle eresie. Io a sedici anni stavo preparan-
do una tesina sul genocidio dei catari. Ti sei fatta sverginare da
un prete! scoppiò a ridere Antonio. Ma mentre rideva, esilara-
to, una visione ributtante si materializzò nella tenda, piú reale
della Emma assonnata e nuda che armeggiava col sacco a pelo:
Emma a sedici anni, studentessa vergine e innocente sotto un
vecchio lercio corrotto e ipocrita come tutti i preti. Non era un
prete, precisò Emma, con un sorriso nostalgico, era un teologo. E non era vecchio. Aveva ventisette anni. Poi si morse il
labbro, perché l'aveva difeso con troppa energia, e adesso Antonio avrebbe pensato che le importava qualcosa di lui, mentre
era tutto finito da tempo. Ma che ti importa? sussurrò, sbaciuc-
chiandogli l'orecchio, allora non ti conoscevo.

Antonio però voleva sapere se questo teologo fosse un rivale
temibile, tale da suscitare in lei rimpianti. Voleva sapere com'era
fatto, se era brutto, perché certo uno non gli viene in mente di
studiare religione se non è brutto. E lei, che aveva nuotato tutto il giorno, e ballato tutte le canzoni dell'estate, e voleva solo
dormire, glielo disse. Era altissimo, magro, con un'aria asceti-
ca, sembrava Gesú Cristo. Aveva gli occhi verdi e la barba. È
l'uomo piú intelligente che ho mai incontrato. Antonio visua-
lizzò il rivale: un falso profeta che aveva raggirato un'ingenua
vergine di sedici anni. Desiderò incontrarlo e strappargli i testicoli a morsi. Gridò che un professore non può portarsi a letto
un'allieva minorenne, è un crimine, un reato. Emma commise
un altro errore. Lo difese. Disse che infatti Manlio non voleva.
Era un uomo dai sani princípî morali. Era stata lei a scrivergli
una lettera per dichiarargli il suo amore.

E cosí Antonio scoprí una Emma sconosciuta. Sentimentale e intraprendente al punto di offrirsi a un maschio riluttante. E poi? E poi Manlio era stato trasferito in un'altra scuola e perciò non era piú il suo professore. Continuavano a vedersi perché lei era affascinata dalla sua cultura, e lui le faceva scoprire i libri che parlano del mistero dell'anima e di Dio e della vita. Le aveva regalato il *Simposio* di Platone e *Siddharta*, *Il libro tibetano dei morti* e le *Poesie mistiche* di Rumi, *Il Paradiso Perduto* di Milton e poi anche i russi, Marina Cvetaeva, Pasternàk, Mandel´štam – poeti altissimi, perché si può capire tutto degli uomini, delle donne, dell'amore, anche se non si crede in nessun dio, ma si crede nell'essere umano. Si erano baciati e poi era successo. Come era successo? Ma cosí, è stato naturale. *Naturale* – pensò Antonio, raggelato al pensiero che Emma trovasse naturale andare a letto con un uomo. Com'era stato? *Normale.* E com'è invece quando non è normale? È eccezionale, rispose lei, tentando ancora di distrarlo con una manovra diversiva di baci e carezze. Che vuol dire normale? si scansò Antonio, ormai distrutto dall'apprendere che la sua ragazza appena diciannovenne dietro il suo sorriso spensierato fosse invece già capace di stabilire gerarchie, paragoni, classifiche. Antonio si pentí di averle ricordato il teologo. Per la prima volta, sconvolto, si vide come forse lo vedeva Emma: lei, che un giorno sarebbe diventata una stella della canzone italiana, piú erotica di Patty Pravo, piú ribelle di Loredana Berté, piú ambigua di Alice, si trovava zavorrata da un ex militare di leva, costretto a chiedere alle forze armate di prolungargli la ferma perché col suo meschino diploma di perito industriale non riusciva a rimediare un lavoro. E invece Emma aveva avuto un teologo. Un laureato nelle scienze di Dio. E poteva avere chiunque. In qualunque momento. Anche domani.

Volle sapere quante volte il teologo se l'era sbattuta. Sperava fosse accaduto una volta sola: figurarsi cosa ne poteva sapere un teologo del corpo e della carne di una ragazza. Ma non lo so, non me lo ricordo, rise lei, è una domanda scema, è come chiedere quante volte sono andata al mare. Antonio sentí

una scarica elettrica friggergli il cervello. Tutto, intorno a lui,
si spense. Per Emma era la stessa cosa, dunque. E se non se lo
ricordava, significava che era successo molte volte. La delusione fu cosí grande che la colpí sul viso con un manrovescio che
però, siccome Emma si era voltata sul fianco per non guardare
i suoi occhi iniettati di sangue, occhi minacciosi, occhi sconosciuti, folli, andò a segno solo parzialmente. Emma schizzò su
come una gatta. Toccami di nuovo e ti spacco la testa, lo minacciò, afferrando uno zoccolo da spiaggia. Aprí la zip della tenda.
Era notte fonda. Nella vicina roulotte un bambino piangeva.
Antonio le strappò lo zoccolo dalle mani, la rincorse per tutto il campeggio, e per tutta la spiaggia, e quando finalmente il
mare – freddo e nero a quell'ora della notte – le impedí di fuggire oltre seppe che:
     il teologo era un peccatore proprio come tutti gli uomini
     il teologo era capace di farlo tre volte di seguito
     il teologo le aveva procurato un certo piacere – all'inizio Em-
ma affermò non cosí intenso come con Antonio, poi però, dopo
assillanti e tortuose sollecitazioni, finí per ammettere di essere
venuta e non una ma varie volte, anzi quasi sempre. Insomma
lui si era illuso stupidamente di averle fatto scoprire l'orgasmo,
mentre lei già lo aveva scoperto col teologo, anche se rifiutava
di chiamare la cosa col suo nome, e si trincerava dietro la parola roboante e vaga: piacere.
     Alla fine della vacanza alle isole Eolie, Emma aveva scoper-
to che se vuoi bene a qualcuno devi soffrire non soltanto per
lui ma anche a causa di lui, e Antonio conosceva Emma piú intimamente di quanto lei avesse mai immaginato di conoscere
se stessa. Sapeva tutto della storia col teologo, conosceva a memoria i loro versi preferiti, che recitavano: *Solcheremo i mari*
come con l'aratro | fin nel gelo del Lete ricordando | che la terra ci
è costata sette cieli. Sapeva dei loro amplessi lirici quanto movi-
mentati, sapeva dove lo avevano fatto (un po' ovunque, anche
nella portineria dei genitori di Emma), e quanto a lungo, e in
che posizione (per di piú lui sotto lei sopra). Sapeva anche che
Emma lo aveva frequentato carnalmente per tredici mesi, fin-

ché si era innamorata del batterista di un gruppo rock del liceo
scientifico Pasteur, e lo aveva lasciato per mettersi con questo
batterista il quale

si chiamava Daniele

aveva diciotto anni

i capelli lunghi come il batterista dei Duran Duran

era circonciso – perché ebreo, il che originò una lunga di-
squisizione perché Antonio non sapeva esattamente cosa volesse dire essere circonciso e una descrizione sempre piú precisa
finché il fatto divenne chiaro, con la conseguenza che la visione di un membro scappellato che si insinuava impudente nella
carne di Emma gli provocò il primo dei molti attacchi di colite
della sua vita

l'aveva sempre scopata piuttosto di fretta – era rapido, mai
piú di dieci minuti, il che la costrinse a confessare di non essere
mai riuscita a venire, il che gli fece scoprire che a lei era dispiaciuto di non esserci mai riuscita e che quando si predisponeva
al sesso quella ragazza spudorata pensava solo a godere

in casa dei genitori del batterista

sul letto dei genitori, perché era largo

anche sul letto suo – ma era stretto e stavano scomodi

anche nel garage

una volta nel cesso della scuola

quasi sempre in piedi per non restare incinta

non era mai venuta

lei gli voleva bene lo stesso

poi lui l'aveva lasciata

lei aveva pianto tanto

aveva giurato di non innamorarsi piú

poi aveva incontrato lui, Antonio.

Che ingenuità credere che il passato fossilizzato per sempre nella memoria, come una foglia in una roccia sedimentaria,
appartenga solo a chi lo ha vissuto. Il banale passato di Emma
ormai apparteneva a Antonio. E se lei avesse fatto un passo indietro nella direzione sbagliata, l'avrebbe risucchiata via con
sé. E solo lui poteva impedirle di perdersi. Doveva protegger-

la. E starle accanto – vigile, col sangue in subbuglio, pronto a difenderla. Perché Emma – passata presente e futura – adesso gli apparteneva.

Emma restava spesso a dormire da lui, in un monolocale affacciato sulla ferrovia, al settimo piano di un palazzo di dieci dell'Alberone, al cui commissariato Antonio era stato appena assegnato. Guarda che non possiamo convivere, la cosa non è ben vista, un poliziotto è meglio se è sposato, la avvertí Antonio. Emma disse che prima di sposarsi voleva cominciare a guadagnare coi dischi, cosí avrebbero avuto piú soldi. Era cresciuta in una casa in cui i soldi non bastavano mai, e lei voleva avere una vita diversa. E infischiandosene di ciò che avrebbero potuto pensare i colleghi di Antonio, si faceva trovare nel monolocale quando lui tornava dopo un turno di notte, stravolto. Già lavori tanto, gli diceva, coccolandolo, frequenti rapinatori assassini e criminali, se dopo una giornata cosí non andiamo neanche a letto, che vita è? Non si fecero nuovi amici, e persero quelli che avevano. Lei trovava grevi i suoi colleghi, e deprimenti le loro mogli, il cui unico argomento di conversazione erano i figli. Loro, d'altronde, la trovavano troppo competitiva, bellicosa e disinibita per i loro gusti. Antonio trovava gli amici di lei troppo studenti, e loro lo trovavano geloso e possessivo, con un'influenza castratrice sul carattere spontaneo ed estroverso di Emma.

Inoltre Emma cominciò a uscire malvolentieri con chiunque, in sua compagnia, perché poi Antonio la sottoponeva all'interrogatorio che sognava di effettuare alla stazione di polizia, e che intanto provava e raffinava con lei: se il tale poteva piacerle, chiunque avesse un po' di pelo sotto le ascelle sembrava piacerle, e perché negava di essere interessata a quel tale, gli aveva pur detto qualcosa all'orecchio, lui se n'era accorto, era un poliziotto, nulla poteva sfuggirgli. Emma rispondeva invariabilmente, appassionata – ah i suoi occhi colmi di sorpresa e amore e innocenza – di non aver sorriso al tale perché aveva passato la serata a occuparsi di lui, perché amava lui, e gli altri maschi potevano pure estinguersi che a lei non gliene importava niente. E Antonio avrebbe tanto voluto crederle, ma non poteva farlo, a volte era cosí ferito dalle sue risposte sbrigative che la prendeva a schiaffi, la scongiurava di confessare – non c'era niente di male se le piaceva un altro, ma doveva dirglielo, la sincerità era basilare, io ti accetto imperfetta come sei, anche vedere come sbagli mi fa vivere. Se confessava lui l'avrebbe perdonata, ma doveva dirgli la verità. Poi, siccome quella verità lei non riusciva a dirgliela, cominciava a urlare, ma in tono secco e offensivo, perché Emma non intuisse il potere immenso che aveva su di lui, protestando di non meritare i suoi sotterfugi e le sue bugie, perché non aveva mai amato nessuna come amava lei, la sua prima vera donna, voleva vivere per lei, e proteggerla, e fare ogni cosa con lei, e per lei, mentre lei invece lo aveva deluso – oh, era solo una ragazza qualunque, volubile e incostante come tutte le donne, e non lo amava veramente, non ne era capace. E allora, commossa da un amore cosí smisurato, Emma lo pregava di crederle, di non considerarla come le altre, anche lei non aveva amato nessuno come amava lui. E mentre diceva cosí l'espressione del suo viso diventava timida, sottomessa, quasi straziante, e lo eccitava ancora di piú, e lo spingeva a essere ancora piú aggressivo. E lei lo perdonava perché aveva paura di essere fraintesa, o disprezzata, o lasciata, e lo abbracciava, e si riconciliavano e quelle liti furibonde finivano in congiungimenti ancora piú furibondi, che li lasciavano spossati storditi e felici di amarsi tanto.

In quel periodo il tecnico di studio di una casa discografica presentò Emma al direttore, il quale trovò che la ragazza aveva una presenza scenica interessante, e una voce discretamente intonata. Le propose un contratto per registrare il disco di un cantante che tre anni prima era stato a Sanremo ma era arrivato sedicesimo: doveva partecipare come corista. Nonostante la paga scarsissima e il fatto che il cantante in questione cantasse una musica melensa e geriatrica che la disgustava (lei venerava Billie Holiday, Aretha Franklin e Ella Fitzgerald), Emma accettò, per fare esperienza. Sparí in sala d'incisione, ma ad Antonio non disse niente – in seguito si sarebbe chiesta inutilmente perché. Quando Antonio seppe del disco, era già successo. L'incomprensibile silenzio di Emma dispiacque parecchio ad Antonio, che tuttavia non voleva che lei pensasse che lui la ostacolava nella sua carriera e si dimostrò generoso e comprensivo perché nonostante tutto sognava un futuro planetario per Emma. La sua ragazza sarebbe diventata una star. Tutti l'avrebbero adorata come già l'adorava lui e lui aspettava con fiducia questo trionfo.

Il proliferare di nomi maschili sull'agenda, ritardi ingiustificati e telefonate sospette convinsero Antonio che Emma frequentasse a sua insaputa i tecnici di studio e i turnisti. Discutevano per ore, a volte si prendevano a schiaffi e si graffiavano a sangue, urlavano finché lei lo piantava, chiedendo un passaggio al primo camionista che incrociava. E lo fece infuriare ancora di piú il fatto che Emma dopo qualche tempo dimostrò di non volerlo nemmeno convincere dell'infondatezza delle sue accuse – in fin dei conti ho vent'anni, non sarò Kim Basinger ma mi difendo e se piaccio agli uomini non è colpa mia. Il problema, avrebbe voluto gridare Antonio, non è che piaci agli uomini, ma che gli uomini piacciono a te. Una volta era scesa dalla macchina mentre lui scaraventava dal finestrino borsa scarpe occhiali e sigarette ed era stata cosí insensibile alla sua sofferenza che se n'era tornata a casa scalza. Quando Emma registrò il terzo disco, Antonio cominciò a sembrarle non piú l'amante appassionato e il complice della vita appagante che la attendeva quando il suo talento sarebbe stato riconosciuto, ma un poliziotto fanatico e asfissiante che in realtà non l'avrebbe mai aiutata a diventare ciò che sognava di essere, e anzi glielo avrebbe impedito. E tutte quelle domande volgari, quei sospetti volgari, la sorveglianza acida e assidua, le martellanti accuse di infedeltà e tradimento che prima l'avevano ferita e però gratificata, finirono solo per annoiarla.

Quell'estate il cantante melodico partí per una tournée. Serviva una corista per i ritornelli, invariabilmente imperniati sull'iterazione della parola amore. Il cantante non piazzava un pezzo nell'hit parade da dieci anni e la casa discografica investiva

il meno possibile su di lui – ma insomma siccome la Tempesta
aveva questo sorriso e questo culo e queste tette suggestive e insomma sul palco era piacevole a vedersi (il produttore disse proprio cosí ed Emma desiderò essere gobba e brutta perché solo la
sua voce avesse il diritto di essere reputata bella) la prendevano
anche se esistevano sul mercato coriste migliori, negre soprattutto. Emma firmò il contratto senza consultare Antonio, e solo
alla vigilia della partenza lo avvisò che quest'anno non avrebbero fatto le vacanze insieme, perché andava in tournée. Antonio
stupefatto disse che doveva rifiutarsi di andare in tournée con
una banda di maschi che avevano passato i quarant'anni, fru-
strati dall'insuccesso e perciò ancora piú assatanati in quanto il
sesso era tutto ciò che poteva ancora farli sentire vivi, maschi
che consideravano inevitabile ed essenziale alla loro sopravvivenza farsi quella corista giovane e fresca come una mattina di
primavera, e lei avrebbe finito per accontentarli, perché era fatta cosí – lei aveva questa tendenza a dire sempre di sí. Emma
replicò che i musicisti li conosceva, non doveva giudicarli male
se non avevano avuto successo, il successo non significa niente,
quello che ha valore è la dedizione, la passione, l'amore, quelli
pensavano solo alla musica, come lei del resto, che aveva ormai
ventidue anni, e doveva fare esperienza, perché quella era la
vita che aveva scelto, cantare, cantare, ed era disposta a sacrificare tutto il resto, anche l'amore per le massime vocaliste del
soul, pur di diventare una cantante vera, insomma sabato partiva per Catanzaro, davano un concerto al Lido, avrebbe cantato
davanti a migliaia di persone, sognava questa occasione da anni.

Antonio disse che se partiva allora non le importava niente di lui e non lo aveva mai amato e non vedeva l'ora di farsi
sbattere da quei musicisti era una grande delusione per lui che
voleva vivere con lei tutta la vita e farle dei figli e invecchiare
insieme e morire poi a novant'anni di felicità nello stesso letto,
invece si era sbagliato: l'amore suo era una puttana – e basta.
Emma protestò che era ingiusto, lo amava, voleva vivere con
lui, fare dei figli con lui, invecchiare con lui, morire di felicità
con lui a novant'anni, e non voleva farsi sbattere da nessuno,

lei pensava solo a cantare e lui lo sapeva – insomma, litigaro-
no, lui gridò, imprecò, minacciò, lei resistette, perché ancora
pensava che la tournée in Calabria Sicilia e Puglia col cantante melodico fosse la sua occasione per diventare una cantante
vera e non una corista messa sotto contratto solo per via delle
gambe lunghe, del sedere e del seno che lei doveva ai geni di
sua madre mentre la voce la doveva solo a se stessa. Antonio,
terrorizzato all'idea di perderla davvero – perché se lei partiva, e aveva successo, mai sarebbe rimasta con lui – supplicò,
protestò, singhiozzò, si mise in ginocchio, le baciò le mani. Ma
Emma pareva irremovibile, e anzi a un tratto scoppiò a ridere,
tutto questo era ridicolo e lei ne aveva abbastanza, e disse che
era tutto finito e lo lasciò.

«Non sto con nessuno, Antonio», gli disse. Si augurò che
il prossimo semaforo fosse rosso, perché doveva assolutamente
scendere dalla macchina. Aveva sbagliato ad accettare di parlargli. Ai bambini agli alimenti ai colloqui con lo psicologo e alle condizioni che i giudici gli avevano imposto per vedere i figli Antonio non riusciva a interessarsi. I suoi pensieri si erano
avvitati intorno a lei – ciò che faceva, chi frequentava, come si
vestiva. Senza di lei non posso vivere, aveva dichiarato al giudice, durante l'istruttoria. Da quando se n'è andata la mia vita
non ha piú senso. Non ho voglia di fare niente, mi scordo di
mangiare, non dormo, non sono piú io, non sono piú nessuno.
È l'unica donna della mia vita. La conosco meglio di me stesso.
Se le concedete la separazione mi suicido. Per dimostrare che
parlava sul serio, dopo l'udienza aveva ingoiato una bottiglia di
olio lubrificante per le armi. In realtà non voleva morire, nessuno meno di Antonio voleva morire, solo costringerla a tornare.
Gli avevano fatto una lavanda gastrica e prescritto la terapia
dallo psicologo. Lei non era tornata. E lui aveva cominciato a
spiarla. Telefonava anche trenta volte al giorno, al lavoro e a
casa. Raramente parlava. Spesso si limitava a riattaccare quando sentiva la sua voce. Da qualche tempo, quando non vegliava
su Fioravanti, la seguiva. Il suo viso abbronzato, i suoi occhi
neri straniti apparivano tra la folla all'improvviso – ai grandi

magazzini, al supermercato, sull'autobus, nel vagone della metro. Appariva per un attimo, e poi svaniva, lasciandole una sorda inquietudine, e perfino il timore di avere le allucinazioni.

Il semaforo era rosso, ma Antonio bruciò l'incrocio. Infilandosi a tutta velocità nel sottopassaggio, ingranò la quinta e imboccò la tangenziale che soffocava Roma come un anello troppo stretto. «Ti sei rimessa col dentista? Che valori ha un professionista che si scopa la segretaria? È una cosa squallida. E poi è sposato. Non dovresti andare con un uomo sposato. Non dovresti rovinare una famiglia». «Smettila», disse Emma. Avrebbe dovuto negare con piú convinzione, ma non ci riuscí. Del resto erano affari suoi, e Antonio non aveva nessun diritto di immischiarcisi. Volavano fra i palazzi del Tiburtino. Antonio schivava autobus e taxi, destreggiandosi fra le macchine con l'abilità proterva che aveva imparato ai corsi di guida della polizia. Una volta Emma si divertiva, alle sue spericolate gimcane. Una volta avevano percorso il lungotevere contromano da Castel Sant'Angelo a Castel Giubileo – erano cosí giovani. «È quel generale vecchio che potrebbe essere tuo padre? Speri di fargli cambiare il testamento?» «Ci sto provando, – lo provocò Emma, sarcastica, – ha dieci appartamenti a Roma, e solo due figli». «Lo fa meglio un vecchio di ottant'anni col viagra o un maestro di salsa senza?» chiese Antonio in tono fatuo, senza guardarla. «Non nominare il maestro di salsa», disse Emma.

Voltò la testa e i suoi occhi indugiarono su una fila di manifesti elettorali incollati abusivamente per centinaia di metri sulle barriere anti rumore della tangenziale: manifesti arancioni nei quali un tizio con gli occhiali e i capelli crespi e brizzolati sorrideva bonariamente invitandola a fidarsi di lui. Per un attimo le sembrò di conoscerlo, un uomo rassicurante, paterno – VOTA VOTA VOTA, lesse, e nient'altro. Pure continuò a fissare quella faccia perché doveva in ogni modo scacciare il ricordo del parcheggio del dancing a via della Giustiniana, immerso nella nebbia di una notte di febbraio. Parcheggio buio nel quale Antonio, sbucato dal nulla, aveva aggredito il maestro di salsa col quale lei aveva ballato tutta la sera. Li aveva costretti a scende-

re dalla moto, l'aveva fracassata con una mazza, e poi quando
gli era sembrato di avere spaventato abbastanza il maestro, si
era scagliato su di lei. L'aveva trascinata per i capelli tra le poz-
zanghere e le macchine in sosta. Dal dancing dove risuonava la
musica caraibica, ideale per il divertimento del martedí grasso,
non usciva nessuno, e il maestro era sparito perché dopotutto
la conosceva da poche ore, non gliene importava niente di lei
ora che sapeva quanto gli sarebbe costato andarci a letto. Antonio l'aveva presa a calci e a schiaffi, perché voleva sapere cosa cazzo aveva in piú di lui quella specie di ballerino negro. E
siccome Emma sapeva che qualunque risposta gli avesse dato,
non lo avrebbe placato, non diceva niente, e cercava di striscia-
re sotto le ruote delle macchine. Ma Antonio non aveva smesso di colpirla finché dal dancing non erano usciti gli amici del
maestro di salsa e lo avevano avvertito che stava arrivando la
polizia. E lei aveva gridato no!, e lui aveva detto sono io la polizia. E proprio come la notte di quel martedí grasso, non esisteva adesso la risposta giusta per placare Antonio. Né la verità
né una menzogna sarebbero bastate.

Mentre zigzagava fra le macchine dirette alla Moschea e ai
campi sportivi dell'Acqua Acetosa, faceva stridere i pneumatici e sbucava sotto i trafori di Monte Mario, Antonio insisteva, con gli occhi spiritati che a poco a poco si erano venati di
sangue: il nome del suo nuovo tipo, voleva sapere il nome, solo questo, aveva il dovere di dirglielo, erano stati sposati per
dodici anni, aveva il diritto di sapere quale uomo si scopasse la
madre dei suoi figli, ne aveva il diritto.

«Non c'è nessuno, – ripeté Emma, sforzandosi di restare calma per non innervosirlo, – non voglio piú stare con nessuno»,
ma siccome Antonio sapeva che non era vero e gli pulsavano le
vene sulle tempie, e presto sarebbe esploso, e lei era stanca di
tutto questo, e aveva giurato a se stessa che non gli avrebbe mai
piú permesso di toccarla, perché era cambiata, e si era liberata
dei sensi di colpa e non si guardava piú attraverso i suoi occhi,
lo afferrò per il braccio e tentò di sterzare il volante, per costringerlo ad accostare, gridando fermati, fermati, voglio scendere.

Antonio non si fermò, accese la sirena che non aveva il diritto
di accendere ma tanto la legge sono io, imbucò a tutta velocità il
viottolo che costeggiava la Farnesina, piombò sul lungotevere e
s'avventò, come volesse schiacciarla, contro la palla arrugginita
di Pomodoro. E siccome Emma continuava a strattonarlo per
costringerlo a fermarsi, si liberò di lei con una gomitata. Emma si coprí il viso con le mani e se le trovò bagnate di sangue.
Antonio frenò bruscamente, mandandola a sbattere contro il
parabrezza. Il motore si spense. «Scusami, non volevo, – disse, mentre la Tipo, scavalcando il rialzo di marmo, si arenava
sul basamento che circonda l'obelisco del Dux, spaventando un
consesso di gabbiani. – Mi dispiace, amore, scusami». Si frugò nella tasca della giacca in cerca del fazzoletto, non lo trovò,
aprí il cassetto del cruscotto. Emma sentí odore di olio rancido, di lubrificante, vide la Springfield Armory 1911-A1 – la sua
preferita, l'unica che custodiva nella cassaforte dietro le *Ninfee*
di Monet. Antonio afferrò un pacchetto di kleenex comprati
stamattina al semaforo per compassione di un povero vecchio
indiano, richiuse il cassetto, nascondendole la Springfield, ma
sapendo che lei l'aveva vista, sapendo che ora sapeva che questo era il loro ultimo appuntamento.

Le porse un fazzoletto di carta. Emma armeggiava con la
leva dello sportello, ma non riusciva ad aprirlo perché Antonio
aveva fatto scattare la serratura di sicurezza a prova di bambino. Si chinò su di lei, respirò l'odore ben noto del suo corpo,
e dello shampoo-balsamo alla mela, e quell'odore lo eccitò e lo
sconvolse. Le premette il fazzoletto sulla bocca, con tenerezza,
con rabbia, con dolore, ripetendo scusami, non volevo, amore,
non volevo farti male – e ciò nello stesso tempo era vero e non
lo era, perché non doveva succedere cosí. Emma accettò il fazzoletto, non foss'altro per tamponare il sangue che dal labbro
zampillava sul mento, e sul collo, e sgocciolava sulla maglietta
– l'avrebbe macchiata, il generale se ne sarebbe accorto, che
vergogna. Chiuse gli occhi per dimenticare Antonio riverso su
di lei, cosí vicino che il peso del suo corpo la schiacciava, Antonio che la fissava con odio, un odio nel quale però c'era anche

pietà di lei e di sé e del loro povero amore umiliato e distrutto. Poi, siccome l'emorragia non si arrestava, piegò indietro la testa – e cosí facendo, forse senza saperlo o forse sí, gli offrí la gola. E Antonio fu attraversato da una scarica elettrica, perché il momento della fine del mondo poteva venire domani o fra dieci anni, e invece era venuto adesso.

Impugnò il coltello da caccia Beretta fieldlight in acciaio legato a tre lame, per segare l'osso e scuoiare la preda, e glielo puntò sulla gola, dove la giugulare pulsava come un cuore. La lama penetrò nella carne, ma lui rimase ipnotizzato dalla vista di quel collo bianco attraversato da un sottile rigo rosso – il collo di una donna che non era piú giovane, sul quale affioravano già due linee orizzontali, leggere, ma fra qualche anno profonde disonorevoli rughe. Rimase a fissare il collo bianco, le linee orizzontali impercettibili, la riga verticale di sangue, e pensò che doveva farlo anche per salvarla, per impedirle di diventare una megera fallita come la madre, salvarla dal tradimento e dalla vecchiaia, dalla decadenza e dall'infelicità. Ma quel segno lieve del tempo che era trascorso, del tempo che li aveva uniti, lo commosse profondamente, e la vista della lama d'acciaio che graffiava la pelle di lei lo fece rabbrividire. Ricacciò il Beretta fieldlight nella tasca e si strinse a Emma, e la palpò dappertutto, e la baciò aprendole le labbra con la lingua, e lei non gli oppose resistenza, anzi ebbe l'impressione che gli si abbandonasse, che si schiudesse come una valva, ed era esattamente cosí che doveva andare. Mentre le mani si stringevano intorno alla sua gola, appoggiò la testa sul collo bianco, la bocca su quel rigo rosso, e lasciò che il sangue gli colasse fra le labbra, perché era di Emma e amarla era il rischio finale – aveva varcato la soglia, viveva ormai al di là di tutto, e trovarla era come morire.

Sedicesima ora

«Che hai fatto all'occhio? – gli chiese Carlotta. – Sei malato?» «Ci ho l'ambliopia», rispose Kevin, di malavoglia perché non gli piaceva parlare del suo occhio. «Ce l'hai storto pure quello chiuso?» «No, quello chiuso è l'occhio sano. L'altro è quello pigro e devo sforzarlo», spiegò, per l'ennesima volta. Solo quando la spiegava, quella storia gli sembrava convincente. Ogni volta che mamma gli cambiava il cerotto, protestava che non lo voleva piú, tanto non ci credo che funziona. Mamma però giurava che fra qualche tempo ma non sapeva quando l'occhio storto sarebbe guarito e lui ci avrebbe visto benissimo. Lui avrebbe preferito essere cieco e non portare il cerotto. «Sei amico di Camilla?», gli chiese il cugino di Camilla, roseo porcellino strizzato in un tight. «Sí», rispose Kevin. Avrebbe voluto specificare che era qualcosa di piú: il suo sposo. Da poche ore, ma per sempre. Cosí avevano stabilito. Infatti a casa sua Camilla non aveva fatto altro che compiacerlo, fissandolo amorosamente con gli occhi teneri da bambi, e lo aveva portato nella sua stanza – anche questa piú grande della casa di nonna Olimpia. E siccome la madre di Camilla non c'era e nemmeno il padre, solo una baby-sitter vecchia come Nonna Papera e altrettanto brutta che però si faceva gli affari suoi e chattava al computer forse fingendosi una squinzia giovane e bella, l'aveva portato a esplorare i meandri misteriosi della sua casa.
Si erano insinuati nella camera da letto della signora Fioravanti, che era incredibilmente ordinata – e a confronto di ca-

mera di mamma pareva un negozio, coi vestiti tutti in fila nella cabina armadio, una foresta di stampelle e scaffali. Camilla si era infilata un paio di sandali a punta col tacco a spillo e una vestaglia di seta lucida e aveva detto: io ero la principessa Althea, e tu eri il principe Nikor. Kevin non sapeva chi fossero – forse personaggi di un cartone che non aveva visto o altri inventati da lei – ma si era adeguato. Facciamo che era il nostro matrimonio, e c'era tutta la corte, disse Camilla. Okay, disse Kevin-Nikor, facciamo che io ero tornato dalla guerra ferito nell'occhio. Cosí combinata, inciampando nella vestaglia lunga e nei sandali troppo larghi, Camilla-Althea lo aveva preso sottobraccio e avevano sfilato per i corridoi davanti alla corte che applaudiva. E a un certo punto con un contorcimento improvviso Camilla gli aveva stampato un bacio bagnato sulla guancia, al che Kevin si era rifugiato dietro una poltrona, perché a parte mamma nonna e Valentina nessun'altra femmina gli aveva mai leccato la guancia. E Camilla aveva spiegato che è un fatto normale, tutti gli innamorati si baciano. Però quando l'aveva sbavato di nuovo sulla guancia, lui aveva chiuso l'occhio. Insomma, a parte i baci un po' impressionanti, aveva fatto un grande affare a sposarsi con Camilla, che oltre a essere la piú carina della classe, aveva una casa sterminata, una stanza dei giochi, e tanti pensieri gentili per lui. Ma da quando la baby-sitter li aveva scaricati a Palazzo Lancillotti, ed erano arrivati gli invitati, e il mago vestito di nero aveva iniziato a far sparire e apparire coniglietti bianchi ammaestrati, e pappagallini ventriloqui, insomma da quando era cominciata la festa, Camilla era stata sequestrata da uno sciame di bambine rosa come confetti che la tiravano da una parte e dall'altra. Per quanto l'eroico principe Nikor slittasse attraverso il salone, e tentasse audaci manovre per avvicinare la principessa Althea, non ci era piú riuscito.

«Che mestiere fa tuo padre?» s'informò Carlotta mentre il mago infilava in una scatola i coniglietti ammaestrati e i pappagallini ventriloqui. Quattro animatori vestiti da clown saltellavano e strillavano che adesso dovevano formare due squadre

perché iniziava la caccia al tesoro – faticando dannatamente perché i settanta bambini, stregati dai coniglietti e dai pappagallini,
non obbedivano e nei saloni montava una confusione pericolosa
per l'incolumità degli affreschi e del prezioso parquet. «Il po-
po-poliziotto», balbettò Kevin, a fatica, perché ogni allusione
all'esistenza del padre lo precipitava in uno stato di panico, che
gli torceva lo stomaco e gli inceppava in bocca le parole. Inoltre
fissava angosciato le squadre che si andavano formando, dispo-
nendosi i bambini a destra o a sinistra dopo che il loro nome
era stato chiamato a voce alta. Sapeva che presto sarebbe rimasto solo in mezzo al salone, perché nessuno lo avrebbe scelto.
«Il poliziotto? E quanto guadagna?» «Che ne so», rispose Kevin. «Che macchina c'ha?» s'informò Lorenzo, il quale aveva
imparato dalla madre, che però non poteva saperlo, a misurare
il valore delle persone in base a quello della loro automobile.
«La Tipo». «La Tipo? Ma se non la fabbricano piú! – esclamò
Lorenzo. – Mio padre dice che le Fiat fanno schifo, le costruisco-
no in Sicilia e la mafia si ruba tutti i pezzi e le appiccicano col
cartone». Suo padre aveva la Mercedes. Era cosí lunga che non
trovava mai parcheggio.
    «Il mio ha il Toyota, – s'inserí un ragazzino piú grande, coi
capelli a paggio e gli occhi azzurro fiordaliso, – le macchine giapponesi sono le migliori». Kevin non lo conosceva e lo giudicò
affascinante. Desiderò essere suo amico. «La Tipo è una buona
machina e c'ha un g-g-grande ba-ba-gajaio, – farfugliò, – e non
è cosí vecchia, mi ricordo quando l'ha c-c-comprata». «Si vede
che l'ha comprata di seconda mano», commentò il ragazzino
con gli occhi azzurri, che già non provava piú nessun interesse
per Kevin, e fingeva di interessarsi al buffet dove rosseggiavano
le pizzette per non far vedere che era preoccupato di non essere scelto nemmeno lui. «N-n-non è vero», protestò Kevin. «Sí
che è vero. I poliziotti guadagnano poco. Mio padre dice che
non è giusto pagare miseramente i servitori dello stato», disse Lorenzo. Anche suo padre era un servitore dello Stato, era
giudice della Corte di appello. «Mio p-p-padre ci ha un sacco
di p-p-pistole», disse Kevin, mendicando pateticamente la loro

attenzione. «E come lo sai?» dubitò il ragazzino con gli occhi fiordaliso, ciancicando una patatina. «Le ho viste».

Le facce accaldate dei tre ragazzini si rivolsero verso di lui. Approfittando di quel barlume di attenzione, Kevin s'avventurò a descrivere la collezione di Antonio. Papà ci teneva che lui conoscesse le pistole. Gliele faceva pure prendere in mano. Le armi sono cose da maschi. Kevin moriva di paura, ma non lo diceva perché papà era contento quando lui si mostrava interessato alle armi – significava che era proprio suo figlio. Della quale cosa, chissà perché, a volte papà non era sicuro, e quando litigava con mamma cominciava a urlare che voleva fargli il test del dienneà perché chissà dallo spermatozoo di quale bastardo era piovuto questo pappamolla balbuziente in casa sua. Lo spermatozoo, gli aveva spiegato Valentina, è il girino che naviga nella pancia delle donne per incontrare l'uovo: è cosí che nascono i bambini. A forza di sentirsi ripetere quella storia dello spermatozoo navigatore, Kevin aveva preso a pensare che magari era vero, e la cosa non gli dispiaceva poi tanto. Forse il suo vero padre proprietario dello spermatozoo sarebbe stato piú gentile, con mamma e con lui. Ma questo padre alternativo nemmeno dopo che erano andati a vivere con nonna Olimpia si era degnato di comparire.

Piú o meno ogni tre mesi mamma cambiava umore, in un certo senso resuscitava dal letargo o dal sonno della principessa addormentata, proprio come nei cartoni si trasformava in una specie di fata: insomma cominciava a uscire con qualcuno. Passava le ore in bagno a sbiondirsi i capelli con certi impiastri vegetali che comprava all'erboristeria, a pitturarsi le unghie, depilarsi con la cera idrosolubile che appiccicava dappertutto, e provarsi tutti i vestiti della valigia. Quando finalmente usciva, lui e Valentina spiavano dalla finestra l'uomo che si era meritato tante attenzioni e che veniva a prenderla, la sera. L'uomo in questione era per lo piú una delusione pazzesca. Era venuto un dentista con la barba e la Jaguar, che era durato da Pasqua a ferragosto, un meccanico col naso lungo come una stalattite, che era durato due mesi, vari musicisti che erano durati ancora meno – e da un pezzo non veniva piú nessuno. Ma nessuno di questi gli assomigliava neanche alla lontana, e mai gli era stato presentato come padre.

«Intanto mio padre c'ha la Beretta n-n-novantadue, e l'emme dodici c-c-on ventidue colpi nel caricatore, che sarebbe la mitraglietta automatica, e queste gli servono quando lavora, la m-m-mitraglietta è per quando d-d-devi sparare senza fermarti, – spiegò. – E quando lavora ci ha pure la bombola spray col gas p-p-paralizzante, e l'arma bianca, che è un c-c-coltello che gli serve per le uccisioni ravvicinate. E p-p-poi quando non lavora ci ha la Tauro che è tutta nera, e una Mause lunga da tiro con la canna pesante e una Sprinfil americana col calcio di legno che la usa l'Efbiai e i corpi speciali antiterrorismo e ci ha pure l'accappa 47, il vecchio kala, che poi sarebbe il calascnicof». Il cugino di Camilla, Carlotta e il ragazzino con gli occhi azzurri parevano incuriositi e Kevin si sentí incoraggiato a proseguire. «A capodanno quando a-a-andiamo al paese dei nonni mio padre spara sulla spiaggia ai gabbiani. E li ammazza sempre, ha la mira buona come Mel Gibson. Mio padre dice che *Arma letale* è tutta una finta, mentre lui spara per davvero». Tacque all'improvviso, perché gli occhi da cerbiatta di Camilla fecero capolino dietro la spalla di Carlotta, e non gli piaceva parlare del padre pistolero davanti a lei che era tanto sensibile e non voleva uccidere nemmeno le zanzare che già all'inizio di maggio svolazzavano attorno alla sua villa. Però ormai non si poteva fermare piú, perché sennò gli altri gli avrebbero voltato le spalle e lo avrebbero piantato da solo in mezzo al salone. «E ha ammazzato qualcuno?» s'informò Lorenzo, il cui padre mandava in galera le persone che ammazzavano. «Certo, – garantí Kevin. – Un sacco di gente». Non era vero, ma i ragazzini erano impressionati. Kevin aveva fatto colpo.

Però dovette asciugarsi le mani sui risvolti dello smoking, perché un timore insensato gli si era incrostato sul corpo. Mentre parlava gli tornava in mente la sensazione di soffocare, che lo faceva correre sul divano e alzare il volume della tivvú. E a un tratto si era ricordato l'ultima volta che aveva visto il Ka-

lashnikov, e non era capodanno, e papà non poteva tenerlo
perché è proibito, in quanto è un'arma di guerra, e in Italia la
guerra non c'è, però lo teneva lo stesso perché preferisco stare
tranquillo che la guerra non entra in casa mia. Il Kalashnikov
è lungo come una fiocina. Papà lo puntava contro lo stomaco
di mamma che era inginocchiata nella veranda e gli diceva che
vuoi fare? mi vuoi sparare? sparami, allora, falla finita, almeno
non ti vedrò mai piú. E lui restava in piedi davanti al caminetto a fissare il Kalashnikov finché Valentina non lo afferrava per
trascinarlo a letto, anche se lui non voleva muoversi prima di
assicurarsi che mamma non fosse morta.

I tre ragazzini pensarono che il nuovo amichetto di Camilla
– figlio di un poliziotto che possedeva un mucchio di armi che
solo i nomi fanno paura e ammazzava la gente, non come Mel
Gibson – era una conoscenza elettrizzante. E quando toccò a
loro scegliere lo chiamarono a gran voce e gli chiesero di entrare nella loro squadra per la caccia al tesoro. Il suo nome – «Kevin, Ke-vin!» – echeggiava nei saloni di Palazzo Lancillotti, e
rimbalzava sulle pareti affrescate, e sui soffitti a cassettoni, e
ricadeva su di lui come una pioggia d'oro.

Diciassettesima ora

Emma si avvicinò allo specchio. Quando trovò l'interruttore della luce, una ghirlanda di lampadine bianche la illuminò senza misericordia. Sciupata. Pallida. Piuttosto malridotta. È terribile pensare che la nostra vita è un romanzo senza intreccio e senza eroi, completamente sconnessa, priva di coerenza, fatta solo di pause e di vuoti, di digressioni insensate. Perché sono salita sulla sua macchina, perché? Stupida idiota cos'altro potevo aspettarmi da Antonio? Strappò un asciugamano di carta dal rotolo che si inumidiva sul lavabo. La mia bocca, Dio santo. E non era giusto. Non oggi. Il venerdì pomeriggio andava ad assistere il generale Ziliani. Era convalescente da un ictus. Gli leggeva i romanzi di Salgari, che lui aveva divorato da ragazzo. I figli credevano che stesse per morire. Invece il generale trovava la sua voce altamente afrodisiaca e aveva scritto sulla lavagnetta, con l'unico braccio funzionante, che preferiva vivere perché nessuno gli garantiva che avrebbero lasciato entrare in paradiso una donna come Emma Tempesta. A lei piacevano le ore serene che trascorreva in compagnia del generale, nella penombra di un palazzo barocco del centro storico, con quell'uomo piccolo e raggrinzito nel letto, gli occhi trasparenti che traboccavano di una felicità remota e inafferrabile. Aveva dovuto telefonare per dirgli che non poteva andare, oggi. È terribile deludere qualcuno che potrebbe morire domani.

Il cesso della stazione dei carabinieri odorava di candeggina. Quando sollevò il cerotto, notò che il suo sangue rappreso aveva lo stesso colore delle lacrime rugginose che incrostavano l'occhio del lavabo. A un esame spassionato, la ferita alla bocca si rivelò piú profonda di quanto sperato. Il taglio incideva il labbro inferiore – netto come una coltellata. Al Pronto Soccorso le avevano dato tre punti, un cerotto e un volgarissimo referto – che però forse poteva servire da prova. Il certificato dell'Azienda Sanitaria Locale attestava che Emma Tempesta presentava *un trauma contusivo con lieve tumefazione in regione zigometrica sinistra escoriazioni abrasioni alla base del collo ferita da taglio di 3,5 centimetri di lunghezza labbro inferiore*, per cui veniva giudicata *per ferita lacero-contusa ed ecchimosi varie guaribile in otto (8) giorni salvo complicazioni*. Quanto alle cause, il referto si limitava ad annotare: *riferisce percosse*. Nient'altro.

Emma gettò il cerotto nella pattumiera. Bagnò una salvietta sotto l'acqua, tamponò la bocca a lungo, perché forse il freddo le avrebbe impedito di gonfiarsi ancora. Forse, con uno strato generoso di rossetto, i punti non si sarebbero notati. Se Kevin l'avesse baciata, le avrebbe fatto male. Si ridipinse le labbra, accuratamente. Non doveva accorgersi di niente. Non lui, non Valentina, non sua madre. Nessuno. Antonio voleva ucciderla. Non sapeva cosa lo avesse fermato. Stranamente, non aveva avuto paura, anzi, aveva sentito dentro di sé una incredibile forza. Aveva smesso di avere paura della morte il giorno in cui era nata Valentina – scoprendo che quando non ci sarebbe stata piú, sua figlia avrebbe continuato a vivere. Ormai esisteva un'altra creatura con cui guardava il mondo, un'altra voce per dire le cose, un'altra mente per interpretarle. La mia vita, aveva pensato, non è piú solo la mia: è la nostra.

Si spolverò le guance col fard. Al contatto col pennello, sentí un dolore lancinante. Proseguí, sospirando, finché le parve che il livido fosse scomparso. Non riusciva a levarsi dagli occhi la pistola nel cruscotto. E si disse che lei non aveva il diritto di morire. Lo aveva giurato a Kevin, stamattina. Aveva il diritto di denunciare Antonio e di proteggersi. La mia vita non è piú solo la mia: è la nostra.

Nella sala d'attesa, facce annoiate la fissarono con malcelata ostilità – poiché era lí da prima di loro. Aspettavano, in quella sorta di purgatorio anonimo della burocrazia. Un tizio vendicativo voleva denunciare il vicino perché il suo pianoforte lo mandava al manicomio. Una signora sbadata aveva perso il portafogli, lamentava di aver tentato di bloccare la carta di credito, ma in banca l'avevano spedita dai caramba e intanto qualche truffatore si stava succhiando i suoi risparmi. Un grosso negro, avvolto in una regale tunica azzurra, sembrava dormire, rassegnato, con il mento reclino sul petto. Emma apostrofò il giovane carabiniere che piantonava la guardiola. «Senta, ho aspettato abbastanza, è una cosa urgente». Aveva sperato che l'ematoma sullo zigomo, i tre punti di sutura purtroppo visibili come un rammendo malfatto e il sangue sulla maglietta le avrebbero dato la precedenza. «Abbia pazienza, signora, – rispose il piantone, – il maresciallo è impegnato, voi siete molti, e noi siamo pochi».

Emma spalancò la finestra. Nella luce gessosa del pomeriggio, il sole giaceva esanime dietro un lenzuolo stropicciato di nuvole. Stormi di gabbiani solcavano il cielo come bianchi fogli di carta. I bernoccoli di cemento delle colline, la deforme escrescenza delle case. Roma cresciuta su se stessa come un organismo vivente – un animale nella sua pelle, nelle sue ossa. Ogni cosa costruita sopra un'altra, il presente sul passato, e il futuro sul presente, fino a formare un conglomerato inestricabile. Ma la maggior parte di Roma rimane nascosta nelle profondità sotterranee – e tutto ciò che appare è solo l'ultimo episodio di una storia stratificata e inaccessibile. Come amo la mia città – perenne e segreta, stuprata e intatta. E tu vorresti trasformarla in un mattatoio. Vorresti togliermela. Ma io non me ne andrò mai.

Per calmarsi, sfogliò «la Repubblica» del tizio vendicativo. Tre pagine di annunci di lavoro: cercavano funzionari commerciali, agenti monomandatari, direttori tecnici esperti di logistica, consulenti pubblicitari, programmatori in ambiente Oracle, sales representative con un'età compresa fra i 18 e i 30 anni. Non cercavano donne con piú di trentacinque anni. Fanculo alle aziende e ai selettori di personale. Non resterò disoccupata. Pulirò il sedere a qualche vedova con l'Alzheimer. Dopotutto sono italiana. E non polacca o filippina. Almeno questo mi servirà a qualcosa. È l'unica referenza che ho. Viva l'Italia.

Mise via il giornale. Chiamò Valentina – perché la sentiva sempre prima della partita. Ma Valentina si stava riscaldando nella palestra del Virgilio, eccitata al pensiero della gara imminente, e fu lapidaria e crudele come solo i ragazzini sanno essere. «Mamma, tu c'hai il sesto senso, mi chiami sempre nei momenti sbagliati, ci vediamo stasera, ciao».

Quando il giovane carabiniere la introdusse finalmente nella stanza del maresciallo, rimase annichilita. Tutto, in quella stazione, era piccolo, vecchio e fatiscente. I muri erano grigi – come se il tempo vi avesse scritto la sua tristezza. Gli armadi erano di metallo grigio, i mobili di finto legno. Il computer del maresciallo che raccoglieva le denunce sembrava un residuato di magazzino, incerottato e sopravvissuto a mille riparazioni. Anche la bandiera era vecchia – un tricolore impolverato, stinto, che pendeva sulla testa del Presidente della Repubblica Italiana – neppure quello molto giovane. Emma rimase angosciata da quella trascuratezza, da quella evidente povertà. L'Italia è un paese davvero strano. Tutti erano ricchi. Ricchi in modo quasi indecente. Avevano macchine nuove e motociclette nuove e vestiti nuovi e case nuove telefoni nuovi occhiali nuovi e aggeggi nuovi e perfino nasi, bocche petti e culi nuovi. Ma i tribunali, le aule di giustizia, gli uffici nei quali era dovuta entrare erano vecchi e poveri, le scuole in cui aveva iscritto la figlia erano vecchie e povere, gli ospedali nei quali si era fatta medicare erano vecchi e poveri, e insomma anche i carabinieri non se la passavano tanto bene. Potevano davvero aiutarla? Eppure non aveva altra scelta. Repubblica Italiana. Italiana anch'io. Viva l'Italia. Quando si sedette di fronte al maresciallo, notò che l'unica cosa nuova – sgargiante sulla parete – era un poster che reclamizzava il corpo dei carabinieri. Un ragazzo e una ragazza in divisa, molto fotogenici, sorridevano sotto la scritta UNISCITI ANCHE TU ALLE FORZE ARMATE. «Di che si tratta?» le chiesero. Emma rispose, sicura. «Voglio denunciare mio marito».

«Da quando c'è stata la sentenza di separazione è diventato

sempre piú aggressivo», disse, sforzandosi di adottare un tono
neutro, convincente e distaccato. La tastiera del computer cominciò a ticchettare. E tutta la sua determinazione l'abbandonò.
Si sentí confusa, con la testa completamente vuota. Perché c'è
solo un modo giusto per fare le cose, e centomila modi sbagliati. «Oggi ha perso il controllo e ha cercato di uccidermi», disse, e intanto pensava cosa sto facendo. Antonio. Antonio mio.
Se lo denuncio, lo rovino. Lo sospenderanno. Il lavoro è tutto
quello che gli resta. Se dico la verità, gli tolgo l'unica possibilità di risollevarsi. E questi uomini, mi crederanno? Investighe-
ranno nella sua vita, e nella mia, e la mia non gli piacerà, è cosí
disordinata e sconnessa. Ma se alla fine, nonostante tutto, lo
condannano, gli toglieranno anche i bambini. Ho il diritto di
farlo? I bambini hanno bisogno di lui. Che razza di madre sarei
se gli togliessi anche questo. Gli ho tolto tutto. Li ho costretti
a seguirmi. Ho sacrificato il loro futuro al mio disamore, e, sí,
anche alla mia allegria – la voglia di vivere che lui non è riuscito
a togliermi. Non è già abbastanza? Antonio non mi ha uccisa,
dopotutto. E a loro non ha mai fatto del male. Nemmeno Dio
quando ha dettato i comandamenti ha ritenuto necessario ricordare agli uomini di onorare i loro figli. È naturale. È ovvio. È
me che odia. E lo odio anch'io. Ci lasciamo vivere, è questa la
nostra condanna. I due ragazzi del poster la invitavano ad andare avanti. Ad avere fiducia. UNISCITI ANCHE TU ALLE FORZE
ARMATE. Ma lei ammutolí.

A venticinque anni, la carriera di Emma era giunta a un
punto morto e iniziava a declinare. D'inverno, registrava qualche ritornello in studio d'incisione – oggi quei dischi si trovavano solo sulle bancarelle di Porta Portese – e d'estate andava in tournée in provincia, collezionando stadi polverosi, feste
dell'Unità, feste del patrono, sagre del ciauscolo, della lenti-
chia, dei fagioli con le cotiche. In quello stesso 1986, la carriera di Antonio, invece, raggiunse l'apice. Alla fine di un agosto
umido e soffocante, Emma era nell'anonima camera n. 236 di
un albergo a quattro stelle di Rimini, due ore prima del concerto del suo quinto o sesto cantante melodico al Meeting dell'A-

micizia di Comunione e Liberazione. Distesa sul letto, scrutava nel riquadro della finestra il cielo livido e minaccioso, temendo l'approssimarsi di un temporale che avrebbe rovinato la serata. Col tempo, dal momento che nessun discografico si era fatto avanti per dirle che aveva talento, che voleva scommettere su di lei, per darle una possibilità, il suo amore per la musica e per le canzoni si era parecchio affievolito, orientandosi piuttosto sui musicisti e i cantanti. Subito dopo l'eiaculazione, nudo, sudato e scarico, il cantante melodico accese una sigaretta, e lei la televisione. C'era il telegiornale. A un tratto la telecamera inquadrò Antonio Buonocore, proprio lui, con la divisa blu, ruvido e affascinante come – nonostante tutto – era rimasto impresso nella sua memoria. E come la prima volta in cui i suoi occhi si erano posati su di lui, pensò: questo sí che è un uomo... Una giornalista gli chiese stupidamente: Cosa si prova a essere un eroe? Antonio rispose di non sentirsi per niente un eroe. Sono un poliziotto, spiegò, modesto, ho fatto solo il mio dovere, sono qui per proteggere i cittadini, devono sapere che il male non vince mai, e che possono contare su di noi. Il cantante melodico, nauseato, le suggerí di cambiare canale, ma Emma, emozionata e fiera di Antonio quanto non avrebbe mai immaginato, disse che voleva sentire il caso del quale questo Buonocore si era reso protagonista.

Un pregiudicato che apparteneva a un'etnia di nomadi stanziali, ma con nome italiano, aveva tentato una rapina in un'oreficeria del quartiere Pinciano. Il colpo era fallito perché l'allarme aveva richiamato una pattuglia di carabinieri. C'era stato un conflitto a fuoco, e un appuntato era rimasto ucciso. Il rapinatore era fuggito prendendo in ostaggio la figlia del gioielliere. La macchina era stata segnalata a tutte le volanti di Roma, ma per dodici ore dell'assassino e della sua vittima si erano perse le tracce, finché Antonio Buonocore li aveva riconosciuti, mentre a bordo di una Lancia rubata tentavano di lasciare Roma. L'agente semplice si era lanciato coraggiosamente al loro inseguimento – come in un telefilm americano. Sul Raccordo Anulare li aveva raggiunti, speronati e costretti a fermarsi. Il nomade

gli aveva sparato, ma Antonio Buonocore non aveva risposto al
fuoco. Era riuscito a convincerlo a liberare la ragazza e a con-
segnarsi alla giustizia. La figlia del gioielliere – una trentenne
carica d'ori e visibilmente poco intelligente – intervistata disse:
Pregherò per l'uomo che mi ha salvata, non potrò mai ringraziarlo abbastanza, senza di lui sarei morta, è un angelo.

Il cantante melodico andò a farsi la doccia e Emma telefonò a Antonio a Roma. Non lo sentiva da tre anni. Antonio non
sembrò entusiasta della telefonata, anzi, lievemente a disagio.
Accettò le sue congratulazioni, ma disse che chiunque al posto
suo si sarebbe comportato cosí. Emma tentò di dirottare la conversazione sul personale. Antonio le disse che anche la sua vita privata andava bene, anzi, all'inizio di dicembre si sposava,
con una ragazza di Riace. Ah, disse Emma. Facciamo un matrimonio tradizionale, spiegò Antonio, la cerimonia nel duomo
di Stilo e il ricevimento in un albergo. Duecento invitati. La
torta di tre piani. Il vestito bianco con le damigelle. Per Angela è importante, ci tiene a queste cose. Anche mia madre ci tiene. Dei sei figli, sono l'unico non ancora sistemato. Emma si
sentí improvvisamente depressa. Si era sempre detta che se la
sua vita sentimentale era cosí disordinata e inconcludente, se
nessuno riusciva a scalfirla, era perché nessuno sapeva amarla
con la dedizione, la gelosia, l'esaltazione di Antonio. Solo per
lui lei aveva avuto l'impressione di non essere una come tante.
E invece Antonio stava benissimo senza di lei, e si sposava con
un'altra. E tu? chiese alla fine Antonio. Il cantante melodico
le fece segno gesticolando di mettere giú il telefono perché prima del concerto aveva l'abitudine di farsi fare l'in bocca al lupo
dalla moglie. Io mi sento cosí sola, disse Emma.

Quando la rivide, l'unica cosa che le disse fu: Sei diventata
bionda! Emma non ricordava piú nemmeno quando avesse cominciato a tingersi i capelli. Non ti piace? gli chiese, preoccupata
e decisa istantaneamente a tornare bruna. Che importanza ha?
rispose Antonio, è a te che deve piacere. Quanto è cambiato,
si disse lei, intenerita. Quell'autunno si frequentarono clande-
stinamente. Il fine settimana – se non era di turno – Antonio

partiva per Santa Caterina. Doveva organizzare il ricevimento e individuare il negozio in cui fare la lista di nozze. Tutte le sere la madre gli telefonava, per mettere a punto i dettagli del menu e delle bomboniere – e lui dava disposizioni, mentre Emma gli leccava il capezzolo e qualcosa piú in basso. Gli telefonava anche il padre, un muratore in pensione da poco tornato dalla Germania dove era emigrato vent'anni prima, che riferiva al figlio i progressi del cantiere. Con le sue mani, stava edificando un altro piano sulla palazzina costruita per gli altri figli – perché anche Antonio, la nuora e i futuri nipotini avessero una casa delle vacanze. Tutti quei preparativi, quei progetti a lungo termine, quella famiglia unita e solidale, avevano su Emma un micidiale effetto magnetico. A lei pareva di non aver mai conosciuto niente del genere. Se n'era andata di casa da tempo, ogni volta che vedeva sua madre si rinfacciavano sgradevolezze impossibili da dimenticare. Quando, una domenica ogni tanto, pranzava da loro, suo padre si ritirava subito nella guardiola della portineria ad ascoltare le radiocronache delle partite di calcio, ed estrinsecava il suo attaccamento a lei limitandosi a chiederle come stava a soldi, e se aveva bisogno di un prestito.

Quando mi sposo, gli disse Emma una sera, mi voglio sposare anch'io in bianco, nel duomo, e lo voglio anch'io un ricevimento con duecento invitati che si mangia per sette ore di seguito. Mi stai chiedendo di sposarti? la canzonò Antonio. Pensi che non sarei una buona moglie? gli chiese seriamente lei, che in realtà lo chiedeva a se stessa. Preferirei non saperlo, disse Antonio. Emma alzò le spalle. Non potrei mai essere la moglie di nessun altro, gli disse. Antonio rimase cosí sorpreso che non gli venne niente da dire. E in una tiepida mattina di dicembre, nel duomo di Stilo percorso da un brusio eccitato e un po' pettegolo, al braccio di Tito Tempesta molto stralunato, vestita di bianco, con una coroncina di fiori sui capelli scuri, invece di Angela entrò Emma. Valentina era arrivata poco dopo. Nel piano supplementare della palazzina, che il padre di Antonio aveva costruito letteralmente sulla bianca spiaggia dello Jonio, passarono dodici estati. Ripensandoci adesso, a Emma sembrò

che non si potesse essere piú felici. E le lacrime cominciarono
a scorrerle giú per le guance, irrefrenabili.

Il maresciallo la fissava con espressione partecipe. Un uomo
sposato, coi capelli bianchi, di quasi sessant'anni. Avrebbe potuto essere suo padre. Ma Tito Tempesta era finito sotto un autobus, e non avrebbe piú potuto offrirle un prestito, né nient'altro.
UNISCITI ANCHE TU ALLE FORZE ARMATE. Le armi. Le divise. La
bandiera. La grande famiglia della patria. Stanno dalla sua parte.
Faranno il processo a me. Diranno che sono un'isterica paranoi-
ca, una madre dannosa. Gli sto servendo sul piatto d'argento il
modo di liberarsi di me. Finiranno per accogliere i suoi ricorsi.
Antonio mi toglierà i bambini. Mi prenderà tutto. «Si faccia coraggio, signora, – disse affabilmente il maresciallo. – Adesso è
al sicuro. Le faccio portare un bicchier d'acqua? Un tè?» «Non
voglio il tè, voglio andar via», disse Emma, asciugandosi gli occhi. Cercò invano di raccogliere la forza per alzarsi.

«Come si è procurata il, ehm, il livido?», chiese il maresciallo, per sbloccare la situazione, che si andava impantanando. «È
stato *lui*. Non so com'è successo», sussurrò Emma. «È la pri-
ma volta che suo marito, le causa, diciamo, lesioni personali?»
«No», disse Emma. Sentí chiaramente la sua voce dire a un
medico di turno: Sono caduta mentre stendevo i panni. Sono
caduta nella vasca da bagno. Sono scivolata sulle scale, abito al
sesto piano, sa? non c'è l'ascensore. Si ricordò delle notti che
Antonio passava nelle astanterie, vicino a lei. Premuroso, ap-
prensivo, ostentando una dedizione commovente e supplicando-
la di perdonarlo, perché se non l'avesse fatto ne sarebbe morto,
si sarebbe impiccato, gettato sul coltello come un samurai. La
scongiurava di credere che lei non era soltanto la sua amatissi-
ma moglie o la madre dei suoi bambini ma la sua vita stessa, ed
Emma sapeva che era sincero. Mentre aspettavano il medico,
le baciava la mano, la fronte e i capelli, dicendole che l'amava
piú di ogni cosa e piú della sua vita e mai avrebbe voluto ferirla
o farle del male – Emma, amore mio perdonami. Quante volte
le aveva ripetuto le stesse frasi, forse le stesse parole? Si ricordò di quell'infermiera del Policlinico, si chiamava Rosa. Ave-

va finto di crederle e invece le portò col pranzo il volantino di un'associazione che offriva assistenza legale gratuita alle donne maltrattate. Come si permette di pensare che io sia una donna maltrattata? l'aveva aggredita lei, indignata, stracciando il volantino. Io ho un marito meraviglioso, sono una moglie molto felice. Anch'io, rispose Rosa, ma io non cado per le scale. Lei è la seconda volta in un anno che viene al Pronto Soccorso. Ero di turno anche a gennaio. Aveva una frattura al polso, due costole incrinate e una vertebra schiacciata. Stava cosí male che voleva la morfina. Se avessi potuto, gliela avrei data. Anche se lei non ha bisogno di morfina, ma di un avvocato. Emma non era mai piú andata a farsi medicare al Policlinico.

«Ah, bene», esclamò il maresciallo, anche se forse non avrebbe dovuto dirlo. Però l'esistenza di precedenti aiutava molto. Il caso si presentava delicato. La bionda denunciava un poliziotto – un agente scelto assegnato al servizio scorte. «Sarà molto utile. Quando ha presentato le altre denunce?» «Una, il 13 novembre di tre anni fa», disse Emma. «Si ricorda la data precisa!» si stupí il maresciallo. «Era il giorno del compleanno di mio marito», precisò Emma. Era andata via quaranta giorni dopo. Per un anno ogni mercoledí si era giocata i numeri di quella data – 23.12.1998 – al Superenalotto. Non aveva vinto e si era chiesta perfino se questo non fosse un segno del cielo. «Si ricorda anche dove ha presentato la denuncia?» chiese il maresciallo. «Dai carabinieri dell'Esquilino, ma ho ritirato la querela». Aiutami, salvami, salvaci – gli dicevano i suoi occhi, aggrappati alla sua divisa nera, alla sua faccia paterna e bonaria, alle mostrine sulle spalle. «Ma perché?» sospirò il maresciallo, allargando le braccia. «Cosa possiamo fare per voi se non ci aiutate ad aiutarvi!» «Non potevo farlo condannare, – disse Emma, cosí piano che il carabiniere al computer nemmeno sentí, – io lo amavo, era mio marito, il padre dei miei bambini».

L'anno 2001 addí 4 del mese di maggio alle ore 17,10, negli uffici del comando della stazione dei Carabinieri di Roma centro, davanti a me, ufficiale di P. G. Brigadiere Critelli Raffaele, effettivo al suindicato comando, è presente la signora Emma Tempesta,

in oggetto meglio generalizzata, la quale denuncia quanto segue.
In data 4 maggio 2001, sono stata minacciata e aggredita nell'au-
tomobile da mio marito Antonio Buonocore, residente a Roma in
via Carlo Alberto 17, dal quale mi sono separata il 9 aprile c. a.
– leggeva con voce impersonale il brigadiere che aveva raccolto
la denuncia. *Lo stesso mi colpiva violentemente al viso, e, affer-*
ratomi il collo con entrambe le mani tanto forte da lasciare vistose
ecchimosi riproducenti l'impronta delle sue dita, cercava di soffo-
carmi, ingiuriandomi con epiteti oltraggiosi offensivi e irripetibili
come «puttana» e simili, quindi urlando (pressappoco) «questo è
il giorno del giudizio» «ti lascio il tempo di una preghiera» «chiedi
perdono» e via dicendo, finché perdevo i sensi, quindi tentava di
uccidermi, utilizzando un coltello da caccia che deteneva nella tasca
della giacca, puntandomelo al collo e provocandomi graffi profondi
alla gola e una ferita da taglio nonché tumefazioni al volto causate
dai pugni. Il carabiniere si interruppe, la guardò, come a chiederle, va bene? procedo? Emma annuí, anche se in quelle parole di
un abominevole, impersonale squallore, stentava a riconoscere
la scena che aveva realmente vissuto. *Successivamente, in stato*
di forte stordimento, mi recavo al Pronto Soccorso dell'Ospedale
San Giacomo, ove venivo medicata per lesioni meglio specificate
nel referto che si allega. Voglio altresí denunciare che da quando
l'ho lasciato, Buonocore mi ha privato di fondi onde provvedere
al mantenimento dei nostri figli, per il quale sono aiutata da mia
madre. Inoltre faccio presente che da mesi Buonocore mi molesta
sia telefonicamente sia facendomi oggetto di ripetute minacce ogni
volta che ribadivo l'intenzione di non tornare con lui. Per quanto
sopra sporgo formale denuncia querela nei confronti di Antonio
Buonocore, affinché sia penalmente perseguito per i reati di mi-
naccia, ingiuria, lesioni personali ed eventuali reati ravvisabili in
narrativa, chiedendo la punizione dello stesso, nonché mi riservo
di costituirmi parte civile. Non ho altro da aggiungere né da modi-
ficare a quanto già detto.
    «Non ha scritto che chiedo la sospensione di Buonocore dal
servizio scorte, e la revoca della licenza di possesso di arma da
fuoco», lo interruppe Emma. «Non pertiene alla querela», obiet-

tò il carabiniere. «Lo scriva», ripeté Emma. «Ha sei pistole e tre fucili. *Dovete* toglierglieli!» Il carabiniere lanciò un'occhiata interrogativa al superiore. Il maresciallo gli fece cenno di lasciarla parlare, ma di non modificare il testo. La stampante entrò in funzione con un ticchettio asmatico. «È il miglior tiratore del poligono della polizia, – proseguí Emma, atona. – Ho due figli piccoli. Non prendetevi la responsabilità di lasciarli orfani».

Il carabiniere le porse il foglio. *Fatto, letto, confermato e sottoscritto in data e luogo di cui sopra. La denunciante Emma Tempesta.* E su di loro scese il silenzio. Da qualche parte, in strada, lo stereo di una macchina pompava la canzone del momento, *Luce. Ti sento vicino*, cantava Elisa, *il respiro non mente, | in tanto dolore, | niente di sbagliato, | niente, niente.* «Dovete fare qualcosa subito, – disse Emma, impaziente. – Ha tre casse di munizioni nell'armadio. È fuori di testa, è pericoloso». *Niente, niente.*

«Apriremo un'indagine, – spiegò gentilmente il maresciallo, – bisogna accertare la veridicità delle sue accuse». «Che c'è da accertare? – gridò Emma. – Mi guardi!» Il maresciallo evitò di acconsentire. Forse – nonostante il vistoso ematoma – questa donna era una mitomane, che accusava – per vendetta o crudeltà mentale – un agente scelto della polizia. La denuncia faceva acqua da tutte le parti. Emma Tempesta sembrava alquanto instabile, durante la faticosa redazione della denuncia aveva fumato tre sigarette. Interrogata sulla sua professione, aveva rifiutato di spiegare quale fosse, perché una persona non è il lavoro che fa. Interrogata se aveva dato al Buonocore qualche ragione per la sua violenta gelosia, aveva risposto, con scherno, che ragionavano come il marito. Buonocore aveva chiesto la modifica dei provvedimenti presidenziali e di toglierle l'affidamento dei bambini perché erano sopravvenuti nuovi elementi, e indovinavano quali? lei aveva trovato un lavoro e non badava piú ai figli e frequentava altri uomini. Fortuna che il giudice non gli aveva creduto. Inoltre, la Tempesta non aveva saputo spiegare la dinamica del presunto tentativo di omicidio. Era salita di sua volontà sull'auto del marito. E il poliziotto aveva il porto d'armi. La pistola poteva tenerla comunque nel cruscotto. Nul-

la glielo vietava. Inoltre non aveva sparato un colpo e non l'a-
veva nemmeno impugnata. Forse aveva cercato di soffocarla, o
forse no. La Tempesta non ricordava com'erano andati i fatti,
o non voleva dirlo, magari aveva addirittura avuto un rapporto
consenziente col marito – un fatto molto comune, in casi analoghi. Comunque, se questa donna diceva il vero, le indagini
le avrebbero dato ragione. Indagini delicate, da effettuarsi con
la massima discrezione. C'erano di mezzo dei bambini. Altro
non poteva prometterle. Se non la certezza che guidava ogni
suo giorno. La legge è uguale per tutti.

Emma spense la sigaretta nel bicchiere del tè. Fissava il maresciallo come se adesso, seduta stante, potesse uscire, revocare
il porto d'armi di Antonio, requisirgli i fucili e le pistole, impedirgli di pedinarla, ossessionarla, aggredirla – e magari arrestar-
lo. «Quanto tempo ci vorrà?» gli chiese. Un'ingenua speranza
brillava nell'oscurità dei suoi occhi neri. «Il prossimo», chiamò il brigadiere. Entrò un turista americano derubato della videocamera sul 64. Emma non si muoveva. Il maresciallo pensò
che questa donna, per avere una sentenza, nel migliore dei casi
avrebbe dovuto aspettare tre, quattro, forse perfino cinque anni. «Adesso vada a casa, signora, – disse, – le faremo sapere».

«Lascialo entrare, – disse l'insegnante di body sculpture,
infilandosi nel cancello, – non ti mettere a fare questioni, è un
socio». Antonio le rivolse un sorriso. La poliziotta arcigna che
sedeva dietro il tavolo, nella guardiola del circolo, precisò all'insegnante di body sculpture che Buonocore sarà anche stato un
socio, ma se non mostrava il tesserino della polizia non poteva
entrare. «Lascialo entrare lo stesso», disse la ragazza, strizzan-
dogli l'occhio. Antonio la seguí nel vialetto, all'ombra di alti
cipressi e centenari pini a ombrello. I merli cantavano. L'aria
profumava di resina e di erba falciata. Al circolo, in un'ansa
appartata del Tevere, dove la città già cominciava a rarefarsi,
non sembrava neanche di stare a Roma. Antonio provò una incondizionata gratitudine per la ragazza. Piú di tutto, aveva il

terrore di restare solo. E non conosceva nessuno, non aveva piú amici, nessuno con cui parlare – aveva fatto il vuoto attorno a sé, come un malato di peste. Il circolo sportivo della polizia era l'unico luogo in cui poteva sentirsi in mezzo agli altri, parte ancora di qualcosa. Vivo.

S'infilarono nell'edificio della palestra. Il corridoio sapeva di sudore e bagnoschiuma. Dalle casse degli altoparlanti rimbombava la voce di Anastacia. *I'm outta love*. Sentendo quella voce, Antonio rabbrividí. Quella cantante era ciò che Emma avrebbe voluto essere, e non sarebbe stata mai. Non avrebbe saputo dire cosa, in quella voce tormentata e profonda, gli ricordasse la sua. «È parecchio che non ti fai vedere», gli disse l'insegnante di body sculpture, aprendo la porta dello spogliatoio. Il suo tono era dolce, privo di rimprovero. «Ho avuto da fare», disse Antonio. «Peccato», disse la ragazza, e si richiuse la porta alle spalle. Sul battente c'era scritto: PRIVATO.

Antonio ricordava a stento il suo nome. Forse si chiamava Sarah. Era americana. Mesi fa, mentre correva sul tapis roulant, si era reso conto che lei lo guardava. Aveva avuto l'impressione di piacerle. Erano andati a cena al ristorante etiope di viale Regina Margherita. Antonio odiava la cucina africana, e cinese, e messicana. Forse perché gli ricordava i sogni esotici di Emma. Le aveva sempre promesso che l'anno successivo a Natale non sarebbero andati a Santa Caterina ma l'avrebbe portata in qualche paese equatoriale. Un Natale senza freddo o abeti falcidiati: con le palme e il sole a picco. Sarah aveva arrotolato la focaccia intorno ai bocconcini di carne, e gli aveva insegnato a mangiare con le mani. Gli aveva chiesto il segno zodiacale. Non ci credo, disse lui. Tu vuoi far credere che non credi a niente, rise la ragazza, ma io lo so che non è vero. Alla fine venne fuori che tutti e due erano dello scorpione, e che ciò era segno di grande affinità. E i gemelli? chiese lui, come vanno con lo scorpione? Emma era dei gemelli. Non c'è intesa astrale, rispose Sarah. Questo piú o meno era tutto ciò che si erano detti a cena. Aveva pagato lui, e lei se ne era stupita. Sarah abitava dietro l'università. Divideva uno squallido ap-

partamento in affitto con un'altra ragazza straniera, che lui però non aveva visto. Avevano fatto sesso in silenzio, perché la
coinquilina guardava il *Maurizio Costanzo show* in salotto. La
ragazza era soda, muscolosa, spontanea. Lo avevano fatto due
volte e lo ricordava con piacere. Resti a dormire? lei gli aveva
chiesto dopo. Lui aveva risposto di no. Mentre si rivestiva per
andarsene, la ragazza, con una sincerità che lo aveva spiazzato,
gli aveva detto: mi piacerebbe avere una storia con te. Antonio
non si era fatto piú vedere.

Né si immaginava di rivederla, oggi. Solo correre sul tapis
roulant, aumentando continuamente la velocità e la pendenza
– espellere col sudore e la fatica ogni pensiero, ogni rimorso.
Salí sulla macchina. Il tappeto si mise in movimento, e Antonio
lo programmò al massimo tempo consentito. Cominciò a correre, mulinando le gambe. Correva, come se dovesse andare da
qualche parte. O fuggire qualcuno che lo inseguiva. Aveva ancora le unghie incrostate di sangue. Teneva la testa bassa. Non
voleva guardarsi nell'enorme specchio a parete, né incrociare il
suo stesso sguardo. Ho cercato di uccidere Emma. E se pensava a lei, gli scoppiava la testa. Gli veniva voglia di spaccare la
macchina, gli attrezzi, la sua stessa faccia. Voglia di prendere
la pistola che aveva lasciato nell'armadietto e sparare alla donna seduta nella guardiola dell'ingresso, al dirigente flaccido che
correva sul tapis roulant accanto, persino all'insegnante di body
sculpture che dall'altra parte della sala faceva saltare su e giú
dallo step una dozzina di mogli di poliziotti di mezza età.

Non riusciva a togliersi dalla mente il sangue sulla gola di
Emma. Voleva gridare il suo nome, cosí forte da schiantare i
vetri. Come era possibile che quella donna spietata che meno
di un'ora fa si era precipitata in mezzo al traffico del lungotevere per fermare un taxi fosse la stessa dolce giovane moglie che
passava le giornate in un buio appartamento di Torre Spaccata.
Ad aspettarlo, in compagnia della musica sciatta della radio e
di una bambina di pochi mesi – un essere misterioso, immerso
in un torpore animale, molle di crema, caldo, avido, muto. La
dolce moglie che quando finalmente lui rientrava gli correva

incontro dandogli l'esaltante certezza di essere il centro dell'universo. Perché sapeva che in quelle lunghe ore di solitudine Emma preparava il pranzo e la cena, scopava, spolverava, lavava i pavimenti e i piatti, accudiva amorevolmente la bambina, faceva tutto quel che poteva affinché la vita del suo non meno amorevole marito fosse il piú possibile simile a un'oasi di pace. La moglie che praticamente aveva smesso ogni cosa, tranne vivere per lui, che credendo di fargli piacere era perfino tornata bruna. Forse voleva assecondarlo, essere approvata, sostenuta, lodata. Essere la donna che lui desiderava che fosse. Cosa ti è successo, che cosa ti hanno fatto, dove è andata quella donna, la mia donna.

Zuppo di sudore, Antonio si distese sulla panca per gli addominali. Raccolse ottanta volte le gambe, zavorrate da gambali d'acciaio sempre piú pesanti. Poi sollevò il bilanciere. Era ancora in forma, dopotutto. Ma i muscoli gli dolevano come se dovessero lacerarsi. L'istruttore gli si avvicinò e lo osservò, senza trovare nulla da correggere nella sua posizione. Antonio sollevò pesi fino a che la fatica gli annebbiò la mente e il suo corpo duro come marmo gli divenne estraneo, e solo quando gli sembrò di essersi calmato, e di aver fatto il vuoto dentro di sé, si alzò, attraversò la palestra deserta a quell'ora del pomeriggio e s'infilò nella sauna. Dopo qualche minuto, l'oblò si appannò completamente, e lui ebbe l'impressione di essere tagliato fuori dal mondo. La morte doveva essere cosí. Una volta – erano sposati da due o tre anni – Emma gli disse che la sua esistenza trasognata era cosí irreale che aveva la sensazione di essere in realtà morta. E non era affatto una sensazione sgradevole. Quella non-vita si era portata via tutte le ambizioni, tutte le insicurezze, tutte le delusioni. Quella smemorata serenità del corpo, quella ripetitività quotidiana, l'assenza del futuro, era esattamente ciò che gli altri chiamano felicità.

Antonio rimase disteso sulla panca della sauna, mentre il suo corpo trasudava la rabbia, la stanchezza e il dolore – che sgocciolavano dai pori, sull'asciugamano, sulle assi del pavimento. Sarebbe rimasto ore, là dentro, forse fino a perdere i sensi, forse per sempre. Ma quando la porta si aprí, e due checche muscolose nude come vermi vennero a sdraiarsi sulle panche, chiacchierando, si chiese di chi fossero parenti, e come avessero fatto ad avere la tessera, e si precipitò fuori. Rimase sotto la doccia gelida finché cominciò a tremare. Poi si rivestí e s'avviò verso l'uscita. Non aveva piú sangue nelle unghie. Era pulito, nuovo. E si sentiva bene.

Nel vialetto, incrociò l'insegnante di body sculpture. Non indossava piú la tuta. Calzoni militari mimetici e un giubbetto di jeans, i capelli biondi sciolti sulle spalle – si trascinava dietro una valigia a rotelle. «Parti?», le chiese, per pura cortesia – perché Sarah era stata gentile, con lui, allora. «Il mio corso è finito, a maggio non viene abbastanza gente per pagare anche me, – rispose lei, salutando con un cenno l'arcigna poliziotta nella guardiola, – torno in America». «Adesso?» disse Antonio. «Ho già chiamato il taxi, ho il treno per l'aeroporto fra mezz'ora». A un tratto, Antonio si rese conto che se la ragazza lo lasciava, lui sarebbe rimasto solo con se stesso, e con Emma. «Non spendere tutti questi soldi. Ti accompagno», disse. Sarah disse solo: «Se ti fa piacere».

Lungo la strada, la ragazza guardava ansiosamente i semafori, l'ingorgo interminabile, la pianta di Roma sul Tuttocittà. Il Tevere disegnava una esse sinuosa fra i due blocchi gialli delle rive. Poi maneggiò le cassette di Emma sul cruscotto – e Antonio imprecò contro un incolpevole motociclista per impedirsi di dirle di non toccarle. Sarah gli chiese di mettere Celentano – un artista che aveva conosciuto qui in Italia, lo apprezzava molto – ma Antonio disse che lo stereo era rotto. Sentiva in gola un groppo solido, qualcosa che gli ostruiva la deglutizione. Avrebbe voluto parcheggiare a Ponte Milvio, scendere sulle banchine solitarie del fiume, dove correvano solo i ciclisti e i maratoneti, e farsi raccontare dall'americana qualsiasi sciocchezza – se si era trovata bene a Roma, cosa aveva fatto dopo che l'aveva persa di vista. E restare lí finché veniva la notte, e allora sarebbe stato troppo tardi per qualunque cosa, e non avrebbe potuto fare altro che tornare a casa. Ma la ragazza aveva paura di perdere il treno, e lui aveva paura di dirle cos'erano quelle macchie sul sedile – quel liquido color ruggine che stava penetrando nel tessuto dei calzoni mimetici. E nello stesso momento aveva un desiderio irresistibile di dirle di Emma, di dirle *tutto*. Di spiegarle quanto era stato felice con Emma, e che poi però qualcosa si era sfaldato. Ma quando? E perché? Ora non riusciva a ricordarlo. Gli sembrava tutto cosí lontano, cosí insignificante. Voleva dirle dei dubbi, le ossessioni, la furia. Dirle che il suo matrimonio si era trasformato in un processo e poi in una pena continuamente inflitta, da Antonio a Emma, e da Emma a Antonio – ognuno escogitando, forse senza saperlo, il modo piú raffinato e doloroso di torturare l'altro. Emma rifiorendo da anni di grigiore, sbocciando dopo la nascita di Kevin in un'esplosione di forme e colori: col neonato nel marsupio, senza dirglielo, tornò a frequentare i suoi amici musicisti e i locali in cui suonavano – dandogli modo di credere che ci fosse qualcosa di inconfessabile in quelle amicizie. Cominciò a fare la svampita coi colleghi di Antonio, e perfino coi suoi superiori. Antonio ascoltando le sue telefonate, spiando nella sua biancheria, scoprendo con una desolazione indescrivibile le sue misere, patetiche bugie, e mandandola tre volte all'ospedale. O erano state quattro? Doveva parlare adesso, immediatamente, senza indugio, di quegli anni di inchieste e litigi, insulti e interrogatori, umiliazioni e sotterfugi. Avrebbe voluto che ad ascoltarlo ci fosse il prete della comunione di Valentina, o l'avvocato Fioravanti, o suo padre muratore, solido e paziente come un sasso. Ma c'era solo questa ragazza sana e fresca e giovane, coi calzoni mimetici che si andavano macchiando di sangue.

«Sei cattolica?» fu tutto quello che riuscí a chiederle. «No, evangelica», rispose Sarah. «Che significa?» «È piuttosto difficile da spiegare in due parole», sorrise l'americana. «Credi in Gesú Cristo?» disse Antonio, che non riusciva a espellere dal suo campo visivo il fiore di sangue sulla parte inferiore della coscia della ragazza. «Certo», disse Sarah, un po' stupita. «Anch'io», disse Antonio. «Gesú Cristo è la verità e la vita. Eterna è la sua misericordia». E già la sbarra del parcheggio della Stazione

Termini si alzava, la luce verde segnalava POSTI LIBERI. E l'incombente tettoia di cemento armato – accartocciata come da un sisma – gli veniva incontro, ormai erano nell'atrio immenso delle biglietterie, circondati da una folla di valigie, turisti, zaini, pendolari. Era venerdí. La gente partiva per il fine settimana. O tornava a cásc. Solo Antonio non aveva nessun posto dove andare. Non aveva piú casa. L'appartamento di via Carlo Alberto somigliava piuttosto a una scatola vuota, e qualunque fosse stato il suo contenuto, non c'era piú.

Il treno per l'aeroporto partiva al binario numero 26, in una zona isolata della stazione. Superarono i giornalai, il posto di polizia, il carretto dell'acqua minerale e il groviglio dei carrelli portavaligie. Sarah avrebbe voluto prenderne uno, ma Antonio glielo impedí. La portava lui, la valigia. Ci mancherebbe altro. «Ma non lavori piú?» disse Sarah, lanciandogli un'occhiata interrogativa. «Mi sono preso un periodo di vacanza, – rispose Antonio, – ho un esaurimento nervoso». «Allora perché non vieni con me? – disse la ragazza. – Compriamo il biglietto all'aeroporto. Lo so che non sei tipo di fare le cose senza programmare tutto, ma fallo per una volta». Antonio continuò a trascinare la valigia di Sarah, e non disse niente. L'America. Non gli era mai venuto in mente di poter andare da qualche altra parte. Che esistesse un'altra città per lui. Vide il treno in fondo al binario. Azzurro e verde, come un giocattolo per bambini. «I miei abitano nel Maine, – disse Sarah, – al confine col Canada. Ci sei mai stato?» «No, – disse Antonio. – Ho paura di volare. Non mi piace l'aereo». «Poi passa, – lo incoraggiò la ragazza, con un sorriso. – È una paura che non ha senso. Basta volerlo». «Tu sei americana, – disse Antonio, – tu pensi che le cose vanno come vuoi farle andare, ma non è cosí». Sconcertata, Sarah timbrò il biglietto nell'obliteratrice gialla. Il treno partiva fra cinque minuti, non avevano molto tempo. Una ragazza bionda, muscolosa, sana. La pelle chiarissima punteggiata di efelidi. Una ragazza di ventisei anni, diretta e semplice, come piaceva a lui.

Antonio la aiutò a issare a bordo la valigia. «Gli italiani sono gentili con le donne, – disse Sarah, ridendo. – Mi sarebbe

piaciuto fidanzarmi con un italiano, ma non ho avuto fortuna».
Indugiava sul predellino, circondata dalla valigia, dal borsone, da
un bauletto di plastica verde che forse conteneva la sua trousse.
«Be', allora ciao», disse, incerta. Quando si voltò, Antonio la
seguí nel vagone. Camminarono verso la testa del treno, passando da una carrozza all'altra, lui qualche passo indietro, lo
sguardo inchiodato alla macchia di sangue nella parte inferiore
della sua coscia sinistra. Emma aveva ventisei anni, quando era
nata Valentina. Emma. Chissà dov'era, adesso. Non l'avrebbe
piú vista. Mai piú. E non c'era nessun altro al mondo che lo conoscesse meglio di lei. Senza di lei, nemmeno lui conosceva se
stesso. Quando Emma lo aveva lasciato, non era solo l'assenza
di lei, che aveva sofferto. Non solo l'assenza dei bambini. Ma
l'assenza di se stesso. Era diventato un uomo diverso da quello
che credeva di essere. Un uomo come milioni di altri, un uomo
incapace di tutto, senza passato, senza futuro.

Sarah scelse un posto accanto al finestrino. Nella carrozza
non c'erano altri viaggiatori. «Perché non vieni? sul serio, –
disse di nuovo Sarah. – Tu mi piaci veramente, Antonio. Non
vado col primo che capita, anche se forse è questo che hai pensato». «Ho cercato di sgozzare mia moglie», disse Antonio, si-
stemando la valigia di lei nello scomparto sopra i sedili. La ragazza lo fissò, sbalordita – sgranando gli occhi blu. «Dovevo
dirlo a qualcuno, – si scusò Antonio, – altrimenti divento pazzo». «Non ci credo, – disse Sarah. – Tu sei cosí buono». «Cosa te lo fa pensare?» rise Antonio, amaro. «Ti conosco, – disse
lei. – Io non mi sbaglio mai».

Salí una famiglia di francesi. Si sistemarono nei sedili vicini.
Due figli. Un maschio e una ragazzina. Antonio pensò di nuovo a Kevin e Valentina. Non devo cercarli. Non devo rivederli.
Non potrei mai lasciarli a lei. La ragazzina francese dondolava la
testa, muovendo le mani sul display di un giocattolo elettronico,
che produceva dei suoni metallici. Cercò di ricordarsi quanti anni avesse Valentina. «Il Maine è bello, – disse Sarah, – la natura
è selvaggia, ci sono tanti boschi. A te piace la natura, me lo hai
detto, quella sera». Non mi ricordo che ti ho detto, quella sera,

pensò Antonio, probabilmente volevo solo rendermi interessante. «Se sei in vacanza, – disse Sarah, – perché non vieni? I miei hanno una casa grande, vicino al fiume. Puoi andare a pescare, a camminare nei boschi, a fare quello che vuoi, non devi per forza stare con me». «Non posso», disse Antonio. «Allora ti conviene scendere, – disse Sarah, – il treno sta partendo».

Antonio non si mosse. Si perse negli occhi azzurri della ragazza. Se scendo da questo cazzo di treno è finita, pensava. «Dov'è tua moglie?» disse lei. «All'ospedale, penso, – rispose Antonio. – Stava male. Perdeva molto sangue. Non ha voluto che la accompagnassi». Passarono due ferrovieri. Con le divise verdi e azzurre, dello stesso colore della vernice del treno e dei sedili. Parlavano del campionato: il piú giovane scommise una pizza col collega, incallito tifoso juventino, che la Roma vinceva lo scudetto. «Cinque volte, – si ricordò improvvisamente. – Solo cinque volte in dodici anni. Merito la pena di morte per questo?» Il treno cominciò a vibrare sotto i suoi piedi. Dai condizionatori improvvisamente accesi venne un soffio d'aria fredda. «Sostiene che neanche i serial killer bisogna mandare sulla sedia elettrica. Ma a me, non mi ha concesso neanche il processo d'appello. Mi ha assassinato a sangue freddo». «Antonio…», cercò di interromperlo la ragazza. «A un certo punto è svenuta. Io ero contento. Volevo che morisse», sottolineò, compiaciuto. «No che non volevi», disse Sarah, prendendogli la mano. Antonio se la portò alla bocca e vi premette le labbra. Che cosa sa questa ragazza di me. Che cosa vede in me, qualcuno che non esiste piú. Che cosa posso offrire a questa ragazza. La mia vita è distrutta. Non ho piú forze, né sogni, né speranza. Non ho niente da darle. Non sono stato nemmeno capace di diventare ispettore. Ho quarantadue anni e sono ancora agente scelto. Non sono stato un buon compagno. Non ho saputo essere un punto di riferimento e un esempio per i miei figli. Potevo diventare qualcuno, e lei me lo ha impedito. Anche Emma poteva diventare qualcuno. Essere famosa. Io gliel'ho impedito per paura che mi lasciasse. E mi ha lasciato lo stesso. È cosí che è andata.

Antonio si lanciò verso l'uscita. Sarah gli gridò dietro ci vediamo a settembre, quando ricominciano i corsi torno a Roma, ma lui non si voltò. Scese sulla banchina. Le porte automatiche si chiusero, e il ferroviere sul marciapiede agitò la mano in direzione del locomotore, per dare il segnale della partenza. In fondo al binario, il semaforo era rosso. Sarah picchiava il pugno dietro il finestrino. Stava dicendo qualcosa, ma Antonio non riusciva a sentirla. La sua bocca si muoveva. Gli sembrò sul punto di piangere. Provò pena per lei. Appoggiò la mano sul vetro e la ragazza – dall'altra parte – vi fece combaciare la sua. Il semaforo divenne verde. Rimasero cosí – i palmi aderenti, e però separati dal vetro impolverato. Poi il treno si staccò dalla banchina. La sua mano aveva lasciato sul vetro un alone lucido, come un fiato. Per qualche istante, Antonio rincorse il treno, la ragazza, l'aereo, le foreste del Maine e il confine col Canada, le mille efelidi sulla pelle di lei. Poi il treno accelerò, e Antonio rimase sull'ultimo lembo del marciapiede. Centinaia di binari correvano paralleli nella grande spianata della stazione – fra vagoni merci abbandonati, semafori, ruderi, edifici bianchi e torri che nessuno avrebbe saputo dire a cosa servissero. E nello stesso istante in cui il treno verde e azzurro scomparve verso Porta Maggiore, la ragazza non era mai esistita per lui, non c'era mai stata la possibilità di scegliere, di cambiare idea, di vivere un altro giorno, in un altro modo, un'altra vita.

«Valentina non c'è», gli disse la madre di Emma. «Dov'è?», urlò Antonio al cellulare, per sopraffare il frastuono di un treno. Fendeva la folla, fissando senza vederli i cartelloni elettronici luminosi delle partenze e degli arrivi sospesi in fondo al binario. «Oggi ci ha la partita», gridò la vecchia. «Quale partita?» «Ti dovresti vergognare che non sai niente di tua figlia», commentò Olimpia. Antonio tirò un calcio a una bottiglia, scagliandola sui binari. La strega meritava una morte atroce, dolorosa, fra torture inenarrabili – rovesciarle in faccia una bottiglia di acido muriatico, costringerla a ingoiare veleno per topi, crocifiggerla al muro con la sparachiodi, bucherellarla col fucile da guerra – ma poi pensò che peggio di ogni cosa per la vecchia sarebbe stato sopravvivere.

«Dov'è?» urlò Antonio. «Tua figlia non ci ha manco i soldi per comprarsi le scarpe da pallavolo. Glieli ho imprestati io,
– specificò Olimpia. – Se questo è un padre, povera Italia». E
poi aggiunse, orgogliosa, «Valentina è brava, non ha preso da
voi due, è una campionessa». «Dov'è?» urlò di nuovo Antonio.
Olimpia tacque. Forse si chiedeva se dirgli la verità o riattaccar-
gli il telefono in faccia. Al binario accanto, l'Eurostar si staccò
dai respingenti, lento come in un sogno. Il treno per l'aeroporto
doveva essere già fuori Roma.

Diciottesima ora

Sasha la riconobbe subito. Una sciarpa impossibile di piume di struzzo, la borsa di velluto viola, i capelli sciolti come alghe, la bocca dipinta come un corallo. Benché fosse solo una molecola nella folla di sfaccendati, turisti e borgatari scesi in centro per lo struscio del venerdí pomeriggio, che stazionavano sui marciapiedi del Corso bivaccando davanti alle vetrine dei negozi di jeans, cd e gadget musicali, la madre di Valentina Buonocore era inconfondibile. Camminava in fretta, e zoppicava lievemente. Ogni tanto si voltava, come se qualcuno la stesse seguendo. «Salve!» salutò. L'educazione, prima di tutto.

Emma lo mise a fuoco solo a fatica, stringendo gli occhi. Era miope, e non portava piú gli occhiali perché con gli occhiali sembrava la moglie trascurata di Antonio, e non la donna che si illudeva di essere. Quando lo riconobbe, gli sorrise, sorpresa. Un sorriso cosí radioso – sfacciato e però curiosamente innocente – che Sasha si stupí fosse rivolto a lui, e immaginò che lo scambiasse per qualcun altro. Del resto era vestito in uno stile completamente diverso da quando doveva essere – per i suoi ragazzini e per i loro genitori – il timido professore di italiano, il giovane intellettuale sacrificato all'altare della scuola. Era sgargiante, attillato e cool. Non portava gli occhialini tondi ma le lenti a contatto. Praticamente un'altra persona. Inoltre trascinato dall'entusiasmo per la gran cena di stasera alle Colline di Maremma e per la tre giorni nell'albergo chic di Saturnia, aveva saccheggiato l'Emporio Armani del Babuino: in ingom-

branti buste di cartone plastificato riportava a casa una camicia e una giacca nuove, nonché un incredibile costume da bagno per le terme.

«Sono il professore di Valentina, – suggerí, – il professore
di italiano. Si ricorda? La *Bohème*, Ostia antica, gli scavi». «Se
pensa di essere cosí poco memorabile, – rise Emma, pentendo-
sene perché i punti sulla bocca le facevano male, – lei si sotto-
valuta parecchio». Sul momento, a Sasha sembrò che ci fosse
qualche elemento nuovo e spiacevole nel suo viso – ma lo attri-
buí al trucco. Eccessivo. Con quella pelliccetta sintetica, quel
rossetto, quei capelli biondi improbabili, pareva appena uscita
da un casino. «Come sta?» «Stavo meglio ieri», rispose Emma,
annodando accuratamente la sciarpa attorno al collo. «È strano,
da quando vivo a Roma non ho mai incontrato qualcuno per caso», osservò Sasha. «Allora era destino, – insinuò Emma, –
si vede che fra tre milioni di persone noi due ci dovevamo dire
qualcosa». «Destino mi pare una parola impegnativa, – disse
Sasha, – però ci possiamo parlare comunque. Se ha dieci minuti, la posso invitare a prendere un caffè».

Emma sbatté le palpebre, incredula. Il suo cuore stracciato
ticchettò spensieratamente. La costola incrinata mandò un richiamo. E lei ne fu felice. A quasi quarant'anni, non credeva
che le sarebbe piú capitato. Le dispiacque averlo incontrato in
un momento cosí, l'elusivo professore che corteggiava neanche
tanto discretamente da mesi. Doveva avere un aspetto orren-
do. E invece quanto vorrei insegnargli che cos'è una donna.
Anche se non sono che quella che sono, e lui non vuole sapere
nemmeno questo. È possibile? È un sogno? A che prezzo lo pa-
gherò? «È per Valentina», spiegò Sasha, fissando ipnotizzato
la lucida bocca color ciliegia voluttuosamente socchiusa. «Che
ha combinato?» sospirò Emma, delusa. Subito servita. Che si
aspettava? Il professore non provava la minima attrazione, per
lei. Né aveva mostrato di accorgersi che si presentava ai colloqui in sala professori con una assiduità sospetta. In quei pochi
minuti, che Emma moltiplicava tempestandolo di domande,
Sasha evitava di guardarla, fissando ostinatamente i compiti

in classe – che teneva sul banco, fra loro, come una batteria di missili. Emma leggeva, in silenzio, i temi di Valentina, e non sapeva se la turbavano di piú le parole della figlia o il profumo avvolgente del professore. *Le tre cose che voglio piú di tutto: essere normale, mio padre, essere normale. L'altra cosa che certe volte vorrei è morire. Cosí se dovessi rinascere, sarei uguale agli altri. Io non ho paura della morte e anzi mi sembra preferibile a questa vita.* Oh, Dio, devo preoccuparmi? gli chiedeva. Non credo, rispondeva Sasha. All'età di sua figlia molti ragazzini pensano di essere un'anomalia, e credono che la morte sia preferibile al non essere conformi. Conformi a cosa? diceva lei, senza capire, Valentina è cosí conforme. Proprio per questo non mi perdona.

«Niente di grave, – chiarí il professore, – è solo che fra poco ha gli esami. Li passerà comunque, però fa molte assenze, falsifica le giustificazioni. Con la sua firma, signora Buonocore. Ne ho parlato con Valentina, dice che quando non viene a scuola non va ad accannarsi né a rubare nei negozi. Dice che va davanti al Parlamento e aspetta quando escono i deputati per vedere se incontra il padre, non è molto corretto da parte mia dirglielo, signora Buonocore, ma lei non lo sa e invece dovrebbe saperlo».

Cominciava a rinfrescare. Sasha tirò su la zip del giubbetto. Di pelle azzurra, stretto in vita, corto, aderente. Il giubbetto evidenziava il triangolo delle spalle, e la strabiliante compattezza delle sue natiche. Emma rinunciò alla gradevole visione, temendo che lui se ne accorgesse. Se il professore si fosse reso conto di quanto le piaceva, si sarebbe sentito minacciato e sarebbe fuggito. E questo doveva evitarlo, a ogni costo. Anche se fra loro non sarebbe mai accaduto niente, anche se tutto sarebbe rimasto cosí, sospeso, come raggelato, per sempre, e lei lo sapeva e non poteva farci niente. Perciò abbozzò un sorriso contegnoso e disse che veramente stava andando a casa.

Però, irresistibilmente, con un movimento felino, si voltò e setacciò la folla che scendeva per via del Corso, ed esaminò ogni passante, e ogni angolo della strada, e allora aggiunse con un sospiro che però tutto sommato un caffè con lui poteva prenderlo. Lui sapeva tante cose, della figlia. Forse poteva spiegarle anche perché aveva cercato di avvelenarla. «Gli ha raccontato questa prodezza? Mi ha versato un dito di acqua ragia nel vino, fortuna che ne ho bevuto solo un sorso. Quando le ho chiesto perché lo ha fatto, Valentina mi ha risposto: *cosí*. Cosí, professore, come se fosse un fatto senza importanza. Mettere l'acqua ragia nel bicchiere di tua madre, dico».

Solo mentre lei parlava Sasha si accorse che la madre di Valentina aveva tre punti di sutura sul labbro e un livido dall'efferato colore violaceo che affiorava sullo zigomo, perforando lo strato compatto di fard. Stava per chiederle cosa le fosse successo – ma la Buonocore, imbarazzata, si aggiustò la ciocca sulla guancia, e la domanda gli restò in gola. «Le va di andare da Rosati? – propose Sasha. – È qua vicino». «Ci sarà qualcosa da mangiare? – commentò Emma, scettica. – Sono digiuna».

Ho dormito male. Ho ascoltato in cuffia le lamentele di centinaia di utenti. La compagnia telefonica non mi ha rinnovato il contratto. Ho appena denunciato mio marito. Gli ho distrutto la vita per la seconda volta. Non ho la forza di parlare dei problemi scolastici di mia figlia – avrebbe voluto dirgli. Con te vorrei parlare di qualsiasi cosa, ma non di questo, e non adesso. Però il professor Solari non le aveva mai chiesto di prendere un caffè. E benché negli ultimi mesi lei fosse andata con Valentina e le "orfane" della terza B all'Opera ad ascoltare la *Bohème*, e all'Argentina a sentire Mariangela Melato coi biglietti omaggio che aveva procurato il professore, mai le era capitato di trovarsi sola con lui.

Scansarono il silenzioso microbus elettrico e si avviarono verso piazza del Popolo, cosí vicini che il profumo intenso di Sasha le provocava una gradevole euforia. All'angolo di ogni vicolo, per un attimo si fermava, col cuore in gola, e pensava che doveva avvisarlo, e spiegargli che davvero non era una buona idea – se Antonio la stava seguendo, per il professore sarebbe stato pericoloso starle vicino. Ma si sentiva troppo disperata ed egoista, e non riuscí a privarsi di lui. Del resto, per tutto il tragitto, tra i passanti non individuò Antonio. Non la stava seguendo. Non avrebbe mai saputo. Se avesse avuto il minimo sospetto dell'esi-

stenza di Sasha Solari, non l'avrebbe lasciata andare, oggi. «Mi
scusi, sono cosí distratto, – tentò di rimediare Sasha. – Non le
ho neanche chiesto come si è fatta male». Emma reputò saggio non raccontare a quest'uomo come era stata trattata da un
altro: altrimenti Sasha forse avrebbe cominciato a vederla con
gli occhi di Antonio. «Se dovevo dirlo a qualcuno, avrei preferito dirlo a lei, professore», gli disse, ammaliante, puntando
un tavolino d'angolo del caffè, ben nascosto dietro una siepe e
con una vista incomparabile sulla terrazza del Pincio. «Ma che
ci vuole fare? Ormai l'ho detto a qualcun altro, ed è una storia
che non vale la pena raccontarla due volte».

Da Rosati, si dominava l'enorme piazza vuota. Un vuoto di
forma oblunga, che ricordava vagamente una vulva, attraversato da passanti minuscoli come spermatozoi in tanto spazio,
dominato da un obelisco massiccio e granitico. Una vista che
Emma trovò inquietante. Roma si crogiolava davanti a loro,
calda e rosata nella luce radente del pomeriggio. Quel caffè, lei
lo sapeva, era uno dei piú famosi di Roma. Sui settimanali che
leggeva sua madre quel nome ricorreva spesso, ci avevano foto-
grafato attrici e presentatori televisivi. Era un posto caro. Le
cameriere portavano la divisa, i tavolini erano coperti da cen-
trini di merletto, e le tazze erano di porcellana. Dietro le piante che proteggevano i clienti del caffè, le teste dei turisti galleggiavano – come spiccate dal busto – rotolando senza fretta,
come non avessero nessun luogo in cui andare, nessun corpo
da trascinarsi appresso. Emma ordinò un toast e un cappuccino, il professore un tè al limone. Lei ingoiò preventivamente le
pillole dimagranti, e gli disse chiaro e tondo che la imbarazzava sentirsi chiamare signora Buonocore, in quanto quello era il
nome di suo marito, anzi del suo ex marito. Il suo cognome era
Tempesta. Il suo nome invece era Emma. «Un nome molto letterario», commentò Sasha. Letterario? «Perché? Era il nome
di mia nonna», disse lei.

Poi tacquero, e il silenzio divenne tangibile. Sasha cercò disperatamente di ricordarsi perché mai gli era sembrato importante parlare a questa donna che non conosceva per niente e che

fra meno di un mese non avrebbe visto mai piú, proprio quando
avrebbe dovuto scaraventarsi a casa e prepararsi per l'arrivo di
Dario. Che non sarebbe stato un giorno come un altro era stato
evidente fin dall'arrivo dei tulipani blu. Ma la sensazione era
stata confermata dall'e-mail del tutto imprevista che Dario gli
aveva mandato dopo pranzo e che lui aveva letto e riletto, perplesso. Oggetto: *Proposta indecente. Ciccio* – scriveva l'amante –
*sto per registrare con un prete che si è sposato. La puntata susciterà
un putiferio. Se perdiamo le elezioni mi chiudono il programma e
mi mettono sulla lista di proscrizione. Scapperesti in Olanda con
un giornalista disoccupato di quarantanove anni? Aveva un certo
talento ma poi si rovinò cercando di risolvere le questioni di cuore
degli altri. Pensaci. Mister Verità.* Si firmava sempre cosí. Chissà
se credeva davvero di essere il personaggio cui aveva offerto il
nome e, alla fine, cosí tanto di sé. Sasha non guardava volentieri
il suo programma – assalito da un tenace spaesamento. Perché
Mister Verità, che parlava nello schermo e sorrideva e cercava
pietosamente di lenire i tormenti degli uomini, in realtà non era
nello schermo del televisore né nello studio di registrazione –
ma chissà dove. Era l'ombra di Dario, il suo fantasma. Per tutto il pomeriggio, non aveva fatto altro che rimuginare su quelle
parole, chiedendosi se davvero esisteva una qualche concreta
possibilità che la sua esistenza stesse per cambiare radicalmen-
te. Mentre entrava e usciva dagli opprimenti camerini di prova
delle boutique, era sicuro che la risposta fosse affermativa. Ma
col passare delle ore quella convinzione si stava allentando, e
adesso gli sembrava che quelle parole fossero solo un'ironica,
quasi beffarda, resa alla realtà. E a un tratto lo assalí un'insofferenza malmostosa per la donna che sgranocchiava il suo toast
in silenzio, assorta in chissà quali pensieri – ma anche per Dario e per se stesso. Mentre la signora Buonocore o Tempesta
addentava un altro toast – vanificando l'effetto comunque malsano delle pillole dimagranti che avrebbero dovuto attenuarle la
sensazione della fame – lui sentiva defluire da sé ogni slancio e
ogni speranza, sprofondando in un cupo abbattimento.

Da dieci anni viveva una vita mutilata. La sua vita e quella dell'amante si incrociavano per una cena, o una notte rubata alla routine di un matrimonio che Dario si ostinava a ritenere felice. Qualche volta, portandosi dietro una valigia, come arrivasse da un lungo viaggio, Dario si installava nel monolocale di Borgo Pio. Detronizzava Godot, che accoglieva l'intruso arruffando il pelo e miagolando di dispetto, per poi sparire, offeso, fino alla sua partenza. Dario disseminava i calzini e le camicie sulle poltrone, depositava lo spazzolino da denti nel bicchiere del bagno, e per due giorni vivevano liberi – intimi e abitudinari come due sposi. Ognuno aveva i suoi riti, le sue idiosincrasie, il suo modo di scendere dal letto al mattino. E tutto era familiare, e vero. Ma il sabato Dario tornava dalla moglie. Sasha odiava il sabato. E la domenica, Pasqua, Natale e Capodanno. Aveva saputo aspettare. Paziente, fiducioso, certo che prima o poi la commedia stucchevole del suo matrimonio sarebbe finita, che Dario avrebbe parlato con la moglie, o anche no – che importanza aveva? – comunque l'avrebbe lasciata e si sarebbe trasferito da lui. Avrebbero abitato insieme, e condiviso il cinema, il Natale, le vacanze, gli amici. Anche la vecchiaia, la sofferenza, la malattia, tutto ciò che la vita ti riserva – non solo i momenti beati dell'attesa e della passione, che però non sono la vita, solo il suo distillato, la sua caricatura.

Ma Dario non lo aveva fatto. Rimandava sempre. Con un pretesto – all'inizio – e poi nemmeno quello. E adesso non era più un oscuro scalcinato cronista di una televisione privata a diffusione locale, ma Mister Verità, che la gente riconosceva per strada e a cui chiedeva di risolvergli i problemi esistenziali. Sempre più coinvolto nella recita, sempre meno libero, e sempre meno desideroso di liberarsi. E Sasha non aveva più ventitre anni, come la sera in cui lo aveva incontrato – in un buio sottoportico di Venezia, dove Dario era venuto a intervistare un naziskin che aveva dato fuoco a un barbone. Non aveva più la corporatura snella di Tadzio e i capelli lunghi sulle spalle. Adesso era appesantito e perdeva i capelli – che al mattino trovava, fragili e spezzati, sul cuscino. Portava gli occhiali, e non aveva più speranza. Stava diventando vecchio senza essere mai stato veramente giovane.

E invece era stufo della menzogna, della dissimulazione, della viltà. Stufo marcio della monogamia, della fedeltà – stufo di piegarsi alle convenienze alle circostanze alla ragione. Gli venne voglia di rigare la carrozzeria della BMW di Dario con le chiavi della casa in cui non avrebbe abitato mai. Di prendere una supplenza in un paese leghista del Veneto, per essere costretto a lasciarlo. Rimorchiare un minorenne rumeno a Valle Giulia e portarselo in casa. Ma piú ancora voleva telefonare alla moglie di Dario, chiederle un appuntamento e dirle che stava con suo marito fin da quando non era nessuno, e che aveva lasciato la sua città, i suoi amici, la sua famiglia, per stargli accanto. E invitarla stasera alla festa del loro anniversario – dieci anni, una durata ragguardevole. Oggi né i matrimoni né le automobili né la celebrità durano tanto. Avrebbe voluto essere pazzo e irragionevole e depravato. E invece era in una caffetteria scenografica con la madre di Valentina Buonocore, che era stata la sua migliore allieva, ma nemmeno lei avrebbe potuto dare un senso a un anno inutile e sprecato.

Eppure, come dovesse recitare la sua parte fino alla fine, e non potesse fare altro, con tono professorale e pedante si affrettò a dire che Valentina – anche se in italiano andava molto bene – rivelava una predisposizione non comune per le scienze. Emma Buonocore o Tempesta disse che non lo sapeva. Non sapeva niente della figlia. Come del resto la figlia non sapeva niente di lei. Cioè, sapeva le cose che non contano. Le cose che gli altri sanno di noi: il nome, l'età, il mestiere, lo stato civile, a volte l'indirizzo. Siccome Sasha ebbe l'atroce impressione che Emma Buonocore o Tempesta volesse alludere a quel che lei stessa sapeva di lui – cioè niente – aggiunse che la famiglia doveva incoraggiare la ragazzina a continuare gli studi, nonostante la crisi della scuola e dell'università. Crisi della quale ormai si era fatto un'idea molto chiara, anche se veramente non avrebbe mai immaginato di finire a insegnare in una scuola media, in quanto sempre convinto dell'inutilità e anzi della nocività della scuola, che gli sembrava non avere altro scopo se non ostacolare lo sviluppo e la crescita dei giovani. E invece di insegnare che cos'è la vita e di aiutarli ad afferrarla e viverla, si incaricava di stroncargliela, trasformandola in un amaro fiasco.

Infatti Sasha si era laureato in archeologia romana, e aveva partecipato con entusiasmo alle campagne di scavi in Libano, Siria e Turchia. Ma poi aveva commesso l'errore di lasciare l'archeologia perché a un certo punto non riusciva a provare piú nessuna passione per quei cocci polverosi che appartenevano al passato, e gli sembrava che invece fosse suo dovere cercare di vivere nel presente, per quanto banale e insignificante possa a volte sembrare la contemporaneità. Insomma doveva essere contemporaneo a se stesso. Cosí era tornato in Italia – che poi diciamocelo, è una colonia neanche di importanza strategica ormai che il muro di Berlino è caduto. È una periferia, e anche parecchio degradata – dal punto di vista culturale, si intende – nella quale ogni talento e ogni autentico slancio espressivo vengono repressi e soffocati e appiattiti in una consolante uniformità. Comunque l'Italia era pur sempre il suo paese, l'edonismo degli anni Ottanta – di cui non aveva potuto godere – il retroterra della sua adolescenza, il boom economico degli anni Novanta – di cui non aveva saputo cogliere i benefici – quello della sua giovinezza, e l'era Berlusconi – che come molti italiani non aveva voluto ma subíto – si avviava a essere quella della sua maturità. E con questa italianità presente bisogna fare i conti.

«Mia madre adora Berlusconi, – disse la signora Buonocore o Tempesta, succhiando distrattamente il cucchiaino, – dice che la mette di buon umore. Pensi che mio padre era iscritto al PCI. Collezionava le tessere, le aveva tutte dal 1956. Sono nato sotto le camicie nere, diceva, voglio morire quando sarà presidente del consiglio un comunista. Ci è quasi riuscito, quasi però. È morto la settimana prima che D'Alema giurasse. Stava bene, sano come un pesce. È sempre stato sfortunato, mio padre». E di nuovo scese il silenzio.

Sasha disse di aver cominciato a scrivere di problemi sociali per un quotidiano veneto, ma aveva fatto il concorso per contentare i genitori che non credevano che sarebbe mai riuscito a vivere di archeologia o di giornalismo. Aveva vinto l'abilita-

zione ma non la cattedra, col risultato che adesso non era veramente un professore né un archeologo né uno scrittore. Le
lezioni gli stavano strappando giorno dopo giorno il desiderio
di scrivere, mentre invece la scrittura è appunto prima di tutto
desiderio, e tutte le cose che scriveva da quando sedeva in cattedra e cercava di trasmettere ai ragazzi il segreto della letteratura gli sembravano adesso inerti e amorfe. Inutili, insomma,
tanto da averlo condotto alla convinzione che scrivere sia un
atto altrettanto archeologico dello scavo di una città romana.
Eppure Sasha sapeva che non esiste nient'altro, e che la letteratura – pur votata all'inevitabile fallimento – è l'unica cosa che
consente di sopportare quella perversa follia che è la vita. Invece non aveva saputo creare opere né teorie. E ormai aveva passato i trent'anni e un tempo era stato convinto che a trent'anni
avrebbe già scritto qualcosa di decisivo. Tanto per dire: Fosco-
lo aveva iniziato lo *Jacopo Ortis* a diciotto anni, D'Annunzio
aveva pubblicato *Il piacere* a ventisei, e Tasso a trentuno aveva
finito la *Gerusalemme liberata*.

Le diceva cose che non avrebbe mai immaginato di dirle pur
di non lasciarle spazio, perché temeva che Emma Buonocore o
Tempesta volesse sapere le cose che gli altri non devono sapere,
e gli chiedesse se era sposato, fidanzato o convivente, e come
mai non aveva figli. Ma Emma non glielo chiese. Lo guardava
senza interromperlo, sorridendogli con gli occhi illuminati da
un filo di ignobile malinconia, e lui a un tratto capí che sapeva
tutto. E questo gli procurò sollievo, e dissipò il malumore e i
progetti autolesionisti, e l'Olanda gli sembrò vicina e possibile, e la vista di Roma rosata e calda davanti a loro una promessa di felicità futura. E si sentí felice, per sé, per Dario e per la
serata imminente.

«È una boiata, scusi se glielo dico, – commentò Emma, con
una franchezza alla quale non era abituato, perché le persone
che conosceva mai si sarebbero sognate di contraddirlo. – Erano altri tempi, oggi la maggior parte della gente, se morisse a
trent'anni, tanto valeva che non fosse mai nata. Io solo a trentasette anni ho cominciato a capire chi sono. E poi non penso

che l'Italia c'entra qualcosa col fatto se lei sarà o no uno scrittore. Dipende da lei, e non dal posto dove scrive. Magari il suo libro lo scrive stanotte, a settant'anni o mai. Deve solo smetterla di porsi degli obiettivi e di masturbarsi coi dubbi. Viva, scriva, e basta».

Sasha si disse che le donne o crollano di schianto, come una pianta, o scorticano, come una pietra. Emma Buonocore o Tempesta appartiene alla seconda categoria. Fu allora che dietro le siepi che schermavano i tavolini di Rosati Emma vide la faccia abbronzata di Antonio che spiava nella caffetteria. Si alzò di scatto, e si guardò intorno, e siccome non c'erano altro che clienti e camerieri, si inginocchiò e cercò di nascondersi dietro la sagoma massiccia del professore e il vaso contenente un cespo di fiori di plastica. «C'è qualcosa che non va?», esclamò Sasha, sorpreso. «Mi sta guardando?», chiese lei, in un sussurro, rannicchiandosi contro di lui. E Sasha si ritrovò incastrato dietro il tavolino, coi capelli di lei sulle mani e il suo viso drammaticamente vicino ai bottoni dei jeans. «Chi?» disse, imbarazzato. Ebbe l'impressione che i clienti del tavolo accanto stessero per chiamare la Buoncostume. Vergognandosi, sorrise alla cameriera inamidata che venne a chiedergli se desideravano consumare qualcos'altro. «Una fetta di torta» disse. «Quale torta? – disse la cameriera, scocciata. – Con la crema, con il cioccolato, la sacher, la millefoglie?» I capelli della signora Buonocore o Tempesta gli pizzicavano le dita. Incrociò lo sguardo di un tizio scuro di pelle che spiava la lista dei prezzi appesa sulle vetrate. «Uno col pizzetto alla Che Guevara», bisbigliò Emma. Il tizio non corrispondeva alla descrizione. Era un turista con la macchina fotografica al collo. Dovette giudicare il caffè troppo costoso, perché si allontanò. «Stia tranquilla, non c'è nessuno», disse Sasha. Emma si rialzò, ma non tornò a sedersi. «È meglio se torno a casa, – disse, – mi dispiace, mi sarebbe piaciuto restare qui con lei a parlare della crisi della scuola e dell'Italia».

Sasha si chiese se la madre di Valentina intendesse prenderlo in giro. Si chiese se avesse l'abitudine di prendere in giro anche l'uomo col pizzetto alla Che Guevara che le aveva appena spaccato un labbro. Pagò tè toast e cappuccino, lasciò mille micragnose lire di mancia alla cameriera e raccolse da terra la borsa di Emma. Si accorse che aveva il manico strappato, e quando lei allungò il braccio per prenderla, la stola di piume rimase incastrata nella sedia e Sasha si accorse che la sua maglia era macchiata di sangue. Distolse lo sguardo, la prese per un braccio e la pilotò tra i tavolini, verso l'uscita. Emma si morse le labbra perché per nulla al mondo gli avrebbe detto di lasciarla – anche se il braccio le faceva male, e ogni centimetro della pelle le doleva, come se l'avessero frustata.

Sasha si ricordò di quando aveva visto il tatuaggio nel chiosco dello stabilimento balneare della litoranea di Castelfusano il sabato di Pasqua, dove tutti insieme in una confusione di bidoni e casse di birra si stavano svuotando tasche e scarpe dalla sabbia. Emma Buonocore o Tempesta con noncuranza si era sfilata il dolcevita e aveva rivestito il figlio che si era fradiciato rotolandosi sulla battigia. Aveva messo ad asciugare il maglione del bambino sotto il getto dell'aria calda per le mani, e Sasha aveva notato le dune dorate che affioravano dietro i merletti del reggiseno nero, ma piú di tutto aveva notato la grande A azzurra che campeggiava sulla spalla sinistra, tatuata sulla sua pelle. L'iniziale del mio grande amore, aveva detto Emma, cretinate indelebili che si fanno a vent'anni, ora mi tocca innamorarmi di uno con la stessa iniziale, e Sasha era avvampato perché non sapeva se lei sapeva che il suo nome era Alessandro.

Quando furono al centro della immensa piazza vuota, si offrí di accompagnarla a casa – forse perché non riusciva a liberarsi delle buone maniere che gli avevano inculcato i suoi. O forse perché, contagiato dall'inquietudine di Emma Buonocore o Tempesta, gli sembrava di percepire davvero la presenza minacciosa del tipo col pizzetto alle loro spalle. Anche se non aveva mai fatto a pugni con nessuno, gli piacque immaginare che sarebbe stato in grado di affrontarlo, di neutralizzarlo e di difenderla. Disse che aveva la sensazione di non poterla lasciare da sola. Cioè, aveva il dovere morale di impedire che le accadesse qualcosa. Emma si disse, sorpresa: quant'è gentile, perderebbe tutto questo tempo per me, e non gli sto nemmeno simpatica. «Ho lasciato la macchina al parking di via Veneto. Lei dove abita?» le chiese. «Faccia conto una periferia di quelle che diceva lei – parecchio degradata, dal punto di vista culturale, si intende», rispose Emma, sarcastica. Sasha incassò anche questo. Non riusciva mai a indovinare l'umore di questa donna arguta, aggressiva e volubile. C'erano momenti in cui gli sembrava divertente e serena e poi, repentinamente, senza un motivo plausibile, si rivoltava con rabbia, quasi con ferocia. «Allora la accompagno alla fermata della metropolitana», insisté. Lui doveva fare un salto a via Condotti, se lei prendeva la metro a Spagna, gli veniva comunque di strada. Emma sorrise, perché non sapeva se stessero parlando di sciocchezze o se stessero creando un codice, per crittografare i significati piú profondi. «Non dovresti viziarmi, – gli disse, – altrimenti mi abituo». Non si rese nemmeno conto di avergli dato del tu.

«È un problema restare senza donna», solidarizzò immediatamente la madre di Guendalina, accasciandosi nel divano che la ingoiò con un frusciante sbadiglio. «Anch'io mi trovo in questa situazione, è terribile». «Ma come? – si stupí la madre di Cristian, – di nuovo?» «Abbiamo dovuto cambiarla, non andava bene, – sospirò la madre di Guendalina, – le donne di servizio come una volta non si trovano piú». «Se vuoi, Maja, – intervenne sollecita la madre di Lorenzo, – posso consigliarti una badante eritrea, è bravissima, è rimasta senza lavoro perché la sua vecchia è morta all'improvviso, infarto, pensa che sfortuna, era sanissima, è fidata, è la sorella della mia...» «Eritrea? – chiese Maja, dubbiosa. – Ma capisce l'italiano? Io e Elio vogliamo personale che parli bene la lingua, già Sidonie parla a Camilla in francese, se anche la donna di servizio non conosce l'italiano finisce che il suo vocabolario...» «Hai proprio ragione, – convenne la madre di Carlotta, cogliendo al volo l'occasione per inserirsi, dal momento che finora non era stata considerata, – non prendere una straniera, i bambini vengono su

un po' imbecilli, sul serio, le straniere non ti capiscono quando
parli, hanno abitudini strane, e poi non sai mai cosa gli insegnano, gli eritrei sono pure musulmani». «Ma guarda che gli
eritrei sono cristiani, – si risentí la madre di Lorenzo. – Questa parla perfettamente italiano, è andata alle scuole italiane,
l'Eritrea faceva parte dell'Impero, no?» poi troncò la lezione
di storia perché il cameriere stava distribuendo i pasticcini alle
madri dei piccoli invitati.

«Premetto che non sono razzista, ma è meglio una bianca», sentenziò assorta la madre di Guendalina, affondando il
cucchiaino nella torta e, allorché si accorse che era ripiena di
panna, depositando sdegnosamente il piatto sul tavolino, senza accorgersi di schiacciare la pochette di Maja – un elaborato
sacchettino di Gucci in pelle effetto pitone. «Non voglio che
Guendalina cresca con una persona di colore vicino, non è per
razzismo, anzi, io trovo bellissimi i negri, una razza veramente superiore, pensa a Carl Lewis, Denzel Washington, Naomi
Campbell, ma potrebbe provocarle delle crisi. Di identità voglio dire, in fondo lei è bianca». Maja si chiese come spostare
il piattino senza dare nell'occhio: aveva paura che la pochette
finisse per macchiarsi. In fin dei conti, era un modello creato
in centocinquanta esemplari e destinato a principesse, popstar
e mogli di sultani – l'aveva ottenuto solo grazie alla sua decen-
nale amicizia con la direttrice del marketing.

«Le migliori sono le polacche, – disse soavemente la madre
di Matilde, – il mio parroco potrebbe…» «Ah, no! le polacche
no, non prenda una polacca, signora Fioravanti, – disse una
donna della quale Maja si sforzò invano di ricordare il nome, le
era già stata presentata e ormai non poteva piú chiederglielo, –
glielo sconsiglio, ho avuto un'ucraina, mangiava l'aglio, puzzava». «Ma veramente l'Ucraina credo non sia piú in Polonia»,
osservò Maja, addentando una ciliegina che sapeva purtroppo
di plastica. Non era contenta del catering. Niente affatto. Con
tutto quel che le era costato, tramezzini unti di majonese e pro-
sciutto secco come la suola di una scarpa, una vera truffa. Speriamo che almeno gli animatori siano bravi, mi hanno assicurato

che sono i migliori di Roma. Il mago ci sapeva fare, in effetti.
I suoi trucchi coi coniglietti e i pappagalli hanno lasciato i piccoli senza fiato. «Sta piuttosto in Russia, no?» disse la madre
di Carlotta, subito distratta da una meringa. «La mia polacca è
una brava donna», gemette la madre di Matilde. «Però si veste
male, si compra le scarpe al mercato, è molto dimessa, cara, –
insinuò la madre di Guendalina con un sorriso acido, – secondo
me dovresti cercarne una che si presenti meglio, non per impic-
ciarmi, te lo dico col cuore, però non fa una buona impressione». «Ah, non importa, sa stirare le camicie come mia nonna, le
altre non sanno stirare, forse perché ai paesi loro non avevano
il ferro da stiro». «Ma davvero non hanno il ferro da stiro? – si
stupí la sconosciuta, chi diavolo era? – In Italia ce lo abbiamo
da almeno cent'anni! al mercatino di beneficenza al Parco dei
Principi ho comprato un ferro da stiro di ferro, dell'Ottocento.
Lo usiamo come fioriera». «Comunque la mia polacca sa fare
tutto, lava, spolvera, la casa è uno specchio, le altre che ho avuto erano sporche, del resto quando vai all'estero ti rendi conto
che i popoli sottosviluppati non si curano dell'igiene, vivono in
mezzo alla spazzatura».
  «Deve essere un fatto religioso, – scoprí pensierosa la madre
di Carlotta, – ti ricordi in India che sporcizia? la povera Lucrezia
si prese un'epatite tremenda, ancora non si è ripresa». «Io non
capisco come si fa ad andare in vacanza in India», gracchiò una
donna finora silenziosa, scoccando a Maja uno sguardo ombret-
tato di verde. Attempata, coi capelli infarinati di bianco – forse
una nonna? Ma no, forse una donna cinica e scaltra che aveva
avuto il primo figlio a quarant'anni, non come lei che a venticinque aveva già Camilla. Questa donna si era goduta la vita,
aveva aspettato fino all'ultimo ovulo, e aveva fatto bene. Chissà
chi era. «Perché gli europei hanno questo masochismo, – gracchiò la cinica, – di andare in vacanza nei posti dove la miseria
ti si appiccica addosso? La miseria non è pittoresca, è orrenda.
Molto meglio la Polinesia, lí i poveri non esistono. O al limite le Bermude, benché ormai non siano piú cosí esclusive. Noi
questa estate faremo una crociera in barca a vela alle Tonga. E

voi, Maja? Sempre nella vostra villa in Maremma? Be', lo capisco, inutile farsi dodici ore di aereo per sbattersi alle Mauritius
e alle Andamane quando si è padroni di un paradiso dietro casa». Maja annuí. La villa, oh, Dio, la gettò nello sconforto l'idea
di imprigionarsi con Camilla in quella lussuosa villa sul Tirreno
all'ombra delle rovine etrusche di Cosa per i prossimi tre mesi. I mesi della gravidanza, delle vitamine, dell'amuchina, delle
ecografie. I mesi della deformità, dell'incertezza, delle paure.

   «Quando fanno il Governo? – s'informò una signora con la
faccia da carlino, cui nessuno aveva rivolto la parola, perché tutte, come Maja del resto, avevano creduto fosse una baby-sitter.
– Un mese dopo le elezioni? Allora farete vacanze brevi, ho visto
che i sondaggi vanno bene». «Molto bene, – annuí Maja, – siamo almeno cinque punti sopra». In realtà da tempo non riusciva
piú a interessarsi alle cerimonie della carriera di Elio. Anni prima, quando Elio si era buttato in politica, aveva segretamente
nutrito l'ambizione di diventare la prima vera first lady d'Italia
– l'unica nazione occidentale che aveva mandato in giro per il
mondo nonne di famiglia e compagne partigiane, casalinghe e re-
pliche di Rachele, perfino amanti pettorute, ma non una donna
moderna, che potesse rappresentare le italiane del Duemila. Una
jacquelinekennedy giovane, cosmopolita, bella e laureata, degna
di essere protagonista sui rotocalchi e di diventare testimonial
dell'Organizzazione Mondiale dei Rifugiati, di viaggiare sull'a-
ereo presidenziale come di patrocinare la causa per l'abolizione
delle mine antiuomo. Ma questo – come molti altri, purtroppo –
si era rivelato un sogno puerile e destinato a non avverarsi, che
si era sciolto come sale. Elio non sarebbe diventato presidente
né ministro, e non perché non avesse saputo sceglliersi gli appoggi e le amicizie, e nemmeno per via dei capelli poco telegenici e
dei denti storti – si potevano sempre rifare – ma semplicemente
perché era troppo intelligente per diventare davvero qualcuno e
troppo stupido per fingere di non esserlo. Al piú – se fosse riuscito a schivare le insidie e le trappole disseminate sul suo cammi-
no – sarebbe rimasto quel che era già: l'ombra di un altro, il suo
parafulmine e il suo consigliere. E Maja adesso si augurava solo

di essere ignorata dai fotografi e di non comparire sul giornale al suo fianco. Anche se questa indifferenza, questo disincanto, la inquietavano come un tradimento.

«La religione non c'entra», stava dicendo un'altra, dagli occhi brodosi, ipertiroidei, che Maja ricordava entusiasta all'ultima cena elettorale di Elio – la sottoscrizione costava un milione a coperto – e alla quale perciò sorrise anche se la infastidiva la sua voce chioccia. «Io ho una tunisina pulitissima, te la consiglio, i tunisini sono praticamente italiani, solo che sono musulmani, è l'unica differenza». «Ah, no, io una musulmana non la vorrei, è una religione che fa paura, sono arretrati, trattano le donne come nel medioevo», esclamò scandalizzata la madre di Guendalina. «Comunque sono cattoliche anche in Ucraina», intervenne Maja, tanto per dire qualcosa, altrimenti le sue ospiti avrebbero pensato che la conversazione non la interessava. O peggio, che le snobbava – il peccato piú grave, in un ambiente nel quale il sentimento gerarchico dell'esclusione era l'unico non atrofizzato. Ma non ne era sicura, forse erano ortodosse? «Mah, la religione non ha tanta importanza, in fondo anche le sudamericane sono cattoliche e non te le consiglio proprio, io non prenderei una sudamericana mai piú, non hanno voglia di lavorare, forse per il fatto degli indios che sono stati fatti schiavi, gli è rimasta questa avversione per il lavoro, questo odio per il padrone bianco. Avevo una peruviana, le peruviane sono le peggiori, be', quando avevamo ospiti serviva in tavola, non ti dico con quale malgarbo e mancanza di cortesia, ci vergognavamo talmente, e come guardava i nostri amici, con odio, guarda, odio davvero, avevamo paura che ci ammazzasse tutti col gas. Guido la notte si alzava per controllare che non avesse aperto i rubinetti, abbiamo dovuto mandarla via». Il drammatico racconto della signora con la voce chioccia fu seguito da un silenzio comprensivo e partecipe del rischio corso da quella famiglia.

«Mia madre ha un'ecuadoriana che non spiccica una parola di italiano e sono già due anni che sta qui, non ha imparato niente, non è capace neanche di rispondere al telefono, – disse la madre di Guendalina, la quale era ossessionata dalla madre e perciò ossessionava la figlia, ragnetto petulante che Camilla detestava ma che Elio aveva pregato di invitare perché il padre era un pezzo grosso della Cassazione e perciò un giorno poteva tornargli utile. – Non ti dico per fargliela accettare, mia madre dice che sembra una scimmia e le fa impressione, sai, è nata nel '32, ha visto cambiare il mondo, mettetevi nei suoi panni, gente che non aveva mai visto un negro e ha dovuto imparare a considerarlo uguale, ormai neanche si può dire piú negro, è peggio di una parolaccia. Urlava che non si voleva far toccare da questa scimmia, non ti dico quanto ho dovuto penare per convincerla, alla fine l'abbiamo quasi costretta, non potevamo occuparci di lei, ti mandiamo in una casa di riposo le abbiamo detto, e alla fine lei si è presa questa scimmia, che è tanto brava, poveretta».

Maja si sforzò di sorridere, ma tutte quelle chiacchiere le avevano provocato un terribile malditesta e desiderò ardentemente un'aspirina. Oh, no, non poteva prenderla. Dio mio, Dio mio. Non dovevo dirglielo. Fra qualche settimana, un mese, Aris se ne sarebbe accorto da solo. Non l'avrebbe presa cosí. Ho rovinato tutto. «Le cilene sono piú educate, – commentò la madre di Lorenzo, – non sono contadine, vengono dalla città, il Cile è un paese civile, come la Francia, mia sorella ha una cilena che a Bogotà faceva la dentista, c'è la crisi economica in Cile». «Ah, no! – esclamò disgustata la madre di Carlotta, moglie di un onorevole di un partito ormai sciolto ma sempre influente, – i cileni sono comunisti, vi ricordate gli anni Settanta, gli Intillimani, tutti quei poncho, el pueblo unido, le bandiere rosse, volevano espropriare la proprietà privata, e pensare che adesso Pinochet lo vogliono processare, certo che la storia gira in fretta, scapparono tutti in Italia, manifestavano, chiedevano soldi, ti ricordi, Maja? no, sei troppo giovane, fu una cosa terribile, io non prenderei mai una cilena». «Anche in Argentina c'è la crisi economica, noi abbiamo investito in obbligazioni argentine perché rendono il dodici per cento, le argentine italiane vogliono rimpatriare, sono quasi italiane, potrebbe cercare un'argentina italiana», suggerí la madre di Matilde. «Gli argentini sono come i napoletani, – tagliò corto la madre di Lorenzo, che peraltro a Maja sembrava di ricordare fosse sposata con un napoletano, – i napoletani sono cosí divertenti, pensa a Totò, a Massimo Troisi, porello, è morto tanto giovane, però gli argentini somigliano ai napoletani peggiori, come Maradona, ecco, è gente che non ha voglia di lavorare».

Dal salone attiguo strilla eccitate s'avvicinarono minacciosamente. Una frotta di bambini si sparpagliò per la stanza. Rincorrevano uno dei clown – il piú basso, col grosso naso cadente e una trombetta in mano. Poi scovarono un biglietto infilato in una colonna e proseguirono la caccia al tesoro giú per le scale. Maja si augurò che gli animatori avessero calcolato bene il numero degli invitati e che ci fossero regalini per tutti – vincitori e sconfitti: i piccoli non sopportano di perdere. E in verità nemmeno i grandi. «Noi siamo stati in Venezuela dieci anni fa, quando Carlo era responsabile degli impianti petroliferi, – proseguí imperterrita la madre di Matilde che voleva far sapere che il marito era un dirigente dell'ENI, – è una bella razza, le ragazze sono stupende, sembrano tutte ballerine di samba, purtroppo non si trovano tante venezuelane in Italia». «Mah! Le sudamericane pensano solo a ballare, – commentò mestamente la non-baby-sitter con la faccia da carlino, che aveva l'aria di aver sofferto molto a causa di questa abilità nel ballo delle sudamericane, – la samba, la rumba, la merenga, tutto quel dimenarsi, quando c'è da lavorare non le vedi piú. Le migliori sono le filippine, ne abbiamo una con noi da dieci anni, è bravissima, non so cosa farei se ci lasciasse, adesso ha fatto venire i bambini, noi non eravamo d'accordo ma alla fine l'abbiamo aiutata a fare le carte, che volete, bisogna essere umani, dovreste vedere che carini, con gli occhi a mandorla e la pelle di bronzo, ma comunque non vuole lasciarci, dice che i bambini staranno dalla sorella, speriamo perché Alessia e Giulia le sono tanto affezionate e sarebbe un trauma per loro perderla». «Io con le filippine ho una brutta esperienza, – sentenziò inesorabile la madre di Guendalina, – ne avevo una che appena restava sola telefonava al marito a Manila, non ti dico che bolletta, abbiamo messo il lucchetto al telefono ma era furba, lo svitava, abbiamo dovuto licenziarla».

Oddio, basta, stava per mettersi a urlare Maja, perché aveva buttato là quella frase su Navidad che l'aveva lasciata per
tornare a Caracas? Perché? Perché non aveva niente da dire a
queste signore, ecco perché. Perché non era come loro, anche
se fingeva di esserlo. O forse lo era stata, ma adesso non lo era
piú. Le odiava. Se avesse potuto, le avrebbe prese a calci, sca-
raventate giú per le scale. Ma non poteva. Non si può mai dire
quello che si pensa. Ci scambiamo battute e menzogne – come
a teatro. Meglio sarebbe essere sordi e muti. Pesci, come dice
Aris. Aveva nominato Navidad tanto per dire, tanto per non
tacere, e non pensare all'appartamento davanti alla Villa dei Ca-
valieri di Malta, al profumo del mandarino, all'occhio che inquadra la cupola di San Pietro, al grande salone in cui le sarebbe piaciuto stendere la stuoia di cocco e appendere i suoi batik
e i quadri degli aborigeni australiani – che siccome invece non
s'intonavano con l'arredamento del villino, lei ed Elio avevano
riposto in soffitta. Ma soprattutto ad Aris, che non riusciva a
rimuovere dalla coscienza, e continuava ad apparire dietro le
facce di bambola delle madri degli invitati, e a guardarla severamente senza sorriderle, dall'angolo del salone, dove pure non
era. Aris, al quale non ho mai mentito, che mi conosce veramente. L'unico cui non mi vergogno di mostrarmi come sono,
nella mia mostruosa freddezza. Che adesso forse mi odia e mi
disprezza. Aris – che ragazzo coraggioso, utopista, intransigente,
se solo restasse sempre cosí com'è, se il tempo non lo rendesse
un individuo arido meschino e deluso come tutti gli altri. Aris
che l'aveva aspettata mentre lei giocava a fare la cliente dell'a-
genzia immobiliare – e poi, quando aveva rifiutato di salire in
macchina, le aveva rivolto uno sguardo malinconico e distante.
Come se fosse tutto finito, finito, mio Dio.

Ma le signore erano terrorizzate dall'improvviso silenzio
che si sarebbe abbattuto su di loro se la conversazione fosse caduta. Terrorizzate di doversi fronteggiare, intrattenere, ascoltarsi decantare le lodi le qualità l'intelligenza la bravura nella
danza nell'ippica nel linguaggio del rispettivo figlio o figlia o
entrambi, cosa che dà molta gioia al genitore in questione ma

estremamente noiosa per gli altri. Volevano sviscerare il problema finché non lo avessero risolto: volevano, dovevano aiutarla, o almeno fingere di farlo, e ognuna voleva prendersi il merito di trovarle la donna di servizio. Maja si premette le mani sulle tempie. Mio Dio, mio Dio – voleva urlare. Non voglio restare qui. Voglio andarmene. Devo parlare con Aris. Devo chiarire. Ho bisogno di verità come dell'aria che respiro. Dove sei, ragazzo mio? Non voglio una donna di servizio, non me ne importa niente, ne farò a meno, aspetterò il ritorno di Navidad, vi prego, vi scongiuro, tacete.

E finalmente la squadra capeggiata da Camilla riemerse dallo scalone seguendo il clown che sorreggeva la scatola del tesoro. Il secondo clown suonò gioiosamente la trombetta, e il terzo la grancassa. E mentre i vincitori estraevano dalla scatola piccoli regali avvolti in carta rossa e i clown distribuivano ai delusi piccoli regali avvolti in carta azzurra, a poco a poco clown, vincitori e sconfitti soffiarono nelle trombette, in un concerto assordante di pernacchie. Il trampoliere apparso all'improvviso cominciò a soffiare enormi bolle di sapone, grandi come scarpe, gatti, palloni, e tutti i discorsi si spensero davanti a quella stupefacente magia, e la donna di servizio per la signora Fioravanti quel giorno non venne trovata.

Diciannovesima ora

Al fischio dell'arbitro, la donna-cavallo scoccò uno sguardo omicida alle avversarie in maglia bianca – braccia ciondoloni e ginocchia piegate dietro la rete, in trepida attesa. Lanciò la palla, saltò e la colpí con tutte le sue forze col palmo aperto della mano. La palla s'abbassa improvvisamente dietro la linea dei tre metri. Valentina si tuffa col pugno proteso – ma la palla schizza verso l'altissimo soffitto della palestra e si perde fra le gradinate. Punto per la squadra delle gialle. Sei amazzoni determinate e terribilmente aggressive – un'immagine femminile cosí minacciosa e inquietante che Antonio ne era rimasto nauseato. Le ragazze in maglia bianca si riunirono in circolo, spalla contro spalla, urlando – al pavimento ma forse a se stesse – «Dài! Dài! Dài che ce la facciamo». Fra loro, Valentina era la piú esile e a quegli urtoni marziali vacillò. La donna-cavallo agguantò la palla e di nuovo si piazzò dietro la linea di fondo. Di nuovo scoccò uno sguardo omicida alle avversarie – anzi, proprio a Valentina, per intimorirla.

«A brutta racchia, c'hai due gambe che pari un tavolo!» urlò un ragazzetto con la giacca di renna, che si agitava proprio accanto ad Antonio. Be', ragazzetto proprio no. Era una pertica lunga quasi due metri. Con una faccia però da bambino, quasi glabra – i peli sporadici che gli germinavano sul mento lo facevano assomigliare a un'ascella. Per un attimo Antonio meditò di fracassargli il naso, poi si rese conto che i suoi complimenti erano rivolti alla nemica. Il ragazzo altissimo tifava per la squadra di Valentina, l'AS Esquilino. Una squadretta nata nel campo di cemento dell'oratorio di San Vito. Però vivaio della squadra dell'università, che giocava in serie B. A forza di urlare insulti sempre piú elaborati e maligni, il ragazzo altissimo finí per demoralizzare la donna-cavallo, che esalò una battuta moscia – la palla s'incagliò mestamente nella rete.

Il ragazzo urlò «Daj Vale che sei la piú forte!» Antonio formò col chewing gum una bolla grumosa e la fece esplodere, disgustato. Era il suo ragazzo? Valentina aveva già un ragazzo? Valentina, col numero 9 stampato sulla schiena, le dita fasciate da cerotti bianchi. I calzoncini corti che le lasciano nude le gambe sottili come stuzzicadenti, dalla muscolatura ancora approssimativa. La sua bambina. Quando Valentina metteva a segno un punto, Antonio schizzava in piedi dietro la balaustra, applaudiva, gesticolava e urlava il suo nome, che a causa della pessima acustica echeggiava a lungo sotto le volte della palestra. La prima volta, Valentina si era girata verso il pubblico, sorpresa. Poiché sulle gradinate c'erano tutt'al piú cinquanta spettatori, aveva notato subito Antonio, che spiccava fra un pugno di variopinti studenti del Virgilio e gli amici del muretto di piazza Dante – fra loro c'era forse Jonas? Gli aveva sorriso. Poi, per tutto il primo set non aveva piú indovinato una giocata.

Chi è quel mandingo? le aveva chiesto Miria, approfittando del time out. Mio padre, aveva risposto malvolentieri. Miria se lo era rimirato, del tutto indifferente alle prediche tattiche dell'allenatore. Ammazza che amica che sei, aveva bisbigliato, perché non me l'hai mai presentato? Valentina sperò che scherzasse, ma Miria parlava sul serio. Se questo è l'effetto che ti fa tuo padre, non farlo piú venire alla partita – le aveva suggerito l'allenatore, scrutando stizzito il gladiatore con la testa rasata che si scalmanava in tribuna. Valentina si era presa a schiaffi, temendo di essere sostituita. Era la prima volta che l'allenatore la schierava in prima squadra. Lei di solito accompagnava le grandi e restava inesorabilmente in panchina. Il sabato o la domenica mattina, in campi di sobborghi e borgate oltre il Raccordo Anulare – campi di cemento, all'aperto, privi di spalti e di pubblico – giocava con le allieve, schiappe sue coetanee, prive di furore agonistico. Tornando in campo lo aveva salutato, agitando la mano. Antonio le aveva mostrato i pugni – incitandola a tener duro e a farsi valere.

Papà è qui. Papà è venuto a vedermi. Sebbene per mesi non avesse desiderato altro che l'occasione di giocare con la prima squadra, era cosí contenta di vederlo che a un tratto della partita non le importava piú niente. Adesso che finalmente aveva ottenuto quello che voleva, non era piú quello che voleva, ma semplicemente quello che aveva ottenuto. E cosí guardava papà invece di guardare la palla – papà in borghese, fichissimo in un completo di lino color sabbia. Papà col cranio lucido, il pizzetto a punta, le guance arrossate per il caldo – e ogni volta che alzava lo sguardo verso le gradinate aveva paura di non trovarlo piú. Di vedere una panca vuota. Aveva paura che papà si stufasse, che dovesse tornare a guardare le spalle dell'onorevole Fioravanti e se ne andasse prima che lei fosse riuscita a parlargli. E chissà quando lo avrebbe rivisto. Lei era inchiodata in mezzo al campo, costretta a inseguire un pallone, e papà ancora una volta sarebbe svanito – e lo avrebbe perso.

Ma Antonio stavolta non sembrava intenzionato ad andarsene. Anzi, se ne restava sulle panche della tribuna, rilassato e partecipe alle sorti di una squadra di cui fino a un'ora prima ignorava l'esistenza. Masticava una gomma americana, si era tolto la giacca ed era rimasto in camicia. E Valentina aveva capito che era venuto proprio per lei. Finí per abituarsi alla sua presenza, cosí insolita, quasi incongrua in questa palestra. E allora riuscí a ignorare le dolorose fitte che provenivano dalla ferita all'ombelico e a giocare per lui. Ogni volta che saltava sotto la rete, e schiacciava la palla nella metà campo avversaria, mentre le compagne la circondavano per complimentarsi, era lui che guardava. E papà applaudiva – e si esaltava, anche se della pallavolo non sapeva niente.

Poiché non conosceva le regole, e in realtà si annoiava a morte, Antonio finí per distrarsi. E il tonfo sordo della palla di cuoio schiacciata, maltrattata e colpita fra urla, incitamenti e schiamazzi nell'assordante brusio della palestra gli riportò alla mente un'altra palla, un'altra partita, un altro giorno. Oggi poteva dire che la sua vita intera era stata determinata da un pallone. Perfino Valentina non sarebbe mai esistita senza un pallone.

Un miserabile pallone di plastica – rosso a scacchi neri – comprato in un chioschetto del lungomare di Ostia. Era militare alla Cecchignola, quel giorno. Dopo sei mesi di esilio a Macomer lo avevano trasferito a Roma, perché infine uno zio caritatevole aveva trovato la raccomandazione buona a riportarlo sul continente. Di Roma conosceva la caserma, la metropolitana, qualche negozio di jeans affacciato sul Corso e la scalinata di Trinità dei Monti, sui cui gradini ripidi e scivolosi s'aggirava in spasmodica ricerca di amicizie. Le ragazze romane si lasciavano abbordare facilmente, erano fragorose e socievoli, ma al momento di darsi appuntamento, quando sgamavano che era soldato finivano per schifarlo, e dargli numeri di telefono falsi, o inesistenti. A Roma Antonio ci si sentiva sperso: non gli piaceva, troppo grande e troppo vuota, con quelle piazze in cui ti perdi, quei muri sgretolati, i palazzi consunti, perfino la luce consunta che pare incrostata di secoli. Una città avvolgente, che non sa mantenere le distanze, come una donna troppo esuberante. E poi indolente, pigra, una città senza il porto e senza fabbriche. Che faceva la gente a Roma? Di che viveva? Finito il servizio militare Antonio voleva tornare a casa sua e trasferirsi che ne so a Reggio Calabria, a Messina, a Salerno – dove c'era il porto, c'erano i cantieri, ci sarebbe stato certo un lavoro per lui. Ancora non immaginava che si sarebbe arruolato in polizia. Aveva il diploma di perito industriale. Gli pareva chissà che.

Era una domenica di luglio e per la prima volta, dopo innumerevoli corvée di pulizia dei cessi, lavaggio piatti e pelatura patate, aveva ottenuto la libera uscita. Con altri militari di leva, sciagurati e soli come lui, aveva assaltato il trenino per Ostia. Il trenino s'imbucò sottoterra, macinando gallerie fuligginose, nere, buie, puzzolenti, quasi asfissianti – poi riemerse. Si riempí. Corse fra quartieri abbaglianti di marmi e grattacieli e periferie sempre piú rade, poi fra pini, oleandri e palme, superò enigmatiche rovine millenarie e infine si fermò. Bassi villini con l'intonaco corroso dalla salsedine e alberghi trasandati, con le tende a strisce abbassate sulle verande come palpebre, s'allineavano davanti al mare. C'era odore di alghe, telline e cocco fresco. Ostia gli piacque subito. Come Emma, del resto. Sul lungomare, Salvatore aveva insistito per comprare un pallone. Altrimenti, che cosa avrebbero fatto per tutto il giorno cinque militari in libera uscita?

Alle undici la spiaggia era già una distesa di ombrelloni, secchielli, palette, frisbee, sedioline di plastica, maschere, materassini. Camminarono a lungo sotto il sole cocente, scavalcando corpi accaldati, madri nel panico che avevano perso di vista il proprio figlio e coppie che giocavano a racchettoni, minacciando l'incolumità dei bagnanti con palline da tennis appesantite dall'acqua. Si piazzarono nell'unico riquadro libero tra la battigia e lo steccato dello stabilimento vicino. Dietro lo steccato sventolava una bandierina rossa. Di tanto in tanto l'altoparlante issato su un traliccio di canne invitava i clienti dello stabilimento a giochi e animazioni ai quali non potevano partecipare. Si sentivano esclusi. Per scacciare la sensazione di essere dei paria in spiaggia come in città, i soldati fecero il bagno. Il mare era mosso, le onde torbide e potenti, intasate di alghe viscide e filacciose, la corrente tirava al largo, non si riusciva a nuotare.

Abbacchiati, si stesero sugli asciugamani. Forse parlarono di topa, vantarono prodezze immaginarie o contarono i giorni che mancavano alla fine della ferma, ma Antonio non se lo ricordava. Poi ammucchiarono le scarpe e le magliette in modo da formare le porte e si divisero in due squadre. Tirarono qualche calcio al pallone, svogliati. Faceva sempre piú caldo. Sudavano, ogni volta che cadevano la sabbia penetrava nel costume, facendo prudere le palle. Durante il suo turno in porta, Antonio notò che una comitiva di ritardatari si era ammucchiata sulla battigia. Le ragazze, in mancanza di spazio, si erano distese sulla sabbia bagnata della riva. Non avevano l'ombrellone né la borsa coi panini. Avevano uno stereo e ascoltavano a volume altissimo – alla chissenefrega – una cassetta dei Clash. I loro corpi abbronzati – fu questo che vide. Quattro ragazze distese una accanto all'altra – gambe e braccia e capelli e ombelichi e seni. Coi costumi a due pezzi dello stesso modello, comprati agli stessi grandi magazzini, dello stesso materiale sintetico, lucente. Tutte uguali. Anche gli altri le avevano adocchiate. Ma erano in compagnia dei pischelli, impossibile immaginare un rimorchio. Erano tutte uguali, o almeno lo sembravano. Poteva essere una conoscenza da spiaggia. Gli cambiò la vita.

Quando fu che lei divenne lei, e non fu piú un corpo senza nome, lucido di olio solare, allungato sotto il sole, identico a tutti gli altri? Fu quando la ragazza bruna – era bruna, allora – si alzò e si sgrullò la sabbia dai polpacci, dalle reni e dalle spalle e si voltò a infilare nel borsone la molletta di plastica rossa che le teneva su i capelli. I capelli le ricaddero sulla schiena – li aveva lunghi, arruffati e in disordine, come se avesse perso il pettine. Antonio stava dribblando Salvatore e rimase imbambolato. La ragazza era uno schianto. Perse il pallone, inciampò, cadde, subí il gol. La ragazza mosse qualche passo sulla battigia e si avvicinò all'acqua, titubante. Era alta, snella, coi fianchi stretti e le natiche, sottolineate generosamente dal costume, dure come una pesca acerba. Le spalline del bikini tracciavano un rigo scuro sulla pelle abbronzata. Lasciò che l'onda le lambisse le caviglie. Si voltò a chiamare le amiche, che però non la seguirono. Saltò per evitare gli schizzi di un'onda. Antonio notò che il seno soffocava nel balconcino: ne spuntava una striscia piú chiara, quasi bianca. L'acqua le raggiunse le ginocchia, ma la ragazza non si spinse oltre. Forse il mare torbido e agitato non la attirava, forse aveva notato che la stava guardando e voleva lasciarsi ammirare.

Ma fu allora che lui si ritrovò il pallone tra i piedi e colse l'attimo. Era fatto cosí, non ci pensava due volte. Calciò con violenza – non in porta, ma verso di lei. La colpí in pieno. Il pallone schizzò nell'acqua. Lei emise un gemito, portò una mano sul fianco, ne tolse una crosta di sabbia, forse lanciò un insulto al giocatore maleducato – anzi, conoscendola era probabile che lo avesse fatto, ma a Antonio non piaceva ricordarlo e l'aveva dimenticato. Ricordava la ragazza con la mano sul fianco dolorante e il pallone a scacchi sospeso sulla cresta di un'onda, e i pischelli della comitiva che protestavano minacciosamente coi suoi compagni, invitandoli ad andare a giocare da un'altra parte e a non infastidire le loro ragazze. I soldati reagirono bellicosi: quegli altri erano solo studenti, se finiva a cazzotti non c'era storia. Antonio s'avviò a recuperare il pallone, ma quando le fu accanto si fermò. Era cosí bella. Non aveva ancora diciott'anni. Scusami, le disse, non volevo. Ti ho fatto male?

Lei socchiuse gli occhi e valutò lo sconosciuto. Cosa vide? Un maschio di vent'anni. Un campione di judo, atletico, spalle larghe, addominali scolpiti. Capelli corti, un ciuffo scuro dritto sulla fronte. Lineamenti decisi – naso da navajo, labbra carnose, occhi neri intelligenti. E allora rispose: No. Il pallone a scacchi risucchiato dalla corrente andava verso il largo, ma lui non si mosse. Mi chiamo Antonio, disse. Lei guardò il pallone che galleggiava sulla spuma, poi guardò lui. Non disse niente e gli disse tutto. Sorrise e s'avventurò fra le onde e lui la seguí. La amava da quell'istante. Quando Emma, senza neppure saperlo, lo aveva scelto, lui era emerso dall'anonimato della specie che rende tutti uguali. Accettandolo, gli aveva dato il possesso di se stesso. Ma ora che lei se n'era andata, ora che non l'aveva piú, lui era di nuovo uno dei tanti – e aveva perso i suoi anni, i suoi ricordi, i suoi sogni. Era già morto, senza di lei.

Il campo era vuoto. Le ragazze in bianco si abbracciavano davanti alla panchina, squittendo. Succhiavano una bevanda verde da bottigliette di plastica con bocchini a biberon. L'arbitro scendeva cautamente dal suo trono. La partita era finita. Antonio si alzò, stordito. Il pensiero di Emma lo faceva soffrire come una malattia. *Era* una malattia. Eppure non provò nemmeno a scacciarlo. Non voleva che il dolore lo lasciasse. Quando era rimasto solo – menomato di lei come di un braccio o un polmone – si era detto che se avesse fatto il suo dovere, come un soldato, allora l'incubo si sarebbe dissolto. Ogni peccato sarebbe stato perdonato, ogni colpa estinta. Inoltre il dolore era l'ultima, estrema metamorfosi dell'amore. Si sentiva vivo quando Emma gli faceva male – nell'amore con lei e in tutto ciò che era stato, in quella realtà perduta che adesso faceva finta di non essere esistita mai, di essere stata nient'altro che un'illusione. Se non gli fosse rimasto, inguaribile, il dolore, avrebbe potuto anche credere che tutto era stato solo un sogno, o un suo pretesto per vivere. Invece, finché continuava a soffrire, aveva la prova che Emma è esistita, che esiste, che mi ha amato, che la sto amando ancora.

Valentina si staccò dal mucchio delle compagne e corse su per le gradinate. «Papà, papà, papà!» gridava, come dovesse convincerlo a non scappare. Quando gli fu accanto, gli saltò al collo, come faceva da bambina. Bambina cresciuta – ma bambina, tuttavia. Quattordici anni a marzo – e al suo compleanno non c'ero. Antonio baciò capelli sudati e una guancia che sapeva di polvere e di sale. Anche Emma sapeva di sale, quel giorno. Valentina le assomigliava dolorosamente, non riuscí a guardarla. «Mi aspetti? Mi faccio la doccia, cinque minuti e torno». «No, – disse Antonio, – te la farai a casa». «A casa?» si stupí Valentina. «Resti con me fino a domenica, – disse Antonio. Valentina lo scrutò, sorpresa. – Comincia a pensare a che ti va di fare stasera. Deve essere una serata speciale». «Oh, papà! – esclamò Valentina. – Decidi tu, per me è lo stesso». Poi le passò davanti il viso di mamma, il viso stanco e pensieroso che aveva stamattina nella metro. Sembrava tenerci molto, a passare il sabato con lei. Era un tradimento, questo? Cos'è un tradimento? Valentina non aveva mai tradito nessuno. «E mamma che dice?» si cautelò. «Siamo d'accordo, – mentí Antonio, – è contenta. Mi è parso di capire che aveva da fare, domani, non so, forse doveva vedere qualcuno».

Valentina si strappò i cerotti dalle dita. Bugiarda, bugiarda, bugiarda. Ostia! Il mare! Il picnic. Tutte cazzate. Voleva solo scaricarci. Perché continuo a credere a quello che mi dice? Questa è l'ultima volta. Come vorrei andare a vivere con papà. Perché il giudice non me lo ha chiesto? E se è venuto per questo? Contemplò con nostalgia i ragazzi della comitiva addensati davanti agli spogliatoi – e riconobbe fra loro l'altissimo

Jonas, il chimico diciassettenne che si ricordava ancora del suo
vestito rosso e forse aveva sclerato di brutto per lei. Lo salutò
con la mano. Forse Jonas le sorrise, ma era troppo lontano, e
non riuscí a vederlo. Miria l'aspettò qualche minuto in mezzo
al campo, poi afferrò il borsone e s'infilò negli spogliatoi – dove le compagne cantavano, eccitate e trionfanti perché avevano
schiantato le cavalle della Polisportiva del Virgilio, nemiche di
sempre, mai sconfitte. Sotto le docce ci sarebbero stati scherzi
e canti di guerra. Le ragazze dell'AS Esquilino aspettavano una
vittoria da mesi: erano le ultime del girone, quasi retrocesse. A
Valentina dispiacque non poter assaporare il premio delle sue
micidiali battute, né prendere parte ai festeggiamenti, avvolta
nel caldo odore animalesco degli spogliatoi – odore di scarpe,
piedi, ascelle, canfora, capelli, fatica. Un odore rassicurante.
L'odore suo, delle sue compagne. Della solita vita nella quale
voleva rientrare, e dalla quale sentiva di essere stata espulsa.
E piú ancora le dispiacque non conoscere il lunghissimo Jonas
coi capelli a casco di banana. Ma pazienza. Peccato che fosse
venuto proprio oggi, papà. Però adesso era qui, e il resto non
aveva importanza.

Seguita da Antonio, che masticava furiosamente il chewing
gum, Valentina scese le gradinate e recuperò il borsone, abbandonato sulla panchina ormai deserta. «Sono contento di cono-
scerti, – disse l'allenatore, stringendo la mano di Antonio, – Valentina mi ha parlato tanto di te». «Davvero?» commentò Antonio, senza entusiasmo. Chi era questo ciccione sudato tanto
in confidenza con la sua bambina? Diffidava di un maschio di
trent'anni che passa il tempo con dodici minorenni sempre a
gambe nude. «Sono stato io a scoprire Valentina nella squadra
delle under 15, – disse l'allenatore, per compiacerlo. – Valentina è un fenomeno. Scommetto che l'anno prossimo la prendono in Nazionale». «Vedremo», disse Antonio, vago. Valentina s'infilò i jeans, facendo attenzione a che papà non notasse
la pasticca luccicante all'ombelico né l'elastico delle mutande.
Ebbe l'impressione che papà non ci credesse affatto, che l'anno prossimo lei avrebbe giocato in Nazionale – e le dispiacque.

«Ci vediamo domani? – disse l'allenatore. – La Roma Volley
gioca alle sei. L'appuntamento è alle cinque all'Acquario». «No,
domani no, non ci vengo piú alla partita», sussurrò Valentina.
L'allenatore capí. I padri separati sono una rottura, rovinano
sempre il week end dei figli. «Lunedí, allora, – le ricordò. – Al-
lenamento alle sette». «Lunedí», promise Valentina. Poi, come
fosse uno scongiuro, recitò, incrociando le dita: *Con la pioggia
e con il vento | Esquilino allenamento*. Lunedí – pensò Antonio.
Non ci sarà lunedí per me.

Ventesima ora

All'imbocco di vicolo Bottini, Emma affrettò il passo e disse che doveva sbrigarsi, perché la partita di Valentina ormai doveva essere finita. E lei stasera voleva preparare la cena, i bambini non facevano che lamentarsi dei suoi surgelati. Oh, non è che non le piacesse cucinare, è che le era passata la voglia, da qualche tempo le era passata la voglia di tutto, «che dici, sono malata, professore?» Sasha scosse la testa. «Non lo so, non faccio il medico», disse. Il tunnel della metropolitana espulse all'improvviso il carico dell'ultimo convoglio – centinaia di passeggeri stazzonati e frettolosi. Sasha si rese conto che al polso di Emma pendeva ancora il pacchetto con l'orologio che, quando erano usciti dalla gioielleria, si era offerta di portare per lui, già carico di buste. Gli venne in mente soltanto adesso, orribilmente tardi, che non avrebbe dovuto chiederle di accompagnarlo a scegliere l'orologio per Dario. C'era qualcosa di indecente, in ciò – una urticante indelicatezza.

«Perché una volta non vieni a sentirmi all'Heaven or Las Vegas? – azzardò Emma. – Canto tutti i giovedí. Magari riesci a convincere anche Valentina a venire». Spiegò che era in centro, dietro il Governo Vecchio. Un piccolo locale, un po' disco-bar un po' sala di concerti, ci avevano esordito dei gruppi che poi si erano fatti un nome, e c'era sempre un bell'ambiente, gli sarebbe piaciuto. «Canti? – disse Sasha, sorpreso. – Valentina non me l'hai mai detto». «Lo so», disse Emma, alzando le spalle. Però ogni volta che saliva sul palcoscenico, stringendo gli occhi abbagliati dalle luci, sbirciava nella penombra dei tavolini e senza ragione sperava che il professore fosse seduto in prima fila. E cantava meglio, pensando di cantare per lui. «Valentina pensa che non vale la pena sentirmi». «E vale la pena?» disse Sasha. «Be', non sono Annie Lennox né Gloria Gaynor, però faccio del mio meglio. E comunque è gratis». «Magari giovedí prossimo», svicolò Sasha – tanto sapeva che non sarebbe andato. Giovedí arrivavano i suoi: lo venivano a trovare una volta al mese – perché, dicevano, lui non si faceva mai vedere, e invece loro, ora che erano in pensione e si stavano facendo vecchi, si volevano godere il figlio. I suoi erano convinti che non avesse tempo per loro in quanto doveva scrivere, perché un giorno sarebbe diventato un grande scrittore. Lo facevano sentire considerato. E a lui piaceva averli in casa. Però per non piú di settantadue ore.

«Ci vieni davvero?» disse Emma, porgendogli il pacchetto dell'orologio. La trattativa con la commessa era stata estenuante. Snocciolando cifre a sei zeri con noncuranza professionale e disprezzo per il vile valore del denaro, gli aveva proposto una moltitudine di cronografi. Un Calatrava Travel Time di Patek Philippe di Ginevra, che indica simultaneamente l'ora di due diversi fusi orari, con cinturino di coccodrillo e cassa in oro bianco a 18 carati, solo ventotto milioni. Il Chronomètre à Resonance di F. P Journe Invenit et Fecit, grand prix d'horlogerie à Genève. Un Cintrée Curvex di Franck Muller, in oro bianco, con vetro zaffiro e lancette a pera. Il Chronomaster El Primero Zenith, un Bedat & C. in platino, il Cartier con cinturino in tela da vela nera, e il Bubble Corum dal design innovativo e futurista, impermeabile fino a 200 metri, dal prezzo molto ragionevole. Orologi raffinatissimi, ognuno dei quali costava parecchie mensilità del suo stipendio di professore e che Emma aveva invece definito, ad alta voce e incurante di essere udita dalla commessa, identici alle patacche che lei vedeva ogni giorno sulle bancarelle all'uscita della metropolitana. Alla fine si era lasciato convincere da Emma a prendere un TAG Heuer modello Carrera, versione quadrante nero col cinturino di pelle traforata. Forse Emma era rimasta abbagliata perché la commessa aveva spiegato che star del cinema come Steve Mc-Queen e Paul Newman avevano indossato i cronografi della casa svizzera. Probabilmente invece a Dario non sarebbe piaciuto. Troppo giovanile, troppo aggressivo. «Sí, ci vengo», promise Sasha. Emma si disse tristemente che gli uomini non fanno mai caso alle cose che dicono.

Sasha indugiava. Anche se erano quasi le otto e Dario stava per arrivare a casa, gli dispiaceva congedarsi da lei cosí, aveva l'impressione di doverle dire qualcosa. «Grazie per tutto quello che hai fatto per Valentina», disse Emma. «Non ho fatto niente», protestò Sasha. Non sono nemmeno riuscito a convincerla che la Siberia non esiste. Il paese dei ghiacci. Chissà se era solo la metafora di una ragazzina buia. A volte lui stesso aveva l'impressione che tutto intorno a lui fosse la Siberia – il paese ghiacciato dei non-sentimenti, delle non-parole, dei silenzi. «Sono peggiore di come sembro», confessò. Lei disse «anch'io».

«È il tuo cellulare che suona, professore?» lo avvertí. E mentre Sasha si ispezionava freneticamente le tasche, cercando di ricordare dove l'avesse ficcato – e posava le buste, e le porgeva di nuovo il pacco con l'orologio, e rivoltava il giubbetto, invano – Emma cercava di imprimersi ogni particolare del suo viso nella memoria, perché non era sicura di rivederlo. E avrebbe voluto che le restasse qualcosa di quest'uomo gentile e irraggiungibile, comprensivo e distratto – qualunque cosa: uno scontrino, un bottone, un biglietto qualsiasi. Ma non aveva niente, non le restava niente. E forse era meglio cosí. Avrebbe creduto che tutte quelle sensazioni, cosí intense, non avevano mai avuto un corpo, né un nome – di perdere un desiderio, nient'altro che un sogno.

«Amore, – si affrettò a dire Sasha, ficcandosi l'auricolare nell'orecchio, – sei già arrivato? sto per salire in macchina, ti raggiungo tra dieci minuti». Era contento di sentire la sua voce – la prova che Dario non era solo il fantasma del suo desiderio, il dio assente dei suoi giorni. A Emma, che gli sorrideva misteriosamente, strizzò l'occhio con complicità. «Ciccio, ho avuto un problema», lo interruppe però Dario. Si abbandonò a un monologo confuso, incomprensibile e insieme stranamente disperato. Tutto per colpa del ladro che due settimane prima gli aveva rapinato l'orologio. La moglie sosteneva che la causa di tutto era lo spavento. Forse il bambino lo aveva perso, o forse non c'era mai stato. Insomma il test era negativo. La moglie era molto depressa. Aveva avuto un crollo nervoso. Aveva cercato Dario ovunque, pure in studio mentre registrava. Era stato proprio costretto a risponderle.

Insomma, la morale era che in questo momento non si trovava a casa di Sasha, ma in casa sua. Con la moglie. Da ore, non facevano altro che parlare della figlia che non avevano avuto. Sasha lo sapeva come la pensava. La moglie avrebbe tanto voluto una figlia. Ma Dario con le bambine non aveva nessun rapporto. A pensarci bene, non ne conosceva neanche una. Non avrebbe saputo cosa dirle. Se proprio doveva succedere, che fosse almeno un maschio. Sarebbe stato un padre migliore del suo – un benpensante ipocrita e vigliacco, al cui funerale si era presentato in ritardo. Il suo telefono aveva squillato in chiesa durante la messa funebre, cosí che tutti i presenti avevano capito quale liberazione avesse rappresentato per Dario la sua morte. Ma alla fin fine, un figlio ti giudica, ti condanna, ti opprime, è una catena alla quale finisci per impiccarti: e se solo un figlio avesse dovuto causargli i dispiaceri che lui aveva causato al padre, allora sarebbe stato meglio che non venisse concepito mai. Del resto ognuno nasce con una vocazione, e lui quella paterna non se la sentiva. Aveva già una palla al piede. Se se ne fosse messo un'altra, sarebbe annegato.

«Che significa?» chiese Sasha, stordito. «Le ho detto tutto». «L'hai lasciata?» quasi gridò Sasha. Gli mancava il fiato. Era questa, la felicità che stava aspettando? Emma lo fissava, con gli occhi sgranati. Ce li aveva scurissimi, quasi neri, stranamente scintillanti. «Be', no, non proprio, – disse Dario. – C'è stata una scenata tristissima. Per cui sto cercando di chiarirmi con lei. Insomma, dobbiamo rimandare. Ci andiamo venerdí prossimo a Saturnia. Festeggeremo lo stesso. Sarà uguale. Sarà meglio ancora».

Sasha alzò gli occhi al cielo. I palazzi di piazza di Spagna incombevano su di lui. Dietro la croce scheletrita di una chiesa, galleggiava uno spicchio esangue di luna. Le palme filiformi proiettavano sul selciato un'ombra sottile come un capello. Le antenne acuminate s'innalzavano sui tetti come lance di guerra. Vide un gabbiano che saliva verso l'alto sfruttando le tiepide correnti ascensionali. Poi solo il lembo di una nuvola stropicciata dal vento e il cielo rimase completamente vuoto, sbiadito e grigio. Le spiegazioni non gli bastavano. Dario non avrebbe dovuto parlare alla moglie dei figli non nati, ma di lui. «Ma io voglio vederti adesso», protestò. Domani non esiste, domani è una parola che non conosco, che non ho imparato.

«Non posso, ciccio, – mormorava Dario, addolorato. – Il momento è critico. Le ho spiegato tutto. Quasi tutto. Sta da cani. Mi fa pena, lo so che non è bello, ma è la verità – pena. Il minimo che posso fare è accompagnarla a Genova dalla sorella». «Lasciala andare da sola, deve imparare a fare a meno di te», disse Sasha. È cosí anche con gli allievi: quando crescono, devono dimenticarsi del professore che li ha guidati. Ma Dario si sentiva in colpa: per via del ladro, della moglie che da anni ogni mattina, di nascosto da lui, in certi giorni del ciclo si chiudeva nel bagno e orinava in un bicchiere infilandoci dentro uno stecco di plastica, aspettando che la finestrella diventasse blu, il che non era mai successo. Per la figlia mai concepita, per le penose bugie cui si era aggrappato per non far crollare tutto insieme l'edificio lesionato della sua vita. Rifiutò. La sua voce divenne un sussurro. «Ciccio, mi dispiace tanto». Adesso. Non domani. Ora. Sono stanco di aspettare. Ho trentatre anni. E tu quasi cinquanta. Ci basterà domani? Il tempo si restringe – ne abbiamo cosí poco.

«Adesso devo chiudere, sta tornando, – disse Dario. – Ti amo». «Ti amo anch'io», disse Sasha, ma le sue parole suonarono misere, stranamente nude. E Dario se n'era andato. Lo aveva lasciato solo. Un ambulante che fuggiva col suo sacco di borse taroccate all'arrivo dei vigili urbani lo urtò, facendolo vacillare. Da una finestra aperta, lo raggiunse la sigla del telegiornale delle 20. Nugoli di rondini isteriche, disperate per l'imminente fine del giorno, turbinavano basse sui tetti dei palazzi e sulle antenne della televisione. Il loro stridio desolato gli diede la chiara sensazione del buio vicino e della sua gioia smarrita. Emma gli stava davanti, con la tessera della metropolitana in mano, i capelli che erano stati neri e poi biondi e ora avevano il colore del grano bruciato, le gambe lunghe, la gonna corta, e la stola di piume di struzzo intorno al collo, che non riesce però a nascondere le contusioni e i lividi. «Anch'io ho avuto una giornata terribile, professore, – gli disse, poiché sapeva tutto. – Ma come vedi, sono sopravvissuta».

In quel momento, quasi rispondendo a una segreta sincronia, i lampioni di tutta Roma si accesero. Una scia di luce serpeggiò fra i tetti. Una fila di fanali di vetro sospesi su lampioni di ghisa si materializzò all'improvviso nella piazza, gialli sul fondo crepuscolare del cielo. Ora erano di nuovo visibili i palazzi e le cupole, le antenne e le colline – e la fuga delle case, che chiudeva da ogni lato l'orizzonte. Il sole tramontava. Stava scendendo la sera.

Qualcosa di fluido colpí Sasha sulla testa e colò lungo la tempia. Al tatto, era grumoso come catarro. Un piccione con la diarrea lo aveva onorato della sua attenzione. Per un attimo gli sembrò di essere il bersaglio del disprezzo universale – ed Emma, la folla che lo sballottava, i lampioni, le vetrine, le carrozzelle che aspettavano i turisti davanti alla Barcaccia scomparvero nella penombra del tunnel che li inghiottí. Risaliva la folla come una corrente. Se potessi dimenticare le parole, le promesse, le bugie. Lungo le pareti della galleria, i pannelli pubblicitari lo ossessionavano con le loro lusinghe. E sopra di lui, appeso sulla volta nuda della galleria, intarsiata di fili elettrici e lampade al neon, a intervalli regolari lo ammoniva un cartello, blu come un segnale stradale. Era una freccia. RISPETTARE IL SENSO DI MARCIA, sottolineava una scritta ogni dieci passi. Perché qua sotto e forse ovunque anche le persone dovevano rispettare le regole della circolazione. Sul lato sinistro della galleria, dove camminavano i passeggeri nella direzione opposta, al di là della linea gialla che separava il linoleum in due corsie, lo ammoniva un altro inconfondibile cartello stradale, bianco e rosso: SENSO VIETATO. Sensi vietati. RISPETTARE IL SENSO DI MARCIA.

Emma evitava di guardare il professore. SPAGNA SPAGNA SPAGNA dicevano i cartelli sulle pareti del tunnel. Un paese nel quale non era mai stata. E nel quale le sarebbe piaciuto andare con lui. Invece le loro strade stavano per separarsi – VIA VENETO VILLA BORGHESE freccia a sinistra, AI TRENI proseguire dritto. La folla si affrettava verso i treni. Ma Emma non si accodò e rimise nella borsa la tessera della metropolitana. «Se non hai di meglio da fare», disse invece, con la sfacciataggine che con lui le era sempre mancata, «io quel passaggio a casa adesso lo accetterei». VIA VENETO VILLA BORGHESE PARCHEGGIO freccia a sinistra. AI TRENI, proseguire dritto. E la litania delle fermate di ogni giorno, per tutto l'inverno, FLAMINIO LEPANTO OTTAVIANO-SAN PIETRO CIPRO-MUSEI VATICANI VALLE AURELIA BALDO DEGLI UBALDI CORNELIA... Sasha disse che l'offerta era sempre valida. Non voleva restare solo. Voleva che qualcuno si prendesse cura di lui e riempisse il vuoto che gli stava davanti. Così abbandonarono il tunnel, e svoltarono a sinistra. SENSO VIETATO. Sensi vietati.

La spinse sulla scala mobile. Gradini e gradini d'acciaio, che si issavano verso l'alto senza sosta, scricchiolando. Di quella scala verticale non vedeva la fine. Salire. Salire verso l'uscita nel giorno del funerale delle mie illusioni. «Non ti invito a cena, – gli disse Emma, voltandosi e chinandosi su di lui per l'improvviso, incontrollabile impulso di pulirgli la tempia con una piuma della stola, – i miei figli sono sempre stati aggressivi con gli uomini che hanno fatto l'errore di avvicinarsi a me». «Molti?» disse Sasha. Si ritrovò con il viso all'altezza del suo ombelico. Scoperto – perché, da qualche tempo, le donne, ragazzine o adulte che fossero, come nulla fosse, e come se l'ombelico non fosse il segno piú intimo della nostra mortalità, lo ostentavano di giorno e di notte. Portavano maglie risicate, troppo strette o troppo corte, o pantaloni troppo bassi sulle anche, e troppo larghi. L'ombelico di Emma. Una cavità perfettamente circolare. Una conchiglia. Una piega piú scura della pelle color pesca nella quale spiccava come un foro di proiettile. Un orifizio vivo che gli ricordò, nello stesso istante e con la stessa intensità, un orecchio e uno sfintere. La piuma della sciarpa di Emma gli rimase incollata sulla guancia. «Meno di quanti avrei voluto e piú di quanti erano necessari, – disse Emma. – E tu?»

«È una risposta condivisibile», rise Sasha, appoggiandosi al corrimano del tapis roulant che risaliva pigramente la galleria interminabile, scavata sotto Villa Medici a incidere le viscere della città. VIA VENETO VILLA BORGHESE. Scorrendo fra barriere arancioni, il tappeto di metallo si muoveva, sotto i loro piedi, con lentezza estenuante. Li trascinava – ma in apparenza in nessun luogo, poiché della galleria non s'intravedeva la fine. Quando Emma mosse qualche passo, per abbreviare il percorso, perché non aveva pazienza, le sembrò quasi di non toccare piú terra – di librarsi, sospesa e leggera, sopra questo giorno. Sasha sfiorò con la punta delle dita la bocca di lei. «Ti fa male?» chiese. Emma rispose «adesso no». E non c'erano piú Antonio, la compagnia dei telefoni, i carabinieri, Olimpia, Valentina che non la voleva alla partita e nemmeno Kevin che si divertiva alla festa di Camilla Fioravanti, dove la madre non le aveva chiesto di accompagnarlo. Un famoso psicologo del cui parere Emma si fidava ciecamente aveva detto in un talk show che per amare dobbiamo imbarcarci su tutti i progetti che passano, senza chiedere niente, pieni di fiducia nel presente, nel futuro. E se anche fosse un abbaglio, se anche non ci sarà conquista o rapporto, la felicità è proprio vivere cosí, non volere altro che essere ciò che siamo. Il tapis roulant divenne il tappeto volante di Alí Babà. Sollevati. Sollevami. Portami fuori da qui. E se davvero si fosse sollevato in volo non ci avrebbe trovato niente di strano.

Il parcheggio era completo. Le strisce gialle e blu dei posti macchina disegnavano strade fosforescenti nell'oscurità. Emma non c'era mai stata. Credeva che solo i turisti e i provinciali utilizzassero i parcheggi sotterranei. I romani preferiscono rischiare la contravvenzione pur di avvicinarsi alle strade dei negozi. Ma Sasha era veneziano o di chissà dove. E i romani erano cambiati.

C'erano macchine ovunque. Macchine in ingresso, in uscita, in manovra, macchine ferme da giorni. E a lei piacque il parcheggio sotterraneo. La fece pensare alle metropoli nelle quali non era stata ancora e nelle quali non sarebbe forse stata mai. Alle sparatorie, agli agguati e agli appuntamenti clandestini. Aveva inevitabilmente qualcosa di losco. Questa serata cominciava a piacerle. Cercarono a lungo la Peugeot scura di Sasha, assediata da decine di altre macchine scure. L'aria spessa, satura di benzene, dava alla testa. Sasha disinnescò l'antifurto e i lampeggianti per un attimo accesero il buio.

«Non ti perdi niente, io sono una pessima cuoca e il menu l'ha scelto Kevin, cotolette e patatine fritte, figurati», disse Emma aprendo lo sportello. La macchina di Sasha profumava di menta. I sedili erano foderati di tela bianca. Nello stereo, l'amante fantomatico aveva lasciato *Eternal Caballé*. L'involucro del cd elencava le arie: *Vivi ingrato a lei d'accanto. Io sono l'umile ancella. Sempre libera. Mon coeur s'ouvre à ta voix*. Sasha si sistemò al volante, si ficcò le dita negli occhi e si tolse le lenti. Con un gesto liberatorio che gli diede gran gusto, le buttò dal finestrino. Si infilò gli occhiali, come se intendesse fare un dispetto a qualcuno. O a se stesso. Emma accese lo stereo. La voce di Montserrat Caballé rimbalzò contro i finestrini chiusi. Lei non aveva mai conosciuto un uomo che apprezzasse i gorgheggi di un soprano. Che voce, la Caballé, nulla di paragonabile alla mia – il miagolio di una gatta in amore, secondo il parere poco lusinghiero di Antonio. Antonio. Oggi forse l'ho cancellato per sempre dalla mia vita. Si sforzò di decifrare le parole delle arie – che però, siccome la Caballé pronunciava con una certa disinvoltura l'italiano e il francese, le sfuggivano. Ma *mon coeur s'ouvre à ta voix* arrivò a capirlo. Sasha le porse il pacchetto con il TAG Heuer di Dario. Emma lo appoggiò sulle ginocchia, delicatamente, come fosse di cristallo.

«Peccato, io sono un animale onnivoro, – disse Sasha, imboccando l'uscita del parcheggio. – Mangio di tutto. La carne e la verdura, il pesce e i fagioli». Emma si chiese se con questa dichiarazione di gusti anfibi lui volesse alludere a tutt'altro. *Mon*

coeur s'ouvre à ta voix. Si studiò ansiosamente nello specchietto del parasole. Si leccò il labbro ferito, lo tastò con la lingua.
Decise di concedersi una timida speranza.

Sera

Hai dunque paura di essere nell'azione e nel coraggio quello stesso che sei nel desiderio?

SHAKESPEARE, Macbeth.

Ventunesima ora

Davanti al portone di Palazzo Lancillotti, in una padella di carta stagnola, brillava una candela a forma di disco, profumata di limone o qualche agrume affine. Il fumo investiva la vicina fioriera, che sbarrava alle macchine l'accesso alla piazza pedonale. Nelle intenzioni del Servizio Giardini la fioriera, pesante almeno un quintale, doveva ospitare una pianta di bosso, da tempo però miseramente defunta. Un cane acrobata o molto alto aveva deposto un escremento cilindrico sulla terra arsa e disseminata di cicche e volantini che reclamizzavano il menu turistico del vicino ristorante pizzeria La Taverna del Duca. Sulla piazzetta pedonale le macchine degli invitati c'erano arrivate comunque: gli autisti non si erano nemmeno presi la briga di parcheggiarle ai lati della piazza. Le avevano sistemate al centro, attorno alla fontana seicentesca, ovunque, tanto i vigili non passavano mai e in ogni caso non avrebbero multato berline che sfoggiavano sul cruscotto cartoncini gemmati di stemmi e insegne coi nomi degli enti provinciali, regionali o statali che le mantenevano.

L'impettito portiere in livrea che presidiava il portone ermeticamente chiuso rifiutò di far salire Antonio: non aveva l'invito. Lui protestò che era venuto a prendere il figlio. Il portiere lo scrutò, e non gli sembrò possibile che il figlio di quel coatto potesse essere stato invitato alla festa della figlia dell'onorevole Fioravanti. Antonio non era in divisa – altrimenti il portiere sarebbe stato meno selettivo: il piano nobile del palazzo del quale era da anni il cane da guardia veniva spesso affittato per ricevimenti con personalità provviste di almeno due, quando non di quattro o cinque uomini di scorta. Inoltre era in compagnia di una ragazzina con le mutande di fuori, e quella ragazzina si era seduta sul cofano della macchina del Presidente della Regione. «Alzati, – le disse, – la abbozzi». Valentina gli rifilò un sorriso strafottente e non si mosse.

«Fammi salire, – ordinò Antonio, – non ho voglia di incazzarmi». Il portiere ebbe l'impressione che quel tizio fosse alquanto schizzato, come sotto effetto di qualche droga. Aveva le pupille a occhio di gatto e un tremito alle mani da malato di Parkinson. Per un attimo temette che volesse picchiarlo. Pure, granitico, tenne duro. «Non si sale senza invito». Antonio perse la pazienza istantaneamente, perché sapeva di avere poco tempo, e non voleva sprecarlo a discutere con un portiere demente. Alzò la voce, lo accusò di essere un coglione testa di cazzo, l'altro incassò gli insulti dando mostra di sconfinato disprezzo e solo dopo lunghe recriminazioni a volume sempre piú imbarazzante – che coinvolgevano i suoi morti e l'anima di sua madre – si convinse a citofonare per informarsi se in effetti un marmocchio di nome Kevin Buonocore era presente alla festa esclusiva della figlia di Fioravanti.

Dalle finestre aperte del salone al piano nobile si rovesciava in piazzetta un assordante vocio infantile, che intonava una canzone dotata di una melodia dal potere adesivo torturante, la quale pareva avere stranamente per soggetto una vasca da bagno (*mi bagno mi tuffo mi giro e mi rilasso, | mi bagno m'asciugo e inizia qui lo spasso* diceva il ritornello, o qualcosa del genere). Per qualche minuto Antonio e il portiere rimasero a fronteggiarsi in cagnesco. «Adesso gli facciamo vedere chi siamo, papà, – disse Valentina, prendendolo per un braccio, – si rimangerà la sua spocchia del cazzo». «Chi ti permette di dire le parolacce? tua madre?» si irrigidí Antonio, sorvolando sul fatto che si era appena abbandonato al turpiloquio. «Papà! – sospirò Valentina. – Non si parla di lei, hai giurato!» Ma non ci fu tempo per discutere. Il portiere, sbalordito perché da sopra gli confermavano che davvero il figlio di quel trucido si trovava alla festa, aprí il portone e sibilò con sufficienza: «Vadi».

Una hostess in uniforme blu gli chiese se voleva lasciare il giaccone in guardaroba, un cameriere in bianco se voleva un aperitivo, un bicchiere di spumante o una Coca-Cola – ma Antonio non perse tempo a rispondere, e s'infilò nel salone. Decine di palloncini rossi galleggiavano – sospesi a qualche metro dal suolo – o rimbalzavano sul pavimento, allontanandosi con ampi balzelli sussiegosi. La canzone della vasca era finita, anche se la melodia torturante continuava a risuonargli nelle orecchie. Il coretto infantile intonò *perdono | sí quel che è fatto è fatto io però ti chiedo | scusa* – ma i bambini non si vedevano. Sui divani c'erano solo donne. Gli sembravano tutte uguali – pettinate nello stesso modo, con gli stessi gioielli, gli stessi orologi, gli stessi casti vestiti scuri e le stesse scarpe a punta col tacco alto guarnite da cinturini alla caviglia. «La scuola pubblica ormai è finita, – stava dicendo una starnazzante gallina dal naso cospicuo, addobbata come un albero di Natale, – chi mai si metterebbe a fare il professore, con quello stipendio da pezzenti, guadagnano meno della mia colf. È naturale che alla scuola pubblica ci finiscano i falliti. Io le ragazze le ho iscritte al Nazzareno, la scuola privata dà piú garanzie, non c'è paragone». Un'altra, trillando: «Lo Chateaubriand è meglio frequentato, le scuole italiane sono da evitare». Il coretto: *Perché so come sono infatti chiedo | perdono.* Finalmente Antonio riconobbe la Fioravanti, seduta sull'orlo della poltrona, la schiena dritta come se le avessero infilato una scopa nel culo. L'oca che si faceva accompagnare con l'auto blindata al ministero e al maneggio della figlia, che a volte lui aspettava ore al freddo a piazza del Popolo mentre lei si provava senza fretta alcuna decine di paia di occhiali da sole dal suo ottico di fiducia Bernabei. Cambiava gli occhiali da sole ogni stagione. Come le borse, le scarpe, l'acconciatura e tutto il resto. Attualmente portava i capelli corti con la frangetta e pareva piú giovane.

Antonio non abbozzò neanche un sorriso, né riuscí a scalfire l'impenetrabile glacialità di Maja, che ascoltava distrattamente la madre di Carlotta, mentre un sorriso vacuo le vagolava sulle labbra. Dal ritmico tamburellare delle dita della sua mano sul piattino che teneva in grembo, Antonio dedusse che non stava in realtà ascoltando quella donna – era presente e non lo era, annuiva, e non sapeva a cosa, e forse nemmeno a chi. Antonio aspettò che si voltasse verso di lui, ma Maja continuò a offrirgli il profilo superbo della sua nuca. La sofisticata bellezza hollywoodiana della giovane signora Fioravanti emanava un calore da alba siderale. I politici e i potenti, per quanto sfasciati flaccidi e calvi, hanno mogli giovani e carine. Ma non valgono un mignolo di mia moglie. Oh, Emma, Emma, Emma. Antonio scansò un palloncino col pugno, spedendolo dritto contro il cameriere – il quale sbandò, sul punto di lasciarsi sfuggire il vassoio – e si diresse verso la Fioravanti.

«Siete arrivati!» esclamò Maja, felice di vederlo, perché ciò significava che la festa era finita. «Dov'è Kevin?» rispose Antonio, scuotendo senza vigore la sua piccola mano bianca coperta di anelli dalle pietre multicolori. Maja ritrasse la mano. «Dov'è mio marito?» s'informò, sollevata che Elio fosse venuto puntuale, prima che le madri dei piccoli cominciassero a sentirsi trascurate e i bambini passassero alla baby dance – Elio doveva assolutamente giocare al karaoke con Camilla, glielo aveva promesso. «L'onorevole alle 19 presenziava all'inaugurazione dell'aula magna di un liceo di padri barnabiti, non mi ricordo come si chiama, – rispose Antonio, freddo, – io invece sono in ferie».

Valentina intercettò una bolla di sapone vagante e la tenne sospesa alla punta del dito. Era immensa, iridescente. Se non esplode, pensò, un desiderio si realizza. Che desiderio? Che Jonas il chimico venga a vedermi alla partita un'altra volta. Com'erano chic le signore sui divani. Che meraviglia questo palazzo. Chissà chi ci abita di solito? Alcuni hanno tutte le fortune. Ma mamma dice che poteva andarmi peggio. Potevo nascere in Africa, e morire di dissenteria prima di compiere cinque anni. Inclinò la testa. Sui soffitti del salone c'erano affreschi affollati – non capí cosa raffigurassero, solo il blu del cielo pareva sollevarla verso l'infinito. La bolla era esplosa: sul dito le rimase una secrezione vischiosa, come saliva. Lo strusciò sullo stipite della porta.

«Vuole sedersi? – disse Maja ad Antonio, indicandogli sul divano il posto lasciato vuoto dalla cinica madre cinquantenne, che si era dileguata con una scusa. – I bambini stanno facendo il karaoke, penso che ne avranno ancora per un quarto d'ora, gli animatori vogliono farli cantare tutti». Antonio la ignorò. In effetti per lui la Fioravanti – alla quale in passato aveva augurato la psoriasi, l'alopecia, una sodomia multipla a opera di una muta di marocchini e ogni genere di punizione capace di compensare le mortificanti umiliazioni che gli aveva inflitto senza neanche accorgersene – ormai non esisteva piú, era solo un ostacolo: un mucchietto di ossa che si frapponevano tra lui e suo figlio. Il suo sguardo sorvolò vassoi pieni di tartine, pizzette, rustici, panini. Tutto questo per un asilo infantile. Che spreco. «Ce ne dobbiamo andare subito», le rispose – quando le passò accanto lo schiaffeggiò il suo costoso profumo. Femmina repressa e puttana come tutte le altre. Fioravanti faceva bene a metterle le corna con una specie di intrattenitrice televisiva – non avrebbe saputo come altro definirla – carrozzata come una pupazza gonfiabile, che gli praticava pompini sontuosi in una garçonnière sulla Camilluccia. Gli venne voglia di dirglielo. Adesso. Davanti a quelle signore composte e bene educate. La Fioravanti se lo meritava. Che faccia avrebbe fatto. Che umiliazione. Che godimento, che rivalsa. Ma sarebbe stata solo una perdita di tempo.

Schivò camerieri che sorreggevano vassoi d'argento, un trampoliere che continuava indefessamente a soffiare bolle di sapone, e un bambino in lacrime che si trascinava dietro un palloncino sgonfio. Nel salone accanto, dei nani in giacca e cravatta circondavano un clown col trucco sfatto per il sudore e fissavano un monitor poggiato ai loro piedi. Cantavano – seguendo le parole che scorrevano nello schermo. Le parole si accendevano via via, tingendosi di rosso. Antonio stentò a crederlo, ma uno di quei nani travestiti da pinguini era proprio suo figlio. Che gli ha fatto sua madre? gli ha messo un cerotto sull'occhio! «Kevin!»

gridò. Il pinguino incerottato lo fissò, sbalordito – un'ombra di spavento gli incenerí il sorriso. E già aveva afferrato il microfono, sorreggendolo con le due mani insieme a una caramella rossa frusciante – Camilla, forse. Kevin iniziò a cantare, ignorandolo. Nessun rispetto per suo padre. «Vallo a prendere, – disse a Valentina, che indugiava incantata al centro del salone, col naso in aria, – ce ne andiamo».

«Non ci vengo», disse Kevin alla sorella, irremovibile. Quando faceva cosí, Valentina avrebbe voluto essere figlia unica. A lei non era mai stato permesso piantare un capriccio. Mamma si aspettava che fosse ubbidiente e saggia, e lei era stata cosí stupida da adeguarsi. È proprio vero come dice nonna che alcuni muoiono giovani e altri nascono vecchi. E lei doveva essere nata vecchia – non faceva mai tardi per non inquietare mamma, e in cambio mamma aveva permesso a Kevin di diventare prepotente e tiranno. I genitori non dovrebbero avere preferenze, ma ce le hanno, sono come i professori. Valentina lo avrebbe preso a sberle. «Saluta la tua amica e spicciati», gli disse. Kevin rinculò fino a urtare contro la parete. «N-n-non ci vengo, adesso c-c-comincia la baby dance». Camilla vestita di rosso sbatteva le palpebre, oltraggiata dalla brutale intrusione di quei due selvaggi. Lo implorò di tornare al monitor, perché adesso intonavano la sigla dei Digimon, e quella canzone l'aveva fatta mettere per lui.

«È tuo padre?» sussurrò il cugino di Camilla all'orecchio di Kevin. Fissava Antonio con paura, e insieme delusione. Non aveva mai visto un assassino in carne e ossa. Pensava che gli assassini fossero mostri simili a Freddy Krueger e Hannibal the Cannibal, che avessero occhi cattivi e cicatrici sulle guance. Invece gli assassini sono simili agli altri. Il micidiale padre di Kevin era un uomo qualunque, con la faccia qualunque, con le scarpe di gomma, un completo di lino color sabbia e la camicia a righe. Era normale. Kevin annuí, di malavoglia. Aveva sbagliato a raccontare quella storia. Avrebbe dovuto fare come sempre, e dire che suo padre era morto da eroe. E in effetti era morto per lui, che era figlio di uno spermatozoo navigatore, il proprietario del quale un giorno si sarebbe rivelato e lo avrebbe messo al sicuro per sempre. Quello che gli stava davanti era solo un estraneo, dispotico e gonfio di rancore. «Io resto, – ripeté Kevin, – voglio ballare, e poi alla fine gli animatori ci fanno i tatuaggi con l'henné, e io voglio farmi tatuare sul braccio Joe perché ci somiglio». Joe era l'eroe umano occhialuto dei Digimon, l'unico pavido e deforme in mezzo agli indiscutibilmente meglio riusciti Izzy, Tai, Matt, e tutti gli altri. «Oh, piantala, puzzola, – disse Valentina, di malumore perché anche lei avrebbe voluto restare con Miria e conoscere Jonas che magari era un maskio meno mikrocefalo degli altri e invece era qui. – Cambio di programma, stiamo con papà fino a lunedí». «Vacci tu, – insisté Kevin, cocciuto. – Io resto qui e poi la baby sitter di Camilla mi riporta da mamma».

Valentina tornò dal padre. Era rimasto sulla soglia del salone, a prendere a pugni tutti i palloncini che planavano su di lui e a intercettare spietatamente le ultime bolle di sapone che vagavano sopra la sua testa. Un paio di stelle filanti cadute da chissà dove formavano una bizzarra ghirlanda sulla sua giacca. Aveva preso da un vassoio un bicchiere che conteneva un liquido color fucsia, e faceva roteare un ombrellino di carta fra le labbra. Era l'unico uomo, nel salone – alto, muscoloso e autoabbronzato fra tutte quelle signore ingioiellate. Le signore lo fissavano, e mentre discutevano se l'Hotel San Pietro di Positano fosse superiore al Timeo di Taormina o al Villa Serbelloni sul Lago di Como – e i pareri restavano contrastanti – continuavano a voltarsi e a lanciargli occhiate subdole – e anche se pensavano che era stato maleducato a fare irruzione cosí, o forse proprio per questo, lo trovavano affascinante. Lo era. Non esistevano altri come papà. I maski sono tutti str. Str e brufolosi e puzzolenti di piedi e di fiato. Tranne forse l'altissimo Jonas. Be', se Kevin non voleva venire, tanto meglio. Valentina aveva sempre sognato di trascorrere un week end sola con papà. Senza quella piattola tra i piedi, sarebbero potuti uscire, come due adulti. Andare a cena in uno di quei ristoranti a lume di candela che si facevano pubblicità sul Trovaroma e dove mamma raccontava ridendo che gli uomini la portavano la prima sera che uscivano con lei, perché credevano di impressionarla. Che str. Ma Valentina quei ristoranti scelti dai maski per portarsi a letto una donna non li aveva mai visti. E invece stasera lei e papà potevano mangiare le ostriche e fare finta di essere fidanzati. Gli sorrise e si appese al suo braccio. Lo tentò, zuccherina, tenera, come un demonio. «Lasciamo qui il mostro, appioppiamolo a mamma, stasera, e domani, e domenica, che ce ne frega? andiamo via noi due».

Antonio le accarezzò i capelli. Ebbe la strana impressione che Valentina, senza accorgersene, civettasse con lui. Con una malizia e un'innocenza che gli ricordarono Emma – una Emma perduta e remota come la luna – e lo intristirono. Non voleva deludere Valentina. Ma ormai non poteva accontentarla. La sua vendetta non prevedeva prigionieri. Tutti e due. Sottrarglieli tutti e due. I lettini vuoti. Il silenzio tremendo. La casa derubata. I giorni senza senso. Il passato senza rimedio. Il futuro assassinato. Deve soffrire come ho sofferto io. E ogni giorno ripetersi che ho preso i bambini *per colpa sua* e *al posto suo*. «No, – rispose, inflessibile, – deve venire anche lui».

Si diresse verso il gruppetto dei ragazzini, che persero il filo della canzone e tacquero all'improvviso. Erano troppo spaventati dai racconti di Kevin per contraddire un assassino con venti tacche sulla pistola. Antonio afferrò la manica del pinguino del figlio. Non disse neanche una parola. Semplicemente, lo afferrò. Kevin puntò i piedi, si aggrappò alla mano di Camilla e cercò di resistere – ma papà era troppo forte, la mano di Camilla scivolò fra le sue come una saponetta, ed era già lontana, una macchia rossa sullo sfondo di un cielo troppo blu.

«Ma p-p-perché? – obiettava Kevin, slittando sul legno lustro del salone. – C-c-cosa ho fatto?» Voglio anche te, stupido – sei tu la vita sua, la sua speranza. Io ti ho creato, io ti ho voluto – tu non esistevi, non saresti mai esistito, altrimenti. Tu dovevi salvarci e non ne sei stato capace. E fra me e te lei ha scelto te – nano pinguino cieco. Io ti ho creato, io ti riprendo – tu mi appartieni. E lei rimpiangerà che io l'ho amata al punto di graziarla. Si pentirà di essere ancora viva e il rimorso la perseguiterà per sempre.

Slittarono cigolando davanti alle donne, che al loro passaggio s'azzittirono. Maja, imbalsamata nella poltrona, non si era neanche mossa. Dardeggiò a Antonio Buonocore un'occhiata di rattenuto sdegno. Che maleducato. È inqualificabile quello che ha fatto. Spaventare cosí i bambini. Alla festa di Camilla. Una festa perfetta, questi animatori sono straordinari – davvero i migliori di Roma. Ma come si permette? Chi si crede di essere? Questa me la paga. Arrogante. Solidarietà improvvisa e tardiva per la finta bionda con la pelliccetta di pelo di cane. Che aveva avuto il coraggio, e non il torto, di lasciarlo. Brava. Certe volte non capisco niente degli altri. Sempre creduto che Antonio Buonocore fosse il nostro caro angelo. «Arrivederci Kevin», salutò, agitando la mano. Il poverino le parve sul punto di piangere. Si faceva trascinare a peso morto, strascicando i piedi, decisamente terrorizzato. E questo non era tanto normale. Forse intervenire? Impedirgli di portarselo via come un pacco? Ma come? Telefonare subito a quella Emma e dirle che suo marito, il suo ex marito o insomma quello che è, ha fatto irruzione a Palazzo Lancillotti neanche fosse un camorrista e ha rapito Kevin? Ma non ho il suo numero e poi no, che idea, è il padre del bambino, saranno d'accordo cosí.

«Fermalo, – gridò Camilla, scuotendola per un braccio. – Non voglio che lo porta via. Fermalo, fermalo, fermalo!» Indecisa, Maja depose sul tavolino il piatto della torta e la forchetta d'argento scivolò sul pavimento. Quell'artiglio metallico le ricordò lo spillone conficcato nel sopracciglio di Aris. Le ricordò il suo conformismo. Non ho mai osato fare qualcosa che non ci si aspettava da me. Non sono mai stata capace di affrontare le difficoltà. Forse perché non ne ho mai incontrate. Cosa farebbe Elio, in questo momento? Si volterebbe dall'altra parte? Elio, che pure non è niente, e non sarà mai nessuno, ha coraggio. Elio cento volte sconfitto e cento volte risorto, insultato, deriso, vilipeso, eppure sempre pronto a rimettersi in piedi e attaccare di nuovo. Forse questo ho amato di lui. L'impudenza. Il coraggio.

La spudoratezza di credere ai propri sogni bugiardi. Voleva alzarsi, fermare quel troglodita di Buonocore, rendere felice Camilla – voleva, davvero voleva. Ma in quel momento un crampo – come il morso di un cane – contrasse la parete dell'utero. In tre mesi, era la prima volta che si accorgeva di lui. Il primo segno di vita dell'ospite. E allora rimase seduta e si rimise a Elio, come sempre. Lui avrebbe aggiustato tutto. Sarà qui tra poco. Se ne occuperà lui. Elio lo farà allontanare, quel prepotente di Buonocore, lo farà punire, lo sbatterà sulle volanti. Se lo sogna, di continuare a lavorare per noi. Buonocore il mio Elio d'ora in poi lo vedrà solo in televisione.

«Ciao signora Fioravanti», sussurrò Kevin, scivolandole accanto. Voleva dirle grazie per lo smoking, ma Antonio non gliene lasciò il tempo. Le passarono davanti in un attimo – Valentina imbronciata, offesa che il padre non avesse voluto trascorrere tre giorni solo con lei, Kevin con le guance rigate dalle lacrime, Antonio con l'ombrellino in bocca e una mano in tasca, sorridente. Poi scomparvero giú per lo scalone. Un incauto palloncino rosso li seguí, rimbalzando giú per i gradini di marmo. «Tesoro, – disse Maja a Camilla che la fissava, pallidissima, con le labbra senza piú colore e lo sguardo dilatato dall'angoscia, – torna a cantare, c'è la tua canzone». Ma Camilla non si muoveva. «È simpatico il tuo amico Kevin, – aggiunse, per consolarla, altrimenti la festa sarebbe finita in tragedia, – lo invitiamo un'altra volta, può venire quando vuoi». Camilla scosse la testa e tornò mestamente al karaoke. Non le credeva piú. Chi ha tradito una volta tradirà sempre. Ma non aveva piú bisogno della sua approvazione. Ormai la principessa Althea e l'eroico Nikor avevano fatto la cerimonia. Per un attimo lo intravide, in fondo allo scalone: con quello smoking nero sembrava proprio un principe.

«No, sono la mamma, l'ho partorita io, che non voleva uscire, me l'hanno tirata fuori col forcipe, m'è venuta un'emorragia che quasi mi stronca, – spiegò Olimpia al giovanotto gentile che se ne stava impalato sul pianerottolo tenebroso, lo sguardo timido dietro le lenti tonde degli occhiali. - Me lo dicono tutti se siamo sorelle, stessi occhi stessa bocca stesse zin... scusi la confidenza, due gocce d'acqua», s'allargò Olimpia. Felice di conversare finalmente con qualcuno, lei sola da stamattina in compagnia di Alda D'Eusanio e Maria De Filippi, cambiando canale appena strillava la pubblicità perché le due andavano in contemporanea, che razza di programmazione, masticando pollo e insalata sola davanti alla tv – perché i nipoti oggi a pranzo non sono venuti, Dio solo sa dove li ha scaricati Emma, queste famiglie di oggi non ci sono piú regole, ai tempi nostri il pranzo era sacro, i figli miei se non rientravano alle due erano mazzate. E adesso che il telegiornale è finito, sola con Mister Verità, scandalizzata perché il giornalista con gli occhi azzurri discuteva il caso di un prete sposato che non è una bella cosa fare tanta pubblicità a uno che ha rinnegato Gesú Cristo per la caverna di una donna.

«Oh, mamma, smettila, – disse Emma, buttando la pelliccetta sul divano, – non farmi fare la solita figura. Ti prego, Sasha, entra un momento, saluta Valentina. Le farà piacere vederti. Ti prendo qualcosa da bere. Dovrei avere il Martini in frigo». No, no, non entro, non saprei spiegare a Valentina perché sono qui, avrebbe voluto risponderle Sasha, ma non ci riuscí perché la donna coi capelli cotonati – che sembrava Emma fra trent'anni o anche meno – lo aveva artigliato per un braccio, lo aveva trascinato nel microscopico ingresso, gli aveva richiuso la porta di casa alle spalle e lo scrutava come fosse un marziano. Nello schermo azzurro della tv Mister Verità sorrideva, placido, affidabile e sereno, e si complimentava col prete e con la moglie per il loro coraggio di sfidare il mondo – mentre in quello stesso istante, ma chissà dove, Dario stava affrontando la peggiore crisi della sua vita coniugale, stava lasciando la moglie. O lui.

«Come ha detto che si chiama?» s'informò Olimpia. «Non gliel'ho detto, signora, – rispose Sasha, – sono Alessandro Solari». Il giovanotto parlava con tanta educazione, vera classe si riconosce dall'accento, nordico, forse milanese di Torino certo non di Torpignattara, comunque di sicuro laureato medico commercialista forse avvocato. E brava Emma che s'è acchiappata uno coi soldi. Me la vedrebbe bene con un avvocato, lei pure ha studiato, è cresciuta al Trionfale mica al Tufello, quarant'anni nello stesso palazzo, ancora se li ricordano i Tempesta, ancora mi mandano gli auguri, oggi come oggi è tutta una degenerazione, i portinai non li vogliono piú, la gente perbene si estingue. Però anche che infamata, la bugiarda ci aveva un nuovo spasimante e non aveva detto niente a mamma sua che la mantiene da due anni.

Per evitare gli occhi bistrati, scaltri e maliziosi della vecchia e quelli azzurri e remoti di Dario, Sasha finse di ammirare il lampadario – un polipo di vetro infrangibile i cui tentacoli oscillavano a pochi centimetri dalla sua fronte. Nella tv, Dario chiese al prete: «Quando ha deciso di lasciare l'abito? cosa l'ha convinta a fare questo passo rivoluzionario?» Sasha scostò una tenda a losanghe optical anni Settanta e gettò un'occhiata al panorama incorniciato nella finestra, ma non vide niente perché di fronte alla torre, dopo il parcheggio si apriva una landa non illuminata, completamente buia. Allora, augurandosi che Emma tornasse prima della comparsa di Valentina, esaminò i poster appesi sulle pareti del tinello, rivestite di una terribile moquette arancione psichedelico. Marilyn Manson, ghignante in un costume demoniaco. Il campione di pallavolo Andrea Lucchetta. La Bestia di Disney e l'elefantino volante Dumbo. La sbiadita riproduzione della Via lattea e del sistema solare. Il prete rispose: «A un tratto ho capito che stavo vivendo la vita di un altro, e quell'altro era un impostore. Ho sentito il richiamo della verità». Sulla credenza, che ospitava un servizio di bicchieri dall'aria polverosa, c'era l'*Enciclopedia della Natura* a dispense e una pila di libri di scuola che minacciavano di franare come le pareti di un burrone. Dunque questa era la casa in cui viveva Emma. Eppure non c'era un solo oggetto che le apparteneva o che rivelava qualcosa di lei. Forse era cresciuta in una stanza identica a questa, arredata con lo stesso cattivo gusto e la stessa economia, dormendo in un letto estraibile e facendo i compiti sul tavolo del soggiorno. E aveva cercato di venirne fuori, e non ci era riuscita. O forse sí. «Dov'è Valentina, mamma?» gridò Emma dalla cucina. Ma Olimpia era troppo incuriosita dall'ospite inatteso, e non rispose.

«E che mestiere farebbe?» gli chiese, avida. «Insegno italiano», rispose docilmente Sasha. Si sedette nel divano letto, sprofondando in un abbraccio di molle velluto. Continuò a sorridere cordialmente alla madre di Emma. Ma, cercando di non farsi accorgere, dopo qualche istante estrasse da sotto il sedere gli oggetti che l'avevano dolorosamente trafitto. Un robot ammaccato con un uncino d'acciaio al posto di un braccio, e – scoperta che lo confortò – *Anna Karenina*, il romanzo che aveva prestato a Valentina tre mesi prima e che la ragazzina non gli aveva mai piú menzionato. Credeva che non lo stesse leggendo. «Non dirle niente, Sasha, – gridò Emma dall'altra stanza, – non è mica un interrogatorio, qui la polizia non ce la vogliamo. Lascialo in pace mamma, ti prego». «Mia figlia si vergogna di sua madre, sa come sono i giovani», minimizzò Olimpia. «Perciò è professore, – s'incuriosí poi. – Com'è che conosce Emma?»

«Sono l'insegnante di Valentina», rispose Sasha. Dario scandí un numero di telefono (senza menzionare il costo della chiamata) e chiese al pubblico di intervenire e manifestare la propria opinione. Nella tv, sembrava piú abbronzato, e i suoi occhi erano piú azzurri. Era incredibilmente telegenico. Sasha sorrise. Olimpia sospirò – quant'era giovane questo professore, piú giovane di Emma di sicuro, ai tempi miei queste cose non succedevano, purtroppo. E cosí ci aveva ragione quel pazzo di Antonio, che forse non è pazzo manco per niente, Emma sempre a giurare e spergiurare che non ci aveva nessuno, che con gli uomini lei aveva chiuso la saracinesca, e invece ci ha l'amante professore. E con mamma sua che l'ha partorita e accolta quando è tornata, la figliola pròdigia, zitta e mosca, che buciarda. Però alla fin fine, se Emma ci aveva per amante un professore magari questo non era materiale come gli altri, gli voleva bene veramente che Emma in fondo non era cattiva, ci aveva un cuore grande cosí, se la sposava e si accollava i regazzini e lei poteva tenersi la pensione e tornare a campare come una cristiana e non come una zingara. Si sentí in dovere di valorizzare la figlia. Perché Emma non si valorizzava per niente.

«Pure Emma è maestra, ce l'ha detto spero, col diploma magistrale, mica no, anche se la scuola lascia un po' a degenerare ultimamente, i giovani oggi non ci hanno piú rispetto per i professori». «Non ci sono studenti difficili, solo professori che non riescono a interessarli», spiegò Sasha, tanto per dire. «Spegni la tivvú, mamma!» gridò Emma, sgomenta al pensiero che Sasha archeologo e futuro scrittore la considerasse una teledipendente di basso livello, dal momento che invece di seguire il *Raggio Verde* di Michele Santoro guardava quel programma taroccato cretino e qualunquista destinato al pubblico meno acculturato. «Ti giuro Sasha che non guardo mai Mister Verità!» gridò. Una porta sbatté, si riaprí, sbatté di nuovo. «Il conduttore è tanto affascinante», Olimpia si giustificò e a malincuore schiacciò il tasto del telecomando. Nello studio di Santoro, Silvio Berlusconi raccontava qualcosa, con un ghigno sorridente appropriato al felice esito di elezioni che parevano già vinte. Dario si spense. Per qualche istante, a Sasha parve di vedere ancora la sua orma nello schermo opaco. Però, a guardare meglio, quello non era Silvio Berlusconi, ma un'attrice che gli faceva l'imitazione, Sabina Guzzanti. Il falso Berlusconi tacque e la telecamera inquadrò la faccia di Michele Santoro.

«Mister Verità è un professionista molto serio. Mi è capitato di conoscerlo», disse Sasha. «Pe' davero! – esclamò Olimpia, colpita. – Pure io l'ho visto, a Cinecittà, negli studi. Ho fatto il pubblico due volte», aggiunse, dandosi un tono perché questo Solari era un laureato di un certo livello non come quel malvivente di Buonocore poliziotto e pure meridionale.

«Deve essere stata una bella esperienza», disse Sasha, contento di aver trovato un argomento di conversazione con la vecchia impicciona. Stranamente, il *Raggio Verde* era già finito, e sullo schermo scorrevano i titoli di coda. Sasha si chiese cosa gli era sfuggito. Ebbe l'impressione che – là da Santoro – stesse succedendo qualcosa, e che questo qualcosa era importante. «Dov'è Valentina? – ripeté Emma. – Il professore vuole

salutarla, deve andarsene». «Vi parlate sempre da una stanza
all'altra?» s'informò Sasha, che trovava quel modo di conversare alquanto macchinoso. Olimpia alzò le spalle. Valutò positivamente: i capelli curati del professore, gli occhiali che testi-
moniavano la sua cultura, la corporatura robusta prova evidente
del fatto che sapeva godersi la vita, la camicia azzurro pavone
per quanto un tantino frivola, il profumo di muschio per quanto un tantino eccessivo, i jeans decolorati blu mare, per quanto
aderenti come li portano quelli, peccato per la cravatta che non
si è messo, però oggi non usa piú. Ma piú di tutto valutò positivamente la conoscenza col giornalista della televisione. Insomma, la verità era semplice. Questo professore giovane timido e
tanto perbene era proprio giusto per Emma. Era l'uomo che lei
aspettava. Olimpia non si capacitava che finalmente sua figlia
l'aveva trovato. Ma a volte c'è una ricompensa ai patimenti, e
una giustizia a questo mondo. A quel punto le venne in mente
un'idea fenomenale.

«Lei che è tanto introdotto professor Alessandro, perché non
dice a Mister Verità di fare una puntata su di noi, cosí rimette
a posto la situazione? Una volta che uno è andato alla televisione certe brutte cose non le può fare piú, che lo conoscono tutti,
dico giusto? stiamo inguaiati, mio genero ci ha la depersione,
la malattia del secolo e non c'è cura, mi vuole ammazzare a me
che c'ho sessant'anni e l'ossoporosi, che gli ossi mi diventano
frangibili come vetro soffiato, io gliel'ho detto ai giudici che
mio genero c'ha gli occhi strani e i pensieri rintorcinati e i fucili da guerra mica per giocare, ma i lupi non si sbranano mica
fra loro, non so se mi spiego». Si spiegava benissimo. «Be', veramente non so con quale criterio Mister Verità sceglie le sue
storie...», esitò Sasha, vago. E cosí il tipo che la seguiva era l'ex
marito di Emma e il padre di Valentina. Questa storia l'aveva
già sentita. E non gli piaceva.

«Facciamo cosí, professore, – disse Olimpia, abituata da una
vita ad arrangiarsi tramando e intrigando e lusingata dal fatto
che quel giovanotto educato la chiamava signora, cosa che non
le capitava mai. – Io ci do il numero segreto del cellulare che

ce l'hanno solo i regazzini il Viminale e l'avvocato Fioravanti. Lo conosce per caso? è deputato si ricandida pure stavolta, lei vota a Roma? una brava persona l'onorevole, non dia retta che dicono che ha corrotto i giudici e s'è intascato la sua parte, è tutta politica, e poi sa come si dice? Chi ruba poco va in galera, chi ruba tanto fa carriera, perciò, alla fine, sono tutti uguali, non so se mi spiego, insomma io ci do il numero di mio genero e lei lo dà al conduttore e gli dice che la materia per la puntata è forte, tutto qui, non ci deve dire che gliel'ho dato io, non ci dice proprio che ha parlato con me, che mio genero non ci può vedere noi Tempesta, una volta ha menato a mio figlio Fausto che si era intromesso per Emma, per carità non dica che è amico di Emma sennò quello vi ammazza a tutti e due che ci ha il sangue caldo, è poliziotto e pure calabrese non so se mi spiego. Gli facciamo fare un appello da Emma che è tanto bella e riesce bene in fotografia, e pure dai bambini, piangono pure i piú mascalzoni quando i figli gli fanno l'appello davanti a tutti, insomma non so qual è il modo non mi intendo di fare la televisione, io sono portinaia, ci dica lui come si può aggiustare questa storia che se non ci aiuta Mister Verità non ci aiuta nessuno, io e Emma le conoscenze non ce le abbiamo quello lavora in polizia non so se mi spiego quelli dicono che non è pericoloso ma io non ci dormo tranquilla».

Sasha annuí. Dubitava di poter aiutare Emma. Dario avrebbe detto che la storia non era adatta alla televisione. A meno di stravolgerla, non si poteva aggiustarla in un modo presentabile. Era una storia senza remissione. Sfogliò *Anna Karenina*, che gli era rimasta fra le mani. Con una certa disillusione, si rese conto che non lo stava leggendo Valentina. A segnare le pagine, qua e là scarabocchiate col pennarello da una mano infantile, c'era un foglio di quaderno con una serie di numeri scritti a matita. Il conto delle spese del mese di aprile. Le uscite superavano abbondantemente le entrate. Lo imbarazzava spiare nella modesta guerra quotidiana di Emma con la vita. E ancora di piú lo imbarazzava il pensiero che Emma avesse cominciato a leggere quel romanzo solo perché lui lo aveva raccomandato alla figlia. Non immaginava che la sua opinione avesse cosí tanta importanza, per lei. Richiuse il libro e cercò un tavolino per appoggiarlo. E mentre cercava, e i suoi occhi sorvolavano un tappeto logoro e scolorito, e una cassapanca su cui ciondolava una bambola di pezza, si ricordò dell'ultima lettera che gli aveva scritto Valentina, e quelle parole lo avevano toccato profondamente. *Certe volte mi sembra di vivere in mezzo agli zombie, o di essere uno zombie anch'io. Io forse non sono normale e ho il cuore di silicio. Capisco di piú* ET *o l'androide Roy di* Blade Runner *che le persone che mi stanno vicino. Mi sento piú simile a loro che a mia madre o a mio padre. Non capisco i sentimenti connessi alle relazioni personali tra gli esseri umani. Non capisco perché si amano, cosa li spinge a farsi male gli uni con gli altri, come possano odiarsi tanto. Forse non provo le emozioni. O forse non so cosa è essere – umano.*

Emma ricomparve in tinello. Si stava allacciando un grembiule di gomma sul quale campeggiava un piatto di spaghetti al pomodoro. «Smettila, mamma, – ordinò, – non voglio che sparli di Antonio». «Ah, sparlo? – disse Olimpia, rivolgendo alla figlia un sorriso derisorio. – Ma che ci fai con quel grembiule? Ma che ci fate qui, con una vecchia ciavatta? Siete giovani. Andate a fare all'amore da qualche altra parte». «Mamma, ti scongiuro», sospirò Emma, rossa in viso. Allora, con tutta calma, Olimpia vibrò la mazzata.

«La pupa non viene a cena, – spiegò finalmente. – Sta con lui». Sottolineò le parole con cattiveria, perché non era giusto che Emma si vergognava di mamma sua. «Non è vero!» esclamò Emma. Olimpia annuí, tetragona. «Ha chiamato Valentina alle sette e mezza. Dice che torna domenica sera». «Perché non mi hai avvertito!» gridò Emma. «Quanto era contenta di stare col padre», rincarò Olimpia. «Non ci credo, – protestò Emma, – Valentina mi ha mandato un sms dopo la partita, diceva che hanno vinto. Ma non mi ha detto niente di lui». «Si te lo diceva, ce la lasciavi andare?» replicò Olimpia, saggiamente. No, oggi no. Oggi ha cercato di uccidermi. Oggi l'ho denunciato. I carabinieri hanno detto che mi faranno sapere. Ma lo verrà a sapere lui, e sarà ancora peggio. L'avvocatessa le aveva sempre

raccomandato di non fidarsi di Antonio. Lo reputava incapace di
controllare la violenza che gli scatenava la moglie. L'avvocatessa diceva che, per punire lei, per farla sentire in colpa, avrebbe
perfino potuto rivolgerla contro i bambini. Ma Emma questo
non lo credeva. E non lo credevano neanche i giudici. Del resto
Antonio offriva piú garanzie di lei – era un buon padre, aveva
un ottimo lavoro e ottime referenze da parte di Fioravanti – e
lei non voleva tirare troppo la corda, per paura di perderli. Antonio aveva combattuto come un leone perché i giudici li affidas-
sero a lui. Peccato che ai week end coi bambini avesse rinunciato da tempo. Perché adesso? Perché non le aveva detto niente?
Cos'aveva in mente? Voleva portarle via Valentina. Farsela al-
leata e chiedere di nuovo la modifica delle decisioni del giudice,
per la sopravvenuta novità che la ragazzina con la madre non ci
ci voleva stare piú. Possibile. Valentina era il suo punto debole, il suo tallone d'Achille. Valentina perdonava qualsiasi cosa
al padre, e niente a lei. «Ah, – aggiunse Olimpia, ricordandosi
all'improvviso dell'ultima parte del messaggio, – non aspettare
Kevin. Valentina ha detto che ci pensano loro a prenderlo alla
festa di Camilla Fioravanti. Ha detto che sei libera».
   «No, – ripeté Emma, – non voglio». Si precipitò al telefono
a comporre il numero del cellulare di Valentina. «Ma ringrazia
Dio che si ricorda dei regazzini, – borbottò Olimpia, – quello
la coscienza non gli prude manco per niente, so' du anni che
parono orfani 'sti pupi se questa è una famiglia dico io». «Non
risponde», disse Emma stupita. Valentina non spegneva mai il
telefono, stava sempre a cincischiare con gli sms, con le suonerie
e dio sa cos'altro, e anche se a lei quei suoni metallici davano ai
nervi e pagare la ricarica della carta ogni settimana la rendeva
furiosa, pure ne era contenta perché almeno sapeva sempre dove
fosse, e aveva l'illusione di tenerla sotto controllo. Sasha fissò i
pianeti del sistema solare. Era precipitato in una crisi familiare
che non lo riguardava. E l'altra, la sua, gli era proibita. Valentina gli sorrise da una cornicetta di finto argento appoggiata sul
televisore. Capelli castani, gli stessi occhi scintillanti della madre,
la stessa bocca con le labbra tumide e scure, ma un'espressione

completamente diversa, imbronciata, severa, senza sorriso. Gli
sarebbe piaciuto avere una ragazzina cosí. Se fosse stata sua figlia, quella ragazzina sarebbe stata felice. «È il suo vicchend, –
concluse Olimpia, ciabattando in cucina, sollevata perché adesso
Emma se ne sarebbe andata col professore e lei poteva cambiare
canale e vedere come Mister Verità aggiustava la storia di quel
prete. – Gliel'ha ordinato il giudice e pure lo pissicologo di tenerli, è il padre». «Non può sparire e ritornare quando gli pare,
cosí li destabilizza, non è giusto», disse Emma. In cucina, cadde una pentola. Emma pigiò la cornetta contro l'orecchio. Per
un interminabile minuto, ascoltò la voce del disco della Omnitel
ripeterle che l'utente non era raggiungibile.

«Antonio ha staccato il cellulare», disse a Sasha, come se lui
potesse rimediare. Rivide la pistola nel cruscotto. La disperazione di Antonio quando lei era scesa dalla macchina e lui l'aveva
rincorsa e siccome lei non voleva fermarsi, le aveva strappato
la borsa. Erano caduti ai piedi dell'obelisco del Duce, e lui l'a-
veva abbracciata e baciata sui capelli sulle mani e sulla bocca
che sanguinava e l'aveva supplicata – torna con me torna con
me Emma torna con me torna con me non posso vivere senza di
voi. Lei si era liberata dalla sua stretta si era rialzata e da un autobus fermo al semaforo gli occhi dei passeggeri si erano posati
su di loro e lei sentiva in bocca il sapore del suo sangue e della
saliva di lui, e Antonio le torceva il braccio la stringeva e le faceva male e ripeteva torna con me torna con me torna con me
Emma. E lei aveva pensato questo è il mio uomo quante volte
l'ho baciato non potrò mai odiarlo e cosa sarà di me se lo seguo
ancora e da chissà dove aveva trovato la forza di dirgli è finita
Antonio. A quel punto lui le aveva lasciato il braccio e l'aveva
fissata con uno sguardo indescrivibile, uno sguardo morente, di
agonia, e quando finalmente un taxi si era fermato a raccoglier-
la, lei si era voltata e Antonio era rimasto fermo sotto l'obelisco bianco, un obelisco di pietra anche lui, come fosse morto,
e la guardava ancora. Compose freneticamente il numero che
era stato il suo. Ma a via Carlo Alberto non rispondeva nessuno. Antonio non li aveva portati a casa.

«Non voglio che li vede oggi», disse, strappandosi di dosso il grembiule e lasciandosi cadere sul divano letto del tinello. I miei bambini. Dio, perché non gliel'ho impedito, perché non lo hanno arrestato? Perché non ero con loro? Sta' calma. Va tutto bene. Li adora. I miei bambini. Chiuse gli occhi. Non voleva piangere davanti a Sasha. Non voleva piangere. Non voleva rovinare tutto. Perché adesso? Perché? Sasha fissò la copertina di *Anna Karenina*, a disagio. Non sapeva cosa fare. Non sapeva cosa si può provare per un figlio. Come si può tentare di proteggerlo dal mondo e da noi stessi. Amare un figlio. Un sentimento di inadeguatezza e onnipotenza che non avrebbe mai conosciuto. Doveva dirle che andava tutto bene, assicurarla che se il tribunale aveva stabilito che Antonio Buonocore era un padre responsabile e degno di crescere i figli evidentemente era cosí. Ma non ci credeva e a questa donna non voleva mentire.

Aveva respirato la tensione di Emma. Aveva visto il livido tingerle di viola lo zigomo. E mentre guidava verso la casa della madre di lei, non aveva fatto altro che controllare nello specchietto retrovisore se una Tipo verde li stava seguendo. La Boccea diventava sempre piú sconnessa; ogni tanto si voltava verso Emma e le chiedeva: vado avanti? Emma annuiva. I fari bianchi frugavano nella penombra, di là dal cofano, e tutto un mondo reale e ignoto prendeva forma intorno a lui. Sfilavano i cartelloni pubblicitari, le piazzole coi pali gialli delle fermate degli autobus, i pini, le lapidi coi fiori, come altari, davanti ai guardrail, le vie traverse, i lampioni fiochi, i palazzi strampalati che incombevano sulla strada. E a un tratto Emma aveva detto: fermati qui, non venire sotto casa, Antonio potrebbe essere nel parcheggio. Non voglio che ti succede qualcosa. E Sasha aveva accostato, anche se quel punto era una zona morta fra due quartieri incompiuti, e non c'era nemmeno il marciapiedi: a destra della carreggiata solo una striscia di terra in cui crescevano ortiche e rovi spinosi. Emma era scesa, aveva sbattuto energicamente lo sportello, e il colpo secco con cui la portiera si chiuse fu come un punto dopo una frase. Si era avviata lungo la strada buia, dirigendosi verso un'altissima torre che svettava contro il cielo scuro – senza voltarsi indietro. Per qualche minuto lo aveva preceduto, illuminata dalla luce bianca del lampione – come un'apparizione. Ma l'ultimo lampione della strada era fulminato e il crepuscolo l'aveva inghiottita. E lui l'aveva raggiunta – perché se Antonio la aspettava nel parcheggio sotto la torre non poteva lasciarla da sola. Nemmeno lui voleva che le succedesse qualcosa. Li aveva accompagnati un belato triste e lamentoso – pecore, indubbiamente. Nel parcheggio, fra le macchine accatastate nello spiazzo davanti alla recinzione arrugginita, Buonocore non c'era. Né dentro l'androne della torre, né sul pianerottolo.

Forse è venuto il momento di dare un senso a questo giorno. Perché sono qui, alla fine, e sono appena le nove, e vorrei fare qualcosa per lei, se non posso farla per me stesso. Con delicatezza, le poggiò una mano sulla spalla e l'attirò a sé. Emma nascose il viso nella sua camicia. «I miei bambini», mormorò. Sasha fece tintinnare le chiavi della Peugeot. «Andiamo a cercarli», disse.

A piazza Navona, camminando con Valentina sottobraccio e Kevin, riluttante, qualche passo indietro. Ce li portava sempre, per la notte della Befana. Ma quest'anno non erano venuti. E neanche l'anno scorso. Antonio ricordava la piazza affollata, il cerchio di bancarelle intorno all'isola ovale sopraelevata, i leccalecca in nastri di plastica trasparente appesi ai tetti di lamiera delle baracchette, le calze rosse gonfie di carbone dolce, i babbi natale che si facevano fotografare accanto alle slitte di cartapesta, le bandiere dell'Italia che sventolavano sui carretti degli ambulanti e al centro della bolgia, vicino alla fontana, la giostra coi cavalli meccanici, che ruotava lentamente mentre l'altoparlante suonava a tutto volume la lambada. E invece in una sera feriale qualunque c'erano solo turisti che scattavano fotografie col flash alla fontana dei Quattro Fiumi – mai saputo quali fossero – o bevevano una birra ai tavolini dei caffè – mai seduto in questi caffè. Emma avrebbe tanto voluto provare il gelato dei Tre Scalini. Emma, Emma, Emma – ogni angolo di questa città grida il tuo nome. Tutto ciò che non abbiamo fatto, tutte le occasioni che abbiamo perso.

Sedettero ai Tre Scalini e ordinarono gelati immensi in lucide coppe d'argento – con tre palle colorate come lampadine. Lampone, cioccolata e cocomero. Kevin, che per paura di perderlo s'è legato al polso il palloncino rosso della festa di Camilla, succhia il cucchiaino, mentre la panna gli disegna due baffi sul labbro superiore, e Valentina sgranocchia la cialda. E parlano della festa di Camilla che è stata fantastica – c'erano i clown, le magie, i coniglietti bianchi, i burattini, i giochi di prestigio, la caccia al tesoro, abbiamo vinto noi, ma il regalo l'ho scordato sul divano, speriamo che Camilla me lo mette da parte. Le nuvole lambiscono i campanili gemelli della chiesa di Sant'Agnese, ma tanto non pioverà, e il tempo si ferma, e sono semplicemente loro tre, insieme, di nuovo.

«Hai dimenticato il regalo, Kevin? Te ne faccio uno io. Piú bello». Ma la saracinesca di Berté era già abbassata, l'insegna spenta. Sugli scaffali del negozio, giocattoli complicati come marchingegni preziosi. Tutti i regali che non ho fatto ai bambini – tutti i pensieri che non ho avuto. Emma mi ha fisicamente esiliato dalla loro crescita. Non ho visto quando Kevin ha imparato a scrivere il suo nome. Non c'ero quando Valentina è diventata donna. C'è ancora tempo. I miei bambini sono con me. Li indennizzerò della perdita che hanno subito, che ho subito io. Risarcimento. A Kevin – per fargli dimenticare la carità pelosa dei Fioravanti – promise di comprare una mountain bike. «Quando?» «Lunedí». «Costa un botto, papà», gli fece notare Valentina. Antonio sorrise. I soldi non avevano piú nessun valore. Erano pezzi di carta – ipotesi. Provò una sensazione di libertà mai conosciuta. Valentina gli chiese che dovevano fare con la Tipo. «Se non fai togliere subito le ganasce, i vigili ti spennano». «Non ci roviniamo la serata a litigare coi vigili», disse Antonio, alzando le spalle. Torneremo a casa a piedi, non abbiamo fretta. Nessuno ci insegue. Non ho commesso alcun reato. Nessuno processa le intenzioni.

Passeggiarono per i vicoli del centro – sbirciando le vetri-

ne, illuminate anche se i negozi erano già chiusi, fermandosi ad
ammirare l'obelisco di piazza del Pantheon, il colonnato ingombro di giapponesi e venditori di cartoline. Nonostante l'ora, era
aperto, perché era in corso una visita guidata notturna. Nella
cupola del tempio c'era un buco, in fondo al quale appariva un
cerchio blu scuro tagliato in due dalla bava di una nuvola – il
cielo. «Perché hanno lasciato un buco in mezzo?» chiese Kevin.
Antonio non seppe cosa rispondergli, era una pessima guida. Del
resto non era nemmeno mai entrato al Pantheon. La domenica Emma portava i bambini alle catacombe, alle basiliche e al
Foro Romano. Lui non li accompagnava mai. Non aveva mai
tempo, e poi le cose vecchie gli facevano tristezza. «Non lo so,
Kevin, – ammise. – Non tutte le cose hanno un perché». Però
quel buco nella cupola gli pareva uno squarcio nell'illusione del
cielo. Gli pareva un occhio, una pupilla – ma cosa guardava? C'è
qualcosa da vedere nell'infinito? Sotto il colonnato propose a
Kevin di comprargli un palloncino di plastica dorata a forma di
lucertola – o forse era un coccodrillo – ma Kevin rifiutò: preferiva il suo, rosso, che gli ricordava Camilla e la strana giornata
che stava finendo. Di tanto in tanto agitava il polso e lo scuote-
va: il palloncino galleggiava alto sulla sua testa, rosso e leggero.
    Girarono sette volte attorno all'elefante di piazza della Mi-
nerva. «L'elefante è un animale sociale, – commentò Valentina,
– ha la memoria lunga e può vivere settantacinque anni, come
un essere umano». Antonio non aveva mai provato interesse per
il mondo animale. «La madre elefante è molto affettuosa col
suo piccolo e lo alleva con grande cura, – proseguí Valentina,
– la famiglia base degli elefanti è una femmina adulta coi suoi
figli fino a quattordici anni di età». «Sai tutto sugli animali»,
osservò Antonio – colpito. «Mamma mi ha comprato l'*Enciclopedia della Natura*, – disse Valentina, mordendosi poi le labbra
perché avevano stretto il patto di non nominarla proprio, oggi,
lei. – Mi piacciono le scienze. In scienze ho il giudizio piú alto».
«Vuoi fare la guardia forestale?» le chiese, benché non avesse
nessun senso. «La genetista, – precisò Valentina. – Quelli che
studiano la clonazione, hai presente la pecora Dolly? e le cellule

staminali, e scoprono come guarire le malattie incurabili». «Ti toccherà andare all'università», disse Antonio. Sfiorò con le dita la proboscide di pietra, la coda, le larghe orecchie, le zampe che parevano sul punto di muoversi – un capolavoro barocco di imitazione della natura. Mai visto nemmeno questo. Quante cose ho ignorato. E vivo a Roma da vent'anni. Ma cos'è, Roma? È la città cui Emma mi ha incatenato. Roma si fa amare esattamente come una donna, perché ti piace, perché stai bene con lei, perché ti capisce, ti accoglie e ti risponde. Perché, malgrado i difetti e le mancanze che rendono irregolare la sua bellezza, quella bellezza supera ai tuoi occhi tutte le altre. Ho sposato Roma come Emma. Una bellezza che ho goduto, ma che mai mi è appartenuta.

L'elefante era freddo. Sembrava vero, ed era un blocco morto di marmo. «Certo che dovrò andare all'università, – rise Valentina, – infatti ho scelto lo scientifico». «Il liceo?» chiese Antonio. «Vai già al liceo?» «Papà, ci vado a settembre! Mi sono iscritta al Righi». Antonio voltò le spalle all'elefante e a lei. Non so nemmeno che scuola fa mia figlia.

Imbucarono vicoli disseminati di cocci di bottiglia, dai quali si levava un lezzo di urina stantia. Le loro ombre si arrampicavano sui muri. A un tratto Antonio ebbe la sensazione che solo quelle ombre fossero rimaste di loro, e di lui. Poi sbucarono davanti a Montecitorio. Mille volte in quella piazza aveva depositato l'onorevole Fioravanti. Mille volte lo aveva aspettato, nell'auto blu, sotto la pioggia. Non aveva la minima idea di cosa facesse, nel parlamento. L'avvocato amava ripetere di essersi dato alla politica per amore degli italiani. Antonio sapeva che era una menzogna, ma Fioravanti raccontava le menzogne con una tale convinzione che alla fine si era persuasi che fossero preferibili alla verità. Nei manifesti elettorali, con gli occhiali e i capelli a cespuglio, aveva una faccia simpatica e onesta, ispirava fiducia. Anche se non la meritava, gli aveva regalato questo pomeriggio coi bambini, e lui gliene sarebbe stato grato per sempre. Gli rivolse un saluto. Non prendertela, avvocato, tu non lo sapevi, non potevi sapere. Il palazzo del parlamento era buio. Gli sembrò finto, come una scenografia. Niente gli sembrava piú reale – né Roma, né la sera, né i bambini e nemmeno lui stesso. A piazza Colonna, Kevin si inchiodò davanti alle vetrine del Romastore. Scarpini chiodati, palloni firmati, fascette giallorosse, bandiere. E la maglia numero 10. Quella del capitano biondo, Totti. «Non sarai mica diventato romanista? – disse Antonio, che era sempre stato juventino. – Non si può cambiare la squadra, Kevin. Si può cambiare tutto, nella vita, il paese dove vivi, il mestiere, il partito politico, la macchina, tutto, ma la squadra no». E nemmeno la moglie, avrebbe voluto aggiungere. Kevin non gli rispose. Fissava la maglia di Totti – rapito. Costava centocinquantamila lire. Praticamente irraggiungibile. «La vuoi?» chiese Antonio, grattandogli la nuca. Kevin rabbrividí, perché papà non lo toccava mai. Pareva gli facesse senso toccarlo – come fosse un rettile. Senza voltarsi, Kevin scosse la testa. Premette le mani contro la vetrina – vi lasciò l'impronta grassa delle sue dita ancora appiccicose di gelato. «Sei bravo a pallone?» gli chiese Antonio. «Cosí cosí papà, – sussurrò Kevin, – mi mettono sempre in porta». Temeva uno scapaccione, perché papà invece era il bomber della squadra delle scorte, e il capocannoniere ai tornei della polizia. Ricevette una carezza sulla cresta irta di gel. Altro che figurina. Papà gliel'avrebbe davvero comprata la maglietta rossa di Francesco Totti. Oggi tutti gli compravano tutto ciò che voleva. Oggi aveva una specie di lampada magica, come quella di Aladino. Esprimeva un desiderio, e si avverava. Era precipitato in una favola – tutto era perfetto. Ma a che ora passava il cocchio di zucca per riportarlo a casa?

«Papà, – disse a un tratto Valentina, – se dobbiamo dormire da te ci devi comprare lo spazzolino da denti. Non l'abbiamo portato». Antonio sentí che il cuore accelerava, si chiudeva come un pugno e gli pesava al centro del petto come una pietra. Si chiese come avrebbe trovato il coraggio. Dove la forza. «Certo», disse. Puntarono la farmacia del Tritone, ma quando la raggiunsero la saracinesca era già incatenata al marciapiede con un grosso lucchetto. Ormai i negozi erano tutti sbarrati. «Pazienza,

ve li compro domani», minimizzò Antonio, palpandosi il cuore
– aveva l'impressione che potesse cadergli dalla camicia, come
una moneta, e che se fosse accaduto, non se ne sarebbe accorto.

Cenarono al McDonald's di piazza di Spagna, stretti attorno
a un tavolino d'angolo, sotto una luce generosa che metteva in
risalto l'abbronzatura finta di papà – usava una crema speciale
perché si innervosiva anche solo a star fermo a lampadarsi. Di-
vorarono hamburger intrisi di ketchup e innaffiati di Coca-Cola. Si bruciarono le labbra con l'apple pie rovente. Adesso non
era piú l'estraneo aggressivo e con gli occhi strani che li aveva
trascinati via dalla palestra e dalla festa. E nemmeno il padre
episodico che non sapevano come affrontare quando, nel primo anno di separazione, s'introduceva nella loro vita come un
tornado: li portava allo zoo e sugli ottovolanti del Luna Park,
al Pincio per i burattini, al Gianicolo per gli spari del cannone
di mezzogiorno, da Toys'r'us alla Romanina a scegliere i giocattoli – vi compro tutto quello che volete, tutto – e pagava e
stava sempre zitto, salvo accendersi all'improvviso per vomitare insulti terribili sul conto di mamma puttana scervellata che
gli aveva distrutto la vita, che lo aveva assassinato. No, era di
nuovo papà, col suo solito gesticolare eccessivo e teatrale, col
suo solito atteggiamento spaccone da penso a tutto io non c'è
problema sono qui. Era una sera come un'altra. Papà non aveva mai puntato il Kalashnikov sul cuore di mamma, non l'aveva
mai presa a calci – quello era l'estraneo scomparso all'improvviso
a piazza Navona, era il gemello cattivo che, non si sa quando,
si era sostituito a lui. L'uomo seduto al tavolino, che si china-
va verso di loro perché nella confusione non riusciva a sentire
le loro voci, era invece proprio papà, che s'ingozzava di torta
di mele – ne andava pazzo – e s'informava della scuola, e della
squadra di pallavolo, e dei ragazzi di Valentina. Non ci poteva
credere che Vale cosí carina non avesse ancora nessuno. Papà
rideva – perché lei si vergognava di spiegargli che non si considerava carina proprio per niente, racchia piuttosto, un vero cesso, e infatti nessun ragazzo le aveva mai chiesto di mettersi con
lui. Papà protettivo e sbruffone che s'informava se qualcuno in

questi anni li aveva trattati male, perché d'ora in poi avrebbe fatto i conti con lui. E allora Kevin si dimenticò di tacere. Non gli rivolgeva la parola da anni, e invece a un tratto la sua lingua inchiodata al palato si sciolse.

«A scuola mia ci sta uno cattivo, – esordí. – Si chiama Anzalone». «Ci hai litigato?» s'informò Antonio. «Sí, – rispose Kevin. – Tu lo devi punire». «Okay, – assicurò Antonio. – Cosa vuoi che gli faccio?» «Gli devi tirare giú i calzoni e gli devi ficcare una miccetta nel culo», spiegò Kevin. Era accaduto il miracolo: non balbettava piú. Antonio rise, stupito dalla ferocia del suo paffuto pinguino cieco. Però ne fu anche orgoglioso. Dunque Kevin non era il finocchietto invertebrato che temeva. Era suo figlio. E gli assomigliava. Aveva gli stessi capelli neri, ricciuti e duri. E lo stesso carattere permaloso. Come lui, Kevin non dimenticava un'offesa. Ed esigeva vendetta. «Sarà fatto», annuí. E per suggellare il patto di alleanza, batté il cinque sul palmo del figlio, schiaffeggiandolo con forza. L'occhio vivido di Kevin fisso su di lui esprimeva una tale gratitudine, una tale incondizionata fiducia, che Antonio sentí un forte calore e la pietra tra le sue costole fibrillò. Dove la forza. Dove. Furtivamente, con la Coca-Cola ingoiò due pasticche. Nella certezza di una giustizia superiore. Nel pensiero di lei. È per lei che lo farò. E lei sarà dannata per sempre.

Ventiduesima ora

A via Carlo Alberto, le finestre dell'attico al sesto piano erano buie, con le persiane accostate. Emma confessò a Sasha di avere conservato le chiavi di casa per un anno. Le portava nella borsa, come aveva sempre fatto. Poi, per un impulso inspiegabile, un giorno le aveva imbucate in una cassetta della posta. In un certo senso, le aveva spedite. Forse perché temeva di poterle usare. E non voleva avere la possibilità di tornare indietro. Al citofono non rispose nessuno. Antonio non aveva portato i bambini a casa.

La festa di Camilla era finita. Davanti a Palazzo Lancillotti, nella piazzetta pedonale, gli ultimi invitati cingevano d'assedio l'onorevole Fioravanti. Si spintonavano, muovendosi ansiosamente fra un gruppetto di genitori e l'altro, per agganciare quelli ai quali aspiravano a essere presentati, ai quali aspiravano a presentare figli e amici, ai quali dovevano un giorno sottoporre progetti o chiedere favori. Attorno a Elio formavano una siepe compatta, che ronzava come uno sciame d'api. Emma cercò di farsi largo verso di lui, sgomitando. «Onorevole! Onorevole! – gli urlavano i fotografi appostati sulle fioriere come babbuini. – Guardi da questa parte!» Elio obbediva, soddisfatto di concludere con un successo personale una giornata difficile e amara. Sapeva di essere in stato di avanzata decomposizione: afono, obnubilato dalla stanchezza e molle di sudore, il naso lucido, lo stomaco in subbuglio – depresso dall'increscioso fiasco in periferia, irritato dall'accoglienza glaciale di Maja, dal proprio imperdonabile ritardo, da tutto. Ma sorrideva pazientemente a destra, sorrideva a sinistra, come gli chiedevano i fotografi, e alzava la mano in segno di disinvolta benedizione. Rispettava i lavoratori. Del resto era l'aspetto piú piacevole della popolarità. Nonostante il sorriso appiccicato sul viso come un adesivo, Emma notò che l'onorevole aveva la faccia ingrugnata – il suo naso già considerevolmente lungo sembrava piú appuntito, affilato come un chiodo. Era questo l'uomo che Antonio proteggeva da anni. Pensare che quando era passato al servizio scorte, le aveva fatto credere che si trattava di una scelta di vita. Invece poi Emma venne a sapere che i capi lo avevano convinto a chiedere il trasferimento, perché Antonio aveva cominciato a infischiarsene delle regole, aveva sparato a un onesto operaio che non si era accorto del blocco stradale, e insultato un superiore perché era convinto che gli sabotasse la carriera. «Ha visto mio figlio, Kevin?» chiese a Fioravanti, strattonandolo per una manica, perché lui era impegnato a rallegrare una signora tintinnante di monili come un lampadario di Murano. Quando Elio la riconobbe, si rianimò – e istintivamente ruotò su se stesso, per controllare se Maja fosse nei paraggi. Ma si tranquillizzò, perché la sua devota moglie era rimasta a palazzo, a regolare la questione delle mance. «No», disse, voltandosi verso l'anziana nonna di Carlotta, che gli chiese il permesso di baciarlo e mentre lo avviluppava in un abbraccio maldestro esalò «che emozione, onorevole, mi sento svenire. In televisione non riesce cosí bene, da vicino è tanto piú giovanile».

«Non l'ho visto, – ripeté Elio, abbandonandosi magnanimo all'abbraccio della nonna di Carlotta, – quando sono arrivato era già andato via». Sono arrivato tardi, avrebbe voluto aggiungere. Non ho potuto cantare il karaoke con Camilla, anche se glielo avevo promesso. È stata Maja a sobbarcarsi il pomeriggio interminabile a Palazzo Lancillotti, a divertire tutti quei bambini, intrattenere le loro madri insolenti, affinché i Fioravanti appaiano sfarzosi e insieme alla mano, elitari eppure ecumenici, affinché nessuno si senta escluso o maltrattato – questioni tortuose, arte delle pubbliche relazioni, di cui Maja è diventa-

ta una vera maestra. La festa di Camilla è straordinariamente
riuscita e si rivelerà un utile investimento – chi piú spende meno spende. Maja è grandiosa. Semplicemente perfetta. Questa
è la prova suprema del vero amore coniugale. Non la fedeltà né
il sacrificio di sé o l'abnegazione ai figli – ma l'eroismo quotidiano. Prima o poi dovrò dirle quanto apprezzo tutto ciò che
sta facendo per me.

In quel momento realizzò che la moglie di Buonocore non era
venuta per lui. Era in compagnia di un maschio bruno di capelli, con gli occhialini tondi e il giubbetto di pelle blu. Alquanto
giovane, notò, con disincanto. «E mio marito, dov'è? Non doveva accompagnarla finché stanotte non rientra a casa? Perché
non è con lei?» gli chiese Emma, con un tono inquisitorio che
non gli piacque. Elio disse che per urgenti motivi di famiglia
Buonocore aveva interrotto il turno alle due. «Ma è assurdo, –
esclamò Emma, – Antonio ci tiene cosí tanto al suo lavoro, mi
diceva sempre che lei è la sua missione, non permetterebbe mai
che le succede qualcosa, verrebbe in capo al mondo con lei, le
è venuto sempre dietro pure sull'aereo che solo il pensiero lo fa
stare male. Non le ha detto niente? Non sa cosa doveva fare?»

Elio disse che Buonocore era il suo angelo custode, non viceversa. Per un attimo gli tornò in mente il sorriso dignitoso e
virile che aveva rischiarato la faccia del poliziotto, quando infine gli aveva concesso il permesso di interrompere il turno –
benché fosse una procedura non conforme alle leggi. Grazie,
lei è un grand'uomo, gli aveva detto Buonocore, che Dio la ri-
compensi per la sua generosità. E poi, mentre si stringevano la
mano, con un tono ispirato, profetico, quasi delirante, che lo
aveva sorpreso, Buonocore gli aveva rivolto a bruciapelo un'ennesima domanda biblica. «Ma lei, onorevole, ha capito perché
Dio chiede a Abramo di offrire in olocausto il suo unico figlio
Isacco?» Gli venne in mente che Buonocore stesse attraversando una crisi religiosa, il che a volte è il segno della conversione
ma spesso è sintomo di un incipiente squilibrio mentale, e che
la moglie doveva saperlo. Ma in quel momento una bionda vestita con quella che pareva la spoglia di un leopardo lo pregò

di farsi una fotografia con lei. Elio le appoggiò una mano sulla spalla. Sentí la felicità passare dalla sua mano alla giovane donna come una scarica elettrica. Do la felicità alla gente – pensò – come Gesú. Allora, inebriato dal potere taumaturgico del suo abbraccio, si dimenticò del fiasco in periferia, del pessimo collegio elettorale, del Presidente che ancora pochi minuti fa aveva rifiutato di parlargli, dell'olocausto chiesto ad Abramo e della moglie di Antonio Buonocore.

Alla Multisala Barberini, le proiezioni erano già cominciate. In sala 4 davano *Rancid aluminium*, in sala 2 *The calling* – già dai titoli aggressivi si capiva che non erano film adatti a Kevin. A Antonio era venuto in mente di portarli al cinema. Parlare con loro gli risultava faticoso. Valentina aveva insistito per vedere *Billy Elliot*, però ormai l'avevano smontato quasi dappertutto, e sulla Nottola appiccicata alla porta del bar non riuscirono a trovarlo nemmeno in seconda visione. «Che film ti porta a vedere mamma?» disse Antonio. Valentina e Kevin si guardarono, sorpresi. L'aveva nominata. Come se nulla fosse. Allora davvero è cambiato qualcosa. «Mamma non mi porta mai al cinema, – constatò Kevin, già pronto a rinnegarla purché papà continuasse a tenergli la mano sulla spalla, – mamma piglia le cassette». «Vuoi affittare una cassetta?» «Sí». «Quale?» «*Il Re Leone*». «Ma l'hai già visto cento volte», protestò Valentina, poi papà le diede una gomitata – «non dobbiamo mica guardarcelo anche noi», sussurrò, complice. Oh, papà. Perdonato di aver portato anche la puzzola.

«Andiamo a casa, bambini». Subito, oh papà. Contenta di non essere entrata in quel cinema. In Sala 1 davano *Valentine – Appuntamento con la morte*. Il regista era un certo J. Blanks. Sulla locandina c'era una ragazza carina coi capelli lunghi – chiaramente in pericolo. Forse era lei, la Valentina del titolo. Valentina è un nome adatto a una ragazza carina. Finalmente pensò che era adatto anche a lei. Affittarono *Il Re Leone* al Blockbuster di via Barberini. Seimila lire. «Deve restituire la cassetta entro lunedí mattina, altrimenti paga il supplemento», lo avvertí la cassiera. «Okay, – disse Antonio. – Me ne ricorderò».

Affrontarono la salita lentamente. Lungo la strada, le insegne delle compagnie aeree disegnavano intrichi di luci colorate. Air Algerie. Air Gabon. «Il Gabon sta in Africa dove c'è Simba, e lo sciamano babbuino Rafiki, il facocero Pumbaa e le jene cattive», disse Kevin. «Ci vuoi andare in Africa a vedere i leoni e gli elefanti?» disse Antonio. «Quando?» disse Kevin. I suoi compagni di classe erano stati in Namibia, in America e alle Seychelles. I loro racconti lo facevano sentire una cacca di cane, perché lui invece non era mai stato da nessuna parte. «Quando finisce la scuola», rispose Antonio. Gli prese la mano e Kevin non la ritrasse. Papà aveva una mano grande, ruvida e forte. Appeso a quella mano attraversò piazza Esedra – costringendo le macchine a fermarsi, perché papà se ne fregava altamente del semaforo e passava dove decideva lui. Intorno alla Stazione Termini si aggiravano i tossici e gli spacciatori, e papà prese anche Valentina per mano. Li tenne stretti, perché voleva difenderli da quegli estranei che potevano far loro del male.

A via Cavour era tutto buio, solo la cupola della chiesa di Santa Maria Maggiore brillava. La campana rintoccava – e quel suono, che non sentivano da tanto tempo, metteva i brividi. Vicino all'obelisco, fermo al centro della piazza in modo innaturale – come un'antenna, o un albero – c'era un barbone. «Maledetti. Maledetti. Maledetti, – gridava. – Non avete camminato seguendo le mie prescrizioni. Non avete seguito le mie leggi. Eccomi, io vengo da te. E farò a te quello che non ho mai fatto e che non farò mai piú. I padri mangeranno i loro figli, i figli mangeranno i padri, e io disperderò ai venti ciò che resta di te. L'occhio mio non risparmierà nessuno e io non avrò pietà. Maledetti. Maledetti». Sembrava ce l'avesse con loro, ma in realtà – se si restava ad ascoltare tutta la tirata – si capiva che ce l'aveva con una città, e quella città era Gerusalemme. Il barbone abitava in quella piazza, e ripeteva quella specie di maledizione per ore, finché si ricordava di essere vivo e sollevava una gamba, restando poi immobile altrettanto a lungo, sospeso sull'altra. «I vostri altari saranno desolati. Le vostre colonne abbattute, i vostri idoli infranti. Le vostre opere spazzate via. Io farò della vostra città un deserto».

Papà – che non sopportava il barbone ed era infastidito dalla sua tirata apocalittica che gli toccava sentire tutti i giorni – li trascinò via. In cima all'altissimo campanile, la campana rintoccava ancora – colpi cupi, sordi, profondi, che parevano provenire dal cielo stesso. Sulla piazza pedonale della basilica, sembravano passati secoli, il sabato pomeriggio mamma ci portava a giocare. Si sedeva sui gradini della fontana, all'ombra della colonna di Massenzio, e mentre ci controllava, ascoltava Tina Turner nel walkman. Se la canzone le piaceva, si dimenticava di Kevin, e a un tratto schizzava in piedi, e se l'aveva perso di vista lo chiamava, con un'ansia mortale nella voce. Kevin, Kevin, dove sei? E là dove le foglie delle acacie accarezzano i palazzi comincia via Carlo Alberto. Casa.

Corsero su per le scale. L'atrio dell'albergo era illuminato. Dei pellegrini slovacchi appena scesi da un pullman preistorico stavano chini sul bancone, circondati da valigie e borsoni polverosi. Antonio salutò il portiere con un cenno della mano. Di solito si ignoravano. È strano abitare in un palazzo con un albergo dentro – ma ci si fa l'abitudine. Antonio infilò le chiavi nella porta di alluminio che bloccava l'accesso agli appartamenti, e aprí. Le ventinove cassette di latta spiccavano nella penombra, opache, abbozzate, malconce. Papà non aveva ritirato la posta da giorni. Dalla cassetta dei Buonocore rigurgitavano decine di buste. Le prese Valentina. A papà gli scriveva la banca, la nettezza urbana, l'ACEA – a quanto pare non aveva pagato le bollette. Gli scriveva pure la ASL – uno psicologo che di cognome faceva D'Urso. Chissà perché. S'arrampicarono su per la scala. Forse questo palazzo una volta era un convento, ma a Valentina era sempre sembrato un ospedale – coi muri tutti bianchi e gli oblò sulle scale come nelle sale operatorie. Comunque, parecchio tempo fa, prima che papà e mamma nascessero, il palazzo era stato venduto e i nuovi proprietari l'avevano ristrutturato. Senza sprecarci tanti soldi, tirando via – infatti l'intonaco rosa della facciata si stava sfogliando come la buccia di una patata, il finto marmo dei gradini si era sbriciolato, e gli infissi si erano rovinati subito e adesso anche solo l'idea di poggiare il palmo sul corrimano unto le faceva senso. Dagli appartamenti chiusi si diffondeva sulle scale puzza di broccoli. Le famiglie erano tutte in casa e guardavano la televisione. Valentina riconobbe la voce di Mister Verità. «L'amore è la forza che muove il mondo», stava dicendo. Papà saliva veloce, ma loro non ci erano piú abituati. Da tanto tempo non venivano a casa. Kevin si fermò ansimando al pianerottolo del terzo piano. Papà lo prese in braccio e se lo caricò sulla schiena come uno zaino. «Sei diventato pesante», disse. Ma lo portò su lo stesso. Era forte.

Al sesto piano era tutto come prima. Davanti alla porta c'era sempre lo stesso zerbino a forma di gatto. La porta era identica, solo un po' piú scrostata. Anche la serratura era identica, papà non l'aveva cambiata casomai mamma volesse tornare: infatti come al solito la chiave non girava bene e papà dovette forzarla e poi spingere la porta con uno spintone. Nell'ingresso c'era la stessa cassapanca – e nell'angolo la stessa lampada a stelo, con la lampadina fulminata. Nel salotto c'erano gli stessi divani coperti dagli stessi cuscini foderati di paillettes luccicanti – e il camino era sempre nell'angolo tra la finestra e la porta della camera di papà e mamma, dov'era sempre stato. Il camino non veniva acceso da tempo: dentro c'erano solo giornali vecchi e una piramide di bottiglie vuote. Anche la libreria sulla parete di fronte era la stessa – però sugli scaffali non c'era piú nemmeno un libro, solo una pila di riviste pendenti come la torre di Pisa. La rivista in cima si chiamava «Armi e Tiro». Sulla copertina tutta impolverata si intravedeva un fucile col calcio d'argento istoriato e la scritta: MUNIZIONI.

Casa. Tutto identico, ma come appannato e piú vecchio. Di diverso, un forte odore di chiuso, di muffa e fumo stantio, che ristagnava sui divani e formava una specie di nebbia grigia. E una macchia di umidità a forma di farfalla, color ruggine, che s'allargava attorno al lampadario del salotto – un'infiltrazione d'acqua dal soprastante terrazzo condominiale. E poi la polvere. Riccioli di polvere vagavano sulla moquette, pendevano come ragnatele morte dagli angoli dei soffitti, un velo di polvere offuscava il tavolino e i pochi soprammobili sopravvissuti alla loro fuga – un pinocchio di legno colorato, una palla di vetro con neve perenne che ricadeva sulla Madonna di Loreto, una manciata di monete d'argento di chissà quale epoca e paese. Valentina attraversò il salotto e aprí la porta della veranda. Si ricordava bene di quando l'avevano costruita. Prima non c'era: al suo posto una grande terrazza – che a lei, bambina, sembrava immensa. Ma poi era nato Kevin e papà aveva voluto liberare la cucina perché avesse una cameretta anche lui. Mamma non voleva. Diceva che bisogna rispettare la legge, non si può costruire una veranda sul tetto di un convento del settecento, è un abuso. Era un discorso stupido, e del resto quando litigavano aveva sempre ragione papà. Questa è casa mia, l'ho comprata coi miei risparmi, finirò di pagare il mutuo quando praticamente avrò già un piede nella tomba. La legge degli uomini non è la legge di Dio. È una ragnatela, acchiappa le mosche, ma i calabroni la rompono. E cosí la cucina era stata spostata, Kevin aveva avuto la sua cameretta e papà la veranda l'aveva costruita con l'aiuto di nonno in dieci giorni. Anzi, dieci notti perché non voleva farsi sgamare dai vicini. Una scatola di vetro, col tetto di lamiera e gli infissi di alluminio lucente, che al sole brillavano come fossero d'oro. Era stupendo cenare la sera in veranda, quando tutt'intorno era buio, e loro quattro stavano attorno al tavolo quadrato, nell'alone della lampadina – come soli al mondo, stretti in una navicella di luce, una scatola di vetro sospesa sui tetti di Roma.

Valentina uscí sul balcone. Dopo la costruzione della veranda, del terrazzo era rimasta solo una striscia larga un metro. Ma tanto, se proprio volevano giocare, papà appoggiava la scala alla parete e li portava sul terrazzo condominiale. D'estate, il catrame si squagliava e loro si divertivano ad affondare i piedi in quella melma bollente. Forse lassú c'erano ancora le sue impronte – impronte di piedi molto piccoli, quelle della bambina che non era piú. S'affacciò alla balaustra. Sei piani piú in basso, via Carlo Alberto non si vedeva – solo le cime delle acacie, e la facciata del seminario Russicum, dall'altra parte della strada. Si era sempre chiesta cosa fosse quell'edificio austero e un po' lugubre: non ci aveva mai visto entrare nessuno. Sul balcone c'era ancora lo stendipanni e la lavatrice infilata in una rientranza della parete, e i vasi con le piante – anche se erano tutte morte. Tutto come prima, come se non fosse successo niente. Come se non fossimo mai andati via.

«Volete tornare a stare qui?» disse papà, affacciandosi alla balaustra. C'era ancora l'intelaiatura di legno che aveva fatto costruire mamma per paura che Kevin cadesse di sotto. Papà strinse Kevin contro le sue gambe e gli ficcò tra i capelli l'ombrellino rubato alla festa di Camilla. «Sí», disse Valentina. «E mamma?» chiese Kevin, dubbioso. «Anche mamma», lo rassicurò Antonio, spingendoli poi in salotto perché stava scendendo l'umido. La sera faceva ancora freddo, era una primavera svogliata. Kevin infilò *Il Re Leone* nel videoregistratore e si accoccolò sul divano. La sua postazione era quella al centro: il divano era a forma di boomerang e seguiva le pareti del salotto. Pigiò il tasto del telecomando e lo schermo si accese. Papà rimase in piedi accanto al divano. Il suo posto era quello all'estremità sinistra. Non si sedette. Valentina aveva la curiosità di esplorare l'altra parte della casa – per vedere se nella sua camera c'era ancora la scrivania sotto la finestra. Al momento di traslocare, mamma non l'aveva presa, perché in casa di nonna non avrebbe saputo dove metterla. Fece per dirigersi verso la sua vecchia camera. Si fermò perché papà stava dicendo una cosa strabiliante. «D'ora in poi staremo di nuovo tutti insieme». «Davvero?» chiese Valentina. «Davvero», disse papà. Guardava ora Kevin, che però si era sprofondato nella storia del cucciolo Simba e forse non lo ascoltava piú, ora lei – che non osava credere, non osava sperare, perché chi non ha speranza è invincibile. «Giura che non dici una bugia, papà». «Giuro», disse Antonio, portandosi le dita sulla bocca. «Per sempre?» «Per sempre».

Emma e Sasha interpellarono i proprietari dei ristoranti di
via dei Coronari, chiesero ai baristi, ai cuochi che fumavano
nei vicoli, davanti alle cucine, agli inservienti delle numerose
pizzerie a taglio. Nessuno aveva notato un uomo col pizzetto
in compagnia di due ragazzini. Emma continuava a pensare
a una storia che aveva visto alla televisione. I particolari non
li ricordava piú. C'era questo padre separato che un giorno
si era presentato all'uscita di scuola, aveva preso il figlio ed
era sparito. Forse aveva lasciato l'Italia. La madre aveva fatto pubblicare le foto sui giornali, le aveva appese in tutte le
stazioni, negli aeroporti, sugli autobus. Non era mai piú riuscita a rintracciarli.

Poi vide la macchina. Una Tipo verde marcio parcheggiata
in zona rimozione davanti alla chiesa di San Salvatore in Lau-
ro. Due gialle ganasce imprigionavano le ruote posteriori. Era
la macchina di Antonio. Emma spiò dietro i finestrini impol-
verati. C'era ancora la tanica di benzina dietro il sedile. E le
riviste e le custodie delle cassette sul cruscotto. E la macchia di
sangue sul sedile del passeggero. La macchina era chiusa. Sfilò
la multa da sotto il tergicristallo. Era stata verbalizzata alle 20
e 40. Antonio e i bambini dovevano essere ancora nei dintorni. Perlustrarono i vicoli, le piazzette affollate di ragazzi che
calavano in centro per la notte brava del venerdí, gli anfratti
bui e desolati di Tor di Nona, dove un rottweiler sbucato da
una specie di basso li minacciò sguainando canini affilati come
zanne. Un individuo in carrozzella, obeso e dalla fisionomia
criminale, richiamò il cane appena prima del balzo. «Come in-
vestigatore non valgo niente, – tentò di sdrammatizzare Sasha,
– licenziami. Ma non mi fare sbranare, sono innocente». Notò
compiaciuto che Emma si sforzava di sorridere. Sbucarono a
corso Rinascimento, chiesero ai tassisti fermi nelle piazzole di
sosta, ai carabinieri che piantonavano Palazzo Madama. Chiesero perfino alla cassiera del cinema Augustus. No, era sicura
di non aver venduto dei biglietti a un uomo con due ragazzini.
Tornavano continuamente alla macchina, che però era sempre

ferma lí dove Antonio l'aveva lasciata. Perché non viene a riprenderla? Dove sono andati?

Al terzo giro, Emma telefonò alla suocera. Forse Antonio li stava portando a Santa Caterina, voleva rifugiarsi al paese dell'infanzia, delle vacanze, dove lo consideravano una persona importante, dove si sentiva ancora un re. Sasha fissò ottusamente la borsa di lei, col manico cionco. Si accorse che aveva un ginocchio graffiato. In quel punto, la calza strappata lasciava intravedere la pelle. Un filo di nylon pendeva dalla sua gamba. Quel filo gli sembrò il segno intollerabile del disordine del mondo. Fu assalito da un'inspiegabile tenerezza per quella donna cosí rigogliosa e cosí indifesa alla quale il marito aveva spaccato un labbro e portato via i figli. Perché le donne si invischiano sempre con gli uomini sbagliati. E anche gli uomini, alle volte. «Gli vuoi levare anche il diritto di vederli? già glieli hai messi contro, – recriminava aspramente al telefono una voce femminile, – lo hai rovinato, non ti basta? che altro vuoi da lui?» Emma si affrettò a chiudere la conversazione. «La madre di Antonio non lo sente da Pasqua», riassunse con una certa disinvoltura.

Appoggiati alle spallette del lungotevere, scrutavano le banchine sottostanti, casomai Antonio vagasse laggiú coi bambini, sperso, chiuso nella sua ossessione come una conchiglia. Cosí vicini che i capelli di Emma gli pungevano la bocca. Una volta il padre di Sasha gli aveva raccontato che mettersi in coda alla posta o al supermercato costituiva per lui un piacere incomparabile. Solo negli anni del declino era divenuto tanto sensibile al contatto coi capelli di una donna. E tanto piú casuale era lo sfioramento, tanto piú acuta la beatitudine che ne derivava. Ma Sasha non riusciva a riconoscere questa beatitudine. «Non doveva succedere», disse Emma. «Non potevi impedirglielo, non è colpa tua», disse Sasha. «Ma io non ho capito cosa aveva in mente Antonio». Non poteva perdonarselo. «Ti stai preoccupando senza motivo, – disse Sasha. – Perché non provi a metterti al suo posto? Se tu fossi Antonio, dove porteresti i bambini?» Emma fissò la corrente del Tevere, illuminata dal riverbero giallo dei lampioni. Antonio cercherebbe di farsi togliere la multa. Ma non stasera. Vuole stare con loro, vorrebbe farli felici.

Pellegrinarono nei luoghi in cui Antonio aveva, in altri tempi, portato i bambini. Il laghetto dell'Eur, il Luna Park, la terrazza del Pincio. Al Gianicolo, l'eco dei loro passi si perdeva nella spianata spazzata dal vento. Tutte le panchine erano occupate. I fidanzati, nell'ombra, si baciavano. Passando davanti al busto decapitato di un martire della Repubblica Romana, Sasha si disse che questa città adesso era anche la sua. Il miglior modo di possedere una città è averci consumato le proprie speranze, averci trascinato le proprie afflizioni. Oh, Roma, la tua sobrietà grandiosa e accogliente. Il tuo spirito grezzo eppure così sapiente, la tua essenza indecifrabile, la tua capacità di permanere, durare, persistere – al di là di ogni cambiamento e perfino di ogni catastrofe. O italianissima tra le città italiane, incomparabile nella tua bellezza – che sa di sfarzo, piacere, colpa e perdono. Non voleva andar via, ma restare qui. Era un rischio che accettava di correre. Anche se forse a Roma non sarebbe mai diventato l'uomo che avrebbe voluto essere. Né avrebbe scritto il libro su Valentina Buonocore e i ragazzi sospesi sulla soglia della vita. Ma forse ne avrebbe scritto un altro. Doveva smettere di rimpiangere gli atti mancati e le rose non colte. Solo ciò che si compie è vero.

Il gabbiotto del teatro dei burattini era sbarrato. Sasha pensò che si stava facendo tardi. Emma sarebbe stata capace di continuare a girare per Roma tutta la notte – finché non li avesse trovati. E lui avrebbe voluto accompagnarla. Gli sembrava di averla conosciuta, oggi, all'improvviso e però definitivamente – qualcuno che sfugge allo schema, continuamente fuori fuoco. Gli sembrava perfino che potesse valere per lei quello che una volta aveva scritto di sé e di Dario. Chi ci cerca nelle certezze con cui si definiscono i generi e i ruoli, chi crede di sapere chi siamo, chi ci cerca nella vita che stiamo vivendo vede di noi solo l'ombra che proiettiamo. Ma noi non siamo così.

Nei viali del Gianicolo, la ghiaia croccava sotto i loro passi. Un velo di umidità faceva luccicare i tetti delle automobili par-

cheggiate sotto i platani. Il parabrezza della Peugeot di Sasha
era coperto di gocce – come di pioggia. Ma le nuvole fuggiva-
no alte, e non riuscivano ad addensarsi. A tratti oscuravano la
luna, a tratti la svelavano – diafana, come una moneta. Emma
gli indicò le luci rosse di un aereo che solcava la matassa grigia
delle nuvole. Nel grigio, le luci della città si riflettevano come
in uno specchio. Gli chiese se secondo lui dall'aereo si vedeva
Roma – o il riflesso dell'aereo, e dei viaggiatori. Sasha rispose che non lo sapeva, non ci aveva mai pensato. Disse che lui,
quando prendeva l'aereo, si sedeva sempre nel posto accanto al
finestrino. Aveva visto quasi tutto il mondo, dall'alto. E la in-
dovinava una cosa, Emma? L'Italia è verde. Una volta tornava
da un viaggio in Nepal. Avevano sorvolato tutta l'Asia. Vedeva il deserto. Le montagne, i fiumi, e le città. Era tutto giallo,
grigio, rosa. E poi, quando avevano superato il Mediterraneo,
aveva visto una striscia verde, che poi era diventata una macchia
di un verde intenso, scuro, come quello dei pini – e quel verde
era l'Italia. E lui si era commosso. Perché l'Italia non è verde.
Lo è stata, forse, ma non lo è piú. È stata stuprata e scempiata
da una selvaggia colata di cemento. È come se dall'alto noi ve-
dessimo l'immagine di un paese che non esiste piú – il passato.
Emma abbottonò la pelliccetta. Disse al professore che lei aveva preso l'aereo una volta sola, quando era andata in viaggio di
nozze sul Nilo, e allora non si era nemmeno accorta di volare.
Ma se avesse dovuto prenderlo di nuovo le sarebbe piaciuto vedere, sotto le nuvole, non il passato, ma il futuro, perché il futuro non è ancora successo e potrebbe anche essere bellissimo.

«L'entrata è a sottoscrizione», la avvertí un ragazzo coi capelli verdi accartocciato su un bidone, davanti alla porta di ferro socchiusa. Maja non capí cosa intendesse dire, e gli chiese
di ripetere – per ascoltare le sue parole dovette chinarsi verso
di lui, e quasi toccarlo. Il ragazzo aveva lo stesso odore di Aris.
Cane, sudore e vernice. Forse era suo amico. Maja non conosceva gli amici di Aris. I loro mondi erano lontani come pianeti

di galassie diverse. Maja e Aris non avevano un mondo. Avevano vissuto per anni su un'isola senza approdi, dove nessun estraneo può sbarcare, ma da cui nemmeno potevano fuggire. Il ragazzo coi capelli verdi la scrutò incuriosito, ma non commentò, né le disse che probabilmente aveva sbagliato indirizzo. Le spiegò solo che poteva dare quanto voleva, era questo il costume del Battello Ubriaco: da ciascuno secondo le sue possibilità, a ciascuno secondo i suoi bisogni. A Maja parve di avere già sentito quella frase. Infilò nella fessura della scatola da scarpe una banconota da diecimila. La porta di ferro si schiuse, e lei s'affrettò a infilarsi nel fabbricato.

Buio. L'assalí un odore dolce di canapa e di corpi non lavati, la cullò la nenia di una musica giamaicana. Al centro del vasto locale, fra pilastri di cemento coperti di scarabocchi, dozzine di corpi si dimenavano come in trance al ritmo della canzone bombardata da obsolete casse nere sospese su trespoli di metallo. I balli attuali, suggestiva evoluzione di quelli del tempo del Camden Palace, si riducevano a uno scomposto dondolare al suono di ritmi ipnotici. Ridicoli da guardare e imbarazzanti da imitare. Si poteva evitare il ridicolo solo deponendo ogni contegno e muovendosi come tutti gli altri. Dove ognuno è ridicolo, chi non balla è il piú ridicolo di tutti. Maja non ballò. Una legge non scritta vieta il ballo ai maggiori di trent'anni. Rimase composta, salda sui piedi, mentre sagome e ombre oscillavano, sobbalzavano, si dimenavano attorno a lei. C'era poca luce, e tra i corpi non riconobbe quello di Aris.

Aris che con gli anni s'era fatto sempre piú smilzo, mingherlino e quasi inconsistente – come volesse liberarsi della carne. E di quel che la carne comporta – desiderio, possesso, perdita. Aris vestito e nascosto dai suoi capelli. Abbiamo vissuto cosí, come due ombre senza sesso. E non lo siamo, oh no, non lo siamo. Gli ho fatto leggere il mio quaderno. *Incontrato per caso Aris, a Parigi, sugli Champs Élysées. Io sto andando nel pied-à-terre che abbiamo preso a rue Monceau. Non sapevo fossi a Parigi, resti con me? dico. Faccio per dargli un bacio e lui si scansa. Molto scostante, aggressivo. Dice: faresti meglio a tornare a casa. E se ne va.* Quando è successo? mi ha chiesto Aris, sconvolto. Possibile che ti ho risposto cosí? Non credo di averti mai incontrata a Parigi. È un sogno, gli ho spiegato. A che ti serve annotare i sogni? ha detto lui. Sono solo i detriti del giorno.

Maja s'inoltrò nella calca, sollevandosi sulla punta dei piedi per individuarlo. Piú volte strattonò un ragazzo con lunghi spinosi capelli da rasta, e piú volte un estraneo si voltò e la fissò, sorpreso. Gli assomigliavano tutti. Erano come lui. La sua tribú. E lei non c'entrava niente, qui. Si rendeva perfettamente conto di sembrare ridicola, coi capelli acconciati da Michael, il vestito di Prada, la borsetta di pelle agganciata al polso, le scarpe a punta col tacco alto e il cinturino alla caviglia – ridicola. E vecchia. Probabilmente nessuno qua dentro aveva l'età per eleggere un senatore. Incrociò sguardi opachi, appannati dalla birra o da altro o semplicemente indifferenti. Poi si rese conto che la ignoravano. Era in mezzo a loro, si aggirava spingendo e inciampando sul pavimento malamente livellato, e loro non la vedevano. Non esisteva. Un corpo estraneo. Quei ragazzi dondolavano, saltavano, disarticolati, come senza peso, e Maja sentiva dentro di sé una zavorra che la ancorava al suolo. La zavorra di cui mai avrebbe potuto liberarsi, perché non era il bambino, era lei stessa.

Le bruciavano gli occhi. Il fumo era cosí denso che galleggiava sopra di loro come un tappeto. Si avvicinò troppo al trespolo che sorreggeva la cassa, e la musica la assordò. Sulla parete di fronte, una mano veloce aveva spruzzato un malinconico omino, magro, quasi inconsistente, un omino tutto capelli, che teneva in mano un telecomando, accingendosi a premere l'unico pulsante. FA' BOOM!, diceva l'omino a chiunque lo guardasse, fissandolo dall'alto, come da un altro mondo. L'omino non comunicava odio né aggressività. Solo una drastica, quasi fredda constatazione delle cose. Chiunque fosse lo Zero che aveva spruzzato quella stramba figura sulla parete, aveva dentro di sé una rabbia e una malinconia infinita.

Dunque il luogo in cui Aris si rifugiava per sfuggire al padre, e a lei, e a tutto ciò che rappresentavano, era questo edificio fatiscente che puzzava di birra ascelle e sudore. Col pavimento di polvere e i muri grigi maculati di slogan – I NEED LAND, A PLACE WHERE NO MONEY IS SPENT, THEN KICK BACK AND LIVE LIFE IMMACULATE – col tetto screpolato, sorretto da travi di ferro arrugginite, e i finestroni incollati con lo scotch. Queste marionette sonnambule ipnotizzate dal ritmo i suoi amici. Ragazze con sette orecchini in ogni lobo e adolescenti allampanati con baschi di lana a righe gialle e verdi sui capelli. Liceali che fumavano la loro prima canna con la concentrazione che non concedevano all'esame di maturità. Studenti abbandonati contro i pilastri, universitari stranieri che conversavano urlandosi nelle orecchie. Bob Marley che sorrideva al centro di un poster appeso alla parete di fondo, sotto la A di anarchia incorniciata in un cerchio di vernice nera. Giovanotti barbuti come talebani che la scrutavano senza simpatia né misericordia e forse ridevano di lei aspirando un liquido giallastro da bicchieri di plastica. Riconobbe i cani di Aris che s'intrufolavano tra le gambe dei ballerini e leccavano mani e polsi, rimediando carezze e buffetti. Ma i cani non riconobbero lei, e quando fece per accarezzarli digrignarono i denti. C'erano Mabuse, il cane con la barba, Dillinger, Shylock – e un altro, nuovo, forse paralitico, che arrancava comicamente, trascinandosi dietro le zampe posteriori legate su un carrello a ruote. I suoi cani. Aris dice che sono i suoi soli, veri amici.

Riconobbe anche Meri, la ragazza spagnola che si era installata da Aris. L'aveva incontrata una sera – quando, di ritorno dal cinema Tibur dove avevano sorbito un film coreano disseminato di ripugnanti pratiche sessuali contro natura che si era vergognata di guardare con lui, lo aveva riaccompagnato a casa con la Smart. Quella Meri era una biondina lentigginosa laconica e tatuata come un guerriero. È la tua ragazza? gli chiese Maja. Non lo so, rispose Aris, mi fanno paura i rapporti che per definirli basta una parola. Una scoperta che avrebbe dovuto procurarle gioia – perché Aris aveva ventitre anni ed era del tutto naturale che alla fine, nonostante la sua scontrosa timidezza e i suoi riusciti tentativi di disincarnazione, avesse trovato una ragazza. E invece le aveva procurato un dolore sordo – forse invidia, forse gelosia.

Meri. Forse una delle fly girl, le artiste di street art dai nomignoli di imitazione metropolitana e suburbana – tipo Butter-Fly, Daphne, Hu 72, o Lady Blue, che Aris frequentava. Writers. Ragazze che ricoprivano con una densa, aggressiva vernice spray lamiere sventrate, fabbriche in disuso, fiancate di autobus, serrande e palazzi. A Maja parevano scarabocchi puerili, sgorbi, provocazioni barbare, incomparabili alle annunciazioni barocche che tappezzavano le pareti della loro casa. Aris aveva più volte cercato di convincere lei, la passatista ammiratrice di madonne, che oggi l'arte non la fanno più i cortigiani dei potenti ma gli emarginati delle periferie, che per dipingere non hanno tele né pennelli, ma bombolette di aerosol, e per esporre non stanze di stupendi palazzi, ma gli spazi vuoti e trascurati di quartieri destinati alla eterna e irredimibile bruttezza, al puro anonimo orrore. In ogni caso Meri dopo qualche tempo si era trasferita nella foresteria del Battello Ubriaco e il suo sacco a pelo sistemato sul pavimento della mansarda di Aris era sparito. Meri adesso era seduta a gambe incrociate in un angolo, e Mabuse le leccava amorosamente la gola. L'aveva riconosciuta, la fissava – ma non le rivolse la parola. Non le chiese cosa ci facesse al Battello Ubriaco, perché era fin troppo evidente che stava cercando Aris. Ma Aris non si vedeva.

E adesso la musica a volume impossibile, le danze scomposte, il fumo spesso, l'odore acuto dell'erba e di corpi refrattari al sapone, le luci sepolcrali, i fantasmi che la urtavano e la maltrattavano, gli sguardi derisori, tutto diventava insopportabile. Sono patetica. Perché sono qui? Che vado cercando? Io appartengo a un altro mondo. Anche se non so quale. E mai in nessun posto mi sono sentita a casa. Si aggirò, spersa, dalla pista alla consolle del deejay, dall'angolo bar alla porta sbarrata sulla quale campeggiava l'omino malinconico col telecomando in mano. FA' BOOM. Nemmeno qui riusciva a individuare l'uscita.

Le girava la testa. Le pareti sgorbiate del fabbricato pulsavano, s'inclinavano, ruotavano. La musica batteva alle sue orecchie, echeggiava nelle tempie – le strizzava il cuore. Aveva di nuovo la nausea. Barcollò verso una crepa di luce nella parte bassa del muro, s'incuneò fra ragazzi che saltellavano e ballando si scagliavano gli uni contro gli altri, toccandosi, abbracciandosi, respingendosi. Fu urtata, abbracciata da uno sconosciuto, ruotò su se stessa, incespicò, s'aggrappò a una camicia da taglialegna, si liberò dall'abbraccio, spinse la porta – doveva uscire. Quel fazzoletto buio era forse un cortile. Scavalcò un tappeto di bottiglie vuote, s'appoggiò a una parete che le sembrò viscida – forse l'umidità, salita dal fiume vicino. L'aria fredda della sera la investí come una ventata. Ma il malessere crebbe. Ci sono troppe cose, troppi suoni, troppa luce, il mondo è un caleidoscopio, uno sfarfallio, una inesorabile macchina di carne e metallo. L'intermittenza dei clacson, le voci, i motori, la musica, entrano dentro di lei come le interferenze in una stazione radio. E intanto il rumore sale. Un rumore continuo, sordo, profondo, come il respiro di un mostro sconosciuto. Che sale, sale, sale, fino a diventare un'esplosione che le scoppia nella testa, nel cervello, nei bulbi oculari, sale come un'onda e le fa venire voglia di urlare.

«Ti senti male?» le chiese una voce lontana. «Sí», sussurrò, senza voltarsi. «Mettiti seduta, – le disse Meri, – ti porto un bicchier d'acqua». Si lasciò scivolare a terra, ma due braccia l'afferrarono energicamente e la trattennero. «Sei matta? Fa schifo qui, ti sporchi», la ammoní Meri. La sospinse dietro un mucchio di cassette di legno – forse relitti dei vicini Mercati Generali – su una panca sistemata davanti a uno stanzone buio dove corpi inanimati giacevano imbozzolati nei sacchi a pelo. Maja si abbandonò su qualcosa di duro, un chiodo le lacerò la giacchetta. Vuotò il bicchier d'acqua che le porgeva la spagnola. Chiuse gli occhi e il rumore della città rifluí dentro di lei, e divenne tutt'uno col suo respiro. «Va meglio?» le chiese la spagnola. «Sí. Mi dispiace, soffro di claustrofobia, non sopporto i luoghi affollati, mi manca subito l'aria», cercò di giustificarsi. Ma forse era vero. Da qualche tempo, ovunque si trovasse, dal parrucchiere o a Palazzo Lancillotti, perfino a casa, si sentiva soffocare. Forse doveva ricominciare ad andare dall'analista. Tre anni fa l'aveva liquidata dicendole che la terapia era riuscita, lei era una persona perfettamente equilibrata, capace di trovare il proprio posto nella società, di interagire coi suoi simili, di affrontare con flessibilità e allegria l'esistenza. «Aris sta andando via con la crew, ma è ancora qua in giro, adesso te lo chiamo», disse Meri. Senza ostilità né scherno.

«Ti ricordi di me?» le chiese Maja. «Certo! – rise la spagnola. – Sei la madre di Camilla». Quel nome la schiaffeggiò. Camilla non voleva tornare a casa, dopo la festa. Continuava a parlare del padre di Kevin Buonocore. Diceva cose orribili, insensate. Ha sempre avuto una fantasia strampalata, Camilla. Le aveva fatto un mucchio di domande pazzesche, voleva sapere se anche Elio ha ammazzato qualcuno, se fa le tacche sulla pistola, se ha un fucile da guerra, e dove lo tiene nascosto, e se mi ha mai presa a calci, che idea. Non capisco proprio come le sia venuto in mente che qualcuno possa prendere a calci qualcun altro. Non l'ho mai vista tanto sconvolta. Le ho promesso che avrei regolato la questione delle mance coi pagliacci e coi camerieri e poi sarei tornata subito da lei. Forse faccio ancora in tempo a leggerle la storia della buonanotte. Dovrei esserle accanto. Ha bisogno di me. E dovrei essere accanto a Elio. Anche lui ha bisogno di me. Ma io di cosa ho bisogno? E qualcuno se lo è mai chiesto? Però no, a quest'ora Camilla si sarà già addormentata, e Elio sarà andato dritto a letto, era distrutto. Anch'io sono stanca. Mi prenderò una tisana. Voglio svegliarmi domani e andare avanti, come ho sempre fatto. Si alzò in piedi bruscamente. «Ti prego, – disse a Meri, – se incontri Aris non dirgli che mi hai visto».

Meri le lanciò un'occhiata perplessa. Maja si spazzolò la gonna – sulla seta s'erano appiccicate foglie di rosmarino e bucce di patata. Afferrò la borsetta. Nel cortile c'era poca luce, ma era sicura di riconoscere la strada. Probabilmente aggirando il fabbricato poteva tornare alla macchina senza rientrare in quella bolgia. «Perché? – chiese Meri. – Aris sarà contento che sei venuta. Non pensava che ti potesse piacere il Battello Ubriaco».

«Mi piace invece, – disse Maja. – È un posto giusto. Ma io devo tornare a casa». Non le spiegò che Elio aveva avuto una giornata dura, glielo aveva letto sul viso nello stesso istante in cui era entrato a Palazzo Lancillotti. E certo adesso aveva bisogno di parlare con lei. Maja riusciva a interpretare i fatti che gli capitavano in un modo diverso, e a trovare il buono anche dove lui non sapeva riconoscerlo. Cosí almeno le aveva sempre detto. Nei giorni duri, parlavano fino alle quattro del mattino. E dopo, Elio riusciva ad addormentarsi, sereno, e lei lo guardava dormire, consapevole di avere un ruolo, una funzione e un'utilità in questo mondo. Se fosse rientrata subito, forse Elio non le avrebbe chiesto perché mai ci avesse messo tanto a sistemare la faccenda delle mance. Gli avrebbe detto che aveva avuto un malessere, e aveva dovuto aspettare di star meglio – sí un malessere, perché aspettava un bambino già da dodici settimane, nascerà a novembre, sarà un maschio, dobbiamo chiedere a Camilla di scegliere il nome, avrei voluto dirtelo dopo le elezioni, per non aggiungere altra tensione a tanto stress, ma non sono mai stata capace di tenere i segreti. E Elio sarebbe stato contento. Vita mia, le avrebbe detto, anima mia, sono l'uomo piú felice della terra, cosa ho fatto per meritare tanta grazia? E poi le avrebbe chiesto se interpretava questo segno come una prova di benevolenza, un messaggio favorevole dal cielo per il loro futuro. E tutto sarebbe continuato come prima. *Non cambierà niente. FA' BOOM.* S'avviò lungo il muro dell'edificio, appoggiandosi alla parete, per non perdersi. Meri seguí con lo sguardo la silhouette nera della madre di Camilla – figurina zoppicante tra le buche, scarpette a punta col cinturino alla caviglia zigzaganti fra pneumatici sfondati e bidoni di latta, gambe velate di nero fragili su tacchi troppo alti che affondano in voragini e buche. Poi tornò nel locale e disse ad Ago di portarle un'altra birra.

Maja infilò la chiave nella portiera e stava per aprirla quando una mano la richiuse e la spinse contro lo sportello. All'inizió pensò che un ubriaco reduce dalla festa volesse rubarle la Smart, alquanto richiesta sul mercato clandestino e del resto come nuova, con la carrozzeria blu e argento lucida e intatta. Ebbe paura, perché la strada era buia, e deserta. Ma poi la zampa di un cane raspò contro la sua gonna, e due braccia le cinsero la vita, e allora lo strinse anche lei. «Sei venuta», disse Aris. «Sí», disse Maja, senza voltarsi. E all'improvviso fu sopraffatta dalla meraviglia. Chi avrebbe detto che le sarebbe toccata una felicità cosí inattesa. Eppure, che scandalosa energia dà scoprire che, fra tanta gente nel mondo, sono io che stavi aspettando. Chiedimi chi sono, ti sorprenderò. Lasciami distruggere quanto m'hanno gettato addosso da prima ancora che nascessi. Non voglio essere nient'altro che me. FA' BOOM. Aris la tenne stretta contro la macchina finché perse la cognizione del tempo. Era estremamente vicino, cosí vicino che lei non poteva guardarlo, e allora piegò la testa e chiuse gli occhi.

Ventitreesima ora

CI DIVERTIAMO CON PAPÀ TUTTO OK MANKI SOLO TU BUONA-
NOTTE MAMMA TVTB!!!
«Che stai facendo?» gridò papà, raggiungendola nel corridoio. Si accorgeva di tutto. Non per niente era agente di polizia. Valentina premette INVIA e lasciò cadere il telefono nel
marsupio della tuta prima di leggere la scritta MESSAGGIO INVIA-
TO. «Niente», farfugliò. Rabbrividí, come quando una volta il
sorvegliante l'aveva sorpresa alla Coin a rubare un paio di mutande di pizzo. «Non è vero, hai mandato un essemess!» disse Antonio. Ficcò le unghie nel palmo della mano. Sta' calmo.
Sta' calmo. «Abbiamo fatto un patto, – sibilò, sforzandosi di
non perdere il controllo. – Telefoni spenti fino a lunedí, te ne
sei già scordata?» Valentina abbassò gli occhi. Quelli di papà
mandavano un bagliore gelido, come di ferro brunito, non riusciva a guardarli. Gli porse il cellulare, perché non voleva che
pensasse che lo tradiva. Papà spense il telefono e lo ficcò nella
tasca della giacca. Valentina voleva piangere, perché le pareva di avere spezzato un incantesimo. «Le ho solo mandato un
messaggino, papà, – provò a giustificarsi. – Sennò mamma si
preoccupa. Noi ci messaggiamo cento volte al giorno». Ma Antonio riuscí a ingoiare la rabbia. Riuscí a non sembrare deluso
né rattristato, anzi sorrise e le baciò i capelli, con tenerezza.
«Hai fatto bene, topolina, – disse, – sei una brava figlia. Mamma deve stare tranquilla».
Ma il momento era fuggito. Aveva perso l'attimo. È che un

fastidioso luccichio gli aveva appannato la vista, e impedito di
tirare fuori la pistola. E il rumore inconfondibile di un cellulare
che scarica qualche stupido messaggio lo aveva messo in allarme.
E adesso Kevin in piedi sul divano gli abbrancava la camicia –
e mentre lo stringeva, lo teneva d'occhio, come temendo che
si rimangiasse la promessa. Antonio non voleva farlo mentre il
bambino lo guardava. Nel suo unico occhio strabico e disarma-
to c'era una forza intollerabile – il potere di fermarlo. Entrò in
camera. Si sentiva le gambe di burro, e gli tremavano le mani.
Ma, dopotutto, doveva proprio farlo adesso? Era meglio rimandare – prendersi il tempo di tornare padrone di sé. La loro compagnia lo aveva intaccato. Mentre dormivano sarebbe stato più
facile. Non avrebbero sofferto. Non se ne sarebbero nemmeno
accorti. Il sonno interminabile. Nessun dolore. Eppure non poteva aspettare un'ora, o due. I pensieri che gli si aggrovigliavano
nella mente gli davano le vertigini, e lo avrebbero imprigionato
in una rete di dubbi, esitazioni e rimpianti.

Inoltre non riusciva a sopportare l'idea di vegliarli. Troppe volte lo aveva fatto, con Emma. Quando rientravano tardi, dopo una cena coi colleghi, o una sortita in macchina per
ritagliarsi un po' di sesso nei tenebrosi parcheggi fra il Verano
e lo scalo di San Lorenzo, lui ed Emma si toglievano le scarpe
sul pianerottolo, facevano girare le chiavi nella serratura come due ladri, attraversavano il corridoio in punta di piedi, e
quando aprivano la porta delle loro camere trattenevano il fiato. Li guardavano dormire, confusi con l'ombra. Nel silenzio,
ascoltavano la melodia del loro respiro. I bambini nei letti, le
piccole teste spettinate sui cuscini, avvolti nei lenzuoli come
le vittime di un incidente stradale. In quei momenti, si emo-
zionavano come se li vedessero per la prima volta. Creature
del cielo, venute da chissà dove, e per noi. Qualcosa che mai
sarebbe esistito se noi due non ci fossimo incontrati, amati, se
noi non li avessimo voluti. I nostri bambini cui non potrà ca-
pitare mai niente di male, perché noi non lo permetteremo. Ci
taglieremmo una mano se gliene servisse una, ci scuoieremmo
se avessero bisogno di una coperta. Li guardavano, li guarda-

vano e non riuscivano a strapparsi da lí, perché non c'era spettacolo piú meraviglioso. Valentina, e Kevin, venuti da chissà dove, e per noi.

Buttò il giaccone sul letto. Doveva poter muovere liberamente il braccio. Appoggiò la Springfield sul cassettone. Quell'oggetto nero, quella specie di boomerang – semplice, essenziale, perfetto. Il calcio quadrato, le finiture parcherizzate. L'anello del grilletto, una ellissi atrocemente vuota. La canna eretta come un sesso. Gli venne la paranoia che non fosse carica, e controllò. Era carica. 7 colpi + 1. Gli venne il dubbio che fosse preferibile la Taurus. Dopotutto, aveva una capacità di quindici cartucce piú una. Il fastidioso tremore alle mani persisteva – se al momento decisivo mancava il bersaglio, avrebbe avuto piú possibilità. «Vieni, papà? – lo raggiunse la vocina soffocata di Kevin dal salone. – Adesso muore Mufasa, è una scena che fa piangere». «Arrivo», rispose. Aprí il primo cassetto. La Taurus – nera come un gigantesco scarabeo – era adagiata fra le mutande e i calzini. Ma proprio l'abbondanza di cartucce gli ripugnava. Non poteva fallire. Se avesse fallito, non era certo che sarebbe riuscito a tirare un'altra volta. È atroce sapere quanto è difficile morire. La gente che veglia i malati all'ospedale non si rende conto che altrettanto lunga può essere l'agonia di un ferito d'arma da fuoco. Un poliziotto lo sa. Una volta, quando era ancora sulle volanti, era accorso dopo una rapina. Il vigilante della banca, colpito all'addome, giaceva in una pozzanghera di sangue sul marciapiede. Dalla ferita il sangue sgorgava con un sibilo sinistro, come il fischio di un uccello. Il colore aveva abbandonato il viso di quell'uomo, anche la coscienza. Ma non la vita. Il suo corpo sobbalzava, i muscoli si contraevano. Antonio lo aveva vegliato per piú di mezz'ora, impotente. La testa. Doveva mirare alla testa.

«Che fa papà, perché non viene?» brontolò Kevin, succhiando la cannuccia della Coca. Ma nel bicchierone di McDonald's non c'era piú neanche una goccia. Aspirò solo aria. «Quanto rompi, sei proprio asfissiante», disse Valentina, slacciandosi le scarpe da ginnastica e liberando, finalmente, i piedi. Lo smalto

blu di Miria faceva risaltare le unghie – con quel colore, avevano qualcosa di fantastico, come appartenessero a un essere di
un altro pianeta. Venere, magari. Mamma dice che gli extraterrestri non esistono, e se esistono, siamo noi. Oroscopo tutto
sommato positivo. Questa estate mi innamorerò. Ma se mi in-
namorassi prima? Se fossi, senza saperlo, già innamorata? Gettò un'occhiata speranzosa alla porta della camera, ma papà non
riappariva. Forse si era già stufato di loro. Non doveva mandare
quel messaggio. Lo aveva offeso. Papà non se lo meritava. Papà era molto fragile, adesso. Questo aveva capito, stasera. Una
cosa stupefacente.

Il re Mufasa venne travolto e fatto a pezzi sotto gli occhi
increduli del cucciolo Simba. Kevin si coprí gli occhi con la mano. Di solito lo faceva star male il pensiero che Simba avesse
– sia pure senza volerlo – ucciso il padre. Gli ricordava che anche lui aveva ucciso il padre, raccontando quella storia assurda
della sparatoria. Stasera però al momento tragico gli venne da
ridere, perché papà era nella stanza accanto, vivo e simpatico.
«Vattene, Vale, ti puzzano i piedi!» la scansò con uno spintone
Kevin. Valentina gli tirò addosso un cuscino. Ma forse la puzzola aveva ragione. Dopo la partita, non aveva ancora avuto il
tempo di farsi la doccia. Per vendicarsi lo seppellí dispettosamente sotto i cuscini. «Ti sei montato la testa, mostro! Siccome
le amiche sue snob lo hanno conciato come a carnevale chissà
chi si crede di essere! – lo canzonò. – Mostro digitale, pinguino, pinguino!» Kevin si dimenò, perché aveva paura che Valentina gli rovinasse lo smoking. E invece doveva tenerlo in ordine per mamma. Anche lei doveva assolutamente vederlo bello
come il Piccolo Principe. Lottarono, si colpirono, si tirarono i
capelli, si morsero le orecchie. Tra le mani della sorella, rimase
una scarpa di vernice nera. «T'ho sgamato! Ti credi il Piccolo
Principe e c'hai i pedalini bucati», scoppiò a ridere Valentina.
Ansimando, contemplarono l'alluce di Kevin che sbucava bef-
fardamente dal calzino. Kevin rise, perché tanto le Fioravanti
non se n'erano accorte.

«Mi faccio il bagno, – disse Valentina alzandosi. Spinse le

scarpe putride sotto il divano. – Se vuoi, puoi venire». Kevin
esitò. Non voleva abbandonare Simba, che adesso scappava
nella foresta e incontrava il simpatico facocero che gli insegna
la filosofia di vita Hakuna Matata – che poi vorrebbe dire Senza pensieri. Però lo tentava farsi il bagno nella vasca grande di
via Carlo Alberto. La vasca di nonna Olimpia era quadrata, e
perfino lui non riusciva ad allungarcisi. Doveva starci seduto,
come in classe, dietro il banco. E poi non gli capitava piú di
sguazzare nell'acqua in compagnia. Mamma ormai si limitava a
inginocchiarsi sul pavimento del bagno e a strofinargli le spalle.
    Antonio smosse la biancheria. Le sue pistole erano tutte lí.
La Bernardelli. La Mauser. La Smith & Wesson. Ma non c'era
nulla di meglio della Springfield Armory. Si tolse la giacca. La
appoggiò sulla spalliera della seggiola. Lo disturbò la vista del
giaccone sulla trapunta del letto in cui da giorni non dormiva.
Quell'indumento che sapeva di fumo di traffico e di stanchezza creava disordine. Provvisorietà. Casualità. Invece ormai non
esisteva piú niente di provvisorio. Era tutto stabilito. Lo appese nell'armadio. Tra il piumino da sci e il cappotto di cammello che non usava da anni – perché da quando Emma era andata via perfino il gesto banale di vestirsi, di mostrarsi al mondo
nella sua apparenza migliore, gli era diventato odioso – erano
appoggiati, le canne verso l'alto, i tre fucili. Il Remington che
non aveva mai usato. L'Izhmash, con cui andava a caccia col
padre. Il Kalashnikov, le cui canne a volte sfiorava con la bocca, come se il metallo avesse memoria di lei. Quando si voltò,
si rese conto che Valentina era ferma sulla soglia.
    Da quanto tempo era lí? Raggelato, chiuse l'anta dell'arma-
dio. Il primo cassetto era ancora aperto, se Valentina si fosse
avvicinata anche solo di un passo, avrebbe visto le sue pistole.
E la Springfield Armory era rimasta sul cassettone – nera, lam-
pante come un minaccioso monolite tra la fotografia del matrimonio e la busta per l'avvocato Fioravanti. Ma Valentina non
si mosse. «Papà, – disse, poiché era una ragazzina perspicace
e aveva notato la sua trascuratezza, – l'hai acceso lo scaldaba-
gno?» «Sí, certo, topolina, – mentí Antonio, – ho pensato che

poteva servirvi l'acqua calda». Paralizzato dal terrore di essere sorpreso da lei, proprio da lei, che lei leggesse nei suoi pensieri, nei suoi progetti, che lei *sapesse*. Si impedí di guardare verso la cassettiera. Ma anche senza vederla, sapeva che la pistola era lí.

Valentina entrò nella stanza. Ebbe l'impressione che papà volesse restare da solo. Provò a capirlo. Forse non era piú abituato al loro chiasso. Bene, non lo avrebbe disturbato. Avrebbe preso in prestito il suo accappatoio e sarebbe uscita subito. Nel bagno sarebbe rimasta a lungo. Togliersi di dosso il sudore della partita, applicare la crema per cicatrizzare il piercing e poi poltrire sul divano, finché il sonno le chiudeva gli occhi, come una volta. Senza volerlo, curiosò fra i mobili – in cerca di un segno che le rivelasse come, e con chi, papà avesse vissuto questi anni senza di loro. Ma non notò niente di nuovo. Il solito letto, la stessa trapunta rossa, il tappeto di lana colorata ai piedi del comodino. La stanza di mamma e papà dove la domenica mattina giocavamo ai fantasmi, saltando sul loro letto e svegliandoli – perché loro, la domenica, dormivano fino a mezzogiorno. Avvolti nei lenzuoli, mugolavamo versi che avrebbero dovuto spaventarli, e invece li facevano ridere, e tutto finiva in un solletico generale sul materasso. La domenica era il loro giorno preferito. Purtroppo ce n'era solo una ogni tanto. I poliziotti lavorano anche la domenica, come i criminali. Altrimenti, chi proteggerebbe la gente perbene? Valentina era orgogliosa che suo padre fosse un giusto.

Mentre staccava l'accappatoio di papà dal gancio, notò la pistola sul cassettone della biancheria, ma non ci trovò niente di strano. Anche quando non era in servizio, papà andava sempre in giro armato. Diceva che a differenza dei serpenti e degli altri predatori, l'essere umano è di natura cattivo e non ci si deve fidare di nessuno. Le sembrò piú significativo che papà non avesse distrutto la foto del matrimonio. Quel giorno, lei non esisteva ancora. Che strano, pensare che mamma e papà hanno vissuto una vita nella quale di te non c'era nemmeno il presagio. Antonio ed Emma giovani, che si baciano in bocca per il fotografo. E invece, dopo, in bocca in pubblico non si baciano piú – Valentina non li aveva mai visti nemmeno sfiorarsi. Ma quando stavano vicini, fra loro correva una vibrazione quasi visibile, come una corrente elettrica. Antonio si avvicinò e con forzata noncuranza chiuse il cassetto. Valentina afferrò l'accappatoio e gli voltò le spalle, sorridendo perché in questa camera niente era cambiato. Perché questi anni sarebbero stati cancellati come un brutto sogno.

Adesso. Doveva assolutamente farlo adesso. Eppure, Antonio fu attraversato dal desiderio di godersi tutto intero questo week end. Sarebbe stato lungo, il piú lungo che un tribunale avrebbe mai potuto concedergli. Non avrebbe dovuto contare i minuti, temere la corsa delle ore. Tre giorni senza fine. Ascoltare le loro chiacchiere, riempire il vuoto amaro di questi anni, farsi raccontare il niente che era accaduto nelle loro vite. Ricucire lo strappo che li aveva separati, annullare la lontananza, far tacere il dolore. Gli avrebbe sparato domenica sera, prima di riportarli da lei. Ma non gli era concesso. Ogni minuto, ogni parola che gli dicevano, ogni promessa che gli estorcevano – tutto gli strappava un brandello di risoluzione, e di coraggio. Adesso. Subito.

Impugnò la pistola. La nuca di Valentina, la coda di cavallo, la massa bruna dei capelli. La voglia a forma di ghianda sulla pelle di pesca. Signore, vieni presto in mio aiuto, vieni a salvarmi. Venga il tuo regno. Liberaci dal male. Dio, perdonami. Ma non aveva mai pensato di cominciare con la figlia. Nei suoi pensieri, primo veniva sempre Kevin. Quando fantasticava, sognava di infliggere a Emma la ferita inguaribile, e quella ferita era il bambino. Primo veniva Kevin. Anche ora, immaginava di agire come se lei fosse presente – e, benché non potesse impedirgli nemmeno un gesto, potesse vederlo. Agiva come se Emma fosse la spettatrice del film che andava girando. Il film della loro vita, nel quale lei aveva cercato di ridurlo a una comparsa insignificante – mentre era, e sarebbe rimasto per sempre, il protagonista. Gli venne in mente che avrebbe potuto davvero filmare la scena, e allora lui e i bambini sarebbero morti milioni di volte. La pistola avrebbe sparato all'infinito, e all'infinito lei avrebbe voluto salvarli, e non avrebbe potuto farlo. Ma per riprendere tutto avrebbe dovuto montare la telecamera, e preparare l'in-

quadratura fissa, e studiare un piano nel quale tutto avvenisse
nel campo circoscritto dell'obiettivo. Ormai era troppo tardi.
Peccato. In fondo, però, il fatto di non aver visto davvero quella
scena, ma di poterla solo immaginare, l'avrebbe resa ancora piú
indelebile. Poiché esiste uno squallore meschino nelle azioni,
e nell'immaginazione invece una grandezza inesorabile. Valentina tornò in salone e sparí nel corridoio. «Papà! – lo chiamò
di nuovo Kevin, con la voce assonnata. – Ma quando vieni?»
«Eccomi», rispose.

Aveva la camicia madida di sudore, e un rivolo gli colava
lungo la tempia. Ma la mano non gli tremava piú. Il protagonista, per sempre. I bambini avevano spento la luce. I mobili del
salotto avevano perso spigoli, piani, struttura – sembravano
corpi mostruosi, addormentati. Ogni cosa aveva assunto forme
minacciose, inquietanti. Antonio faticò a individuare la sagoma
di Kevin, sul divano. Lo schermo della televisione diffondeva
nella stanza una gelida luce azzurra. Sulle pareti nude, le loro
ombre gesticolavano, risalivano verso il soffitto, si confonde-
vano l'una con l'altra, sembravano divorarsi e sopraffarsi, poi
si separavano di nuovo. Deformi, esagerate, agghiaccianti, danzavano una danza muta e incomprensibile. L'ombra piccola del
bambino. La sua ombra. L'ombra della pistola. Di quelle ombre,
ebbe un terrore senza nome, e sconfinato.

Kevin gli fece cenno di sedersi vicino a lui. Ma Antonio finse
di cercare qualcosa sullo scaffale. Non davanti, non mentre mi
guarda. Aggirò il divano. Si fermò alle sue spalle. Raccolse un
cuscino, glielo aggiustò fra la spalliera e la testa – con premura.
Cosí stai piú comodo, disse, o pensò di dire. Agnello di Dio, che
togli i peccati del mondo, abbi pietà di noi. Perdonami, Signore.
Appoggiò la canna sul cuscino. Una frazione di secondo. Non
se ne accorgerà. Creatura del cielo, al cielo ti rendo. Gli accarezzò la testa. I suoi capelli ricciuti, incrostati di gel. La testa
di Kevin. La prima cosa che aveva visto di lui, quando era arrivato da Emma, in ospedale. Quel neonato aveva molti capelli.
«Papà, – disse Kevin, senza voltarsi, – lo sai che vuol dire Hakuna Matata?» La sua nuca. La testa piccola come una noce di

cocco. Figlio mio. Quanto amore per te. Questo non potrà mai essermi tolto. Il neonato aveva i capelli neri, come i suoi. E lui aveva pensato, assurdamente, sollevato, innamorato, pazzo di felicità: allora è davvero mio figlio. «No, non lo so, Kevin», disse Antonio, e si chinò appena. Sulla parete, la sua ombra coprí quella del figlio. La ingoiò. Adesso erano di nuovo una cosa sola. E nessuno avrebbe piú potuto separarli.

«Cerca di dormire gioia di papà che è tanto tardi», bisbigliò Elio. Nell'alone rosa dell'abat-jour, le orecchie di Camilla avevano la trasparenza e la fragilità di una conchiglia. «Ma non ci riesco, non ho sonno per niente, penso le cose». «Non ci pensare piú, non essere arrabbiata con papà, papà ci è rimasto tanto male, il karaoke lo cantiamo insieme un'altra volta, anzi, sai che ti dico? Domani andiamo a comprarlo, vuoi?» «Ma io penso quelle *altre* cose, papà», disse Camilla. Elio non le chiese di spiegarsi meglio, perché voleva che la piantasse di preoccuparsi per quel bambino strabico. Era geloso delle paure di Camilla. Gli sembrava di essere vittima di una grave ingiustizia. Mille precauzioni perché niente possa ferirla, perché nessun male possa neanche sfiorarla, e tutto inutile. La mia bambina cosí sensibile che ogni frase la offende, ogni gesto la addolora. Il minimo cuore di sua figlia martellava contro il suo sterno. Un orologio che lui stesso aveva azionato, tanto tempo fa. Adesso non poteva impedirgli di battere per suo conto, per cose di cui non sapeva, e che non poteva controllare. Cui non poteva ordinare di essere buone con Camilla, poiché non dipendevano da lui. Le unghie della bambina gli graffiavano il collo. Non lo avrebbe lasciato andare, e lui fu contento che fosse cosí. «Perché l'ha fatto?»

«Ma non lo so, gioia, si vede che doveva parlare ai figli, a volte succede, sai? un papà scopre che deve dire delle cose e non può aspettare un altro momento».

«Non gli voleva parlare. Quando lo ha visto non gli ha detto niente».

«Allora forse voleva solo portarlo a casa».

«Non abita piú con lui».

«Come lo sai?»

«Lo so».

Elio sgranchí una gamba, quasi paralizzata dalla innaturale posizione cui l'aveva costretta. Trovava assurda l'insistenza di Camilla. E morbosa questa sua ansia. Non aveva mai immaginato che conoscesse tanto bene il figlio di Buonocore. Non gli risultava che si frequentassero. Ma in fondo, cosa sapeva di Camilla? Aveva troppe cose da fare per stare davvero con lei. E da tempo immemorabile non la metteva a letto. Forse, gli venne in mente, con ripugnanza, non lo aveva mai fatto.

«Mami dov'è?» ripeté per l'ennesima volta Camilla, e per l'ennesima volta Elio le ripeté che stava tornando, anche se non era vero, e lui non aveva la minima idea di dove fosse andata Maja. Ma non voleva che Camilla lo sospettasse, voleva rassicurarla, e continuare a sembrarle tranquillo, mentre non lo era. Solo che non voleva chiedersi dove fosse. Non ora. Glielo avrebbe chiesto domani. Le avrebbe detto che era stato imperdonabile da parte sua – era stata notata la sua freddezza, quando lui aveva fatto il suo ingresso a Palazzo Lancillotti. La gente chiacchiera. Pensa subito male. E la lingua non ha l'osso, ma rompe il dosso. Invece il mondo deve restare fuori dai nostri problemi, dobbiamo sembrare felici. Dobbiamo dare l'esempio. In fondo qual è la mia colpa? Non può crocifiggermi perché non ho cantato il karaoke con Camilla. Domani glielo compro, la mia bambina mi perdonerà – è tanto buona, *lei*. O forse no, perché litigare? Avrebbe fatto finta di niente. Come tante volte Maja aveva fatto con lui. L'avrebbe lasciata dormire fino a tardi – e poi, alla luce del giorno, le ombre sarebbero svanite. E tutto sarebbe tornato a posto.

Siccome Camilla non voleva lasciarlo andare nella sua camera, e lui era aggranchito e dolorante e voleva farsi perdonare, acconsentí a distendersi sul lettino – che scricchiolò sotto il suo peso. Camilla gli si rannicchiò sul torace. Per un tempo che gli parve infinito lei rimase con l'orecchio premuto contro la blusa, ascoltando i suoni misteriosi dei suoi gas intestinali. Un gioco che a chiunque sarebbe sembrato disgustoso, e invece era il loro segreto. Ogni volta che una bolla d'aria si muoveva, dentro di lui, Camilla sussurrava: è partito un aeroplano, e Elio le chiedeva: per dove? E la bambina diceva il nome di città sconosciute, che aveva letto chissà dove. Marrakech, Bucarest, Tampere – se erano sibili brevi. Malindi, Jakarta, Samarcanda – se erano prolungati. Ma stanotte Camilla non disse niente. Gli aeroplani partirono senza meta, e si persero – dentro di lui.

Gli dispiacque. Fissò le stelle finte che attraversavano il soffitto. Provenivano da un aggeggio infernale, comprato per ipnotizzarla al sonno quando lei era ancora una neonata – ma di cui mai, nemmeno quando era cresciuta, Camilla aveva voluto privarsi. Per ore e ore, catene di stelle brillavano contro il bianco soffitto, sorgendo e tramontando, ininterrottamente. Per anni, Camilla si era addormentata seguendone le intricate traiettorie luminose. Ma stanotte neanche le stelle distolsero Camilla dai suoi pensieri. Ricominciò.

«E non gli puoi telefonare adesso?»

«No, piccolina, è quasi mezzanotte».

«Ma tu sei il capo».

«Neanche il capo può telefonare a qualcuno a mezzanotte. Se proprio insisti lo chiamerò domani».

«E lo mandi via?»

«Questo non so se posso farlo, patatina, però ti prometto che mi lamenterò molto con il ministero».

«E quando diventi ministro lo licenzi?»

«Non posso licenziare un poliziotto solo perché ha portato via Kevin dalla tua festa».

«Perché?»

«È un bravo poliziotto. È stato bravo con me».

«Uno può essere bravo e cattivo?»

«Il papà di Kevin è il nostro angelo custode. Finché c'è lui, non ci può succedere niente. Per questo non posso mandarlo via».

«E chi è l'angelo custode dell'angelo custode?»

«Non ci ho mai pensato».

«Non è Dio?»

«Sí, forse. Non lo so, gioia».

Cadde il silenzio. Per qualche minuto rimasero entrambi immobili, distesi una sull'altro sul lettino stretto, a fissare la cavalcata delle stelle sul soffitto. A parte gli aeroplani dentro di lui, non si udiva nessun rumore. Nessuna macchina scorrazzava lungo via Mangili, sotto i villini addormentati. Nessun motore al di là delle finestre chiuse. Nessun congegno elettrico azionava il cancello. Niente. Maja non stava tornando a casa.

«Che significa non essere vivi papà?» disse a un tratto Camilla.

Elio trasalí, sconcertato. Non sapeva cosa rispondere. Non gli era mai venuto in mente che la sua bambina potesse pensare a qualcosa di cosí triste. Camilla aveva quattro nonni in buona salute. I morti li aveva visti solo alla televisione.

«È difficile spiegare».

«È come essere al buio?» bisbigliò Camilla.

«No, non è come essere al buio, ma non esserci proprio».

«E poi che succede?»

«Niente, gioia, – disse Elio. – Non succede niente. È tutto finito».

Poi, rendendosi conto che credeva – o almeno aveva creduto fino a stamattina – si corresse. «Ma chi è stato buono va in Paradiso».

«E chi non è stato buono?» insisté Camilla. Elio la invitò a smetterla di pensare a cose tristi e non rispose.

«Non siamo stati buoni, – confessò Camilla in un soffio. – Oggi era il mio matrimonio».

Elio sentí che un dolore profondissimo lo lacerava da parte a parte, come un coltello. Quella parola, cosí assurda nella sua bocca di bambina. È cresciuta, e io non me ne sono accorto. Non sono piú tutto il suo mondo. Di già questo abbandono, l'inizio della separazione. Non saremo mai piú soli. Non conteremo piú gli aeroplani che partono. L'ho già persa. Poiché non voleva sembrarle indifferente alla grande notizia che si era degnata di comunicargli, sollevò la testa e intercettò i suoi occhi luminosi. Raggianti di una felicità nuova, e ignota. Deglutí, straziato. Tradito.

«Perché non me lo hai detto?»

«Perché tu non volevi», rispose Camilla, infelicissima.

La strinse a sé. Il suo alito gli appannò gli occhiali. E in quel preciso istante, mentre si macerava sulla figlia perduta, e si chiedeva come riconquistarla, come strapparla alla sua festa di nozze, a Kevin Buonocore, che adesso gli pareva quasi di odiare, qualcosa, nella tasca della giacca, cominciò a vibrare. Oh, cristo, non ora. L'oggetto vibrante pulsò contro la giacca, contro il fianco magro di Camilla. A ogni contrazione pareva farsi piú grande e piú duro.

«Perché non rispondi, papà?»

«Perché quando sono con te non ci sono per nessuno, – mormorò Elio. – Io sono fedele», aggiunse, e le sue parole erano proprio un rimprovero.

«Rispondi. Magari è mami, – disse saggiamente Camilla. – Magari è il papà di Kevin. Magari è Aris».

Ma non era nessuno di loro. Quando finalmente estrasse il telefono, nel display era comparso il numero che aveva composto ossessivamente per tutto il giorno. Il numero privato del Presidente.

«Sí», disse. Le stelle continuavano a sorgere e tramontare sul soffitto. Un aeroplano decollò brutalmente, e forse si schiantò poco dopo, con una derisoria flatulenza. «Elio, – diceva il Presidente, – scusa l'ora, ma so che mi hai cercato». Poi vennero le parole tanto attese e tanto temute. Scandite dalla sua solita voce, calma, amichevole, quasi fraterna. Una voce che non lasciava trapelare rancore né malignità. Eppure, quelle parole lenitive e falsamente rassicuranti gli rivelavano ciò che da ore Elio già sapeva: era stato gettato a mare. Dopo un lungo preambolo condito da spiegazioni contorte, il Presidente rivelò l'esito dell'ultimissimo sondaggio, di cui solo adesso diceva di conoscere il risultato: i numeri dimostravano che il solco con la massaia era ormai scavato. Fioravanti al 46,7%, Tecla Molinari al 50,4. Contro tutte le previsioni, la massaia si era rivelata un osso duro. I dati su Roma erano buoni, ma purtroppo la scelta del collegio in borgata si era rivelata un azzardo. Avrebbe cercato di capire chi avesse voluto dirottare Elio al Casilino (Elio lo sapeva già: era stato il Presidente stesso, per garantire al suo pupillo il collegio sicuro che era stato di Elio). Era stato commesso un errore di strategia, gli analisti avrebbero dovuto spiegare quale, ma ormai non c'era tempo per recuperare. Purtroppo, e questo dimostrava una superficialità sconcertante, la direzione del partito non aveva ritenuto di offrire a Elio, validissimo professionista, e assai popolare in città, il salvagente della proporzionale. Purtroppo l'elezione in Parlamento sembrava andata. La respirazione di Elio divenne difficoltosa. Aveva la sensazione che un macigno gli comprimesse i polmoni. Ma forse era il peso della bambina. Non riuscí a parlare. Nel silenzio, percepí il cuore di Camilla, l'imbarazzo del Presidente, lo stormire delle foglie della magnolia, il disperato miagolio di un gatto in amore, giú in giardino. *Sei stato trombato. Sei stato trombato. Sei stato trombato.*

Ma il Presidente poteva garantire al caro Elio che questo malaugurato infortunio non avrebbe significato la sua morte politica. Lo prometteva in nome delle tante battaglie combattute insieme nei momenti piú difficili. La terribile solitudine che ti regala Roma quando hai perso. Per quanto riguardava il Presidente, avrebbe evitato gli scogli e condotto in porto la nave. I sondaggi erano confortanti, e ormai – anche se nelle ultime settimane la sinistra aveva recuperato qualche punto – mancava troppo poco tempo per aspettarsi una beffa dell'ultimo momento. La tempesta è passata, la meta vicina – abbiamo attraversato l'oceano e ne siamo usciti vivi. Adesso tutto è nelle nostre mani. Tu, io, noi, l'Italia, la gente, il futuro. Le approveremo, le nostre leggi, e anche se non sarai là dentro a votarle, sarai sempre tu ad averle ispirate. Non falliremo. Bisogna essere sempre ottimisti. Sarai solo. Sarai solo. La morte politica. La morte. «Elio, – promise il Presidente, – troverò per te un posto di rilievo, una carica prestigiosa, un organismo internazionale, un consiglio di amministrazione, la Rai. Sarà qualcosa di adeguato alla tua competenza e al tuo valore».

Erano le parole avvelenate che Elio aveva atteso tutto il giorno – come il proiettile del sicario già assoldato per eliminarlo. Dunque il momento era venuto. Salire lo scalino romano. La morte politica. La morte. Non esserci piú. È tutto finito. Passò una mano tra i capelli fini fini di Camilla. Gioia mia. Che farò? Che faremo? Che sarà di noi? Le mie donne. La mia famiglia. La mia immagine. Il mio nome. Ma gli fu subito chiaro che non si sarebbe buttato dalla torre. Le cose grandi possono essere ridotte a cose piccole, le cose piccole possono essere ridotte a niente. E questo è tutto.

Nel silenzio della notte, sotto le stelle eterne di Camilla, gli sembrò di essere uscito dall'orbita, sbalzato fuori rotta. Ma quando? E perché? Chi lo aveva privato della cosa cui teneva di piú al mondo: l'amore assoluto della sua bambina. Quel marmocchio grasso col cerotto sull'occhio? La politica, il Parlamento, la Legge, gli elettori? Adesso gli restava solo il dolore di quella passione infantile, imprevista quanto profonda, da cui lui era stato completamente escluso, e l'assenza inspiegabile di Maja, e un'inquietudine amara, e una desolante sensazione di catastrofe, perdita, fine di tutto, e Camilla che respirava piano, l'orecchio premuto contro il suo stomaco. Il suo respiro si era ispessito. Si era addormentata, finalmente. Eppure anche questo gli procurò dispiacere, perché era ancora piú lontana, e ormai irraggiungibile. Si rese conto, irreparabilmente tardi, che qualcosa, in questi anni, lo aveva separato da loro. A poco a poco, ma in modo inesorabile. Si era levato fra lui e le sue donne un muro di incomprensione e rancore, sfiducia e indifferenza. E non sapeva come rimediare.

Racimolò le ultime energie, ringraziò in fretta il Presidente per le notizie che aveva avuto la cortesia di comunicargli – finse di credere che davvero il Presidente non lo avrebbe lasciato cadere, che qualcosa si sarebbe trovato per lui. Salutò. Il sogno svanito di un uomo di cinquant'anni – ridicolo nella sua vanità, nella sua miseria, nella sua sconfitta. E tanto piú ridicolo quanto piú quel sogno era stato grandioso. E forse non ci sarà un'altra occasione. Tutto finito.

Spense il telefono. Spense anche il lume e scostò la sopraccoperta, spingendo delicatamente Camilla fra le lenzuola. Pensò di alzarsi, ma non lo fece, perché l'orecchio di lei poggiava ancora contro il suo stomaco, e l'avrebbe svegliata. E benché volesse farlo, se lo impedí. Per lei. Perché la amava davvero. Questa bambina timida e stramba, fantastica e gentile, piú del parlamento, piú del Presidente, piú dell'immagine, piú dell'onore che mai si era accorto di possedere e di poter perdere – piú di ogni cosa. A lei poteva essere fedele. Adesso tutto ciò che gli restava da fare era riconquistarla. Ma come? Allungò le gambe, e appoggiò i piedi sulla spalliera del letto. Nella penombra, intravide i suoi capelli e il bagliore della pelle. Delicata, e fragile. Cosa sognano i bambini? Ma perché, del resto? I sogni non sono mai veritieri. E quando lo sono – a chi, a cosa servono le loro profezie?

Elio chiuse gli occhi. Le stelle luminose tramontarono fra le sue palpebre. Un'automobile sfrecciò giú in strada – per un attimo gli sembrò di riconoscerla, e sperò che fosse la Smart di Maja, ma il rumore si allontanò, finché scomparve del tutto, chissà dove. Il silenzio lo avviluppava nella sua nera solitudine. Aveva paura, e non sapeva di cosa. Sentí una lacrima addensarsi sul ciglio, scivolare sulla curva della guancia e poi sciogliersi fra i suoi capelli. «Papi?» lo chiamò a un tratto Camilla, sollevando la testa e tastando nella penombra in cerca del suo viso. Riconobbe il brilluccichio dei suoi occhiali, e forse dei suoi occhi. «L'hai sentito l'aeroplano?» bisbigliò, con un sorriso. «È partito per Bangkok».

Ventiquattresima ora

Zero si guardò intorno e siccome tra le erbe incolte non c'era nessuno, scostò un ramo e le indicò la via: la rete di protezione sormontata dal filo spinato era stata tranciata, e nella smagliatura si apriva un varco. Un sottile rigo di terra si snodava fra ortiche impolverate e frigoriferi sventrati, scendendo nella scarpata. La metropolitana, che correva in superficie, protetta da un basso marciapiede e da un muretto di mattoni, si inabissava in quel punto, imboccando un tunnel. Alla luce del lampione, se ne intravedeva l'ingresso: un perfetto semicerchio, minaccioso e nello stesso tempo invitante – come quelli di cartapesta del Luna Park. Il tunnel dell'amore, o qualcosa del genere, le venne in mente. Maja scese con prudenza. Aveva paura di cadere. Di perdere il bambino di cui fino a oggi aveva quasi ignorato l'esistenza. Non era stato altro che un ritardo, un'assenza, un segno che non era in grado di decifrare. Zero balzò giú agevolmente. C'era un salto di quasi due metri. Le indicò dei gradini scavati nell'argilla della collina. «Questo è un po' come l'ingresso di casa mia, – le spiegò. – I gradini li hanno fatti gli addetti alla manutenzione, ma sono io a tenerli sgombri». «Cosa c'è là dentro?» chiese Maja, inquieta alla vista di quella bocca spalancata, nera. Zero non rispose. «Ci vieni?» le chiese, estraendo la torcia dalla tasca della felpa. «È pericoloso?» esitò Maja. «Cosa non lo è?» rispose Zero.

L'ultimo treno era già passato. A quest'ora, nei monitor degli addetti alla sicurezza apparivano immagini grigiastre di stazioni deserte. Panchine solitarie, cestini vuoti. La lunga linea gialla da non oltrepassare che corre lungo la banchina – di giorno neanche s'intravede, calpestata da migliaia di piedi – ora spicca quasi fosforescente nel grigio e blu della galleria. I vigilantes controllano che ogni stazione sia deserta, che non ci sia nessun barbone, tossico o graffitaro nascosto nei corridoi sotterranei e nei pochi antri male illuminati che si aprono in stazioni linde, razionali, appena ripulite per il Giubileo. È un lavoro impegnativo, ma in fondo questa è una metropolitana di due sole linee – non siamo mica a Parigi o a New York. Alla fine dell'ultimo giro di ricognizione, escono anche i vigilantes e si chiudono i cancelli alle spalle. Fino a quando arriveranno gli addetti alle pulizie coi secchi e le scope, la linea B della metropolitana resterà silenziosa. Vuote le stazioni, vuote le gallerie, inerte e inoffensiva la linea elettrica, chiuse le edicole e gli ascensori per i disabili.

Ma non è vero che la metropolitana resta deserta. A poco a poco, se presti orecchio, ti accorgi che si risveglia una vita sotterranea e furtiva. C'è l'acqua che stilla dalle infiltrazioni delle volte e gocciola lungo le pareti. C'è l'aria che continua a muovere le ventole e a circolare nei condotti. Ci sono i topi che si azzardano a pascolare sui binari, spazzolando i rifiuti che i viaggiatori gettano con noncuranza dalle banchine – gomme da masticare, bruscolini, cartacce di gelati intrise di zucchero, bicchieri di cartone. E poi ci siamo noi – che ci caliamo dall'alto, e violiamo il tunnel dove è piú indifeso. E marciamo nel buio verso i depositi dove dormono le carrozze. Di solito veniamo in formazione, organizzati. Siamo cinque o a volte sei – il piú giovane e inesperto resta di guardia all'esterno, e due si alternano come sentinelle lungo il tragitto. Perché c'è una sola via d'uscita, e non possiamo permetterci di lasciarla incustodita. Ma stanotte siamo solo io e lei. Mi aspettavo che rifiutasse di seguirmi – forse avrebbe preferito che l'invitassi a casa mia, finalmente. Ma non è questo che voglio – non ancora. Comunque è venuta, e adesso indugia, forse spaventata, forse eccitata, chi potrebbe dirlo. Maja è un enigma, e anche quando, neanche mezz'ora fa, l'ha lungamente e profondamente baciata, con indubbio piacere reciproco, non gli è riuscito di sciogliere del tutto quella compostezza civile e trattenuta. Esita sotto l'arco della galleria, coi tacchi troppo alti in precario equilibrio sul binario, e la borsetta tra le mani.

«È un reato?» gli chiese a un tratto Maja. «Pare di sí», rispose Zero, alzando le spalle. Si avviò verso l'estremità della galleria. Lei si voltò indietro. A qualche centinaio di metri, terminava un alto marciapiede – forse la propaggine di una stazione. Ma non sapeva quale. In fondo al rettifilo lampeggiavano delle fievoli luci. Un intrico di cavi elettrici intersecava i binari – sotto i suoi piedi e sopra la sua testa. All'imbocco della galleria, sulle pareti che brillavano di umidità erano incastonati due fanali rettangolari, che alonavano una forte luce bianca. Ma poi, fin dove riusciva a spingere lo sguardo, riconosceva solo due pareti che sembravano avvicinarsi nella distanza fino a toccarsi. Un serpeggiare di cavi elettrici e tubi, e poi piú nulla. Nero assoluto.

«Vieni», la invitò Zero, porgendole la mano. Maja si guardò attorno, intimidita, come se da un momento all'altro il treno potesse sbucare dalla galleria, e travolgerli. Ma non c'era nessun treno. L'ultimo aveva preso la via del deposito mezz'ora prima. Allora si disse che se questo è un reato, anche amarti lo è, che se noi vogliamo trovarci non dobbiamo pensare al futuro: vedremo solo una nebulosa di decisioni e rimorsi. Dobbiamo inoltrarci senza voltarci indietro e abbandonarci, al buio, al di sotto di tutto. Calarci, lentamente, dentro l'oscurità dell'altro. E forse laggiú, nella nostra tenebra ci incontreremo oltre le differenze – oltre l'età, oltre le nostre storie, oltre le nostre vite.

Per qualche minuto gli camminò accanto, incespicando e fermandosi a ogni passo, perché non riusciva a seguire il filo luccicante del binario. Era troppo sottile, e la suola delle sue scarpe non faceva presa sul metallo. Allora si chinò a sganciare i cinturini dalla caviglia e le sfilò con una grazia che lo lasciò senza fiato. Zero raccolse le preziose scarpette e le infilò nel cappuccio della felpa. Non gliele avrebbe mai restituite, qualunque cosa fosse accaduta stanotte. Maja gli affidò la mano, e dopo qualche passo s'immersero nel buio. Alle loro spalle, le fioche luci di Roma che riverberavano sulla scarpata non si scorgevano piú. Ora riusciva a vedere solo il luccichio dell'anello d'argento che Aris portava alla narice. Ora la muoveva solo la fretta di lasciarsi dietro spiegazioni e promesse. Di raggiungere, di là da tutto quanto in lei cambia, ciò che è permanente e vero. Raggiungere il centro, segreto, di se stessa.

Zero seguiva la curva dei binari, come se vedesse nel buio. Nel buio, Maja avrebbe potuto trovare il coraggio di dirgli che quella casa all'Aventino lei voleva prenderla davvero. Che aveva bisogno di ritagliarsi uno spazio inviolato, di raccapezzarsi, perché la sua vita stava esplodendo, e la forza della deflagrazione la scagliava lontano. Proprio questo era venuta a dirgli, al Battello Ubriaco. Ma Zero le serrò energicamente le dita attorno al polso e lei tacque, perché il ragazzo non le aveva chiesto di dimostrare che i sentimenti per lui non erano solo un capriccio, né di lasciare suo padre, e questa consapevolezza avrebbe guastato ogni cosa. Elio non aveva merito né colpa né responsabilità per ciò che era accaduto oggi pomeriggio. La possibilità, la fine, l'abitudine, la resa – stava tutto dentro di lei.

Camminarono a lungo, in silenzio, per un tempo che le sembrò infinito. Ogni tanto, nella parete della galleria si apriva una nicchia. Maja riconobbe un estintore, un citofono, una scala a pioli, un secchio. Finché davanti a loro si levarono sagome immote, che emergevano dal buio. Quando furono piú vicini, le riconobbe. Erano due, tre, dieci carrozze, agganciate in convoglio, parcheggiate sui binari. «È questo che volevo farti vedere», disse Zero.

Accese la torcia. Orientò il fascio di luce sui finestrini opachi, poi lo abbassò sulle fiancate. E allora Maja vide. I vagoni erano blu. Erano stati blu, perché adesso le fiancate delle carrozze erano sommerse di disegni. All'inizio, faticò a distinguere le figure e a riconoscerne il senso. Emergevano a poco a poco, se l'occhio sapeva decifrarle. Le figure si adattavano allo spazio, usavano le forme senza violentarle mai. Erano duttili, mobili, vigili. Si piegavano alle intermittenze dei finestrini, si rassegnavano ad abbracciare i fanali, si interrompevano sugli spigoli per ricominciare nel vagone successivo – una sinfonia continua di personaggi e colori, un'epopea di immagini e parole interrotte e infrante, che si richiamavano, echeggiavano, rimavano le une con le altre. Macchie di rosso, giallo, viola e verde coprivano il convoglio e lo trasformavano in un quaderno, in un manifesto, in un libro. Lungo le pareti dei vagoni, separati e però concatenati come capitoli, si snodavano cortei di automobili e negozi, palazzi e chiese, treni e biciclette. Si agitavano omini panciuti e arroganti, che sbraitavano e concionavano, e omini sottili e malinconici assistevano allo spettacolo della vita, si rassegnavano o sognavano, e sognavano volti femminili che si illuminavano – precari – fra i grigi e i neri. Oppure schiacciavano il tasto del telecomando e facevano saltare tutto. E tutti i disegni erano accompagnati dalla stessa firma minimale eppure perentoria: ZERO.

«Li hai fatti tu?» chiese Maja, benché conoscesse già la risposta. Zero annuí. «Quando?» «Ogni notte di quest'anno, – rispose lui. – Non volevo partire prima di aver riempito ogni centimetro di questo treno. Il vuoto non dice». «Partire?» chiese Maja, sorpresa. «Vado a Barcellona. Ho bisogno di muovermi. Roma mi soffoca, l'Italia mi soffoca. Non valgono la pena. Io credo che un altro mondo è possibile, ma adesso so che non sarà qui». «Perché non me l'hai detto?» chiese Maja. «Perché non potevo chiederti di venire con me, – disse Zero, muovendo la torcia sulle fiancate dei vagoni. – Questo l'ho fatto per te, sei tu la persona a cui volevo mostrarlo. Non ho la presunzione di essere capito, anzi, forse ho la speranza di non esserlo. Comunque ogni opera che realizzo la considero un pezzo del mio corpo. Cosí adesso mi conosci veramente».

Ma io ti conosco già, avrebbe voluto urlare Maja. Cosa rimane se Aris andrà via? È il mio unico amico. Tutto il resto è di una falsità che mi ripugna. Perfino me stessa. Fissò gli omini malinconici, sfiorati dalla luce della torcia e subito inghiottiti dal buio. Figure di giovani duttili e docili – che si adeguano alle forme, si adattano allo spazio, si confondono in esso, non vogliono emergere né essere niente, e si tengono in disparte dalla

vita. Figure come Aris – o meglio, Zero? Aveva freddo. E si
era graffiata i piedi sugli spunzoni del binario. «Quando parti?» gli chiese invece, perché lei non sapeva guardarsi indietro,
e pensava sempre di poter aggiustare le cose domani. «All'inizio di giugno», rispose Zero, scrutando allarmato i cunicoli bui
che si aprivano attorno al deposito. Gli pareva di aver sentito
dei passi. «Allora ci resta quasi un mese», commentò Maja. Si
rese conto che le sue parole suonavano come una proposta. Gli
appoggiò con cautela un braccio attorno alla vita. Zero si voltò bruscamente, e la abbracciò con forza, fino a lasciarla senza
fiato. Sentí le sue ossa affiorare sotto la pelle. Se fosse stata sua
madre, si sarebbe preoccupata – perché Aris aveva cominciato
a non mangiare le bestie morte e aveva finito per non mangiare
quasi niente, e non si curava della sua salute né di sé. Ma non
era sua madre. Era la sua amica.

Maja attorcigliò uno dei suoi boccoli viola, spinosi, attorno
al dito. I capelli di Aris erano rigidi come fil di ferro. Ancora
stentava a credere di averlo baciato. Sorrise, sollevata. Un mese è sorprendentemente lungo. Possono succedere tante cose.
Può cambiare idea. Posso convincermi che deve partire. Posso
abituarmi a perderlo. Posso convincerlo a restare. Che Roma e
l'Italia valgono la pena. Che *io* valgo la pena.

«Adesso tocca a te», disse Aris, estraendo dalla tasca una
manciata di bombolette. Le spiegò che ogni bomboletta ha un
tappino diverso, che produce sfumature diverse. C'è il Super
Skinny che ha un tratto sottilissimo, il Soft Medio, e il Fat
Oro, che ha il getto molto largo, un po' duro. Maja però scelse il Direzionale, che serve a tracciare linee. Sembrava un'operazione elementare, barbara, selvaggia – ma si rivelò in realtà
molto complicata. Non bastava premere – occorreva dosare, altrimenti il getto risultava stitico, o troppo abbondante, confuso o illeggibile. Ma se riuscivi a controllare la mano, la vernice
sgorgava – come benzina, come inchiostro. Per qualche istante,
gli occhi fissi nella penombra, Maja esitò, con la bomboletta in
mano, ferma davanti al vagone di coda, dove la storia senza fine di Aris si concludeva senza concludersi – per semplice esau-

rimento dello spazio. Poi si decise, e – puntando la bomboletta verso la fiancata – schiacciò.

Scrisse il suo nome – come i bambini nella polvere e sulla sabbia. E i turisti su monumenti che non vedranno mai piú. E i carcerati sulle pareti della cella che li imprigiona. Scrisse solo quattro lettere, scure. MAJA. Cosí ogni volta che questo treno correrà sotto la pelle di Roma porterà in giro i loro nomi e il ricordo di questa notte. A volte i disegni li rimuovono in pochi giorni, a volte restano mesi – a volte di piú. E il bello è proprio questo. Non sai se stai facendo un'opera che vivrà un giorno, o se durerà piú di te.

Quello in fondo al cunicolo era proprio rumore di passi. Zero spense la torcia. «Andiamo via», bisbigliò, afferrandole il polso. La vigilanza era molto attiva, ormai. Ogni notte diventava piú pericoloso introdursi nella galleria. La settimana precedente, in un altro deposito sotterraneo, avevano sorpreso dei ragazzi. Li avevano manganellati e uno di loro aveva perso tutti i denti. Si vide in stato di arresto, in qualche commissariato. E lei? Cosa sarebbe accaduto a lei? L'avrebbero costretta a declinare le sue generalità? Denunciata? Tutti avrebbero saputo dov'erano, stanotte, Aris e Maja Fioravanti. E questo pensiero lo rese euforico, quasi temerario. Venite a prenderci, voleva gridare, venite.

Maja si aggrappò al suo braccio. I loro passi non increspavano nemmeno il silenzio. Ci muoviamo senza fare alcun rumore, come se non esistessimo, pensò. Come se già non fossimo piú qui. E se fosse davvero cosí? Ce ne andremo, in un modo o in un altro. Avanzavano tastando con le mani le pareti della galleria, come ciechi. Zero si disse che, anche se esaltante, sarebbe stato stupido farsi arrestare. Invece non dovevano farsi prendere di nuovo. Piuttosto ci faremo investire dal treno. Ci faremo attraversare dalla corrente elettrica – ci accenderemo come luci. Oppure ci lasceremo tutto alle spalle. Faremo ogni cosa a modo nostro. Non ci prenderanno piú. Gli siamo sfuggiti. I cavi elettrici vibrarono, forse qualche prova di funzionamento. Un segnale luminoso si accese, in fondo al buio. Maja rabbrividí. Se i conducenti manovravano i treni. Se elettrificavano la linea... Aveva perso l'orientamento. Avevano imboccato la stessa galleria dell'andata? O si erano persi? Adesso, anche voltandosi, non riusciva piú a distinguere i vagoni effigiati da Zero. E nemmeno riusciva a distinguere niente davanti a sé. Solo i contorni indefiniti di una galleria buia, un soffitto irregolare e angusto, e un fanale pallidissimo, laggiú in fondo – ma chissà dove. «Hai paura?» le chiese Zero, stringendole il braccio con forza. Maja socchiuse gli occhi e guardò la luce lontana in fondo al buio e disse: «No».

A poco a poco, intorno a loro la città si era svuotata. Attenuato il chiarore che la sovrastava come un alone. L'animazione che la percorreva aveva rallentato e poi era cessata del tutto. Il brusio incessante che si levava dalle case, dalle macchine e dalle finestre si era affievolito e rarefatto, finché, adesso, tutto taceva – e Roma era diventata un corpo immenso, torpido, immobile. CI DIVERTIAMO CON PAPÀ TUTTO OK MANKI SOLO TU BUONANOTTE MAMMA TVTB!!!

Emma lesse e rilesse il messaggio, mentre la morsa di angoscia che le attanagliava il respiro si dissolveva, come se quelle lettere vanificassero un maleficio. Si sentí leggera, quasi svaporata. Sulla terrazza dello Zodiaco, in cima a Monte Mario, tirava vento, e lei rabbrividí. Sotto di loro, Roma era un presepio di luci. TVTB ANKIO, rispose, inviando il messaggio. Aveva imparato dalla figlia quella specie di stenografia cellulare. Le piaceva. Dire molto col minimo sforzo. «Avevi ragione tu, – gli disse, mostrandogli il telefono, – si divertono col padre, stanno bene, va tutto bene». «Che vuol dire MAMMA TVTB?», chiese Sasha. Emma sorrise e disse, incredula: «Davvero non lo sai?»

«Che facciamo?» le chiese Sasha. Salutiamoci adesso, avrebbe voluto dirgli Emma. Una volta aveva letto un verso, non ricordava piú di quale poeta. Diceva piú o meno cosí. Chi può sapere che congedo attende nella parola addio.

Sasha schiacciò il telecomando dell'antifurto e i fari della

sua Peugeot lampeggiarono nell'oscurità. Quei segnali luminosi sembravano volerle dire qualcosa, ma Emma non sapeva cosa. Le aprí lo sportello e quando fu salita lo richiuse piano, con
delicatezza. Quest'uomo non sbatteva mai le porte. Probabilmente non urlava mai. E non era capace di insultare qualcuno,
perché preferiva ascoltarlo. E adesso mi porta a casa. E finisce
cosí. Quanto è stato breve. Nemmeno in ore, il nostro tempo
si misura a malapena in minuti. Questo nostro giorno è scivolato via, senza lasciarsi dietro niente. Non mi ricordo se gli ho
detto qualcosa che volevo sapesse, o se lo ha fatto lui. Quando
vorrò ripensarci, non dovrò cercare dove si incidono i ricordi,
non il corpo, non le parole. Guarderò il riverbero delle luci, nel
cielo di Roma – e se ha ragione lui, ci troverò il riflesso di noi.

Sasha imboccò la rampa, superò l'Osservatorio astronomico,
scese cautamente giú per la Panoramica, e poi raggiunse piazza
degli Eroi. Sul colle, come una torre di guardia, come l'asta di
una bandiera su un territorio conquistato, spiccava l'antenna
del Vaticano. La notte profumava di platani. A un tratto, soprappensiero, Emma gettò sul sedile posteriore il voluminoso
pacchetto di Bulgari in confezione regalo che da ore teneva sulle
ginocchia come un cimelio e un pegno di fedeltà, anche se non
a lei. Perché doveva custodire il regalo per l'amante del professore? Se mai l'avesse incontrato le sarebbe piaciuto romperglie-
lo sui denti. Sasha percepí il tonfo e disse che era stato stupido
cercare l'orologio piú infallibile, per dire a Dario che il tempo
che passa ha un grande valore e che non possiamo permetterci di perderlo. «Il tuo amico capirà», commentò Emma. Sasha
annuí, di malumore, perché allora non sarebbe stato adesso.

La M rossa irradiava luce, dall'alto dei pali. Oltrepassarono
di nuovo le fermate della metropolitana che scandivano la strada
verso casa. CIPRO-MUSEI VATICANI. VALLE AURELIA. BALDO DEGLI
UBALDI. Ma adesso le sembrava di attraversare una città diversa, e sconosciuta. Roma era nuova – come se la vedesse per la
prima volta. Avevano passato la sera a cercare i bambini. Non
li avevano trovati. Eppure la ricerca non era stata del tutto inutile. Sasha si immise sulla Boccea. I fari illuminavano un lembo

nero d'asfalto e tutto intorno era buio. Alberi, segnali stradali, qualche raro camion, apparivano e sparivano come non esistessero davvero. Per un attimo, su un cartellone pubblicitario tutto blu apparve un bambino nudo, che rideva spensierato, con gli occhi chiusi e senza guardare niente, perché la sua allegria non derivava da qualcuno o da qualcosa, ma da lui stesso. Lo slogan recitava: IL FUTURO È INIZIATO, GENTE.

Il futuro. Il futuro che s'affacciava – timidamente – in fondo alla notte. I pensieri sdrucciolavano via. «Che farai adesso?» ripeté Sasha. Guardava dritto davanti a sé, l'oscurità in cui si precipitavano, correndo. «Litigherò con mia madre perché l'ho svegliata e me ne andrò subito a letto», rispose Emma. S'avvolse la stola di piume arancioni attorno al collo, raggelata dal pensiero di subire le recriminazioni di Olimpia. Quando aveva lasciato Antonio, immaginava di prendere presto una casa tutta per sé, e per i bambini. E invece non era più riuscita ad andarsene: aveva dovuto restare dalla madre, accettare il suo aiuto, tornare figlia. Era stato più difficile accettare questo, che perdere tutto. Per un attimo vide il piccolo appartamento, ingombro di mobili dozzinali eppure vuoto, perché Valentina e Kevin non c'erano, stanotte. E non ci sarebbero stati domani, e dopodomani. Non era più abituata a separarsi da loro. La loro assenza era già una nostalgia. E mancavano ancora due giorni a lunedí. Un'eternità.

«Poteva essere tutto diverso. Nel frigo di casa mia c'è una bottiglia di Veuve-Cliquot, – stava dicendo Sasha, che scrutava allarmato l'ago della benzina, precipitato in riserva fissa. – E c'era un tavolo prenotato alle Colline di Maremma, un due stelle Michelin vicino Montemerano. In un certo senso era la mia festa. È il nostro anniversario. Stiamo insieme da dieci anni. Ma forse dovrei dire cinque. L'altra metà della sua vita è per la moglie». Sasha aveva aspettato dieci anni il suo amico. Dieci anni! Come aveva potuto sopportare di condividerlo con la moglie per tanto tempo. Emma non ci sarebbe mai riuscita. Lo avrebbe voluto per sé. Ma con gli uomini aveva sempre sbagliato tutto. Guardò fuori dal finestrino, ma nel buio non riconobbe nessuna stazione di servizio, e per qualche minuto invidiò la resistenza di quell'amore segreto ed elusivo, ma poi si disse che proprio la sua precaria furtività, la quotidiana mancanza lo avevano reso tenace, mentre sarebbe naufragato miseramente se esposto ai colpi piú banali della vita. Forse è piú comodo avere un mezzo amante che un marito o una moglie interi.

Il professore guidava lentamente, accorto. Aveva un viso da ragazzo, incompiuto. Le sue guance erano lisce, morbide, paffute. Forse continuava a pensare all'orologio svizzero che sul sedile là dietro ticchettava inesorabilmente il tempo perduto, alla sua festa interrotta – o mai cominciata. «A quest'ora il tavolo l'avranno dato via», constatò, con improvvisa tristezza per tutto ciò che avrebbe potuto essere, e non era stato e forse ormai non sarebbe stato piú. Emma confermò. «Direi proprio di sí, è passata mezzanotte!»

Sasha fermò la macchina sotto le luci azzurre di un distributore automatico. Nella piazzola non c'era nessuno, solo un secchio pieno d'acqua putrida e nera in cui galleggiava una spugna. La capricciosa macchinetta rifiutò l'unica banconota di Sasha. Emma abbassò il finestrino. Lo vide armeggiare goffamente, schiacciando un tasto dopo l'altro – invano. Quest'uomo che sembra ancora un ragazzo, cosí a disagio con le cose di questo mondo. Scese. Frugò nella borsa, scovò il portafoglio, ne estrasse l'ultimo biglietto da cinquantamila. Sasha si schermí garbatamente – non avrebbe mai permesso che lei... Ma Emma lo infilò nella macchinetta, che lo ingoiò con un fruscio. Tentò di costringerla ad accettare almeno diecimila lire, ma Emma rifiutò, sorridendo. «Sono un disastro, – disse Sasha, – se avessi preso un taxi lo avresti pagato di meno». «La prossima volta pagherai tu», disse Emma, anche se nulla faceva supporre che avrebbe trascorso col professore di Valentina un'altra sera.

Sasha estrasse la pistola dal distributore. Con una vibrazione che lo scosse, la benzina affluí nel tubo, sgorgò nel serbatoio. «Con tutta questa benzina ci arrivo a Venezia», commentò. E gli venne in mente che in effetti non aveva nessun motivo per tornare a casa. Il gatto aveva da mangiare per tre giorni. Poteva andarci davvero, a Venezia, o altrove. Era libero. «Che fai domani?» le chiese. Anche se era una domanda alquanto invadente, non se ne curò. Aveva l'impressione di poterle dire tutto e chiedere ogni cosa. «Aspetterò che viene lunedí», rispose Emma, con un sorriso. Sasha sgrullò la pistola nel serbatoio, per scaricare anche l'ultima goccia di benzina, poi la tirò fuori e rimase assorto, con la canna sgocciolante tra le mani. A un tratto disse: «Ti andrebbe di aspettare lunedí con me?»

«Conosci Saturnia?» «No, – rispose Emma, cercando di riaversi dalla sorpresa. – Non ci sono mai stata». Tentando maldestramente di agganciare la pistola al distributore, Sasha si schizzò di benzina le scarpe. «Ci vado sempre, quando devo festeggiare qualcosa. Per questo non ci sono mai stato da solo». Le aprí lo sportello della macchina e quando si fu seduta lo richiuse, piano, con delicatezza. Emma fissò le luci azzurre dell'insegna che si specchiavano nel cofano. Sasha aggirò lentamente la macchina e si sistemò al volante. Infilò le chiavi nel cruscotto, ma non mise in moto. Sembrava aspettasse qualcosa. «C'è una camera per due a mio nome, al Grand Hotel delle Terme di Saturnia – due notti già pagate. L'hotel è veramente chic, e ha una piscina termale grande quanto un lago. Potremmo farci il bagno alle cascate anche stanotte. L'acqua esce dalla sorgente a trentasette gradi. E fuma, le nuvole di vapore avvolgono tutto, è un paesaggio irreale, come un sogno. Ci vieni, Emma?»

«Non so se è una buona idea», esitò lei. Il suono del suo nome l'aveva sorpresa. I bambini la chiamavano mamma. Per Antonio era sempre stata Mina. Invece una sinapsi da molto tempo inerte si era accesa quando il professore l'aveva chiamata – come ricordarsi di esistere. «È una camera doppia a due letti gemelli», precisò Sasha, per dissipare ogni equivoco. Non voleva che Emma lo fraintendesse. Non aveva nessuna mira, nessun progetto, neanche l'ombra di un desiderio per lei. Voleva solo restare insieme. «A due uomini non danno mai la matrimoniale, – sottolineò. – È uno dei pochi svantaggi della gayezza». Emma rise. Nella borsa, le sue dita sfiorarono le chiavi di casa. I bambini erano col padre, e stavano bene. E, per la pri-

ma volta da quando erano nati, non aveva niente da fare. Non
aveva mai avuto un attimo per sé. Da anni viveva per loro. E
invece adesso era sola. E forse, anche se aveva negato ostinatamente, e aveva pagato le sue negazioni, aveva invece ragione
Antonio. Lei non era fatta per restare sola. Sapeva vivere solo
per gli altri. Voleva che fossero felici. Con lei o attraverso di
lei. Era un crimine?

Poteva partire con quest'uomo che sembrava un ragazzo,
venuto dal buio di un giorno sbagliato – il professore goffo e
distratto, eppure agile e leggero, perché il passato non gli pesa
sulle spalle, il passato che lui, cosí giovane, può sostenere per
me. Un uomo che conosceva veramente da poche ore. E passare due giorni e due notti a confessarsi tutto ciò che non po-
tresti dire a nessun altro, a raccontarsi le cose piú intime, come fanno in treno due sconosciuti che sanno di non incontrarsi
mai piú. E tornare con lui domenica sera. E per due giorni non
avrebbe ascoltato le recriminazioni di Olimpia, e le minacce di
Antonio – e avrebbe dimenticato tutto. Due giorni di tregua,
sospesi come un filo tra i soliti giorni della sua vita. Tanto poi
sarà sempre lunedí. Perché no? Vivere, per qualche ora. E ap-
profittare della pienezza di ogni istante, senza dover chiedere
perdono a nessuno.

Sasha girò la chiave e accese il motore. I fari disegnarono
un cono di luce bianca sull'asfalto. Condusse la macchina nella
strettoia che immetteva sulla provinciale, ma non la imboccò,
indeciso sulla direzione da prendere. I suoi occhi scuri scintillavano dietro gli occhiali. La sua camicia illuminava di azzurro
l'oscurità. Aspettava qualcosa. Il tempo divenne gravido – come i secondi che passano tra il lampo e il tuono. «Okay, – ri-
badí Emma, trasognata. – Ci vengo. Sí». Sasha diede gas e la
macchina scivolò nella carreggiata. Mentre Emma, sorridendo,
infilava le mani nella borsa e spegneva finalmente l'infernale
telefono che la teneva inchiodata alla sua vita, superarono il
cartello bianco che diceva: ARRIVEDERCI A ROMA.

Oh it's such a perfect day
I'm glad I spent it with you

Oh such a perfect day
You just keep me hanging on
You just keep me hanging on

Just a perfect day
You made me forget myself

I thought I was
someone else
someone good

You're going to reap
just what you sow
You're going to reap
just what you sow
You're going to reap
just what you sow
You're going to reap
just what you sow

LOU REED

Oh, è proprio un giorno perfetto
Sono felice di averlo trascorso con te

Oh, un giorno cosí perfetto
Tu mi tieni legato alla vita
Tu mi tieni legato alla vita

Proprio un giorno perfetto
mi hai fatto dimenticare di me stesso

credevo di essere
qualcun altro
uno buono

Stai per raccogliere
quello che hai seminato
stai per raccogliere
quello che hai seminato
stai per raccogliere
quello che hai seminato
stai per raccogliere

quello che hai seminato

L'agente semplice riferisce che il telefono suona a vuoto. Il proprietario dell'appartamento risulta essere effettivamente qualcuno che potrebbe avere delle armi in casa. Il vicino ha confermato che dopo le grida e gli spari non è uscito nessuno. Insomma, la centrale dice di procedere. Il magistrato ha dato l'autorizzazione. L'agente scelto schiaccia la cicca sotto la scarpa e si appoggia alla porta. Un due tre. Al terzo scrollone, la porta cede di schianto, ma lui sente un vivo dolore al piede e spera di non esserselo rotto. Le luci sono spente. «Ehi, c'è nessuno?» grida. «Dio è ovunque e in ogni cosa, – risponde una voce maschile. – Ma bisogna saper riconoscere la presenza del divino, e per farlo occorre aprire il cuore al soffio dello spirito». «È impazzito?» sussurra l'agente semplice. «Accendi la luce», dice l'altro, avanzando a tentoni verso il soggiorno. Uno spettro rugoso lo fissa da dietro il divano, alonato da un'aureola azzurra. Ha gli occhi vitrei e la voce salmodiante: per forza, è un prete. La televisione è accesa. Anche all'agente scelto capita, la notte, quando non riesce a dormire, di passare ore di ipnosi davanti alle trasmissioni religiose confinate agli orari clandestini degli spot delle chat line porno. L'agente semplice non trova l'interruttore. Non ha mai fatto irruzione in casa altrui. Ma le case degli altri somigliano alla nostra.

Nel soggiorno aleggia un odore pungente di sigarette, patatine fritte e qualcosa che non saprebbe definire. O forse sí, solo che spera di sbagliarsi. Questa casa sinistra – stranamente vuota, senz'anima, senza piú oggetti salvo qualche divano spelacchiato, senza tappeti, con una libreria vuota. *Li aveva portati via e non si erano piú visti.* Casa non piú abitata, abbandonata, infestata da ricordi – fantasmi. Il prete dice che lo spirito è in noi, e l'agente scelto schiaccia il telecomando e lo spegne. Indietreggia nel corridoio. Il fragore della porta scardinata non ha svegliato nessuno. Ha sonno, malditesta e la gola stretta dalla nausea. Sta cercando di smettere di fumare e la sigaretta gli ha lasciato la bocca avvelenata. «Vieni, – mormora l'agente semplice con voce atona, – vieni».

In fondo a un corridoio stretto nudo e anonimo c'è la luce accesa. L'agente scelto entra in quella che forse è stata la stanza di una ragazzina, perché ha le pareti foderate di carta impermeabile rosa, sulla quale galleggiano fatine e pupazzi del mondo di Walt Disney. Sul pavimento c'è una sagoma bianca accartocciata. Sembra l'involucro di un fantasma. È un accappatoio. Quel mucchio di stoffa inanimata gli trasmette una sorda inquietudine. Non osa toccarlo. Si china a esaminare qualcosa di dorato che luccica sulla moquette. È un bossolo. Eppure non c'è nessuno, e la porta finestra che dà sul terrazzo è ben chiusa. «Vieni», ripete l'agente semplice.

Torna indietro. Riattraversa il salone e s'incunea nello stretto passaggio che immette in una esigua cucina. Vede il secchio della spazzatura – praticamente vuoto. Vede una macchiolina rossa, che spicca come una goccia di cera sulle piastrelle scure. Vede gli armadi, gli scaffali, il frigorifero a parete – e gli sembra di aver già visto da qualche parte quella cucina, e infatti è cosí, perché è il modello di cucina componibile per famiglie piú economico e piú venduto in Italia. Sull'anta del frigorifero, Buonocore ha appiccicato fotografie, cartoline, post-it con appunti privi di importanza il giorno in cui sono stati scritti e forse privi di importanza per sempre: PAGARE LUCE, RATA MUTUO. La cartolina è una promessa di spiaggia, mare, sole. Sul mare azzurro regna la scritta SHARM EL SHEIK. Gli viene in mente che avrebbe voluto andarci a Natale e portarci la moglie, lei lo desiderava tanto. Le foto sul frigo sono tutte opache, sbiadite dal sole, dalla polvere, dal tempo: sono vecchie di anni. In veranda, la luce è accesa. Con quelle pareti trasparenti, sembra una scatola di vetro. Pensa che deve essere intimo, e bello, cenare lí. L'agente semplice è inginocchiato sotto il tavolo. Sta per chiedergli che cazzo sta facendo quando quello sospira «l'ha ammazzata».

Ragazzina con la coda di cavallo sulle spalle gracili e una bianca maglietta di cotone della squadra AS ESQUILINO, scalza con le braccia strette contro il corpo, seduta nel suo sangue. Ragazzina rannicchiata sotto il tavolo – dove forse, scappando, aveva cercato rifugio. L'agente scelto raccoglie il secondo bossolo. Lo stringe fra le dita, e pensa: tre colpi – uno nella cameretta, l'ha mancata, l'altro alla spalla, attraversa il tessuto, perfora la scapola e fuoriesce sotto l'ascella. Alla spalla? Lei non si è voltata, gli si è lanciata contro. Ha avuto il coraggio di guardarlo in faccia, mentre lui – la persona di cui probabilmente si fidava di piú al mondo – premeva il grilletto. Il terzo bossolo è ancora dentro di lei: l'ultimo colpo al cuore, a distanza ravvicinata. Dieci centimetri, forse meno. Forse l'ha inseguita – la vetrata della veranda è aperta, sul balcone lo stendipanni è rovesciato – forse ha tentato di arrampicarsi sul terrazzo condominiale, è salita sullo stendipanni, quei fili di ferro marcio non hanno retto il peso, è caduta. Ma poi comunque che poteva fare? urlare, e infatti ha urlato. L'hanno sentita. E nessuno è arrivato in tempo. Buttarsi giú. Forse le impalcature. Forse un gancio, un tubo del cartellone pubblicitario, una grondaia per rallentarne la caduta. Sei piani, impossibile, praticamente solo un miracolo. Ma i bambini hanno mille vite. Invece è tornata dentro. Perché? Forse si sono detti qualcosa, era pur sempre il padre. Forse l'ha convinta. Si è rannicchiata sotto il tavolo. Si è rannicchiato sotto il tavolo anche lui? Sarà alto, sarà atletico, è un italiano come tanti – uno di noi. Lui comunque non ha dovuto correre poi tanto, la casa è piccola, ottanta metri quadri al massimo, si è chinato e le ha sparato al cuore da una distanza di dieci centimetri. Guardandola negli occhi e sapendo che lei sa. Gesú.

Ragazzina assassinata sotto il tavolo da pranzo, scalza, con la maglietta bianca intrisa di sangue e scomposta a scoprire l'ombelico nel quale brilla – lucido, nuovissimo – un bottone di metallo. Ragazzina viva nelle fotografie appiccicate sul frigorifero, dove lui l'avrà guardata con tenerezza orgoglio strazio ogni volta che ha bevuto un sorso di birra, ogni volta che ha addentato un pomodoro. Ragazzina senza nome vestita di bianco il giorno della comunione; ragazzina affacciata al finestrino della Tipo di Buonocore – sorridi a papà, tesoro, brava; ragazzina parecchi anni prima, bambina con un fagottino tra le braccia, neonato grinzoso con gli occhi ancora annebbiati. Ragazzina ossuta inginocchiata sulla sabbia, a sinistra di una figa bionda in costume da bagno, contro la quale si avviticchia un pupetto strabico. Tutti e tre sorridenti abbronzati abbacinati dalla luce del mezzogiorno, la peggiore per le fotografie come sanno anche i dilettanti. Spiaggia poco affollata, con ombrelloni di forme e colori diversi, perciò niente stabilimento, spiaggia libera, sabbia di ciottoli, mare verde, cristallino – lo Jonio, forse. Ragazzina viva col dito puntato sulla spalla morbida e tatuata con una vistosa lettera A della bionda inginocchiata accanto a lei, che però guarda il fotografo – Buonocore, sicuramente, ma siccome è mezzogiorno la sua ombra non si vede. Sguardo della ragazzina fisso sulla madre. Gelosia? Invidia? Amore? Fiducia incondizionata. La bionda che la ignora, e sorride estatica innamorata stupenda a Buonocore in costume da bagno – probabilmente boxer elasticizzato per evidenziare cosce e pacco – quattro passi davanti a lei, atletico abbronzato fiero perché tutto ciò che sta inquadrando – asciugamano, pupetto strabico, ragazzina imbronciata, stereo portatile, bionda soda, attrezzata, non smagliata, notevole – tutto ciò appunto è suo. *Era* suo, perché l'ha perso e ormai appartiene a un'altra vita. Ipnotizzato dal sorriso della donna felice e perduta, indecentemente spogliata, tutta nuda salvo un rettangolino di stoffa a coprire seni fastosi – globi lucidi d'olio o d'acqua da perderci da testa. Quel ben di Dio – nostalgia e perenne invito – ogni volta che apre una birra, mastica un pomodoro, scarta un surgelato. Gesú.

Tutte le luci accese, adesso, a illuminare la trasandata decadenza di una casa che da tempo ha cessato di essere una casa.

Buonocore viveva in un disperato, sporco, indifferente disordine. Giornali vecchi buttati ovunque, a casaccio, aperti alle pagine sportive. Una lattina schiacciata dalla pressione di un piede scaraventata contro la cassapanca dell'ingresso. Le stanze che erano state dei bambini orrendamente vuote, sulla carta da parati infestata da uccelli, alberi e angioletti l'ombra di poster staccati da tempo – cornici vuote, assenza, assenza. Due lettini componibili di legno, e nient'altro. I letti nemmeno rifatti, col materasso a vista. Non ha mai pensato di metterli a letto. Non è stato all'improvviso. Aveva progettato tutto. Però la ragazzina ha sentito qualcosa, cosí quando è andato a sorprenderla nella sua cameretta – perché era nella cameretta? – lei stava accorrendo in salone, e l'ha mancata, e quando gli si è buttata contro l'ha presa di striscio, e gli è sfuggita, e lui ha dovuto rincorrerla, tirarla giú dallo stendipanni, inseguirla nella scatola di vetro, chinarsi, forse parlarle, addirittura, e finirla sotto il tavolo. Cosa aveva sentito?

Il pupetto strabico col cerotto sull'occhio raggomitolato sul divano, la testa reclina sul bracciolo. Un palloncino rosso agganciato al suo polso ondeggia e fluttua sopra di lui. Con un vestito assurdo – incongruo in quella modesta casa vuota. Uno smoking nero, elegantissimo, con tanto di cravattino di seta a papillon, scalzo pure lui. Sulla faccia paffuta allegra divertita un'espressione beata, rivolta verso la televisione che stava guardando e guardava ancora. In grembo, la custodia a colori sgargianti della cassetta infilata nel videoregistratore. *Il Re Leone*. Almeno lui non si era accorto di niente. Un forellino quasi invisibile alla nuca, fra i capelli ricci luccicanti di gel, irti come aculei di porcospino. Alla nuca, vigliaccamente. A tradimento, mentre guardava i cartoni animati. Senza dargli una possibilità. Neanche una. Al pupetto no. Il pupetto per primo. Vigliacco, bastardo, come si può, come hai potuto. Se lo trovo, pensa, se lo trovo lo.

L'ha già fatto. Impronte di sangue lo attirano nella stanza attigua. L'agente scelto passa sotto un arco, pochi passi e inciampa in un paio di scarpe di gomma. Se le è tolte. Come si è tolto il vestito color sabbia che indossava, fradicio di sangue, lo ha piegato per non sgualcirlo, e l'ha appoggiato sullo schienale di una seggiola – ripetendo un'abitudine, un rito di ordine e controllo. Perché si è cambiato? Poi vede. Due suole assurdamente lisce sbucano dietro le sbarre metalliche della spalliera. Un paio di scarpe indossate una volta sola – che profanano un letto matrimoniale antico e bello. Certo il letto sul quale. Probabilmente la ragazzina e il pupetto erano stati inventati qui. Nel piacere e nella gioia. Buonocore ora supino sul letto – una mano sul cuore che credeva di avere ancora, l'altra ricaduta a sfiorare il pavimento. La pistola rimbalzata sul tappetino. Il grande corpo non ancora rigido disteso sul lato sinistro del letto, quello che non era il suo – perché il comodino è dall'altra parte, e ci aveva appoggiato, come sempre aveva fatto anche se sapeva che non ne avrebbe avuto piú bisogno, le chiavi di casa, il telefono spento e il portafogli. Disteso sul lato sinistro, dove dormiva lei, dove forse è rimasta l'essenza del suo profumo, uno dei suoi capelli, l'impronta del suo corpo sul materasso. I bambini scalzi, lui vestito – ma non per uscire. Un grosso corpo fasciato in un abito scuro, i calzoni con la piega, la cravatta, il gilet, e la giacca sbottonata perché gli anni sono passati e la taglia non è piú quella di un tempo. Il grosso corpo di Buonocore, stimato da tutti, un uomo giusto e coraggioso, che una volta aveva preso una menzione per aver catturato un pericoloso assassino.

«Adesso toccherà cercare la moglie», constata l'agente semplice. Non gli risponde. La bionda sorridente felice. «Secondo te, ha fatto fuori pure lei? Magari l'ha ammazzata da un'altra parte e ancora non hanno trovato il corpo. Di solito la donna è la prima che muore. Mi ricordo di uno che ammazzò pure il cane. Dove potrebbe averla nascosta?» «Piantala, – grida l'agente scelto. – Chiama la squadra mobile, subito. E il pubblico ministero. Digli che venga lui. È un caso importante. Una strage di famiglia». Buonocore con la testa rasata al centro del cuscino – gli occhi semichiusi e una faccia assurdamente serena, che non esprime piú disperazione né rabbia né odio né dolore. Nulla. L'agente scelto spegne la luce, perché non riesce a sostenere la vista di Buonocore disteso sulla trapunta rossa lisa, nero nel suo nero abito da sposo usato una volta sola, quindici anni fa.

Ululano le sirene della polizia, giú in strada. Gemiti tardivi d'allarme e di rabbia, di minaccia e di protesta, ma ormai non serve a niente. Si conficcano nell'accanita indifferenza della notte. Poi si avvicinano, i vetri dell'appartamento tintinnano, e a un tratto cade – definitivo – il silenzio. Hanno spento. Sono arrivati. Ultimi istanti sospesi – i vivi e i morti, e non c'è piú niente da dire. Poi saranno solo parole. E non significheranno niente. «Ha lasciato una lettera», dice l'agente semplice, affacciandosi nel salone. Parla sottovoce, come se non volesse svegliarli. Ma loro non possono svegliarsi. Non sono piú in queste stanze vuote, sotto questo soffitto basso – se ne sono andati. L'agente semplice gli porge una busta chiusa, affrancata con un francobollo di posta prioritaria. La lettera è indirizzata all'avvocato onorevole Elio Fioravanti, via Mangili, Roma. Forse contiene la spiegazione di questo massacro. Ma, piú probabilmente, solo altre parole senza senso, che non possono fare ordine né luce. «Rimettila dove l'hai trovata, non toccare niente», dice l'agente scelto.

Sono arrivati i poliziotti della squadra mobile, il commissario, gli ispettori, gli agenti della scientifica, il fotografo. Da anni in questo appartamento non entrava tanta gente. Voci, passi, tonfi, esclamazioni, desolazione, furore. Incredulità. Nessuno conosceva veramente Buonocore. Nessuno conosce nessuno. Ordini concitati. Non calpestate il sangue. Non spostate gli oggetti. Non toccate i cadaveri. Dov'è Mario con la videocamera? Riprendi, prima che incasinano tutto. Il film del delitto della notte del 4 maggio. La casa. Le stanze. Le impronte. Le armi. I proiettili. Le ferite. Le posizioni. Le vittime. L'assassino. Tutti insieme sullo stesso nastro. Filmini di famiglia.

I poliziotti setacciano l'appartamento per rilevare le tracce di sangue. In ginocchio, l'esperto predispone l'attrezzatura dell'FTP e imprime il sangue sul foglio adesivo. L'operatore video

inquadra sul pavimento della cameretta l'accappatoio bianco –
è asciutto, non è stato usato. Poi panoramica sul corridoio, ma-
linconiche ombre di quadri spariti, totale del salotto, incuria,
squallore, abbandono, polvere, un pinocchio di legno, la custodia del *Re Leone*, schizzi di sangue sulle pareti. Zoom sotto il
divano: un paio di scarpe da pallavolo. Sono un reperto? Servono a ricostruire la dinamica dei fatti? Nel dubbio, vengono
riprese, fotografate e infilate in un sacco di plastica trasparente. Nel cartellino del reperto, vengono attribuite alla Vittima
Numero Due. A volte, dopo, i parenti le richiedono. Scarpe,
indumenti indossati quell'ultimo giorno, monetine, oggetti che
avevano nelle tasche. Bottoni, ciondoli, fermacapelli. Sorta di
reliquie senza miracoli.

Reperti. Il cuscino del divano – sventrato dallo sparo. Dai
due fori, d'entrata e d'uscita, sfuggono piume bianche che si
sollevano a ogni passo, e ti inseguono se ti allontani. Reperti.
Un bicchiere di cartone di McDonald's con la cannuccia ancora
infilata nel coperchio – trovato sullo stesso divano. Ogni volta
che gli agenti gli passano accanto, lo spostamento d'aria fa on-
deggiare il palloncino rosso agganciato al polso del pupetto. E
ogni volta l'agente scelto sussulta, perché quel dondolio gli dà
la sensazione che anche il bambino si muova.

Il bambino. Lo chiamano la Vittima Numero Uno. Non ha
ancora un nome, un'identità, una storia. Utile, ignorare. Raf-
fredda, calma, distacca. Ma bisogna ricostruire, spiegare. La
dinamica del fatto, il fatto, il colpevole, il movente. Eppure il
fatto in sé non significa niente. L'agente scelto vaga nell'appartamento, seguendo l'operatore con la videocamera, senza sapere cosa gli si chiede, quale è il suo compito e la sua funzione,
in tutto questo. Eppure deve essercene una. Gli chiedono di
raccontare. È questa, allora? Descrive la scena che non avrebbe voluto nemmeno immaginare. Lo ascoltano, senza guardarlo. Neanche lui li guarda. E non guarda il pupetto sul divano
– un fagottino nero, un piccolo principe strabico tra i cuscini,
come dormisse. Bisognerebbe chiudergli l'occhio. E asciugargli
il sangue che gli cola dal naso e dalle labbra. Ma nessuno toc-

chi i corpi. Sulla cassettiera, la fotografia in una cornice dorata, che prima non aveva notato. Buonocore e la bionda – però ancora bruna – il giorno del matrimonio, davanti a una chiesa monumentale: giovani, innamorati, si baciano sulle labbra. Fra i capelli, lei ha una coroncina di fiori bianchi. Lo riscuote un agghiacciante rumore di vetri infranti. Qualcuno ha fatto cadere dalla mensola sopra il caminetto la palla della Madonna di Loreto con la neve. Schegge acuminate si sono disperse dappertutto. La statuina fracassata è riversa sulla moquette rognosa. La neve è misteriosamente evaporata.

Torna per l'ennesima volta nella veranda di vetro, elude ancora la presenza sotto il tavolo. C'è l'operatore inginocchiato accanto alla Vittima Numero Due – la ragazzina con la coda di cavallo. Riprende in totale e in primo piano, poi grida qualcosa, con frenesia – ma l'agente scelto non lo ascolta, ha bisogno di uscire. Si affaccia sul balcone. Roma sotto di lui, infinitamente piú in basso. Ignara e luminosa. Un labirinto frastagliato di macchine, pietre e cemento, una merlatura fantastica di muri, croci, cupole, comignoli e antenne, blocchi caotici di alberi e palazzi, solcati in lungo e in largo dalle strisce vuote delle strade. Un pulviscolo di luci, che tingono di chiaro il cielo senza stelle. La città riflessa e quella vera, fatta di ombre. E quale delle due sia piú reale lo ignora. Palazzi a perdita d'occhio, i lampioni, le finestre illuminate, le insegne. E le scie dei fari, e il rombo lontano delle automobili, e milioni di persone che tornano a casa, e s'infilano a letto, e fanno l'amore, e litigano, e dormono, e qualcuno muore, e qualcuno nasce, e tutto continua.

Di nuovo in salone. È arrivato il pubblico ministero di turno. Un uomo con la barba grigia, l'aria stropicciata di chi ne ha viste tante. Il pubblico ministero conosce i poliziotti. Si conoscono come i parenti lontani, che s'incontrano solo ai funerali. Gli spiegano di nuovo la presunta dinamica dei fatti. Il magistrato s'informa se è arrivato il consulente balistico, nomina il medico legale per l'autopsia. Lamenta la quantità di gente che si accalca e si intralcia in tanto poco spazio, si raccomanda di mandar via chi non è proprio indispensabile e di isolare la zona al piú presto. Non c'è altro da aggiungere. È tutto talmente chiaro – e nello stesso tempo cosí innaturale e inspiegabile.

Un poliziotto pallido e stranito col sacchetto dei reperti nella mano stringe nell'altra una piccola scarpa di vernice misura 33. Allucinato, non riesce a distogliere lo sguardo dai piedi del bambino rannicchiato sul divano. Il piccolo alluce occhieggia dal calzino bianco, bucato. Il poliziotto pallido trova quella vista cosí intollerabile che, pur sapendo di non dovere mai, per nessun motivo, toccare il cadavere, si china su di lui e gli aggiusta il calzino sul piede, per nascondere quel povero foro. Rabbrividisce, perché la pelle del bambino sta diventando fredda, ghiaccio e pietra – materia inerte, ormai.

Nella stanza di Buonocore, si completa l'inventario delle cause e degli strumenti. Si sequestra l'arma del delitto. Una Springfield Armory 1911-A1 in dotazione al corpo speciale americano SWAT H.R.T. per operazioni di salvataggio degli ostaggi. L'assassino è un intenditore. Un ispettore apre l'armadio, fruga nei cassetti, grida che ci sono munizioni e pistole dappertutto, questa casa è un arsenale. E lui, il pistolero, lo sposo, è in mezzo a loro – come un testimone. Monumento ingombrante del suo stesso passato, del suo fallimento. Un altro poliziotto, inginocchiato, è intento a svuotare una scatola di cartone dalle videocassette. Le allinea sul pavimento. Niente porno né film d'avventura, d'azione o di guerra, nemmeno cartoni animati. L'unico cinema che interessa a un padre. La vita imprendibile dei figli. Il loro irresistibile mutamento. I filmini familiari delle vacanze, tutti con l'etichetta – estate 1996, 1997, 1998… Negli ultimi tre anni non è stato girato nessun filmino. L'ultimo sarà per stanotte.

E adesso il sangue reagisce alla chimica, e balugina qua e là sul pavimento, sui muri disadorni, sui divani. Le impronte insanguinate disegnano il contorno della fuga e della morte. Un'aureola spettrale si irradia da quei corpi e da quelle impronte. Quella luce è il limite che li rende intangibili. Il segno della loro lontananza, il confine che non potrà piú essere valicato. Nell'appartamento dovrebbe regnare un silenzio pieno di sacra-

lità e di rispetto. Ma non è cosí. C'è chi chiede se hanno portato
lo scotch, chi sollecita il medico legale al cellulare, che si sbrighi, è un delitto importante, ci sono dei bambini, chi maledice
le pompe funebri che sono arrivate con una sollecitudine inop-
portuna, chi informa le agenzie stampa e i giornali, chi impre-
ca, perfino chi piange – il poliziotto pallido, che si asciuga gli
occhi e ripete ci ho bambini anch'io ma come si può. E mentre
il sangue riaffiora sulla moquette spelacchiata, un agente sroto-
la il nastro per il sequestro giudiziario, e compila il modulo che
apporrà sulla porta d'ingresso.

LOCALE SOTTOPOSTO A SEQUESTRO

I sigilli su ciò che si è compiuto. Ma a che scopo? A chi im-
pediscono di entrare in questa casa, in questa storia – di vedere e di sapere. Restate fuori. Ciò non vi riguarda. A voi non è
accaduto. A voi non può accadere. A questo servono forse i sigilli. Metri e metri di plastica bianca e rossa arredano la scena
del delitto. Casa inabitata, e inabitabile, ormai. Tutto questo
deve essere fatto. Ma non ci sarà mai un processo, e nessuna
pena – se non per chi resta.

Le buste trasparenti sono piene di reperti. I proiettili sono
stati trovati. Le gocce di sangue hanno tutte un numero. L'ordine degli eventi è ipoteticamente ricostruito. E l'addetto delle
pompe funebri scarica sul pianerottolo tre casse di zinco. Sembrano scatole. O gli involucri vuoti di imballaggi per trasporta-
re merci senza valore.

L'agente scelto esce da quella casa. Gli manca il respiro. E
non ha piú niente da fare, là dentro. Dalle parti di Santa Maria
Maggiore, sente echeggiare la sirena di un'ambulanza. Si chiede chi l'abbia chiamata. Non c'è bisogno di un medico, né di
cure, né di niente. Fra qualche ora rimuoveranno i corpi. Li dis-
sezioneranno sul tavolo del medico legale. E poi, ricomposti, le
ferite e le cuciture mascherate col trucco, li chiuderanno nelle
casse e gli faranno il funerale, e verranno tutti, ma proprio tutti, ci sarà la predica, fiori e lacrime, e alla fine un lunghissimo
applauso. E sarà tutto finito. Sono già numeri per statistiche,

sono già notizia e cronaca, materia di dibattito e scomuniche, indignazione e pianto, e dureranno lo spazio di una settimana. Strofina le suole sullo zerbino a forma di gatto, come se potesse pulirle del sangue che non ha calpestato. Dall'appartamento provengono i lampi fantastici del flash. Le ultime immagini che resteranno di loro. Fotografie di famiglia, fino alla morte e oltre.

La sirena dell'ambulanza gli lacera i timpani. Tenta di scacciare dalla mente il ricordo di Buonocore sul letto vestito da sposo, e del bambino in smoking sul divano, e della ragazzina sotto il tavolo, e della bionda in costume da bagno sul frigorifero. È lui che deve rintracciarla. Sta tornando in centrale per questo. Con quella fotografia in mano. Il vicino l'ha riconosciuta come la moglie, o l'ex moglie di Buonocore. Una donna sempre col sorriso sulle labbra, sembrava avesse il sole negli occhi. La incontrava spesso a piazza Vittorio, portava il pupetto ai giardinetti, stava sempre con lui, non lo lasciava mai. Ma non la conosce per niente, lei non dava molta confidenza. Non ricorda nemmeno come si chiama. E dove sia, lo ignora. Se n'era andata. L'agente scelto si augura che sia andata cosí lontano da non poter essere raggiunta.

Dalle scale sbuca un portantino ansimante, che si trascina dietro una barella. Sta per dirgli di riprendere fiato, che tanto nessuno ha bisogno di lui, sono già arrivate le bare. Ma quello lo supera, trafelato, e poco dopo, altrettanto trafelato, lo supera anche un dottore. L'agente scelto comincia a scendere le scale. Si augura di non trovare la bionda senza nome. Non trovarla morta. E forse, piú ancora, non trovarla viva. Non si può dire una cosa cosí. Non ci sono abbastanza parole. Prega che non tocchi a lui darle la notizia. Non stanotte. Non ancora. Ovunque sia, concedile ancora un'ora, un giorno.

Al secondo piano, un infermiere gli grida di scansarsi, di fare spazio e di lasciarlo passare. Presto, presto, sgombrate le scale, via tutti. L'agente scelto indietreggia nel pianerottolo, si ferma e vede che il portantino con infinita perizia spinge la barella giú per le scale. Si appiattisce contro la ringhiera. Quando gli passa davanti, si accorge che sulla barella c'è la ragazzina con la coda di cavallo. Ha una maschera d'ossigeno sul viso. «Che succede?»

chiede, sorpreso. «Respira», grida il rianimatore, senza voltarsi. La barella prosegue la discesa – levando a ogni scalino un rumore di ferraglia. L'ambulanza ha ancora la sirena accesa. Sembra un urlo, una richiesta di aiuto. *Aiuto aiuto aiutatemi.* Ecco, siamo qui. L'agente scelto rincorre la barella, la ragazzina, il dottore. Ma quelli sono piú veloci. Volano. La vita di lei, nei loro gesti, nelle loro mani. A ogni piano, le porte sono spalancate. «Che è successo?» chiedono i vicini, sbigottiti. «Hanno sparato? Dove? Dai Buonocore? Chi è stato?» Li ignora. Hanno tempo per la verità. La ragazzina invece non ha tempo.

L'agente scelto raggiunge i portantini, li aiuta come può, tiene aperto il portone. Il portiere di notte dell'albergo è in piedi nella hall, uno spettro catatonico, strappato al sonno furtivo nella branda dietro il bancone delle chiavi. «Che è successo? Qualcuno si è fatto male?» La ragazzina sembra morta – doveva essere morta. Le ha sentito il polso, lassú, nella veranda, si è chinato ad auscultarle il cuore. Nulla. Solo il soffio del sangue che sgorgava dalla ferita. Anche adesso sembra morta. Ha gli occhi chiusi. È completamente immobile. Ma sulla bocca, la maschera d'ossigeno è appannata. Il fiato, forse.

«È viva?» chiede al dottore, ma quello non perde tempo a spiegargli. Non c'è tempo. Spinge la barella verso l'ambulanza. Sul marciapiede sconnesso, le ruote s'impuntano, la barella ondeggia. La ragazzina distesa, forse per riflesso, ha un sussulto. La testa si piega sul cuscino. Le labbra si dissigillano, anche gli occhi si schiudono. Gli ausiliari tengono aperti i portelloni dell'ambulanza e per un attimo la ragazzina rimane sola, oggetto di mille sguardi. Guardano le decine di poliziotti che aspettano in strada, guardano gli abitanti affacciati alle finestre di tutto l'isolato, guardano gli inservienti, i cuochi e i camerieri dei ristoranti, gli ubriachi, i turisti che tornano agli alberghi. La barella sul marciapiede, alla luce del lampione, nell'oscurità della notte. Quella povera cosa – precaria, fragile, nuda, laggiú – sotto gli occhi di tutti. Qualcosa di profanato per sempre. Lei ha visto il padre che le puntava contro la pistola. Come si può vedere una cosa simile e restare vivi?

Eppure. La caricano con cautela, come fosse di cristallo. E
lo è. La ragazzina col bottone d'acciaio nuovo di zecca all'ombelico. «È viva?» grida l'agente scelto, emozionato come se la
sentenza riguardasse lui stesso. Nelle luci livide dell'ambulanza,
il dottore è chino sulla ragazzina. Con una mano sente il battito
nella vena della gola. Forse così aveva fatto anche Buonocore.
E Dio solo sa cosa avesse sentito, in quel momento. Se il silenzio del corpo che lui stesso aveva creato. Se il sordo richiamo
del sangue. Era questo che gli aveva bloccato la mano? Perché
non aveva sparato gli altri colpi? 7 + 1 ne aveva la sua pistola.
Ma lui non li aveva usati. Due proiettili rimasti nel caricatore.
Perché? Pensava alla vita tenace della figlia sotto il tavolo della
veranda, Buonocore, mentre s'infilava l'abito da sposo? Quella
vita spezzata e nuova che le aveva dato. Il portantino richiude
il portellone e passando davanti all'agente imbambolato dice
che sí, è ancora viva. Poi salta accanto al guidatore. Il motore
dell'ambulanza sale di giri. La sirena suona. «Ehi, – lo rincorre
l'agente scelto, picchiando il pugno sul finestrino chiuso, – ce
la fa? Si salva? Almeno lei!»

Ma non c'è un minuto da perdere, e stridendo e sgommando
l'ambulanza sparisce in fondo a via Carlo Alberto. La strada è
vuota. Una striscia di asfalto grigio scuro – con quella riga bianca che si perde nel buio. L'eco della sirena continua a risuonare
– sempre piú lontana, sempre piú ovattata, meno urgente, come
se non ci riguardasse piú. «Dimmi di sí, – continua a gridare
l'uomo, alzando gli occhi al cielo, – dimmi di sí, dimmi di sí».

Questo romanzo è dedicato a Barbara S., Angela D. e alle altre che non so.
Questa storia non è accaduta. Fatti e personaggi di *Un giorno perfetto* sono interamente immaginari.

Tuttavia, per scrivere con verità la sconosciuta filologia della vita quotidiana ho importunato decine di persone. In particolare Paola Di Nicola, capitana della nostra squadra di pallavolo ventisette anni fa e ora magistrato di frontiera, sempre alla ricerca della giustizia e delle ragioni delle persone, alla quale va tutta la mia amicizia. E poi giudici, poliziotti, avvocati, carabinieri, professori, onorevoli, operatrici telefoniche, writers, studenti, maestre, dottoresse, massaggiatrici, infermiere, badanti, bambini, clown, insegnanti di body sculpture – insomma, tutti i miei amici, tutte le mie amiche, ma anche conoscenti ed estranei.

Non posso ricordarli tutti, perché di alcuni dovrei tacere il nome. Però ognuno di loro, se leggerà questa storia, saprà di avere contribuito – con le sue informazioni preziose, con le sue osservazioni, le sue precisazioni – a comporla, e di questo profondamente lo ringrazio.

Nel romanzo vengono citati i testi delle seguenti canzoni:

- *Perfect Day* (Lou Reed, *Transformer*, BMG Entertainment)
- *L'emozione non ha voce (Io non so parlar d'amore)* (Adriano Celentano, *Io non so parlar d'amore*, Clan)
- *Sei bellissima* (Loredana Berté, *Normale o Super*, Cdg East West)
- *Hakuna Matata* (colonna sonora del film *Il Re Leone*, Disney Records)
- *Luce – Tramonti a nord-est* (Elisa, *Lotus*, Sugar)
- *Se ci sarai* (Lúnapop, *... squèrez?*, WEA Italia)
- *Valentine's Day* (Marilyn Manson, *Holy Wood*, Interscope)
- *Digital Monsters* (sigla dell'omonimo cartone animato televisivo)
- *Bella Ciao* (canzone popolare)
- *La vasca* (Alex Britti, *La vasca*, Universal)
- *XdonO* (Tiziano Ferro, *Rosso relativo*, EMI Music)

Indice

Stampato per conto della Casa editrice Einaudi
presso ELCOGRAF S.p.A. - Stabilimento di Cles (Tn)

C.L. 23358

Edizione

2 3 4 5 6 7 8

Anno

2018 2019 2020 2021